U0129090

鄭樑生編校

明代倭寇史料

第七輯

文史哲出版社印行

國家圖書館出版品預行編目資料

明代倭寇史料 / 鄭樑生編校. -- 初版. -- 臺
北市：文史哲, 民 86
冊： 公分
ISBN 957-547-622-0 (第一輯：精裝). --
ISBN 957-547-623-9 (第二輯：精裝). --
ISBN 957-547-624-7 (第三輯：精裝). --
ISBN 957-547-625-5 (第四輯：精裝). --
ISBN 957-549-094-0 (第五輯：精裝). --
ISBN 957-549-585-3 (第六輯：精裝). --
ISBN 957-549-586-1 (第七輯：精裝)
1. 中國 – 史料 – 明（1368-1644）
626.65 86010119

明代倭寇史料 第七輯

編校者：鄭 樑 生
出版者：文 史 哲 出 版 社
http://www.lapen.com.tw
登記證字號：行政院新聞局版臺業字五三三七號
發行人：彭 正 雄
發行所：文 史 哲 出 版 社
印刷者：文 史 哲 出 版 社
臺北市羅斯福路一段七十二巷四號
郵政劃撥帳號：一六一八〇一七五
電話886-2-23511028 ・傳真886-2-23965656
實價新臺幣九〇〇元
中 華 民 國 九 十 四 年 (2005) 元 月 初 版

ISBN 957-549-586-1

作者簡介

鄭樑生，桃園縣楊梅鎮人。先後畢業於省立臺北師範學校、國立臺灣師範大學、日本國立東北大學，獲日本國立筑波大學文學博士學位。主修明史、日本史、中日關係史。曾任中小學教師、國家圖書館編輯、主任、研究所教授，現爲淡江大學榮譽教授。著有《明史日本傳正補》（臺北，文史哲出版社，一九八一）、《元明時代東傳日本的文獻》（同上，一九八四）、《明代中日關係研究》（同上，一九八五。日文版由東京雄山閣於同年發行）、《元明時代東傳日本的水墨畫》（同上，一九八七）、《日本通史》（臺北，明文書局，一九九三）、《朱子學之東傳日本與其發展》（臺北，文史哲出版社，一九九九）、《中日關係史》（臺北，五南書局，二〇〇一）、《史學方法》（同上，二〇〇二）、《日本史》（臺北，三民書局，二〇〇三）、《中日關係史研究論集》一～十二集（臺北，文史哲出版社，一九九〇～二〇〇三）。編校《明代倭寇史料》一～五輯（同上，一九八七～一九九七）。譯《日本國會的立法過程》（臺北，國立編譯館，一九九五）、《清代水利社會史研究》（同上，一九九六）及《東北軍閥政權研究》（同上，一九九八），及其他多種。

序

倭寇乃明朝之重大外患，其寇掠行爲曾予當時沿海各省數十縣居民之生命財產與官宇廨舍帶來莫大的禍害，致使當時中國人畏倭如虎，聞倭色變，而閭巷小民，甚且指倭相詈罵，用噤其小兒女。有明一朝，爲此用兵，戰禍連綿未嘗間斷，至萬曆末年始靖。由是可知，倭寇之爲患也大矣。

因此，有關倭寇之文獻，早於嘉靖年間即有之，時朝廷大員，對倭寇肆虐海疆問題，莫不憂心忡忡，各抒宏論，且上書皇帝，慷慨陳述因應之策，以補時艱。而身負勦倭重任之文武官員，皆對當時征討之詳情具文上達。此類之奏章疏表保存至今者爲數固然不少，然而時人以聞見所記而流傳之篇什亦甚夥。舉凡征勦之情形，明廷對倭寇問題之所見與策略，對倭寇將領之人事問題等等，皆屬之。惟上述之原始資料泰半皆未整理，仍保存於原始文件或善本之中，間亦有散佚海外者。故學者如欲深入研究此一方面之問題，自非遍覽上述諸種文獻不爲功。果非如此，則不免見此遺彼，零星綴輯，自難究明歷史真相。

中外學者研究倭寇問題者不可謂少，然因受到史料之限制，致難以窺見倭寇問題之全貌。尤以隆慶以前倭寇之寇掠情形及明廷因應之策，誠鮮有所見，即使轟動一時之國際戰爭，萬曆年間日本豐臣秀吉侵略朝鮮之際，明朝遣派大軍救援朝鮮之實際情況，恐有深入考察者亦不多見。苟非當時明廷傾力救援，吾恐朝鮮之淪入日人之手，不待甲午戰後。

編者有鑑於此，乃著手於臺灣各地公藏之善本書中鈔錄有關之資料，其散佚日本而經閱目者亦予以蒐集。臺灣明清兩代善本尤多，逐一閱覽鈔錄，其費神可知矣。而編輯之初，原有意以時間先後秩序排列，俾便引用，然以若干資料如海防設施、奏疏等未載干支年月者，誠難一一考其先後，終乃以史料性質排列，鈔錄時俱根據原書以存其真，有板本不同而見異文者，則註明之。同一史料並見他書者，亦並載之以供參考。

由於本史料乃獨力成編，且資料之蒐集、鈔錄不易，曠日廢時，雖歷閱六、七百種資料，然而掛一漏萬，在所難免。

查閱之時，蒙中央圖書館特藏組主任封思毅並各執事先生，漢學資料中心資料組劉組長顯叔先生，及臺北故宮博物院研究員吳哲夫教授，和該完圖書館王景鴻館長併各位執事先生鼎力相助，得以順利完成。

編輯之時，幸得內人李雙妹，小女卉芸在編錄期間襄助甚多，文史哲出版社社長彭正雄先生慨允付梓，此史料集乃得問世。此書之刊行，倘能對相關研究之學者有所助益，或能免去蒐尋之勞而逕入問題核心之探討，而見前人之所未見，斯所冀也。而數年編此之心血，亦不致白費，是所至幸。

一九八七年三月　**鄭樑生**　謹識

明代倭寇史料 第七輯 目次

凡例

一、本書乃據國家圖書館及臺北故宮博物院所典藏之善本書、線裝書、四庫全書，及佚存日本之古籍中鈔錄有關倭寇方面史料編校而成。

一、本書所鈔錄之史料俱以卷第之先後次序排列。

一、所鈔錄之史料均詳加標點，俾便研閱。

一、史料之日期均據原書干支。

一、凡日本年號之下均附中國年號及西元紀年，俾便核閱。

一、洪武二十五年以前日本爲南北朝時代，故並附兩朝年代，北朝置前，南朝在後。

一、校訂結果之記載方式，如某字之錯誤明顯者，則將其正確文字書於各該字下之（）中。

一、如某字確爲衍字，則於各該字（）中書一「衍」字。

一、凡爲人名、地名，而於史料誤記者均加考覈訂正，將其正確者書於各該姓名或地名下之（）中。如需捕充說明者，則於附註作扼要說明。

一、凡爲姓名或僧侶法號，而於史料記載不全，比且較陌生者，則將其「姓」、「名」或「字」、

「號」書於各該「姓」、「名」或「字」、「號」下之〔〕中，俾使讀者能知其全名或字號。

一、凡爲日本之地名，而於史料所誤記者，均加考覈訂正，將其正確者書於各該地名下之（）中。

一、如史料所紀文字有乖史實，則於附註中說明其原委，或另加按語考訂之，以求其真。

一、凡本書所鈔錄之史料，其所記載之內容或文字如與他書有出入，均逐卷註明其校訂結果，且以①②③……別其校訂之先後次序。

一、本書各頁邊欄均附以該史料所自出之名稱，俾便核閱。

明代倭寇史料（七）

倭變事略

明采九德撰，明天啓三年海鹽原刊本，鹽邑志林之一

序

國家德敷九有，光被海隅，百八十餘禩以來，恬如一日，人不知兵久矣。自嘉靖癸丑歲，倭夷騷動閩、浙、蘇、松之境，中患我邑，數載勿靖。幸而漸就殲滅。然東南罷敝極矣。余世居海濱，目擊時變，追惟往昔，四郊廬舍，鞠爲煨燼；千隊貔貅，空塡溝壑。既傷無辜之軀命，復浚有生之脂膏。聞者興憐，見者隕涕。矧余本支世胄，盡忠效死，叨蔭國恩，余也能無記述示子姪，俾識時艱，以善繼前人之志乎？援攷其顚末於左。時嘉靖三十七年歲次戊午十二月，鹽官采九德識

嘉靖三十二年癸丑，夏四月二日，一海船八九丈餘，泊鹽邑澉武場北新塘觜。約賊六十餘，皆髡頭鳥音。有鎗、刀、弓、矢而無火器。時備倭把總指揮王應麟，率本衛驍兵數百而出。賊見我兵不敢動。王遣陸路指揮王彥忠率兵百餘，至船詢所以來，而譯言莫通。惟以小木櫃置書，其中曰：「吾日本人也，來自吾地，以失舵，願假糧食，修吾舵，即返，幸無吾逼，逼則我爾死生未判也。」時承平久，邑人相繼往觀，嘻然莫爲虞。日甫西，彥忠率眾逼船，倭盡起立，以燕尾利鏃射數軍，皆立死。諸觀者始懼，奔入城，遂塞門爲拒守計矣。會雨，夜昏黑，防少懈。漏四鼓，賊留半在船，其半登陸而遁。

次日侵晨，軍人胡士澄持火藥數斗，奮身上船，焚之；火發，賊突起，胡遂被殺。酋長有八大王者，從火中奮躍，膚毛盡焦。獨舉二刀，拂火飛斫我軍，跳擲數四而倒。焚死者十餘賊，生擒被傷者六賊。縛至北城闉內。刀瘡傷處，見其痕多無血，人或異之。其遁賊沿塘而北，經白苧橋，就民家索食，由腹裏抵新行鎮，所過殺傷十數人。

初四日，官兵追及之，至矮婆橋力戰。是日大雨泥濘，勇士茅堂手梟當先一倭，諸軍咸盡力血戰良久。賊以半出戰，以半伏草麥林莽中；戰酣伏發。而茅堂、舒惠、敖震，素稱勇敢者，皆戰歿。我軍死者十八人。賊皆割取其首，排列橋上，此海上兵與倭交鋒之始也。初，賊執一民欲導出海口，恠引入腹內，殺之；復執民以髮貫耳鼻，曳而行，自竹林廟經平湖縣地，典史喬父子率兵壯邀擊。喬遇害，兵士死者十七人云。

賊至乍浦，匿天妃宮。把總王應麟率兵圍之。賊以神前長旛編帆，絞繂既備，向軍前紿曰：「我等不敢與將軍戰，乞退舍，俟海潮至，各自願投海死，是爲兩全，勿作刀下鬼。」我師輕信之而退。賊帆繂衝出，掠哨船脫去。

五月二日，青村有賊四十二人，即前賊同夥。緣失風上青村海岸，不知前賊船已焚於吾鹽。沿海覓船不得，由金家灣潛踰梁莊，至白馬廟，匿黃姓民家，登屋哨望，壞壁開扉，以防不虞。指揮滿朝，率乍浦軍數十人追及，遂圍之。賊從屋上麾白旗招賊黨出鬭。朝開弓射斃之，賊窘甚，用門屏蔽出入處。朝逼之，不虞白馬廟中更有賊突出，朝腹背受敵，奮勇砍殺，以兵寡難支，死焉。時有千戶王繼隆，百戶朱堂、康綬，俱被殺害，官軍死者二十人。

賊有善卜筮者，每日侵晨卜筮，爲謀畫勝算，有詩題廟壁云：「海霧曉開合，海風春復寒。衰顏歡薄酒，老眼傲海湍。叢市人家近，平沙客路寬。明朝晴更好，飛翠潑征鞍。」鄭端簡公論倭奴之變，多由中國不逞之徒如衣冠失職，書生不得志者投其中，爲之奸細，爲之鄉導。觀此四十賊，亦有能題詠者，則倡亂者豈真倭黨哉？厥後徐海、王直、毛烈等並皆華人，可信矣。

賊屯白馬廟，連四日不出，南北阻絕，無一行者。協總指揮馬呈圖，檄指揮釆煉，率澉浦驍兵三百，合衛所軍千餘，屯教場，三晝夜不進。蓋欲俟彼至而擒之，謂以逸待勞計也。時指揮王彥忠帥陸軍三百，指揮徐行健帥湖兵四百，俱屯教場，承平日久，軍心怠忽，若霸上棘門然。

初六日侵晨，我軍星散，至柴家埭炊餉。賊分五六夥而來，服色裝束，與我爲一，衆以爲逃竄民也。且海霧溟濛，天色似明未明，不可細辨。一夥自海霧邊來者擊吾首，一夥自裏塘來者擊吾尾。從中要擊者二三夥。衆皆潰亂奔逃，馬總被一槍穿胸背死。采乘騎擊賊，傷二；賊恚甚，斫其首，腮喉處受數刃而斃。千百戶姜節、呂鳳、姚岑、王相等咸被殺。一鼓手擂鼓促戰，賊一槍連鼓釘之地，我軍歿者四十餘人。城上人下看教場，惟見黯黯殺氣，天若爲慘者。是戰也，非賊智勇，亦我軍失策耳。賊穴白馬廟，纔十餘里耳。我軍宿教場三晝夜，觀望不前，銳氣消阻。官自宿柴家埭民家，官兵散處，統紀絕無。蓋其時備倭把總考選，指揮任之，與指揮俱爲同僚。非若今日受敕參戎，有相林之分。以故把總不能束指揮，指揮不肯下把總；誰爲先鋒，誰爲後殿，誰爲左、右、前、後、奇、正之兵，誰爲旗牌監督者在其陣，至於三里而探，五里而偵者，絕無一軍詗報。賊既至前，猶疑爲逃竄之民。迨其四面殺人，自相潰敗，又何尤耶。

是賊既勝，意氣揚揚。有稱二大王者，年二十餘，每戰輒揮扇，用幻術惑衆，獨衣紅袍，騎而行，至龍王祠，祠即東關要處。邑典史李茂，率勇士四百守東關，賊發數矢不動。李亦塞旗吶喊，放礮示出戰狀，賊不敢逼城。遵海南行，抵馬家堰，就袁姓民家食。執民導行，自復裏走經頭門，歷園花塘，入海寧縣界。守禦所軍出擊，被殺者數百餘。窟赭山數日，至錢塘鱉子門。把總指揮陳善道，奉軍門調遣，提兵來禦，遇害。陳乃參戎萬鹿園壻也。方出師日，家人具饌請食，陳大言曰：「吾滅此而後朝食。」一遇賊而陷於伏矣。萬將軍素好施捨，有少陵僧者，自幼行腳江湖，諳武藝。手執鐵棍，以古大錢貫鐵條於中，長約八九尺，重約三四十斤。嘗德萬公施，欲為其壻報仇曰：「吾輩不願受中丞約束，願為公滅此賊。」隨集黨八十餘迎擊賊。賊戰，每搖白扇，僧識為蝴蝶陣。乃令軍中各簪一榴花。僧手撐一傘以行，但作採花狀。賊二大王者，望見僧，即若縛手然，蓋以術破之也。僧以鐵棍擊殺之，并殺勇戰者十餘賊。僧欲盡滅此賊，俾無孑遺。我兵從征者，爭奪首級，至有自相殺傷者。僧怒，闔其傘，賊遂能應敵，且四遁矣。明日，擄錢塘江，入海去。

是月二十日，督府王公忬，檄參戎湯克寬來守鹽。湯號武河，邳州衛指揮。有志勇，提邳兵三百人，皆雄偉長大慣戰者，且熟知倭情。鹽人自是皆倚湯將軍矣。時邳兵口糧，每日人各八分，重湯帥也。守道潘公恩，巡道姜公延頤，咸在鹽守禦。城中兵衛，驍兵選鋒六百，縣鹽共四百；處州劉大仲所統坑兵五百，召募湖州水兵共四百。各口糧一日五分，每十日一給，而酒肉犒賞，守、巡、府、縣，絡繹與之，是以兵士願出死力戰守焉。

二十三日，乍浦倭船七隻，賊數百，圍薄南城口，索糧食。守禦指揮姚洪，度湯帥必援，城上佯許刻日以待。因先剽掠附近村落。

二十五日，湯帥果至，賊即遁去。有遠掠回者數十，取民居門屏，窟高公山，負固獨留。湯率所部邳兵三百，合鹽兵約千餘，公親冒矢石，登山督戰，殺賊四十餘，以馘貫長矛凱旋。入鹽東門，人皆頂香盆迎湯。而潘、姜二公，設宴邑公署中，為奏凱賀。酒未三行，而倭眾三十七艘至龍王塘矣。

倭船三十七隻泊龍王塘，如蔽天之山，其帆亦如浮空之雲。軍民大駭懼，湯慰曰：「爾眾毋恐，此吾責也，吾爲爾守；第遵吾約，毋梗毋惰。」而守、巡二公，微服步行城上，惟湯公相視城垣外石砌有凸凹可登處，攜二公指示曰：「使石工鑿平之。某民家附外城者可虞，當拆卸者卸之。」計城垛共二千有奇，每垛軍一民二，及鄉紳舉監生員之家丁一；每五垛督一丞兵，每十垛監一甲長，每窩鋪城樓屯以民兵二三十人，及千百戶一二員，每城門，一指揮，一千戶，一縣僚屬守之，四門皆然。某門有警坐某官，某鋪有警坐某官，某垛有警坐某甲長，某軍民。甚得丞軍監督之力。守城兵民冊，籍□衙門，各一冊。或差官，或親自點閘。鄉士夫俱城上侍湯公守巡之側，而聽命焉。賊眾數千，白晝攻城，矢入城中如雨。弓長七八尺，矢長四五尺，鏃之鐵者如飛尾，鏃之竹者如長槍。城外隔河而射，中城內屋，釘瓦入椽，而沒鏃矢。自垛隙中人者，傷死十餘人。湯公關弓射殺，殺數賊，丞兵亦殺數賊，俱無虛矢。鳥銃擊數賊，皆立倒。賊雖眾，咸喪膽矣。是日，自午攻城，至申益急。時值晦夜，湯命城上舉火如晝，梆鑼鈴鐸，聲震天。有頃，則銃炮絡繹而發。凡一門舉號，則合城吶喊，可聞數十里許。又時時以綀懸木，運行垛外，慮賊登堞而上者。是夕，猶有賊蟻附北城二三處，俱及垛，將入，推墮城下而死。是時以三十七艘數千餘倭，攻圍鹽邑數重，若釜魚穽兔矣。不有湯公之拒守，潘、姜二公之協謀，億萬生靈，又安賴以存也？

時鹽與平湖俱中倭患。銓部乃選癸丑榜中有名者爲二邑令。壺陽鄭侯諱茂，令鹽邑；而平湖則漢樓劉侯諱存德，同日而任，二邑始有所恃。鄭侯守城，恩威兼濟。籍其貧與富之家爲差別。凡城守民貧者，日給米二升，夜給燭五枝，夜半給餅五枚，間又給衣絮銀；雨則給簑笠。富者不給米絮，等比給燭與簑笠。又二人給一梆，十人給一鑼，梆、鑼之聲，日夜不息。親在城上撫摩勞來，間有惰而寢者，即鞭撻之，不貸。告人曰：「余每夜巡邏，繞呈走七匝，天始辨曙。」壺陽守城之勞有如此。

湯公令軍民取大石重一二百斤者，置垜上，謂賊來攻，多負門板以防矢石。俟至城下，或有附垜上者，推石下之，可以拒賊，使不敢進。城垜之上，又加築高二尺許，有賊方半上北城垜，守者推石而下，賊遂墮地。都看閫劍崖張公鈇①，以大石不便推發，乃去大石而壘以碎磚。慮守者倦怠，而賊或登垜，則碎磚易傾。一平（加）手而磚與城賊俱可墜地矣。二公各自爲見云。

賊攻城連三夕，東、北二門外，賊造雲梯，高三四丈者數十。居民乘賊出掠，竊獲獻諸官。守巡命縣每梯賞銀三二兩。賊旋造旋失，以城有備，雖竭力攻之，無益也，遂開船揚帆，竟往乍浦。登城樓，躡其巔，望之，知其往乍也，顧謂眾曰：「乍難支矣。」一時把總王應麟居守，會大雨，下令曰：「毋擊梆柝，試靜聽之。」有頃，賊遂瀰漫四入，而城陷矣。屠戮淫刼，不勝其慘。傷哉此城！誰之咎耶？

直隸吳淞等處賊勢猖獗，乃轉湯公守金山，以松陽令西泉羅侯拱辰來鹽代守。羅，廣西人，以教職轉令，有膂力。熟弓馬，能擲標鎗於數十步外中賊。督撫知其能，檄守海鹽。暇日邀師生輩，教射，會飲，談兵。嘗於座上射矢不虛發。擢吾郡同知。未幾，擢浙僉憲。

五月十八日，賊數犯平湖，居人死者百餘人。二十日，羅率兵征剿，斬首七級，賊夜遁，擄掠諸物，棄不暇載。

二十八日，海寧流賊七十餘，剽掠村落。六月初一日，羅率兵往剿。先遣哨領項姓者覘虛實。項率所部數十眾，抵石墩，遇賊而戰，殺一賊，餘皆奔匿尖山祠。項獨追入祠，極力推門入，欲擒之，後援不至，被殺。賊復出擊項兵，傷十數人。次日，羅引兵來，賊已擄船下海而去。

張都閫鐵，築海鹽土城，用本縣里長民夫，及本衛十一屯所軍，餘派軍三民七興築。先濬沿城之河使深，取土築附城之地，高一丈五尺，下視河底，其深倍之。城外隍內，復增一藩籬，土城之下，下貓竹簽、鐵菱角等物，賊不敢近城下。鹽人以是爲張公不朽之績。今於農隙時，仍歲用軍民力浚隍修理，無使坍塌，庶無復隍之虞。守土者，所宜究心也。

七月六日，平湖流賊匿沈姓民家，時金山湯公會吾鹽羅侯往剿，火其廬。勇士吳壽升屋逐出諸匿賊，斬獲數十，餘皆奔散。追剿連日，漸次擒獲。

八月十四日，澉浦東關泊三倭船，賊二百人，自真君堂掠至李家圩。時民多逃竄，村里蕭索，無所掠，即開洋去。

九月十二日，賊船十餘隻，泊乍浦，湯公率兵來會。吾鹽參戎盧公鏜援之，殺賊，賊出奇兵擊我；松陽葉十戶，嘉興沈隊長等，四人被殺，兵民死者百餘人。
築城上敵樓，三面可望外賊，剏之自壺陽也。
築小東關，尋廢。
築南、北敵樓。
十月，增高石城。
十一月，造帥府於柴家埭，尋廢。
十一月，築平湖縣城。
此上皆癸丑年事。吾鹽被寇者四，死者約三千七百有奇。平湖、乍浦各三被寇，澉浦、海寧各一被寇。而乍浦城陷之日，有避神祠屋上者，潛窺賊黎明時，禱於神前，問：「許我住城數日否？」不許，問：「許我盡殺否？」卜，又不許。遂傳令止殺，僅掠一日而去。賊前後來寇，每每遺三四賊，擒送官拷詢，多江南人，或漳人，舊爲擄去者，今本欲從彼入海，故逃生耳。又云：賊寇吾鹽，輒呼尖頭村，蓋望見吾邑塔頂，故有是號。
卷二
三十三年甲寅，春正月，倭寇松江沿海地方，南祥、新城二鎮尤甚，所獲輜重尤多。
二月，賊陷新城鎮，直隸督府借兵於浙盧參戎，丁總戎帥師往援。我衛驍兵選鋒六百，又四百次之，嘗留守城。時選鋒六百，從丁總戎征剿。丁諱僅，號東谷，處州衛指揮，有勇略。其子堯時，號少泉，能振勵諸軍，從征屢有功。我軍多膽勇士，器械精利；以紅巾纏頭，嘗搗巢獲利，多願從征。中有柴鸞者，歸語隣人曰：「吾從丁帥擒賊，丁留我輩六十人守船，衆以爲恥，遂同趨帥告曰：『吾輩願殺賊，不願守船受怯名。』」丁壯其言而遣之。六十人相拜誓戒而前，首衝賊鋒，餘衆從之，遂大勝還。

初，湯公在鹽時，有家兵黃猛者，膂力絕人。先從公守浙東，與賊戰於普陀山。猛被圍數重，身中數十鎗，不死。突出重圍。賊亦知其名，謹避之。後在鹽有他遣，歸而城門適閉，呼不得入。植長竿於城下，緣之而上，見者駭異。抱病從征，猶殺六賊而死。

三月，倭船三隻，夜泊東城外演武場，人罕知者。時柴家埭置柵門，砍之而入，執漁人蕭憲導至城下。先時城塌，鄭公澹泉家已捐金立使工匠修完矣。賊以憲爲紿己，斬於城下。余父春泉公晨起上城，急取號頭吹北城上，官民始知，遂爭趨上城設守。先是，有司以木樁沮絕河道。湯參戎曰：「未能阻賊於陸，而欲阻賊於水，徒使吾民避賊者，無生路耳。」欲盡撤之。自是賊掠鄉村，凡舟出遇樁柵，用布代繂曳出，如拔草葦然，水柵亦竟無用。

時賊來寇，多效吾鄉民裝束，又類吾軍裝束，混而無別，遂致常勝。盧、丁二帥令軍中各銜墨塊，臨陣塗面，以相別識，賊始駭懼。

我軍始置竹牌，高五尺，闊二尺五寸，先鋒用之，排列於前，各持腰刀，向敵捱牌而進；後隊皆隨牌奮擊。賊爲牌格，不得肆，我軍每賴之取勝。

南沙賊住新城鎮，盧師圍之。會大雨，賊乘之遁。慮爲我兵所覺，懸羊蹄，擂鼓柵樓以愚我云。

初八日，流賊二百餘，經乍浦教場，適處州兵四百新調至，饑憊甚，敵遂損其半。次日，賊經吾鹽，守巡收餘兵入城以守。賊踰鹽，自 頭門執鄉民導抵袁花鎮剽掠，刼農船欲入太湖。未幾，聞官兵追逼，乃盡殺操舟人，償其載入死地也。自是遇人即砍殺，死者無算。盧、丁追及之，恐賊伏田麥中，命人先芟之。賊以擄民爲先鋒，使敵我兵而自脫去。處兵有劉大仲一枝衝鋒。劉驍勇，連戰皆勝，斬獲過半，餘黨流入硤石鎮，歷長安、臨平諸鎮，至餘杭去。惟此賊深入內地，殺掠甚慘，數百里內，人皆竄亡，困苦極矣。

四月五日，有雙桅大船一隻，泊教場東。時盧、丁在南沙，賊止一船，鹽人易之。須臾登岸，自焚其舟，魚貫而上。至龍王塘，數之，五百六十六人。吹螺整隊，遶城外揚旗來攻，城上戒嚴。遂焚小東關及民房百餘家，轉掠西門。吾鹽惟西市民稠貨集，縱火焚刼，煙焰燭天。是夜攻城，用長竿掠成城石，以雲梯攻北門，軍民協力拒守，不得入。翌日，賊居鐘、孫二宦家。鐘爲西臯太守，孫爲白峰博。孫出避，遇賊，欲加害；僕以身蔽主，哀言乞代，延頸迎刃，賊義之，釋主而去。自被倭焚掠，吾鹽爲甚。鄭公壺陽，使人促盧、丁二帥，一日而四五徵之，且言二公本浙帥，守浙門戶，何貪功外境，而不顧門庭之寇若此也。二公日夜兼行至鹽，不惶暇食，遶城外，即抵璵城，而日暮矣。盧宿徽商舍，一漳兵竊銀梧，盧令斬於橋以徇，士卒皆不悅。軍中有漳兵，遂怨盧，乃陰與賊通，令先設伏，臨陣佯潰，且助賊擊殺。兵至孟家堰，夾河而戰，賊誘我軍入伏內，四面攻殺。掌印指揮李元律，處州薛千戶及千總劉大仲，皆立戰死之。盧有馬能渡江，一家丁控馬，盧附馬而渡，獲免。至澉浦而入，丁亦從之。李有文武才，先入邑，庠屢試棘闈，及官祖職，即中王子武舉第一人，竟死於難，不負所學矣。大仲者，處人，最驍勇，統坑兵五百來吾鹽，多建戰功。凡戰，令部卒各帶石塊數十，倭兵接刃，令兩旁密以石塊擊賊，而中間皆以短兵對敵。賊知交兵，不虞亂石擊面，率以此取勝。凡客兵食吾土者，惟劉兵不愧，至是死之，莫不痛悼。春秋血食宜矣。議者謂：「孟家堰之役，非戰之罪，由漳兵賣己。」緣倭黨中多有漳人故也。是役官兵戰溺死者，共計一千四百七十五人。巡道帶川劉公燾，郡侯唐岩公愨，命有司備棺載至戰場，驗其傷，前者殮之，傷後及溺者，鄉給爭錢，海石捐田為義塚，瘞之。邑令備牲醴，為文祭焉。

此賊既勝，由海鹽官塘直犯嘉興，所過皆以火為號。午間至錢給舍宅就食。殺農人三四，申後抵郡。先是，劉郡侯聞報，即令拆去附城民房，恐緩不及事，悉命火之。賊至宣公橋，官民出禦。令兵民先登屋伏脊，聚瓦石於屋上，倭賊至街，左右擲之。兵半匿市肆間，門闔皆半掩把守，俟賊至，擊刺之，多奇中。俄而剽悍百餘賊，舞刀直突南街，伏脊兵匍匐而下，急閉柵門，上下夾擊。在上者擲石如雨，在下者如戶隙中發矢石。賊奔柵楞，倭出，如羊觸藩，不能脫。兩街兵出巷戰，攢殺數十賊，餘皆望風奔遁。俗呼為「烏鴉竹節陣」。謂瓦飛如烏鴉，柵絕如竹節也。

官兵鼓譟而追，直抵落綘鋪。賊有失群者，匿義塚棺中，越數日，搜獲斬之。是晚，由故道抵曹王廟宿焉。明日，復至海鹽，過西門大柵橋，沿烏坵塘，歷八字橋，宿陳家村。明日，出塘，經馬家堰，入姜家，殺伯姪五人。一姪孩提，宿牀上，殺之，取血漬酒飲之。又明日，掠宋亭村，登秦駐山，殺牛饗士。又明日，沿海塘經澉浦，歷談家嶺，竄黃灣。

十一日，松江流賊數百，自唐行掠。舟犯嘉善縣，燬民居，刼庫藏，進犯嘉興。猋發雙溪橋。適狼兵至郡，郡侯令賚餉犒兵。狼兵即擊賊。一兵甫弱冠，獨奮身衝鋒，連殺七賊。衆兵乘勝追擊，斬獲數十，賊皆披靡棄舟走。自官塘奔抵石佛寺，殺鄉官侍御金燦號豐村者，時年七十餘，遂宿其家。

十二日，賊自松江來者，二百十七人，經新行。午後又有一百六十人來，咸宿東塘橋村。明日由腹地走金山，入柘林竄焉。越數日，黃灣賊千餘，掠袁花鎮，焚刼甚慘。徙商木及民居門屏，築壘石墩，掠二哨船，招集其黨，爲過洋計。時掠未滿意，又南抵海寧，觥城不能破，燬刼塔下徐家。西自袁花，歷黃崗麥墩，西北抵硤石。硤石聚而出禦，民稠市窄，不得入，遂至小墅，抵九都，歷紫雲村，角裏堰，談家嶺，抵澉浦。所過數十里無人烟，海寧大姓多罹其害。廟灣周氏有二庠生，執之，令負擔，不勝，釘手足於樹，殺之。抵朱家柵，宿其家。守港門賊，用布漬油，裹長竿燃之，徹夜如晝。隨處掠刼人口，男則導行，戰則令先驅。婦人晝則縲繭，夜則聚而淫之。是時各地有警，不相援救，棄其鄉民，惟守城郭，如螺閉龜伏，不敢出。老幼水載陸奔，驚恐萬狀，良可悲也。

十九日，中丞公始調兵分屯袁花等鎭要路。

二十三日，賊掠糠篩橋而歸，道出靈泉山。時省城周都閫，及指揮徐行健，率兵兩路追賊。周自山南下，徐自山北合。徐失期，周行至菩提寺前，陣如半月形。賊望見，齊呼爲牛角陣，以術魘之。周墜馬被殺，兵亡過半。

五月四日哺時，賊船二隻犯秦駐山，掠入音樂墩，抵東洋橋。時民各竄避，無所得，即開洋去。盧參戎率海船，以火器破其一艘，傷賊數人而死。餘復登岸，計九十三人，赴石墩賊壘求託焉。石墩賊不納，流於崇德，轉匿積當寺，復次王江，即遣狼兵出剿，購以七百金，獲而殲之。

初六日，賊船一隻，泊麥莊涇，掠附塘數家，移時去。十一日，石墩賊攻澉浦城，取民家門蔽身以登城，幾陷鹽。典史李茂，率兵飛石擊賊，殺數賊，解去。李放佛郎機，誤傷幾墜，幸城陴口隘，得免。賊回壘不得志，殺男婦千餘以泄怒，見者悲痛。

十三日，八槳船二隻，渡賊三十六人，爲哨船追逼於藍田鋪。上岸抵朱家橋，就許家橋炊食，宿塘內陳姓家。明日，由官塘將犯嘉興，抵石塘灣。郡遣守兵出禦，適吾鹽丁總戎率驍兵千人追之。郡兵望見，疑爲賊黨。郡兵返，賊伏痲田截郡兵計餘殺之。賊夜遁焦山門綿花店中，有宗姓大家，率數商出禦，一商先刃三賊，後援不至，死之。明日，郡侯懸數百金購狼兵，追至松江泖橋，不及而還。本日，又有金山流賊十七人，刼農載出平湖。嚴州朱百戶，率兵追次九里亭，爲賊矢傷。進至新豐鎮，朱戰歿。郡遣狼兵剿滅之。

十五日，石墩賊復爲攻澉浦狀，明日亦如之。越二日之夜，攜所掠輜重四船開洋。行次白塔山，兵船百餘追擊。時海方吐月，然水氣溟濛，方苦賊之難辨也，俄而見一船用門屏捍身，併力舉棹，旁翼二船，因而知其爲賊。遂以發熕破其船，殺溺凡三百四十級。明日，海濱獲浮板托命者又三十一人，及白塔山下傷病不能浮海者，悉就剿焉，總計四百有奇，獨一船竄去，追不逮而止。此黨賊留居吾土，凡四旬有三日，殺害數千人，蕩民產數萬家，至此始蕩滅云。愚按：石墩一夥流賊最甚，天禍此虜，使得船兵剿獲獻功，亦彼蒼好還之報。因是而知我兵船擒海賊本易爲力，況有火藥諸器長技可施。昔本兵虞坡楊公博上疏云：「防倭之法，防海島者爲上，防港門者爲次，守城郭者爲下。」蓋倭奴長技利於陸，我兵長技利於水也。歷稽往歲用師，凡克捷者，俱在海戰，利害較然明矣。昔人論防倭之功，有言擊來賊僅見什之一二，擊去賊者，又可以獲輜重之利，而因得以文其故縱之愆。識者謂宜以擊來賊之賞，優于追去賊之賞；縱來賊之罰，嚴于縱去賊之罰。斯言良得之。

二十一日，有三十六賊自松江來，匿大六匯民家。先是，張參戎、欒把總，前後與戰，皆敗。

二十四日，丁總戎統兵來援，賊已遁去。追至廣陳，不及而返。

二十七日，復報三十六賊匿小營盤巡檢司。司有石城，賊先積石城上。丁總戎命作木梯可並登十人者，凡五具。次日攻城，飛石如雨。又命射火藥筒，百矢齊發，賊不能支，城遂下，圍之數重，刀戟森列如蝟。賊入巡司後堂，自分必死。先日斬戰傷者十餘人，首用門窗火煨之。張參戎部下四漳兵入與打話，遂私與賊約，佯爲潰走，縱之出。時獲一賊，道其詳，丁縛四漳兵，送當道驗，果得賊賄，斬之。賊中故多漳人，用漳兵剿之，焉得不僨事乎。

六月十四日，太倉劉家河寇至，約千餘，由官塘，經崑山，抵儀亭。有譚姓家貯米萬石餘，賊諭居民每石價四錢，民往羅，如約，由是旬日米賣盡。遂犯蘇門，焚掠竟日。載輜重百餘舟，經吳江城外，湖口兵船圍之。邑令出城督戰，兵士鼓勇，無不一當百。賊乞生路，一先鋒船殺十七賊，獻首于令，令有畏色；入城闔門，兵遂無戰心。賊用計棄三四空笥及數衣包于水，兵爭奪笥與衣包；賊棄船登岸，兵入船搶物，賊因逸走，而南抵平望鎭矣。翊日，湯、盧、夏、丁、劉五帥會剿於王江涇巡檢司前，勝之；繼而丁總戎麾兵渡河就食，賊又乘虛掩擊，失數船，復戰于杉青閘百步橋，我師敗績。夏總戎遇害，殺溺官兵數百人。賊乘勝登北麗橋，城上射死一賊，退就石條街，燬刼一夜，焰燼亙數百里焉。

九月二十一日，賊船一艘四十三人，泊石墩就民家炊食。次日，經破塘關，歷馬鞍山而東。令三賊登高哨望，見草蕩官兵來，迺北避，出三郎廟，渡東洋橋，適與官兵接。時張參戎、丁總戎父子三路出兵；丁駐大步山，其子率兵合擊。賊一先鋒衣紅絹金短襖，舞雙刀突前，眾圍之，斬其首，猶能匍匐數百步，我兵復斫斷其手足。隨斬八賊，餘皆蹈水，斷其橋，據沈姓民家，詈我軍。官軍間從他道渡河奮擊，又殺七賊；追抵馬家，又殺三賊。時昏黑，餘賊沿海北遁，丁又殺九賊焉。時羅公帳下有晉秀才者，帥勇健四十餘，馳馬北追，爲賊襲殺。

時嘉興屢被警，督撫議築外城，費不動官銀，數日募郡人得數萬金，已而中止。

十月初八日，石墩泊一大船，賊百餘，詭言兵船打水，使居人不疑，暮則四掠矣。至十一日開洋，遇兵船，復登岸。十四日，丁總戎僅，與徐〔指〕揮使行健，率兵往剿，丁斬八賊，徐殺五賊。明日，兵船生擒二賊。餘黨開洋。追抵菜子山，火器破其船，斬獲約八十餘，生擒十三賊。赴官司訊問，言如鳥語，莫能辨也。

二十五日，沙上賊數千來寇，總六十八號，每號約六七十人，執白旗，吹螺整隊而來，分八九路。是日，一犯我十六都，一犯新行鎭，一犯嘉興諸鄉村。其在新行者，蔓延十數里，燬掠三日，執民載輜重。二十七日，還沙口，守巢者出迎相慶，以爲出掠無事，且得利云。十六都賊歷平湖，抵嘉善，入嘉興，載輜重百餘船，北抵王江涇，出南潯，掠皂林、烏鎭、雙林等市。

初，有司伐樹木阻塞河道，以爲擒賊計，而舟楫難造，避賊之民，反以爲礙。其沿海窮民，又寅夜冒倭狀刼掠，海寇未除，土賊繼作矣。

時平湖築城，至是畢工。嘉善、崇德、桐鄉咸築城。至是時，客兵數千守吾鹽，每日給餉五分。其乍浦、平湖守兵，費亦如之。師旅徵發，額外增蛻，每田一畝，兵餉至一分三釐，沿海之民，膏血爲之罄盡。

三十四年乙卯，春正月朔，賊數千，乘歲除，地方無備，出沙口，焚掠而行。海中徹夜火光，城上人無不見。初二日，至吾鹽。一賊從馬路口踰河跨土城而坐，手旗招黨。賊攻城，城上兵擲一磚，中其首而仆，遁去。復手旗麾眾退，整隊伍而行。有乘騎者，有乘輿者，皆衣紅衣，其酋長也。自辰至午，行始絕。賊中有舊掠袁花鎮祝婦者，葉庥擄獲之。從賊過南關，見我關上有兵，婦按轡行，與賊語，賊若受其約束者，遂抵破塘關。是夜，諸賊分宿茶院角里堰，約七八里間。民家歲時酒餚，賊縱飲食之，無一兵敢出城外探剿者。自癸丑年來，以數十賊行海濱千里之地，殺官兵無算，今賊蓋幾萬矣。孰敢有攖其鋒者乎？宜乎斂跡固守，以爲得策也。

初三日，有避寇村婦數百，襁負幼小，齊渡西浦橋。值天雨，橋滑，皆棄兒匍匐以渡。河畔積孩屍甚多，悲號震野。賊掠出袁花鎮，載輜重由黃道湖抵硤石。有先鋒六騎，按劍把截硤石口鎮。值年節，男皆酣飲，女皆裝飾，不虞寇至。燹忽四發，煙塵蔽天，經三宿，燼猶未熄，死水火者無算。遂西犯崇德。崇德因初築城未就，初九日攻陷之。執一儒學官，一縣尉，咸殺之。縣尹惶懼，急踰城出，折臂傷足，而扶避村落民家。賊所寶在絲綿，入葉序班家，見絲綿庫廣，踊跳而喜。獲鄉官太守姚汝舟，刼其家眾，用千金贖還。姚既脫虎口，忿怨官兵逗遛不進，赴軍門控訴，始督兵進剿。

二十三日，先鋒丁總戎駐兵方炊，會大風起，賊冒吾民服色至軍前紿曰：「寇至矣！」兵方卸甲、置器待食，即錯愕而視。賊伏起，掩擊，我師大潰，覆千餘人，由是賊勢益振。掠入雙林，出南潯。湖兵熟於水戰，邀擊頗勝。賊棄輜重二十餘舟，復抵杉青。次日，嘉興兵與賊戰，止獲四賊，而喪師三千，沒官十二員。賊得勝，復還柘林。

二月初八日，有調來客兵一枝，吹牛角聲爲號，沿海北來，抵吾鹽，呼於北城門外，守者疑而不納。有頃，統兵官至，遞牌入，始知爲東兵。官既入城，兵散處城外，掠姦索食，不減於賊。民恨無訴，後遣戰於嘉興，蠢懦無比，臨陣逋逃，徒糜兵費，爲吾鹽蠹。

二十日，柘林賊犯平湖，置長梯攻城，城上卸大石擊殺數賊，因散去。

三月十二日，廣西田村瓦氏兵，既白都閫，湯、盧二總戎，羅、任二兵憲，丁、欒二總戎諸兵入城，以吾鹽爲吉方，往鎭一帶沿海要地，兵號二十四萬。屯金山，搗賊巢。賊聞之懼，退保柘林，堅壁不敢出。瓦氏，土司岑彭妾也，以婦人將兵，頗有紀律，秋毫無犯。

四月初八日，諸帥揚兵出哨，遇賊，擊殺九賊而覆兵三百。明日，瓦氏姪恃勇獨哨，賊復掩擊，瓦姪殺六賊而人馬俱斃。瓦氏來海上，鋭欲建功，數請出戰。諸將集議軍門，輒以固守爲上策，多觀望不進。至是其姪戰死之，瓦氏遂鬱鬱不得志，而思歸焉。是時我軍大會剿，哨兵兩戰不利，賊復鼓氣攻侵；我軍運餉、薪、魚鮝至張堰，掠去二十六舟，獲糧二千餘石。軍門復移文各縣，備乾糧及役夫，往金山刈麥，以便擒賊。十七日，發刈麥夫三百名，及黏米二十石，丐二百斤，送金山。

二十一日，賊分一枝，約二三千，南來金山。白都司率兵迎擊，白被圍數重，瓦氏奮身獨援，縱馬衝擊，破重圍，白乃得脫。

二十三日，賊自金山戰後，歷乍浦，次吾鹽，至　頭門。聞澉浦火炮連聲不絕，復轉由吾鹽城西官塘，抵璵城。夜散處，南次於鄭墳，北次於鄔家村。明日炊後，唱名起行，一賊憤病自刎油坊中。又明日，吾鹽發兵北追，郡城遣兵南禦，前後夾擊，斬獲數百級。二十八日，賊餘黨奔蘇門，次寶帶橋西北小堰。有司聞報，先期決去堰埂，至是兩旁水湧，不能渡。復次故道轉竄王江涇。次日，盧、湯、任諸兵會勦，軍門命丁總戎衡（衝）鋒，令牌至丁父子，率兵啓行。遇賊，一家兵奮勇執牌而前，兵衆從之，冒刃力戰。前兵方銳，後陣乘之，須臾賊曳甲棄地，四潰而逃，多伏地受刃，或跽而乞哀者，斬獲二千餘級①，獻捷軍門。沒兵亦幾千餘人，是爲王江涇大捷云，乃總督胡梅林公籌略功也。②

五月初三日，殘寇約三百餘，奔還柘林。由腹裏經烏木橋。有傷不能行者，用民家棹，兩人舁之逸。十四賊匿彭道亭。初四日，報縣遣兵勦之。一賊出哨亭外，我兵攢鎗刺之，賊斫一刀，十數鎗齊折，兵皆徒手而奔。一處兵勇敢能戰，突往抱持一賊，其黨奮援傷死。至晚，賊就擒。

初五日，報金山瓦氏兵勦殘賊一百五十有奇，則知歸巢者無幾矣。初十日，柘林賊空壘而出，南圍金山城大索。瓦氏緣前戰解白都司圍，知其驍勇，故欲刼其衆也。

十一日，鎮江賊五六千，北沙賊五千，合犯蘇門，燬掠數日，用餅船渡太湖，據洞庭山。軍門移文各地戒嚴。十八日，連報北來賊萬餘，蔓延在道。二十二日，次八團圩，經吾鹽，南抵頭門，西犯袁花鎭。徙問木結寨，示久屯狀。二十三日，又一黨約千餘，在八團圩。二十四日經吾鹽，次音樂墩；夜雨，散處三四里間，殺傷十數人。二十五日，我水兵船次三官堂橋，火炮聲不絕。賊聞之，遂吹號啓行，西入袁花鎭黨。

二十六日暮，抵長安鎭，鎭爲四方通衢，其市民未四鼓，即啓門張燈，以待上下河所到客船。賊與漳人及所擄民，佯就店家買飯，飯畢，遂分入店家擊殺，鎭民騷動出避，傷者，死者塞途；樂土一旦丘墟矣。

二十八日，寇省城，犯湖州市，大肆燬掠。東自江口至西興壩，西自樓下至北新關，一望赭然，殺人無算，城邊流血數十里。河內積滿千船。斯時也，雖有鎭兵在省，倉皇無措，惟觀望而已。

六月初六日，會大風，晚益急，火益熾，烟焰入城，守者不能立，城幾陷。賊掠官船，冒爲夫皂等，誑言軍門往嘉興，擊鼓開船，一路調守港水兵來迎。至落瓜橋，先有伏賊在村，船中賊數十登岸，舉旗伏發，截殺水兵二百餘人。賊乘勝掠練市及水路所由諸鎭。乃出平望，將掠蘇州，見吳江截樹橫水，聞江兵素暗水戰，棄輜重數十船，而復南至。十七日，經嘉興。先是，軍門會議，痛恨茲賊猖獗，敢犯省城，務在必擒。命西司壩絕各處河路，止留一水道爲必由路，相地利以爲戰場，鋪門屏以習水戰。至是，北麗橋亦鋪木牌、竹筏，兵劄水際。報寇至，總督張公經怒曰：「如此防守，却無了日！」一出，掛甲督戰。侍御胡公宗憲，親自驅兵，水陸並進，斬獲數十。

前兵忽覆，後兵皆溺，胡公亦在溺中，僅露其髮。有勇士沈坤、錢燦急援，出掉小舟濟去。坤，郡人；燦，硤人。燦犯法繫獄，有舉其能，軍門釋罪，編於行伍。郡侯劉公出視戰所，命解尸牌，合六籮擔，赴府查覈。

十八日，賊舟入魏塘。十九日，歷嘉善，盤據張涇匯。

廿四日，朝命以討賊無功，逮張總督經、李都憲天寵、湯參戎克寬去。

是時，阮公鶚督學兩浙，令諸生習武，既而賊犯省城，輒詣軍門指畫兵機，親自監門以防奸細。未幾，擢浙福巡撫，侍御胡公宗憲擢浙直福建總督。

初，台州有徐千斤者，負勇力，擾民間。前督學公收之學宮，與之衣巾，使肄業。粗知文，且食公餼，俾其知所自重。後督學者秉公衡文，停其廩。徐入市，遇繼廩者，以指拍其肩，戲曰：「汝奪吾廩耶？」其人顰蹙狀。歸，解衣視，血凝如瘢瘡，踰月不散。是秋，復送考，同事諸生假坐染坊，坊人嗔之。徐怒，挾二碾石於街旁，人是以稱徐千斤云。爭求識而又嘗偕友買舟渡江，與其值頗廉，舟人強索，促侶登岸。徐獨橫臥舟中，以肩足著力，舟刺刺有聲，人恐，乞哀而止，其有力大率如此，不足稱也。阮公以用武之時，特加眄睞，後薦用於邊，不知所終。

七月初三日，瓦兵回田州。

是月，錢塘江有一船，渡賊六十餘。賊遇鄉官侍御錢𪏮送家眾，抵家，殺侍御併家眾。復登岸，由腹地歷徽州，直抵南京。各路官兵迎擊，不克，陣亡武職凡三十餘員，兵以萬計。轉至無錫，望亭官河，見糧船，趨之，復燬數隻，乃奔虎丘，而盤據焉。適趙通政文華奉命祭海神，過蘇州，命兵勦之，圍賊於祠中。一賊獨坐，須臾起如廁，乃一鎗中之而斃，其黨皆駭亂。兵眾奮擊，盡殲之。

九月初四日，金山海口雙桅一艘，賊數百；初五日，五桅八艘，賊數千，先後登犯，屯柘林。軍門調主客兵號三十萬，進金山討之。十三日，白都司及姚指揮洪等，率兵進薄陶宅，與賊戰。先鋒刃三賊，又以銃擊殺數十賊，賊勢稍弱。俄一賊長七八尺，突前衝擊，我師敗績，姚死之，將官遇害二十餘人，兵千餘人。

十一月二十日，賊六十人，自大步門登岸。指揮徐行健率兵出，賊登山以待。徐自間道登山襲之，賊下山而北避，破塘關，復抵金水堰，匿民家。即火其廬。徐駐師南山巔，望其出而進擊之。會縣遣巡捕兵至，賊亂行隴麥間，直奔西南去。官兵追抵橫涇而暮，賊匿張姓民家。時澉兵隔水圍其南，縣兵遶屋圍其後。須臾一賊瞋目咬牙，作叱吒聲，舉刀對斫，火噴星流，著地舞來，眾兵攢刺十數鎗，尙能跳起四五尺。餘賊闔門以避。縣兵踰垣而入，賊罔敢對敵，有潛榻下者，有避樓中者，有羅拜乞生者，官兵遇即殺之，凡四十九顆。逸十四賊，夜匿泰山之阿。二十二日，徐兵搜山，悉擒斬之。

三十五年丙辰，正月，沙上賊屢犯沙口，擄男婦巢中，索贖始還。二十一日，尙都司等率兵薄其巢，與戰，敗績，陣歿官十六員，兵千餘。

二（正）月十九日，總督胡公巡歷鹽邑，及海寧、平湖、澉、乍沿海諸地，練將卒，閱城濠，稽查糧餉，逾月乃還。

時勇士錢燦作亂，燦恃援救胡公功，肆惡刼掠無憚。有桐鄉生員胡鶴齡者，與燦善，同蓄異謀，謀泄桐鄉金令聞之學道畢公，公在海寧歲試未竣，即託疾居桐鄉觀變。至是，燦不自安，遂斬公差及己妻子，夜匿海寧許秀才家。索之急。次日，與其黨蔡又起事硤村。脅眾數百人，裂裳爲旗，揭竿爲弋以逞。官兵追剿，遁入太湖。後聞入湖寇黨，莫知其竟，胡、許死於獄。

二月初四日，諜報海洋賊船大至，南北相望不絕。海船兵官燕千戶遇戰敗歿。軍門發廣兵一千二百戍鹽。

二十三日，賊船泊金山海口，桅檣一望如密竹。明日，沙賊出巢，南次金山。

二十六日，水陸賊合衆約萬餘，分寇各地。時賊首徐海、葉麻硯（覘）知嘉、杭兵調松江搗巢，各地無兵可恃故也。海率眾先圍乍浦，壞民室爲臺，高於城。置薪臺上，覆以青麥，縱火焚之，烟噴入城，守卒不能立，城幾陷。兵憲劉公，躬督男、婦運石擲下，賊稍不敢近。旬日外援不至，用健卒善水者，伏水從間道馳赴軍門請援兵。軍門擇四月四日出兵往援，竟愆期，幸賊自退。

軍門以海寇居島，出沒無常，莫得虛實。有生員蔣洲者，犯法拘獄，釋而遣之。又以陳可願、蔡時宜、潘一儒等爲輔行。蔣以徽人王直爲海中雄，先抵其所，說令內附。直遣養子毛海峰與蔣偕至諸酋所。蔣喻以禍福，誘之降，奏請官職。賊有洪東岡、黃侃者，相與期之。蔣還報，道出吳淞；又往說沙賊陳東等。胡公曰：「兵法，代謀爲上，角力爲下。」遂鎮節嘉興以圖之，而賊從嘉善來，前驅直逼郡城。衆懼甚。胡公取酒百餘罌，投以毒，載之兩舟，選卒之有膽而慧者，衣冠坐舟上作軍餉狀，載向賊所，遇賊即棄舟而走。賊信不疑，取飲之，多死。適保靖宣慰使彭藎臣，領士兵數千至，胡公使人傳語曰：「賊善伏，且知分合，我兵嘗爲所誘，宜分奇、正、左、右翼擊之。」彭不聽，乘銳直前，果遇伏，墮賊計，挫於石塘灣。胡公親詣軍營撫勉之，仍指畫地形教之曰：「汝宜分道而伏，賊至，前鋒迎敵佯敗走，俟其過伏，盡起夾擊，蔑不勝矣。」彭如其策，賊果大潰，北走平望。

四月初六日，賊衆至吾鹽北王橋。指揮徐行健率兵迎戰，隔河而陣，以鳥銃擊殺十餘賊。既而伏賊四起，前後夾攻，徐力戰死之，兵覆百餘人。

初七日，經吾鹽，抵　頭門。自日白都司統省兵由海寧來，至角里堰，聞賊在此前，麾兵避之。

初八日，海寧兵與賊遇於西峰倉，蔡尉遇害，兵沒其半。時賊蔓延數十里，一屯硤石，一屯袁花，所歷必焚相望，若舉燧然。十四日，硤賊執民導至富家徧掠，硤賊據惠刀寺山頂，懸大白旗爲號，出掠則揚旗，歸巢則偃之。所掠蠶繭，令婦女在寺繅絲，裸形戲辱之狀，慘不可言。

十八日，賊掠皂林。

十九日，賊掠烏鎭。

二十日，河朔兵有將軍宗禮，裨將霍貫道，調守嘉興。遇賊，戰於皂林，各有斬獲，賊敗去。

二十一日，賊登樹而望，見宗等孤軍陷於水濱，且無他援，即縱兵掩擊之，師敗，二將死焉。

軍門阮公聞河朔兵敗，自崇德進保郡城。廿二日至皂林，與賊舟相遇。賊遣二三擄民冒耆民出迎，以弛軍門之備。耆民登州密語之，故阮錯愕，單舸走入桐鄉，避之。令水兵出戰，不利。賊乘勝圍桐鄉城。

二十三日，賊以阮在桐鄉，期必取之，多爲攻城具。乘一舟於水，又覆一舟於舟上，而匿賊於舟中，直抵城邊，急攻水門。守卒以巨石破其舟，賊中而斃，遂不敢近。

明日，又取木爲架，高於城，秤一巨木懸於中，復聯屬其木，長數十丈，下用車輪，推而附於城，以撞擊之。城破，邑令金公令絞綿索爲圈，懸於城之著木處，俟撞至，即收縛秤起而斷之。

又明日，賊又以大舟乘於水，架小樓於舟上，高踰於城，外攢以木，中懸以梯。賊升梯上，挽舟以抵於城，且擊且入。時有梨頭村人善爲鑄者，急取鐵鎔汁，俟撞近，輒潑下著木，木焚，賊多斃。

又明日，賊舁銅將軍一架來，守卒望見之，即先以佛狼機待之，賊未發而我已先擊之，如雷震矣。賊退避，又以雲梯望高樓之上，百計攻城，不能下。金邑令以瓦礫數十石於城上，至昏黑時，傾城下，賊聞其聲，疑城圮，十數賊爭至城邊，遂卸城上巨石擊殺數賊，餘駭懼不敢近。賊自寢攻城之念，專意出掠。以故阮公得越城夜去。

初，阮公被圍，日夜望援兵，不至。乃募一卒，厚賞之，伏兵而出，遺書於總督胡公曰：「賊圍城已二十日，初七日始接手教，弟非敢於輕率。使當時左顧右眄，遲到一刻，今無桐鄉矣。錢燦諸賊引而據爲巢穴，弟恐兩昕不能高枕而臥也。弟之來桐鄉，亟爲生民之計耳。至於宗禮、霍貫道，原奉兄調去嘉興，適與賊遇，一戰而死，此亦分之所宜，非弟之力所能調也。朝廷遣將，本爲搗巢，今巢賊犯浙月餘，大兵按而不舉，弟實未解。昨南門、東門賊夥洪東岡係漳人，黃侃係浙人，兄舊年、今年曾令蔣洲、蔡時宜、潘一儒呼他來通貢，再不加兵。今又朱朝鳳等入杭，吾兄再講前事，當此危急而不加兵，甚與賊言相合，若果如此，禍福且不論，又是宋家和議，弟死不敢與也。弟之輕躁，不過去官，不救桐鄉之難，又干滅族之誅。且晝夜攻城，半月不解，其使來者，本非有求貢之意，不過緩官兵之迫，以困桐鄉耳。今兄將浙江衙門原募義兵，原選正兵，俱付與弟，則今日之危，不悔矣。舊年滅賊，即此兵也，何今遽謂之弱乎？而不與旗牌、關防並交代耶？且處兵不過三千，乃乍浦久困暫甦之卒耳。今調一千浙東，以解餘姚之危；調一千崇德，以阻犯杭之路；至於水兵不能陸戰，兄所知也，此外更無兵矣。昨桐鄉外坍敵臺，內坍城牆，而賊人雲梯，雲樓，望高臺，銅將軍，凡自古攻城之法，無不備矣。兄何忍棄弟至此，不以憂國家爲念？保城池爲心，而反以好兵爲詞，恐非豪傑本心也。禍福自有天命，不當推避如此。心在社稷，不暇他顧，冗中布忱，不忍終默。」

五月十九日，桐鄉賊半引劄崇德西。

二十二日，賊解圍東行，留桐鄉凡二十九日。掠殘鄉市村鎮，凡數十里，輜重千餘舟。

二十三日，賊經嘉禾，舟相屬二十餘里。

二十四日，遇湖兵，戰而不勝，棄數十舟，蓋飽欲得志之時，惟營歸計，無心鬭格故也。

二十六日，賊復由故道抵硤石，分三路行：南入袁花，北入王店，東入吾鹽。時諸將有欲扼其歸路者。軍門會議，兵寡賊眾，與其浪戰傷兵，雖勝猶負，不若離間其黨，以計擒之爲得。於是遣蔣洲、蔡時宜、朱尙禮等偕行。復申前約，且曰：「願歸者德，資之以舟；願降者留，封之以職。」於是諸賊掠輜貨多，陸行則人不能任，水行則海不能渡，計正坐窘，蔣等說，適慰其欲。然賊亦非愚而隨吾計，不過佯假連和之路，以遂營歸之心，非得已也。蔣還，始知賊酋徐海一黨也，洪東岡、王亞六又一黨也，陳東、葉麻①、吳四自沙來，又一黨也。葉等窟沙，久思歸，不能渡海，從說獨深。六酋中，徐海爲霸，且主盟焉。徐少爲僧，有九金錢卜事，甚中，以故見推於眾。

六月初二日，賊遣使來，報如約入吾鹽南門。有司勞以酒食，送之軍門。

初三日，復遣使溫約促備舟。

初七日，葉麻遣百餘賊駕六舟至袁花，取祝婦。婦杭人，有姿色。初，葉犯袁花，刼以爲妻。

居沙久，一日思鄉流涕，葉憐而遣歸。至是得蔣說，六酋晝夜爲計。會飲，徐酒酣，謂葉曰：「兄嫂幾何？」曰：「無。」徐曰：「聞有一祝氏，何曰無？」曰：「去矣。」徐又曰：「佳人不易得，汝棄，吾當取之。」葉怒曰：「聞汝六七妻妾，肯與人否？」徐亦怒，二酋交惡，自是有隙。然徐善謀而葉尙勇，徐憚葉，佯笑而解，葉恐其真取，故有是遣。六舟在道，刼財殺人。

初八日，既取祝婦歸，由道塘入常姓民家，索飯掠財，婦以爲言，賊稍止。次尙胥橋，壺陽鄭侯以欽取，往郡辭官，適遇賊，幸遇兵船濟之，得免。婦至巢，其黨稱賀者累日。

十一日，賊獻錢㸑首級於軍門。㸑入賊黨，至是賊使至，因索之，賊乃斬他人首，冒爲㸑首來獻，致修好之意。

十三日，軍門聞徐海生子彌月，遣鑷工、樂人賚花紅酒禮賀之。明日，海遣使來謝，蓋連和之始，互相愚弄云。

十七日，賊遣使各縣促船，限是月二十五日泊乍浦。

時諸賊與軍門通好，徐、洪二賊欲封，葉、陳諸酋欲歸之心，終始不渝。獨徐機械叵測，較葉等爲甚，其投降取封，不過託言觀變，歸心未露耳。胡公待五酋之禮，於徐獨優。徐親詣平湖城下納款，兵備劉帶川欲放賊入。二十一日，城中士宦慮賊入城爲變，與劉公議左，咸以鐵練（鍊）自鎖其頸，走索劉公同赴京奏辯，謂其與賊交通也。是日，兵備家兵並騷動，城中士夫大亂，胡、阮二公及侍御趙公在郡，聞報，急趨平湖解之。

時徐賊降心既決，見葉等將歸，所積輜重較多，徐欲分其所有，吳四等從之，獨葉不許，海恨之。又前醉怒有隙，於是遂有殺葉心，佯謝曰：「汝去，我留固當多得。」潛遣親信遺書軍門以圖葉，告謂：「其勢尙未可擒，俟我假催船爲由，漸收其部屬，而後及其主。」又云：「我遣人與之共事，彼必不疑，事成，當釋吾遣者。」軍門得書大喜，報曰：「如約。」

二十五日，賊期乍浦看船設浮舖，南北相連十餘里。

二十六日，葉麻部屬同徐海部屬抵郡城催船。有司宿戒守者，佯不介意，開關放入。郡侯勞遣云：「船隻一時未備，請稍待。」諸賊信之，還報，葉心益安。然意在速歸，督船之使無虛日。

七月初一日，各地羈收促船賊合數百，吳淞亦收之，徐海力也。

初三日，收葉麻等八賊。先是，徐海用計，動輒以己部在前行。至是說葉親行，恐其疑，乃說洪等陪行，四酋偕來，陳獨不與。曁頭目等八賊呼於郡城門，既入，有司盛宴款之。酒酣，託以花紅爲贈，囚而縛之，即刖其大指而拘焉。見軍門，但曰：「予等悔墜徐海計，至此，海不足有爲，吾當致其偕來同死耳。」

初六日，天兵入郡，騎兵先至，馳赴吾鹽。明日，約十萬衆入鹽邑。初，朝廷以東南海寇犯邊，三十四年勅趙通政②來祭海神，兼督官兵進剿，還奏賊勢已緩，剿戮將盡，天顏方喜。至是，北沙賊葉麻、陳東等掠裏河數十船，移其輜重出海去，道遇徐海等來寇，戒以河船不堪浮海，因糾入海島僻處議事。旬日，軍門聞報賊去，輒進平倭疏矣。不意葉、陳等轉沙口南來，徐海等從海口東至，於是軍門復題請師，謂千里之外，島嶼之間，情難遙度，倭寇復來，勢倍於前，朝廷擬遣將發兵。適吾鹽生員徐藻父爲鉛山教諭，避寇處外，抱恨抵京，乞師勦賊。疏入，內閣義之，召見焉，蓋五月六日也。明日，朝廷特遣工部侍郎沈公良才視師南勦。將行，徐藻以趙通政客歲有祭海督勦之行，乃疏請以趙易沈，朝廷從之，乃改勅趙南行，隨調京營神鎗手三千名，涿州鐵棍手六千名，保定箭手三千名，遼東義勇衛虎頭鎗手三千名，河間府義尖兒手三千名，德州兵備道民兵三千名，已上雄兵六枝，咸從德州上船，由運河而來。臨清曹、濮二道團，操快手兵三千名，亦由運河而下。河南夏時統領毛葫蘆兵三千名，河南睢陳兵備道團，操快手兵三千名，亦由運河而下；河南夏時統領毛葫蘆兵三千名，河南睢陳兵備道團，操馬軍三千名，漢中府礦徒三千名，已上雄兵六枝，由汴河下船而來。定、保二司兵三萬，容美等司兵一萬，由陸路進發。合各地主客兵共二十萬。時諸百執事統兵參遊等官，運給兵餉，紀錄軍功；各司郎署，及轅門幕客，中軍參謀，不知凡幾。而趙侍郎銜命既至，會同總督胡公，巡撫阮公，咸駐節嘉興，軍聲大振。諸賊聞之，惶怖憂懣，徐海雖降，復欲窺伺，而欲封之念澹然矣。

初九日，徐海遣老倭賚木匣抵吾鹽，教場守卒報兵備道同羅中書出，老倭叩頭進匣，啓之，乃獻一刀。勞以酒食、紗幣，隨送軍門。

十四日，郡收陳東等十三賊。初，軍門既收葉麻，令其爲書招東，東與其黨十三賊抵嘉興，並收之。又嘗令葉爲書與東，使陰謀殺徐，乃不遺東，而故示徐。由是徐海益感軍門，不忍倍德。是日，揭示附壘居民，及出兵所經由處，迴避十里。由是民皆震懼遠徙，即不在迴避之限地方，亦相率逃匿焉。

十六日，徐海遣部屬二人，及率各部屬八人抵吾鹽東關言事。

十七日，抵澉城。羅中書在焉，招之，款以盛筵，收而擒之。是日，吾鹽亦收六賊，則知五酋部佐，收之亦盡矣。

十八日，五酋餘黨見主佐俱擒，各自爲心，密營歸計，乘海口二三應官敝船，夜候潮至開洋。風作，飄覆吾鹽龍王塘。賊約二百許，移輜上岸。羅中書欲擒，諸將恐驚徐海，以爲不可，釋之去。自是還謂徐海曰：「吾屬無患矣。」

十九日，徐海取葉麻所遺金盔銀甲，遣使賫送軍門。勞以花幣，答以轎傘，因舁至巢。翌日，請來會議，海猶豫不敢行。

二十四日，大兵出剿，以吾鹽爲吉方，既行中道，止之。是時軍門集諸將問計，以爲征剿不如計取，於是復備船隻百餘，集海口以應其求，移交關會海兵船，俟賊行，扼其歸路云。

二十七日，徐海移輜於二十七船，將率己黨以行。諸黨怒曰：「汝陷予主何地？今棄我而回耶？」因相格殺，各損百餘。

二十九日，軍門出兵驅行，兵至，賊有去而遠者，有去而尚在海口者，有猶在海岸者，即奮擊斬首數百夥，獲其輜，毀其巢。是日，徐海行出海口，見兵船如蜂聚，火砲之聲震海島，懼而復回，劄於梁莊。

三十日，天兵反郡城。

八月初一日，徐海入平湖城，款四公于庭。先是，兵備劉公欲放賊入，鄉士夫阻之。至是，群公議協，限是月二日進款。而海故示強梗，違期，先一日率其黨陣於外，自與部佐數十入城。諸官兵聯屬，直抵各衙門，盛陳兵器，令賊縱觀，咸有畏色。及款四公，海頓首，口呼：「天星爺，死罪！死罪！」趙尚書及二軍門慰遣之。緣海欲識總督，通事指之，海復款如初。總督手摩其頂曰：「毋更作孽。」獨侍御趙公震怒不為禮，謂：「汝害我無數百姓，當服何罪？」海俛首伏地久之，若有退避之狀。因開關放出，軍門令擇便地居之。

初四日，巡海兵獲四船，俘斬數百，溺死甚眾。次日，又報海甯兵俘二十賊，江南兵獲數船，此皆所擒諸酋黨也。

初八日，徐海寓平湖沈莊，遣使持書抵軍門，復乞降，且曰：「願買此宅，及田三千畝為贍，永願投降，不渝前盟。」是時海既讎諸黨，縱得歸，必為襲擊，欲寓吾土。故掠平湖見沈屋高廠（敞），遂住注意焉。

十一日，徐海歸計既不遂，見水陸兵各處戒嚴，始悟連和為僞，又悔散黨勢孤，乃以計設酒會鄰，遍送飲券，三四里間，以年高者先，民懼不敢往，惟比隣附居不能辭者，乃赴焉。是日，合四十餘人，人設一席，殺核豐腆，結鄉鄰久處之盟，各贈席金而散。蓋誘其父兄，將以貨取其子弟也。十二日亦如之，遠近壯夫赴席者至二三百人。酒半，出刀剪髮，髠其首，咸刼爲用。
十五日，平湖守備官遣人邀徐海賞月，不赴。
十六日，乍城使使至海巢，海拘留之。
十七日，軍門遣使至，並斬之。連和之路，自此塞矣。
十九日，海知危在旦夕，漏二鼓，遣親蜜（密）護送二愛姬出巢逃遁。會葉麻黨深銜海，夜每伺於巢側，不得出。
二十日，永保等兵進薄賊巢，擒四賊，俘軍門。
二十三日，誘斬賊二十餘顆。
二十四日，軍門督諸路主客凡二十餘枝，圍徐海數重。賊放發熕，以銀塞熕口，火發，銀如星飛，中人，中土，中水，如雨鳴，衆皆不能進。
二十五日，軍門令取民家犬數百爲群，被以戎服，以當熕擊；復使數人持火雜於群中，驅之以入。賊但擊前犬，不知火已四發矣，焚溺無算，斬獲千餘。是日，徐爲讎黨偪殺。
二十六日，搜巢，於溝中逐出數賊，尙突出與兵鬪，因擊斃之。渠魁既除，孽黨無不就擒矣。
次月朔，設宴百席奏凱，論功行賞，備銀牌、旗帳等物，優恤陣亡官舍軍餘，除奏功加秩外，恤賚有差。指揮滿朝、釆煉等，每員給銀三十兩；軍余姚鳳、王來、張仁智等六十九名，每名給銀五兩。

附：

胡總督奏捷疏：

臣胡宗憲爲恭仗天威，蕩平巨寇，飛報捷音事：該職會同提督軍撫督都御史阮鶚，勘得賊首徐海等勾引倭夷，連年流毒浙、直地方。昨歲蒙我皇上俯念東南重地，財賦奧區，特勅侍郎趙文華祭告海神，果仗元威，遂有王江涇大捷。比時海雖遁去，逆心未改。今年復率倭賊萬餘，糾同新場賊首陳東等，擁眾攻圍乍浦，遂及桐鄉。職因援兵未至，多方用間，廣布疑兵，與都御使阮鶚及中書舍人羅龍文計議，密遣通事邵丘山、陳欽、童翠峰、高香、朱尙禮等，入巢諜諭，離間腹心，使之自相疑畏，俟間襲滅。復蒙皇上軫念元黎，再遣尙書趙，統領天兵來浙、直，竭忠殫力，振揚天威，所至克捷，先聲大振，海等益加畏懼。七月，至嘉興會同職與阮等，因機用計，令中書羅龍文，贊畫蔡時宜，千戶金丹，入巢誘降，離散其黨，密授北來諸將方略，及乍浦城內官兵內應，乘其半渡，水陸夾擊，遂有乍浦之捷。於八月初一日，職等題報訖。本日午時，徐海率倭乞降。比時職等以餘倭未殄，永保官兵未至，欲養全力，收功一舉，姑令其回候處分間，海復擅收殺遯零倭，潛移沈家莊屯住。日聽奸民煽惑，謀拒自全。該尙書趙與職等會議，此賊不滅，禍根不除。屢差指揮李昂、王詔，監生謝德行、施良臣等，行催都司李經統領永順、保靖二司官兵，前至平湖，會集諸路主、客官兵，於本月二十日啓行。兵備劉燾督催官兵，直抵賊巢；永順宣慰使彭翼南，遊擊尹秉衡，守備朱隂、夏時軍其西，以原任參政孫宏軾督之；保靖宣慰使彭藎臣，應襲冠帶舍人彭守忠，總兵徐珏，參將唐玉、左灝軍其東，以兵部郎中郭仁，中書羅龍文督之；留守朱仁、王倫，統領容美宣撫田九霄，把總郭儒軍其南，以工部郎中陳茂禮督之；游擊曹克新，指揮楊永昌、沈希渭、陳光祖，統領致仕尙寶，司鄉史際，水陸家兵原任都司戴沖霄、朱文，把總朱先，百戶沈應潮，鎭撫季臣，立功官羅希韓、盧鐵軍其北，以副使徐洛督之；參將丁僅，把總樂隕，統領處兵爲奇遊，以同知張文顯督之。又，行戶部郎中陳惟舉，參政汪楨督理糧餉；僉事李如桂督理軍器、船隻；知府盧孝達、宋治，知縣張烈，千戶曾永，督放灰瓶火炮；百戶胡漢管放發熕；通判顧雯供應饋餉；知府溫景葵、黎遵訓，知縣王察言、金燕，各率鄉兵把守關隘。復差應襲舍人管懋光，生員沈遷、徐藻、祝延宣、周大韶，武生朱見、王彪等，賫捧旗牌，分途督催；直隸提督都御史張督發，參將婁宇，宣撫田九霄，通判韓崇福，主簿曹遲慧，千總車良等，水陸官兵齊進策應。職同尙書趙，提督阮，臨陣親督，四面攻圍。賊負險不出。二十三日，督令彭翼南沒伏誘賊，擒斬倭級二十一顆。至二十五日，職等督令各該官兵鼓噪齊進，直搗巢穴。郎中郭仁，令參將唐玉，兵劉進等從南，卿史際家中兵段天恩等，從東，職標下正兵從西，永順長莞汪相、向鑾從北，四面放火燒巢。自寅至酉，連戰四十餘合，各賊大敗，擒斬一千二百餘名顆，焚死倭賊不計。賊首徐海藏伏小溝，各兵重圍達旦，至二十六日辰時搜巢。徐海率領倭賊數十，持刀督戰，當被把總官汪浩、田有年等就陣斬首。餘賊一時盡滅。俱赴浙直巡按御史趙周，轉委推官方敏、郭嵩、何全紀驗訖。職惟倭寇之性，蠢如禽獸，若非內逆主謀勾引，豈敢連年深犯？恭惟皇上明見萬里，嘗謂內逆不可不除。職等仰體聖心，加意緝訪各逆姓名。惟名③山和尙，今知名徐海者，尤係首惡。去年節，曾榜示募能擒之人，懸以重賞；及陳東、葉麻、吳四、王七、胡四、戴二、董一、董大、王亞六，各爲賊首，每夥不下數千百人，亦嘗出榜募人擒捕。今皆仰仗元威，神輸鬼運，盡歸羅網。雖瀚海浩渺，夷種繁多，不能保其將來。然天討所臨，而勾引首逆，一時盡滅，則逃者有所懲創，而聞者莫不震慴矣。且七月二十九日進兵，八月二十五日平賊，功收神速，人力何至於此。且適當聖誕之期，東南士民鼓舞歡呼，舉手加額，頌祝萬壽，皆我皇上保愛萬民之德，昭格上元，蕩平百蠻之威，遠敷滄海，實非職等所能與也。

九月初八日，軍門斬葉麻等五酋於嘉興北教場。

附錄：

三十六年丁巳，秋九月二十五日，海酋徽人王直者，即汪五峰，其黨數千人，泊舟於江口，遣人賚疏抵軍門。初，軍門欲覘海寇虛實，遣蔣洲、陳可願等入海說直內附，直果感悅如約，隨遣養子疏毛海峰款定海關。至是，直自分嘗協同官兵擒賊有功，無大罪犯，欲軍門代爲疏請通商，因上疏云：

帶罪犯人王直，即汪五峰，直隸徽州府歙縣民，奏爲陳悃報國，以靖邊疆，以弭群兇事：竊臣直覓利商海，賣貨浙、福，與人同利，爲國捍邊，絕無勾引黨賊侵擾事情，此天地神人所共知者。夫何屢立微功，朦蔽不能上達，反懼籍沒家產，舉家竟坐無辜，臣心實有不甘。前此嘉靖二十九年，海賊首盧七搶擄戰船，直犯杭州江頭西興壩堰，刦掠婦女財貨，復出馬蹟山港停泊，臣即擒拿賊船一十三隻，殺賊千餘，生擒賊黨七名，被擄婦女二口，解送定海衛掌印指揮李壽，送巡按衙門。三十年，大夥賊首陳四在海，官兵不能拒敵，海道衙門委寧波府唐通判、張把總，托臣剿獲，得陳四等一百六十四名，被擄婦女一十二口，燒毀大船七隻，小船二十隻，解丁海道。三十一年，倭賊攻圍舟山所城，軍民告急。李海道差把總指揮張四維，會臣救解，殺追倭船二隻，此皆赤心補報，諸司俱許錄功申奏，何反誣引罪逆，及於一家？不惟湮沒臣功，亦昧微忠多矣。連年倭賊犯邊，爲浙、直等處患，皆賊衆所擄奸民，反爲嚮導，刼掠滿載，致使來賊聞風倣效沓來，遂成中國大患。舊年四月，賊船大小千餘，盟誓復行深入，分途搶擄。幸我朝福德格天，海神默祐（佑），反風阻滯，久泊食盡，遂刼本國五島地方，縱燒廬舍，自相吞噬。但其間先得渡海者，已至中國地方，餘黨乘風順流海上，南侵琉球，北掠高麗，後歸聚本國菩麼州者尚眾。此臣拊心刻骨，欲插翅上達愚衷，請為遊客遊說諸國，自相禁治。適督察軍務侍郎趙，巡撫浙福都御史胡，差官蔣洲前來，賫文日本各諭，偶遇臣松浦，備道天恩至意，臣不勝感激，願得涓埃補報，即欲歸國效勞，暴白心事。但日本雖統於一君，近來君弱臣強，不過徒存名號而已。其國尚有六十六國，互相雄長。往年山口主君，強力霸服諸夷，凡事猶得專主。舊年四月，內與鄰國爭奪境界，墜計自刎。以沿海九州十有二島，俱用遍歷曉諭，方得杜絕諸夷。使臣到日至今，已行五島、松浦，及馬肥前島、博多等處，十禁三四。今年夷船殆少至矣。仍恐菩薩未散之賊，復返浙、直，急令養子毛海峰船，送副使陳可願回國通報，使得預防。其馬蹟志山前港兵船，更番巡哨截來，今春不容省懈也。臣同正使蔣洲，撫諭各國事畢方回。我浙、直尚有餘賊，臣撫諭歸島，必不趕仍前□犯。萬一不從，即當徵兵剿滅，以夷攻夷，此臣之素志，事猶反掌也。如皇上慈仁恩宥，赦臣之罪，得效犬馬微勞，驅馳浙江定海外長塗等港，仍如廣中事例，通關納稅，又使不失貢期，宣諭諸島，其主各為禁制，倭奴不得復為跋扈，所謂不戰而屈人之兵者也。敢不捐軀報效，贖萬死之罪。

初，軍門欲得直為用，以散海上諸酋，乃執其妻子招致直來。將士百計招之，不來。人有言王千戶者，智勇多能，令招之。王冒為鬻蔬人，載蔬至直所，直見與之語，識其非種蔬者，因厚禮之，久而定交焉。王自是鬻蔬無間日。一夕，直至王舟飲，夕且忘其身之在險也。王宿戒舟人陰釋其纜，順流而及其岸，於是軍門始得見直，待以賓禮，縱之歸，由此直之情與軍門通矣。時徐海已除，直在海上知爲釜魚，智、力俱困，乃詔顯誅王直。胡公得旨，祕而不宣，夜馳至寧波圖方略，密調參戎戚繼光等潛伏水陸要害，而以夏正爲死間，紿直曰：「汝欲保全家屬，開市求官，可不降而得之乎？帶甲陳兵，而稱降，又誰信汝？汝有大兵于此，即往見軍門，敢留汝耶？況死生有命，當死，戰亦死，降亦死；戰死，不若降死，且萬一有生焉。今朝廷用人之際，不論功罪，或留汝防倭討賊，乃汝轉禍爲福之秋也。」直偵知四面兵威甚盛，終無脫計，況徐海敗沒，孤立無援，因歎曰：「昔漢高謝羽鴻門，當王者不死，縱胡公誘我，其奈我何？」乃復曰：「我部無統，欲得毛烈攝之。」胡公知其言，曰：「海上賊，惟直機警難制，其皆鼠子輩，毋足慮。」諸將亦皆曰：「以犬易虎，不可失也。」遂遣烈往，直乃桀然詣軍門，時十一月也。諸司謀欲縛之，胡公恐激黨生變，乃陰待以禮而羈留之。設供帳，備使令，命兩司更相宴之。直每出入，乘金碧輿，居諸司首，無少遜避，自以爲榮。日縱飲青樓，軍門間移之觀兵，因盛陳軍容，以陰懾其心。

三十七年戊午，正月二十五日，收王直入按察司獄。初，直始降，軍門密疏直已就擒，禁錮待罪。至是按察使孟公知之，恐直逸去，則責有所歸，輒詣軍門謀縛直。計定，直見軍門，軍門曰：「予與若已釋然矣，但孟廉使讓若無狀，似與若有隙，不可不往謝。」直不得已，往謝。孟曰：「朝廷有旨，令予收若獄。」遂拘攣之。直強項不屈曰：「吾何罪！吾何罪！死吾一人，恐苦兩浙百姓。」一直雖繫獄，其衣食臥具擬於職官。凡玩好之物，歌詠之什，罔不置之左右，以娛其心，少有不懌，醫進湯藥，以調護焉。

軍門以計收直黨葉碧川。越旬日，直黨索主不得，人人自危。毛烈率眾盤據舟山岑港，聲言欲言直報讎，勢甚張大。胡公分布諸將進薄之。時賊絕塞諸道，止通一徑，險隘難行。官兵魚貫而入，行將盡，賊兵自尾擊之，我兵大潰，死者過半。

二月，把總張四維兵船出哨，遇賊，張力戰，斬賊數十。時賊方期大舉脫直，省城騷動。幸有此捷，少阻賊氛。舟山之役，張功居首。

三月，風雨交作，山水驟發，溪澗湧溢。賊於山之高塹處，相其可隄者隄之，後官兵進擊，決而注之，兵多漂死。

五月，賊與農民雜耕於舟山山阜處，磽确皆成田。時有朝貢倭數十自京回④，軍門厚賚之，令抵舟山解散直黨。至則刼而用之。留數月，直黨有散者，貢倭化喻力也。

秋九月，舟山賊食盡，出巢大肆掠刼，各地戒嚴。

冬十一月，舟山賊留屯久，莫能脫直，貢倭又促之歸，乃毀巢掠舟，移輜而遁。聞為颶風覆焉。

三十八年己未冬，十二月二十五日，詔斬王直於省城官港口。直繫獄幾二年，不能決。軍門數請旨定奪，朝廷以東南平，許軍門便宜行事，姑羈養之。至是詔下侍御周公監斬。公適巡嘉興，聞命，即還省，躬詣獄取直，以小肩舁至法場。直出按察司，見官兵聯屬，始悟就死地矣。臨刑索子，至，子抱持而泣。直以支髻金簪授其子，嘆曰：「不意典刑茲土！」若不勝其怨恨者。遂伸頸受刃，至死不撓。妻子沒入成國公家，至今子孫尚在，不絕。

註：

①「葉麻」，茅坤，紀勦除徐海本末亦作「葉麻」；明史，日本傳與全城志作「麻葉」，鄭若曾，籌海圖編，卷八，寇踪分合始末圖譜則作「葉明」。

②「勅趙通政來祭海神」，明世宗實錄，卷四一九，嘉靖三十四年二月丙寅朔丙戌條作「遣工部右侍郎趙文華祭告海神」，故趙文華當時的職位係工部右侍郎而非通政。

③「名」，明世宗實錄卷，四五〇，嘉靖三十六年八辛巳朔乙未條作「明」。

④「時有朝貢倭數十自京回」，如據明世宗實錄及日本史乘的記載，日本所遣貢使策彥周良一行於嘉靖二十八年返國後，中、日兩國的朝貢關係便告中斷，故此所謂朝貢倭云云，應非室町幕府所遣而屬私貢。

紀剿除徐海本末

明茅坤撰，臺北廣文書局民國五十六年排印本

嘉靖丙辰，徐海之擁諸倭奴而寇也，一枝向海門，入略淮揚，東控京口；一枝由松江入掠上海，一枝由定海關，入略慈谿等縣，衆各數千人。而海自擁部下萬餘人，直逼乍浦而岸。岸則破諸舟悉焚之，令人人各爲死戰。又導故窟柘林者陳東所部數千人與俱，併兵攻乍浦城，蓋四月十九日也。當是時，朝廷方奪故總督，而新總督胡公自提督代之。甫八日，問幕府麾下，募卒僅三千人，俱孱弱不可用。故總督所徵四川、湖廣、山東、河南諸兵，俱罷去，所爲緩急者，特容美士兵千人，及參將宗禮所籍河朔之兵八百人耳。南北諸倭酋不下數萬。諜者聲言他酋分掠江淮於越諸州郡間，以扼援兵。而海等當窟乍浦，下杭州，席卷蘇、湖，以脅金陵，氣恣甚，總督胡公力召諸司晝計。

無何，故提學院（阮）公代胡公爲提督。檄未至，夜半聞乍浦圍，卷甲趨之，胡公亦分遣兵澉浦、海鹽之間爲聲援，自引兵壁塘，兩相犄角。居頃之，海頗聞新總督胡公，即故所嘗提兵督戰於鴬湖、王涇之間而覆之者，氣稍沮，尋罷乍浦圍。聞兩公方擁兵壁近郊，不復敢窺杭，於是

經路硤石，越皂林，出烏鎮以北。烏鎮者，即海故所犯蘇、湖舊路也。當是時，胡公既獲諜，度蘇、湖之間，惟鶯湖爲四戰地，於是檄河朔兵，自嘉興入駐勝墩，陣而待。因以吳江水兵遮其前，湖州水兵尾其後，而公自引麾下募兵，及容美士兵衡擊之。提督阮公自崇德聞賊且出烏鎮也，即道挾河朔之兵騎而馳，及之於皂林，令善射者且躡且射，賊稍稍引去。賊縱數百人嘗之，輒又敗去。賊怒甚，鼓噪而前，提督阮公勢皇急，於是走輕舸入桐鄉城。而參將宗禮與裨將霍貫道等，迺自張左右翼，厚集其陣以待。戰數合，擊殺數千人。會日暮，賊且引去。時賊氣頗窋，而宗禮、霍貫道等，亦已絕嚮道，不得擇善地，便水草以自休止。明日，餓而戰，賊遣候者樹而望，蓋孤壘以塹，無他援者也。大喜，復蹤兵，以半擊其前，以半繞其背。而霍貫道，河朔故驍將也，大呼眾力戰，矢礮如雨下，無不人人一當十，復擊殺數十百人，而貫道亦手刃十餘人，賊益怖。海且中礮，欲馳去。會火藥盡，霍貫道面宗禮仰天呼曰：「吾兩人再得火藥數斗，可以了此賊矣。」未幾，貫道與宗禮俱陷，眾大敗，賊遂乘勝圍桐鄉。

時總督胡公已引兵躡崇德，聞之，潸然流涕，曰：「河朔之兵既敗，我兵皆氣奪，莫敢戰，東南之事，無復可支矣。賊已困桐鄉，假令復分兵困崇德以刼我，我兩人譬之抱而自沉也，國家且奈何！」於是還省城，檄諸路兵爲戰守計。

先是，胡公始爲提督時，嘗與監督尚書趙公謀曰：「國家困海上之寇，數年於茲矣，諸酋奴乘潮出沒，將士所不得斥堠而戍者，人言王直以威信雄海上，無他罪狀。苟得誘而使之，或可陰攜其黨也。」於是遣辨（辯）士蔣洲、陳可願，及故嘗與王直友善者數輩，入海諭直。直果感悅，願如約，遣其養子毛海峰款定海關謝過，間以諭海，海已散他島，勾島人入刼，故不相及而海峰者云云，彼固未之聞也。公策曰：「直與海雖順逆不同，其勢固唇齒也，直既悔悟，海獨不可以大義說之乎？不然，彼貪人也，誘之以利，或可狃其心。聞桐鄉城小而堅，緩之數十日，則永保戍兵至，固可破之矣。」於是疾走人諭海峰，因厚遺諜者，陰過海所曰：「直已遣子款定海關，朝廷固且赦之矣，若獨無意乎？新總督威名，非曩時比，且仰體朝廷德意，推心置人腹，若不乘此時解甲自謝，他日必爲虜矣！」海頗然其計，於是亦遣酋自謝，約罷圍去，因以要公稍出中國貨物，遺他倭酋，而疏釋其罪。公佯諾。輒以銀牌綺幣厚遺來謝酋，而令營中盛兵容，私諜者，故縱酋瞰之。酋既德公遺，又內怖公之兵威也，歸以報於海。明日，復遣他酋來謝，公視之如初。凡數復，海於是始歸心於公，願爲公死之矣。

然陳東獨心竊疑海私公遣，猶鞅鞅未之從也。海間遣酋次桐鄉城下，守城上兵曰：「某已聽總督胡公約解去矣。城東門，故柘林賊陳東黨也，鷙悍不吾從，若謹備之。」是夕，海果道崇德而西，且乞兵於公，以夾擊東，公猶心訝，未之許。而東獨盛，爲樓櫓撞竿以撞城。而桐鄉令金燕者，彊幹吏也，城中一切兵仗火藥，諸已善備。提督阮公復躬厲矢石，狥城上人，令令散千金，募敢死之士，督戰益亟，所殺傷賊亦數十人。方撞竿自樓櫓中躍而撞城，城幾壞。一男子爲縆索，圜撞竿所擊故窟處，竿至而即縆挽以上斬之。又募冶者煮鐵汁灌城下酋，城下酋不敢逼。東既無何，聞海等解去，道遠且孤，亦相與稍稍引去，圍始解，而提督阮公出矣，時五月二十三日也。

方阮公困桐鄉時，固日夜望總督胡公援兵之至，而胡公亦重念東南之安危，身之禍福，與阮公相旦暮。情固急，業已遣兵備劉公，督同留守王倫，宣撫田九霄，勒兵自嘉興入，壁斗門；分守汪公，督同知縣張冕，勒兵自湖州入，壁烏鎮；參將丁瑾①，勒兵自海鹽入，壁王家店；指揮樂隕，督同千戶羅天與，勒兵自崇德入，壁石門。又令崇德令崔近思收河朔之散卒，入城爲聲援。兵四面環賊，遠者二三十里，近者十餘里而陣，然各以狃皂林之敗，逡巡惶佈（怖）不敢逼，而公業遣諜羈說賊，亦日夜待永保戌（戍）兵之至，以決一戰也。計無可奈何，而胡公與阮公兩人者爲同年，故深相結者。及援兵不合，阮公自圍中頗急，於是兩相猜，而他謗者，與爲飛語撼兩公署，盈道路矣。

當是時朝廷聞東南之寇，即日出尚書趙公，督山東、河朔諸兵援之，又兩公所私相猜者，語頗聞趙公。趙公亦故與兩公者爲肺腑交，所嘗兩推轂中朝，以塡東南者。念兩公卒有郤，則東南之事，牴牾不可圖，於是日夜引兵而南。至揚州，則阮公業已出桐鄉圍，東渡錢塘，狥會稽諸下邑，擊他賊。胡公亦聞尚書趙公之至，且戰且南，淮揚、毘陵之間無足慮，獨海爲巨孽，間雖狃而內附，中國不可不測。而上海之賊萬餘人，由吳淞江西引方急。迺日遣諜者，啗海以金帛，而說之東出海上擊他賊。海亦果收諸倭酋，出乍浦，道平湖。時諜報吳淞江之賊，已鼓行涉嘉善界，欲西合海。公念海萬一卒他變，兩相合，奈何。因策海始已焚舟爲深入，今不得舟，必急。於是

遣諜詞海，謂海既內附，何不如故約勒兵，擊吳淞江賊，且篡奪其輜，掠舟以歸？海果然其計，

即日引諸酋逆之朱涇道上，斬首若干級，餘賊遂夜走。以故海不及篡奪其舟而還。

及他酋脫而出海也，公乃別遣總兵俞大猶（猷）伏飛艦海上，遮擊之，溺且盡。於是海既德公不敢背，又聞吳淞江賊之出，爲海兵所遮擊，蓋內怖，日輸款於公。而且遣其弟洪入質於公，公佯納之。公又諜聞海麾下。獨書記葉麻①爲長酋，其爲人頗黠而悍。近與海爭一女子，有微郤，非用間急縛之，則無以死彼之內附之心。於是遣諜就海帳中，諷海縛葉麻以出。葉麻出，而諸酋中故隸葉麻部曲者，稍稍怨且懼恐矣。怨且懼，恐生他釁，則又以他罪縛，縛幾百餘人。

公又策陳東於諸部曲中，與葉麻聲相倚，頃以桐鄉之役，兩睚眥者也。數遣諜持簪、珥、璣、翠遺海兩侍女，令侍女日夜說海并縛東。海既諾。而陳東者，薩摩王弟故帳下書記酋，海固未之能也。於是出葉麻囚中，令其詐爲書於東，反兵賊殺海。其書故不以遺東，陰泄之於海，激怒之，使并縛東。海讀其書，涕雙下，益德公之不忍爲東所賊殺之也。日夜謀縛東以報公。

居無何，尙書趙公移兵渡江來，所過州縣，數舉兵向賊，賊輒敗走，俘斬衆。出海岸，去乍浦城半里而陣，佯令眾酋逐海上艘，某手旗麾之。城中官兵即舉燧爲號，從城中出，亟擊勿失，諸官兵卒如故約乘之。諸倭酋逐海上艘如蟻，不及還兵鬭，於是諸官兵得乘勝蹂而前，不傷一卒，所俘斬數十百人，沒海者無算。於是海自以數有功於朝廷，願與部下諸長入款，具庭謁。胡公與尙書趙公，提督阮公，及巡按趙公，并許之。諜往復，期以八月初二日。然海猶恐陰設甲士刼之，

先期一日，卒擁酋數百人，冑而入，陣平湖城外，自帥酋長百餘人，冑而入平湖城中求款。四公者，計不許，恐他變，遂許。海與諸酋長北嚮面四公，按次稽首，呼：「天星爺，死罪！死罪！」海欲再爲款胡公，而未之織（識），因顧諜，諜目示之。海復面胡公，稽首，呼：「天星爺，死罪！死罪！」胡公亦下堂手摩海頂，謂之曰：「若東南久矣，今既內附，朝廷且赦若，慎勿前爲孽。」海復稽首，呼：「天星爺，死罪！死罪！」於是四公犒遺之而出，是日城中人無不洒然色變者。海既出，諸公者固已忿恚海之列款，猶冑而入，屬屬脅無禮，又不及如諜故所期月日，而先日卒至也。其習行黠若是，於是闔謀不勒兵誅之，他日必爲患。計部下尚千餘人，猛鷙難即破，永保兵猶迤邐遠道未至也。於是佯令海自擇便地居之。海果自擇便地，得沈家莊，即僦沈家莊與居之。是爲八月八日。

當是時，眾復諠然譁，諸公輩何不撲滅海，不然，且縱之出海上，令自解去，顧參虎以自禍也。不知諸公者固有待。於是胡公與尚書趙公，提督阮公，私自部署兵。又日夜遣使趣永保兵來會。兵來集，恐海驚，禍且肘腋間。胡公日遣諜詢海，且啗海如曩時。因諜以請於趙公曰：「吾聞善兵者，乘其所之，海與陳東黨業已深相讎，今合而兩附者，迫故耳。聞沈家莊故東西兩處，而□□□爲塹，何不說海以西沈家莊居陳東黨，而自擇東沈家莊以居部下酋乎？」諜以諭海，海果如其言。

頃之，永保兵至，會海輸二百金于公市酒、米，公市與趙公謀，以藥毒其中而歸之。又令陳東詐爲書，夜遺其黨曰：「海已約官兵來剿汝輩矣。」陳東黨果疑，而夜伏邏卒東沈家莊道上瞰之。適海皇急，因令酋竊兩侍女出道上，而急則因間適走幕府以自託。邏卒瞰知之，歸以報於陳東黨。陳東黨聞之，大驚，即勒兵篡兩侍女過海所罵曰：「吾死，若俱死耳。」遂私相稍而鬬。海中稍，眾大亂。明日，官兵四面合，牆立而進。保靖兵先嘗之，稍卻；河朔兵來之，又卻；俄而胡公擐甲厲聲斥永保兵左右列，太呼而入，瞰壘下擊。會風烈，公麾眾束千餘炬，人各持炬縱火焚之。海窘甚，遂沉湖死。甫食頃，人人鶩而攫，千餘酋蒐斬殆盡矣。中故所飲毒首虜，黑色者，凡三百餘人。於是永保兵俘兩侍女而前，問海何在？兩侍女者，王姓，一名翠翹，一名綠妹，故歌伎也。兩侍女泣而指海所自沉河處，永保兵遂踏河斬海級以歸。

江上丈人曰：「海以一緇衣起島上，五年之間，百戰百勝。朝廷遍徵海內諸名將，與之喋血吳越諸州郡間，未聞有俘其偏卒者。方其擁兵數萬人，分五道入，湛舟以戰，示無復還意。當是時其氣飄忽奮迅，固已欲吞江南下咽矣，何其猛也。已而困於胡公區區之餘，卒之糾纏狼狽，以自翦而死，若封羊豕然。豈非所謂人固屈於慾也乎？善哉！」友人康司諫嘗曰：「始，賊盛兵圍桐鄉時，假令胡公持觖觖，不量彼己，而鼓兵以戰，一蹶而僨，東南事去矣。今且量臣舒徐以收之。兵法：『利而誘之，亂而取之。』若胡公者，可謂合兵變者也。」雖然，公聞襟多自喜，嘗欲倣諸葛武侯，蹤孟獲故事，且生縛海獻之天子。疏請海與王直兩人者爲戈媒於海上，而因以嬰繫海上酋。嗟乎！公之心固雄，虎檻而逸，亦危矣。幸而趙公與公沉謀，惋公乎（呼）曰：「不殺海，吾兩人無以仗劍報天子。」公意遂決。不然，彼讒口之所以交吻於公者，豈其小哉！」

王翠翹，臨淄妓也。初曰馬翹兒，能新聲，善胡琶（琵？）琶。以計脫假母，而自徙居海上，更今名。倭寇江南，掠翠翹去，塞主徐海絕愛幸之，尊爲夫人。凡一切計畫，惟翹指使，乃翹亦陽暱之，實陰幸也敗事，冀一歸國以老也。會督府遣華老人招海降，海怒，縛老人，將殺之。翹諫曰：「降不降在君，何與來使事？」親解其縛而贈之金，且勞苦之。老人者，海上人，翹故識之，而老人亦私覷所謂王夫人似翹，不敢泄。歸告督府曰「賊未可圖也，第所敗幸王夫人者，某視之有外心，可藉以磔賊耳。」督府曰：「善！」乃更遣羅中軍詣海說，而益市金珠、寶玉以陰賄翹。翹日在帳中從容言大事必不可成，不如降也。江南苦兵日久，降且得官，終身共富貴。海計遂決。督府大整兵，佯稱逆降，迫寨海（海寨）。海信翹言不爲備。官兵突入，斬海首，而生致翹，倭人殲焉。凱旋，督府許大饗於轅門，令翹歌而酒。諸參佐皆起爲壽。督府酒酣心動，降階與戲。夜深，席大亂。明日，悔之。而以翹功高不忍殺，乃以賜所調永順酋長。翹去，渡錢塘，歎曰：「明山遇我厚，我以國事誘殺之；殺一酋，更屬一酋，何面目生乎？」夜半，投江死。

註：

①「葉麻」，采九德倭變事略同此，明史日本傳作「麻葉」。

嘉靖東南平倭通錄

明徐學聚輯，臺北，成文書局，民國五十七年，據鈔本景印線裝本

自嘉靖元年罷市舶，凡番貨至，輒賒與奸商。久之，奸商欺冒，不肯償。番人泊近島，遣人坐索，不得。番人乏食，出沒海上爲盜。久之，百餘艘，盤據海洋，日掠我海隅不肯去，小民好亂者，相率入海從倭。兇徒、逸囚、罷吏、黠僧，及衣冠失職、書生不得志群、不逞者，皆爲倭奸細，爲之鄉導。於是王五峰、徐必①溪、毛海峰之徒，皆我華人，金冠、龍袍，稱王海島；攻城掠邑，莫敢誰何，浙東大壞。至是，巡按御史陳九德請置大臣，兼制浙、福，乃以朱紈爲都御史，巡撫浙江，兼領福、興、泉、漳。紈任勞任怨，嚴禁閩、浙諸通番勾引。主藏者，凡隻檣餘艎，一切毁之。時浙人通番，皆自寧波定海出洋；閩人通番，皆自漳州月港出洋。往往諸達官家爲之強截良賈貨物，驅令入舟。紈因上言：「去外夷之盜易，去中國之盜難；去中國之盜易，去中國衣冠之盜難。」於是福建海道副使柯喬，都司盧鏜，捕獲通番九十餘人，紈欲禁止，令行遣旗牌督決於演武場。一時通番稍息。而巨姓諸不便者大譁、詆誣，惑亂視聽。諷（衍？）御史周亮，給事葉鏜，奏改紈爲巡視。從之。紈尋罷卒。

註：

①「必」，鄭若曾，籌海圖編，卷八，寇踪分合始末圖譜作「碧」。

嘉靖三十一年

四月，倭寇台州。巡按御史檄知事武緯①禦之。緯突入賊中，伏發，衆潰，緯死之。初，朱紈既卒，罷巡撫不復設，又以御史宿應參之請寬海禁，而舶主、土豪，益連結倭賈，爲奸日甚。官司以目視，莫敢誰何。有王直者徽人也。以事亡命走海上，爲舶主渠魁。倭奴愛服之。其黨徐〔惟〕學、毛勳、徐海、彭老等，不下數千人，俱列兵近港。乘巨艘，爲水砦，且築屋港上諸山。時時出入近洋，掠我居民。至是遂登陸，犯台州，破黃巖縣，殺掠慘甚。復四散大掠象山、定海，而浙東爲之騷動矣按：王直即五峰，徐海即明山，毛勳即海峰也。毛勳以王直義子，稱王激。

六月，浙江巡按御史林應箕奏倭寇焚刼地方狀，因參署海道副使李文進，分巡副使谷嶠，僉事李廷松，參議李寵、顧問，備倭把總等官周應禎、周奎、楊材等各失事，當治；給由海道副使丁湛，新推備倭指揮張鈇，皆臨難規避，宜並罰。於是給事中王國禎，御史朱瑞登交章請復設都御史。疏下，吏、兵二部覆議，國禎等言是。但巡視都御史，必當兼假以巡撫總督之權，使之節制諸省，方可責其成功。其閩、浙二〔省〕，仍各添設參將一員，駐劄邊海地方。上從其議，暫設巡視浙江兼管福、興、漳、泉提督軍務大臣一員，督兵剿賊。其兼管巡撫等項，須待賊平議處。

參將准添。丁湛罷爲民，以李文進代之。張鈇革回原衛，以周應禎代之。仍各同李寵、顧問、谷嶠、李廷松、周奎、楊材等，住俸，戴罪殺賊。林應箕標準專勅官，給由離任，令奪俸三月。

七月，以都御史王忬巡視浙江海道，及福、興、漳、泉地方，尋改巡撫。

註：

①「知事武緯」，明世宗實錄，卷四六〇，嘉靖三十七年六月丁丑朔己卯條作「台州知事武暐」，時間亦繫於三十一年。

嘉靖三十二年

三月，王忬督兵破倭寇於普陀諸山。初，都指揮盧鏜坐都御史朱紈事，尹鳳坐贓累，俱繫獄。忬知其能，奏釋之，以爲副將。募沿海壯民，及徵狼、土兵，分帥之。日犒撫激勵，欲得其死力。而倭魁王直等，結砦海中普陀諸山，顧時出近洋襲我軍。忬偵知之，乃遣參將俞大猷，帥銳兵先發，而湯克冠以巨艘繼之。徑趨倭砦，縱火焚其廬舍。賊倉皇覓艅艎走，我兵隨擊，大破之，斬首五十餘級，生擒百四十三人，焚溺死者無筭。忽颶風發，兵亂，渠魁王直率眾乘間逸去。都指揮尹鳳，復以閩兵邀擊於表頭北茭諸洋，斬首百餘級，生俘一百餘人，先後以捷聞。賜白金、文綺，有差。

四月，倭攻破昌國衛，屯據凡五日，俞大猷以舟師攻退。

有蕭顯者，尤桀狡，率勁倭四百餘人，攻吳淞所、南匯所，俱破之，屠掠極慘。分兵掠江陰，圍嘉定、太倉。已而王忬督盧鏜倍道掩擊，斬蕭顯，餘眾復奔入浙。

倭寇臨山衛，乘勝西犯松陽，知縣羅拱辰，督處州兵禦却之，賊浮海走。參將俞大猷，以舟師邀擊，斬首六十九級。

倭攻福寧州嵊嶼所，破之，大掠而去。

江北倭掠海州，殺二百餘人。

五月，倭圍參將湯克寬，參政潘恩，僉事姜頤於海鹽，環四門攻之，不克；縱火焚城樓及民屋數百間而去。

倭攻陷乍浦所，知縣羅拱辰復督兵來援。倭引去，流刼奉化、寧海諸處。克寬追圍於獨山，民家以火爇之，賊半死。餘眾奪道走，遁於海。

倭復入上海，知縣喻顯科逃。指揮武尚文，驛丞宋鰲，戰縣街中，不勝，死之。賊據城數月，焚燬廬廨，略盡。

南科賀涇奏：「倭犯浙東，以防守密泊寶山，窺蘇、湖。密邇京口、瓜、儀運道咽喉，宜添總兵住劄。」吏部李默奏：「添官兼餉，以屠大山爲督撫應天。」

兵部議遣將領分屯要地。令四司官分行點劄，而列官兵龍江關。命職方郎中阮𡍼，𡍼苦眾持首鼠，乃慷慨調度，陰詗虛實，以爲備禦。

時諸倭巢穴既燬，王直、徐海等奔散四出，倏忽千里。於是自台、溫、嘉、湖、寧、紹、蘇、松、淮、楊（揚）十郡，俱罹其害，同時告急。俞大猷、湯克寬雖智勇可任，而江南人素柔軟。倭揮雙刀，銀光耀日，望風奔潰。倒戈就戮，死者相枕，稛載而去。當時文武吏，不能以軍法繩下，有司往往以軍法脅富人，巧索橫歛，指一科十。師行城守餉犒，類多乾沒，十不給一。廉謹者又以吳人善謗，不敢動一錢給賞。遂致公私坐困，戰守無策。寇來不支，始釋柯喬，起盧鏜，而賊船瀰滿海上。自閏三月登岸，至六月旋，留內地凡三月，遂至攻陷昌國、臨山、霩衢、乍浦、青村、南匯、吳松江、崃嶼諸衛所；圍海鹽、太倉、嘉定、長洲；入上海；掠華亭、崇明、青浦、海寧、餘姚、定海、象山、慈谿、山陰、會稽、臨海、平湖、嘉興、黃巖諸縣，金山、錢倉諸所鄉鎮，焚掠殆盡。

有失船倭四十餘人，突至平湖、海鹽焚掠，官兵禦之，皆敗績。凡殺一把總，四指揮，及百戶、縣丞，竟奪舟去。

六月，應天巡撫彭黯，巡按陶承學等言：「倭勢日熾，非江南脆弱之兵，承平紈袴之將所可辦。請得便宜調山東、福建等處勁兵，及勅巡視浙江都御史王忬督官兵船犄角攻剿。」疏下，兵部覆：「山東陸兵不諳水鬬，福建海滄月港亦在戒嚴，豈能分兵外援？宜令黯等就近調處州坑兵一二千名，仍隨宜募所屬濱海郡縣義勇、鄉夫，分布防禦，并請命王忬互相應援。其應用兵船、糧餉、器械、火藥，許徵發所在支用。」南京署兵部尚書孫應奎亦言：「倭夷刼掠，漸近留都，沿江津隘，已議調官兵防守。應用甲糧芻，乞命南京戶、工二部給發。」上允之。

七月，太平府同知陳璋等統兵敗倭，斬首千餘級，餘寇出境，浮海東遁。應天巡撫彭黯，浙福巡撫王忬以聞。既而擢蘇州同知任環，整飭蘇松兵備。陳璋共贊軍務，立有戰功，以與時相忤，僅蒙欽賞而已。

十月，自倭東遁後，江南稍寧，惟崇明南沙泊失風倭幾三百人，舟壞不能去。參將湯克寬及僉事任環留守之，日久不克。克寬復督邳、漳兵擊之，敗績，亡卒四百餘人。

先是，倭賊百餘，由華亭崇缺登岸，流刼戚木涇、金山衛等處，至是移舟泊寶山。參將湯克寬，引舟師追及於高家嘴，燬其舟，斬七十三級，生擒十四人。

有倭舟失風，飄至興化府南日舊寨，登岸流刼，殺千戶葉巨卿。把總指揮張棟，督舟師擊倭，走，據山。知府董士弘，糾民兵、獵戶，與棟等合勢圍賊，殲之。是時海洋並岸諸島，多栖寇舟。有真倭阻風汛不獲歸者；有沿岸奸民搶江南族，候來歲倭至者。未幾，南日寨復有三舟登岸，棟、士弘擊之，引去，擒賊數人，皆真倭。比泉州舟兵巡海，攻賊於石圳澳、深泥灣等處，凡再戰，擒賊四十餘人，則皆臨海、漳浦、揭陽等縣人。蓋江南倭警，倭居十三，而中國叛逆居十七也。

嘉靖三十三年

正月，時倭據太倉南沙五月餘，官軍列艦海口，圍之數重，不能破。軍中多疾疫，乃佯棄數舟，開壁東南陬，賊遂潰圍出海，轉掠蘇、松各州縣。

三月，南直隸續至倭寇二千餘，自南沙登岸，分掠蘇、松諸處。參將湯克寬帥兵邀擊之於採淘港，斬首百八十級。

參將俞大猷，督兵剿普陀山倭寇，我軍半登，賊突出乘之，殺武舉火斌等三百餘人。

蘇、松倭掠民舟出海，趨江北，大掠海門、如皋、通州，焚各鹽場；至揚州，殺一同知，一千戶。有飄入青、徐者，山東大震。復以盧鏜爲參將，俞大猷爲浙直總兵。

先是，巡撫王忬奏薦盧鏜爲參將，鎮閩代克寬。閩人故忌鏜，劾鏜兇險不可用，罷之。而沿海大猾且言忬令大猷擣巢非計，欲搖動忬，忬不爲動。已而南京各官薦復用鏜、大猷，將帥稱得人云。

以尚書張經總督浙、福、江南北軍務。時朝議欲徵狼、土兵剿寇，以經嘗督兩廣，有威惠，爲狼兵所戴，故用之。經請并調永順、保靖等宣慰司，各率兵剿賊。

四月，倭寇自海鹽趨嘉興，參將盧鏜等帥兵禦之，稍却。次日，復戰于孟宗堰，伏發，殺官軍四百人，溺死五百人；都司周應禎，指揮李元律，千戶薛綱①、宋應漸②等俱死之。賊乘勝入據石墩山，分兵四掠。

倭寇攻嘉興府城，副使陳宗夔帥兵禦却之，焚其舟。賊遯入乍浦，與長沙灣寇合犯海寧諸縣。

倭寇自嘉興東掠入海，至崇明，夜襲破其城，知縣唐一岑死之。

初，通州河之役，賊兵僅百餘人，鹽徒及脅從者千餘人。時參將解明道擁兵居城中；楊（揚）

州府同知朱裒，儀真守備張壽松，軍城外；鳳陽巡撫鄭曉，發兵往援，檄原任都指揮月輪將之，輪辭以非朝命，不至。乃更檄兩淮運判馬崙，原任守備陳津，往會千戶洪岱等合戰，城內、外兵無策應者。岱等孤軍敗，與千戶文昌齡、王烈皆死。至是，曉上疏言狀，因請治明道等畏怯、推避之罪。得旨：洪岱、文昌齡、王烈，俱贈指揮同知，子孫陞襲；褫明道與壽松等職，各戴罪立功；輪，令巡按御史逮至京問。

兵部覆巡按直隸御史孫愼言：「浙江、江北諸郡，倭患方殷，蘇、松二三月間，所在告急。皆經略失人，軍令不嚴所致。乞勅巡撫屠大山收忠勇之士，申明軍之罰。仍榜諭沿海居民，有能奮勇殺賊者，如軍功陞賞，所得倭器，悉以與之。計擒賊首者，許奏陞指揮僉事，世襲。一切軍費，悉從便宜區處。督糧參政翁大立，無事，往來蘇、松、常、鎭，催給糧餉；有事，專住松江，以便調度。」詔以其議屬大山舉行，仍令赴任，不許遲緩。

倭自崇明進薄蘇州城，大掠。時給事中王國禎③上禦倭方略，言懸賞招降賊首王直非計。兵部尚書聶豹覆言：「海賊與山賊異，山賊有巢穴，可以力攻；海賊乘風飄忽，瞬息千里，難以力取。臣聞王直本徽人，以通番入海，得罪後，嘗爲官軍捕斬海寇陳嶼主等暨餘黨二三百人，欲以自贖。當時有司不急收之，遂貽今日大患。欲倣岳飛官楊么、黃佐故事，懸賞購募，以賊攻賊，非輕王爵以示弱也。」上以國禎言是，令一意剿賊，脅從願降者，待以不死，賊首不赦。

六月，福建官兵捕得漳州通倭賊蘇老等三十餘人，誅之。

倭寇由吳江轉掠嘉興，都指揮夏光，督兵禦之，背王江涇而陣。賊眾鼓譟而前，我兵大潰。光急入舟，中流矢溺死。

七月，蘇州倭寇至嘉善，轉趨松江出海。總兵俞大猷，擊敗之於吳松所，擒七人，斬首二十三級。

八月，倭寇自嘉興還屯採淘港、柘林等處，進薄嘉定城。會募兵參將李逢時、許國以山東民鎗手六千人至，與賊遇於新涇橋。逢時率其麾下先進，敗之。賊退據羅店鎭，官軍追及之，擒斬八十餘人。

山東兵復追擊倭寇至採淘港，乘勝滾入。伏起，我兵大潰，溺水死者千人，指揮劉勇等死之。初，新涇之捷，李逢時功最，許國恨逢時與之同事而不先約己，乃別從間道襲賊，欲以奪逢時功。會日暮，大雨，劉勇等兵先陷沒，諸軍繼之，皆倉卒不整，遂大敗。

刑部主事郭仁，以賊首王直挾倭奴亂海上，引祖宗諭三佛齊故事，請勑令朝鮮諭日本國。章下兵部，覆言：「宣諭乃國體所關，最宜慎重。蓋倭寇方得志恣肆，比之往者，益為猖獗，未可以言語化誨懷服也。若猾夏之罪未懲，而綏以撫諭，非所以蓄威；糾引之黨未得，而責以斂戢，非所以崇體。矧今簡將練兵，皆有次第，待其畏威悔罪，然後皇上擴天地之仁，頒恩諭以容其更生，未為晚也。且祖宗時，三佛齊只因阻絕商旅，非有倭奴匪茹之罪。朝鮮近上表獻俘，心存敵愾，如復令其宣諭，恐亦非其心矣。臣竊以為不便。」上從部議。

十月，命錦衣衛械繫原任應天巡撫屠大山，參將許國、李逢時，副總兵解明道至京訊治。先是，採淘港之役，坐兩將不相能，各兵趨利不止，故垂成而敗。時明道督水兵泊海口，坐視不救；大山方稱疾不視事。至是，御史張師价以敗書聞，請治大山、逢時、國、明道各失事罪。總督張經因論山東監軍參政許大綸，副使周臣紀律不嚴，亦宜量罰。於是大山逮至，黜爲民。明道等坐失律罪，斬。大綸、臣，降三級，邊方用。已，山東兵見主將被逮，鬱鬱思歸，稍自引去。總督張經請下有司追捕。兵部言：「此輩俱係北土烏合之兵，驅之蘇、松水澤之地，固不相宜，令悉遣之。」詔：「可。」

浙江巡按御史胡宗憲奏上：十月至十一月，倭寇自健跳所分掠紹興各縣，水路（陸？）官兵前後擒斬三百餘人。請錄巡撫都御史李天寵，總兵俞大猷，原任副使陳宗夔、陳應魁等功。上從部覆，令先賞天寵等銀幣，其所獲功次，下御史再勘。

註：

①「綱」，明世宗實錄，卷四〇九，嘉靖三十三年四月辛未朔乙亥條作「絅」。

②「漸」，註一所舉書同卷同年同月同日條作「瀾」。

③「禎」，談遷，國榷作「貞」。以下同此

二月，應天巡撫周珫言，禦倭有十難，有三策，其十難謂：「去來飄忽難測，海涯曼衍難守，水陸勾錯難戰，鬼域變詐難知，盤據堅久難備，居民脆弱難使，土地瀉鹵難城，主客兵力難恃，芻糧匱乏難措，將領驕懦難任。」其三策謂：「據海上陳前①、馬跡諸（島），扼倭夷出沒之路，置福船二百，倉山船三百，與兩浙兵船會哨於諸島之間，來則擊之，去則擣之，制人而不制于人，上也。以捷船五百，迭哨於蘇州海口，選土兵萬餘，列戍於松江之護塘，俟賊登岸而掩擊之，中也。集松江輕舸五六百艘，游哨於黃浦、吳松（淞）、太湖、小港之間，使賊步不敢深入，舟不敢橫行，下也。更請趣調狼兵、土兵、漳兵，留淮、浙餘鹽銀十萬兩，或借南贛軍餉九萬兩，爲犒賞之需。」兵部覆奏，從之。

工部（右）侍郎趙文華疏陳備倭七事：一祀海神、一降德音、一增水軍、一差田賦、一募餘力、一遣視師、一察賊情。疏下，部覆謂：祀海神、降德音、增水軍、募餘力、察賊情，俱有裨軍政，下督臣酌行。差田賦恐致擾民，遣視師宜行。總督張經獎率諸軍，不必別遣。會崑山致仕侍郎朱隆禧，奏請添設巡視福建都御史，并開互市之禁。上諭閣臣曰：「南北兩欺，不宜怠視，本兵若罔知者。文華、隆禧二臣之疏，似不同泛奏者，當有依焉。今南破北虛，豈爲國之道耶？祖宗教養深恩，豈以怨讟時君，而忘先聖大德？卿等其集兵部科臣示朕此意，令盡忠猷以告。」於是兵部尚書聶豹等震慴請罪。言：「文華之疏，臣度可者已奏可之；其事有窒戾者，亦復疏陳其略。至如隆禧所奏設巡視科臣，謂官多民擾。其云開互市，亦謂示弱。兼以北虜之市爲監，皆駁寢之。且昨歲文華已有市舶之議，戶部所在守臣計處，至今未報。臣惟祖宗制倭，絕其朝貢。至以勳臣出鎭，海波始清。當時絕不言及市舶，意良有謂。且浙、直兵力脆弱，所恃徵調以策應緩急者，獨有漳、泉兵耳。若更設巡視閩中，則人懷自顧，漳、泉之兵，豈得復爲蘇、松、兩浙之用？今兵力四集，南倭似有可平之漸；而宣、大諸境邊臣，今亦各矢力奮猷，足寢北虜之謀。倘所在不効，則當治諸臣及臣等之罪。」疏入，得旨：「南北兩欺，倭賊殘毀地方尤甚。昨下諭求平剿長策，欲豹等入告忠猷，今此疏何有忠猷之告？其更悉心計處以聞！」於是豹益皇（惶）恐，因上便宜五事。上曰：「爾等職任本兵，坐視賊欺，不能設一策平剿；又奉諭問，却令泛言具對，摭拾舊文塞責。豹姑降俸二級，侍郞翁溥等各降俸半年，所司郞中張重降二級調外任，餘各奪俸三月。」已，復降勅切責張經師久罔效，令其嚴督諸臣，亟爲剿賊安民，如再因循，重治不貸。

三月，兵部覆浙江巡按御史胡宗憲疏報：正月朔，柘林倭奪舟犯乍浦、海寧，攻陷崇德，又轉掠塘西②、新市、橫塘、雙林等處，復攻德淸；殺把總梁鶚，指揮周奎、孫魯，百戶陸陵、周應辰、理問③、陶一貫等。請正失事諸人之罪，并錄有功及死事者。上以城陷失事重大，命巡按御史執崇德知縣蔡本端解京訊治。參將湯克寬，把總指揮丁僅，下督撫，先取死罪；招巡撫李天寵，指揮吳韜、邵升，領兵僉事羅拱辰，俱停俸，戴罪殺賊。奪副總兵俞大猷，及參將謝少南，兵備副使陳應魁，僉事凌雲翼等俸三月。下指揮等官李上等七人於按臣問。周奎、陶一貫等，各贈襲如例。獲功知縣楊芷，千戶周勇，監生喬鏜等，各令軍門奬賞，有差。已，逮本端至，坐失陷城治，謫戍。

四月，廣西田州土官婦瓦氏，引狼、土兵應調至蘇州，總督張經分配總兵俞大猷等殺賊。奏聞，詔：「賞瓦氏及其孫岑大壽、大祿各銀二十兩，紵絲二表裏，餘各令軍門奬賞。」及命趙文華祀海神。是時倭據川沙窪、柘林爲巢，經冬涉春，新倭復日有至者，地方甚恐。及聞狼兵至，人心稍安。賊分衆三千餘，過金山衛。總兵俞大猷，遣游擊白泫及瓦氏兵遮擊之，稍有斬獲。文華至松江，因謂狼兵果可用，厚犒之，激使進剿。至曹涇，遇倭數百人，鼓衆衝戰，不勝，頭目鍾富、黃維等十四人俱死，失亡甚衆。於是賊知狼兵不足畏，復奔犯浙江，肆掠如故矣。

胡宗憲言：「往時日本入貢，多不及期，請待其復來，得以便宜諭遣，仍令有司移檄于王，問以島夷入寇之狀。」兵部尚書楊博覆言：「令按臣移檄日本國王，問何人倡亂，於半年間立法鈐制，號召還國，即見忠款。雖貢期未及，必爲奏請。否則是陽爲入貢，陰蓄異謀也。」上是其議。

廣東賊徐銓、方武等，與海賊王直糾結倭夷，縱橫海上。兩廣總督鮑象賢，檄海道副使汪柏等督戰，徐銓等就戮，前後斬首千二百餘級，海濱頗靖。

倭犯江北淮、揚等處，前後由通州之餘東場，海門之東夾港地方登岸，流刼狼山、利河等鎮，呂四、餘西等場。

江北倭突入通州南門，燒民屋二十餘間而去。

三丈浦倭賊，分衆掠常熟、江陰村鎮。兵備任環，督保靖土兵千餘，及知縣王秩，指揮孔燾，分統官兵三千，攻其巢，破之，斬首五十餘級，燒賊船二十七隻，賊奔江陰。

川沙窪倭駕舟出海，官兵縱火焚其巢，幾蕩。賊舟一至戚家墩，游擊白泫、劉恩至獲之，斬首三十七級。是日，江陰賊亦出江東遁。

五月，柘林倭何新倭四千餘人，突犯嘉興，總督張經分遣參將盧鏜等，督狼、土等兵，水、陸擊之。保靖宣慰使彭藎臣與戰，遇於石塘灣，大戰，敗之，賊遂走平望。副總兵俞大猷，以永順宣慰司官舍彭翼南邀擊之，敗，奔回王江涇；保靖兵復擊其後，賊遂大潰。諸軍共擒、斬首一千九百八十有奇，溺水及走死者甚衆。餘倭不及數百，奔歸柘林。自有倭患以來，此第一功云。

倭五十餘人自山東日照流刼東安衛，至淮安贛榆；復自贛榆流刼沭陽、桃源等處。至清河，阻雨，徐、邳官兵分道殲之，殲於馬頭鎮民家，斬首四十一級。此賊自日照登岸，以數十人流害兩省，殺戮千餘人，至是始滅。

倭舟三十餘艘，衆約千餘人，自海陽突犯蘇州青村所，攻城不克；遂縱火自焚其舟，登岸肆刼。是時新倭復大至，自青村外，若南沙小烏口、浪港諸處，悉有賊至，泊岸即舍舟殺刼。官軍稍稍逼之，乃合勢犯蘇州陸涇霸及婁門。南京都督周于德，引兵來援，一戰而敗，鎮撫蘇憲臣被殺。賊衆遂分其中爲二：一由齊門撞馬頭而北，轉掠滸墅關長洲五都地，一由胥門木瀆而南，轉掠吳縣橫鎮，延蔓常熟、江陰、無錫之境，出入太湖，莫能禦者。

南京御史屠仲律條上禦倭五事：一、絕亂源。言：宜禁放洋巨艦，窩藏巨家及下海奸民。二、防海口。言：宜守平陽港，拒黃花澳，據海門之險，則不得犯溫、台；塞寧海關，絕湖口灣，遏三江之口，則不得窺寧、紹；把鱉子門，則不得近杭州；防吳淞江，備劉家河，則不得掩蘇松、嘉興。三、責守令。言：宜責江南守令，當以訓練士兵，保全境土爲殿最。四、議調發。言：近日徵調各處民兵，無慮數萬，而膚功不奏，坐不善用兵之十弊。五、作勇敢。言：沿海如沙民、鹽徒打生手及村庄悍夫，皆勇悍可用，宜獎諭收錄，令併力戰守。詔：部議行之。

詔逮總督張經及參將湯克寬，械繫來京，以趙文華劾也。倭自去歲據松江柘林、川沙窪二處爲巢，縱橫肆掠，周圍數百里間，焚屠殆徧。水、陸兵無敢近者。是年春，田州土官婦瓦氏及東蘭、南丹、那地、歸順等州狼兵六千餘名，承經調至。狼兵輕慓嗜利，聞倭富有財貨，亟欲取之。居民亦苦倭寇暴，朝夕冀倖一戰。文華既至嘉興，屢趣經亟檄狼兵剿滅。經言：「賊狡且衆，今檄召四方兵，獨狼兵先至耳。此兵勇進而易潰，萬一失利，即駭遠近視聽，姑俟保靖、永順土兵至，合力夾攻，庶保萬全。」文華再三言，經終守便宜不聽。文華劾經玩寇殃民，畏懦失機，惑於湯克寬謬言，欲俟倭飽載出洋，以水兵掠餘賊報功塞責耳。宜亟治，以紓江南大禍。上以問大學士嚴嵩，對具如文華言。且謂：「蘇、松人怨經，不可復留；宜與克寬俱逮京鞫訊，以懲欺怠。」克寬遂併得罪。尋以巡撫應天都御史周珫爲兵部右侍郎，仍兼原職，代經總督。

原屯川沙窪倭賊，復突犯閘港、周浦等處，奪舟過浦，分掠泗涇北簳山。僉事董邦政，游擊周藩，引兵追擊。遇賊，驚潰，藩被創死，軍士死傷者幾三百人。賊遂屯駐石塘橋，流刼崑山、石浦諸鎭。

提督浙福都御史李天寵，以四月間金山衛之敗來聞，因參副總兵俞大猷，統調集重兵失機僨事，以致流毒浙省。上批其疏曰：「俞大猷統狼、廣兵萬餘，不行進勦，致賊猖獗，本當重治，姑奪職，充爲事官，戴罪殺賊。」

總督都御史張經，以平望王江涇大捷來聞。於是給事中李用敬、閻望雲、顧弘潞、袁世榮、高敏宇等④因言：「經巽懦失事，罪之誠當。但今獲首功一千，正倭奴奪氣，我兵激奮之時，宜乘勢擣柘林、川沙窪之巢，以殲醜類，若復易帥，恐誤機宜。請姑召還錦衣使者，待進兵後，視其成績與否，從而逮經加罪，未晚也。」上覽疏大怒，手批曰：「張經欺怠不忠，聞文華之奏也，方有此一戰，是何心也？此輩黨奸惡直，沮法怨上，罪不可貸。乃命錦衣衛執用敬等各杖五十，斥爲民。」已而上心疑之，以問嚴嵩。嵩言：「此事，臣昨問徐階、呂本二臣，以鄉邦被慘，聞見甚真，皆怨經養寇損威，殃民糜餉，不逮問，無以正法。昨狼兵初至，氣銳，經禁久不進。瓦氏憤曰：『我自備軍糧，不效尺寸，何以歸見鄉黨？』及賊逸甚多，地方震恐，文華憤不能平，與御史胡宗憲合謀，督兵追賊。經聞繼至。今次文華誠忘身殉國，然亦巡按力。宗憲勇敢有膽略，親擐甲臨戎，以致克捷。此實上天垂佑所致。皇上昨諭欲遣官賜文華銀幣，以壯彼威，仰見激勵臣工至意。但宗憲功同，希亦賜一賞，使彼地之人，知日月之明，無遠不照，功者勸，罪者懼矣。』」上乃諭禮部曰：「昨文華不言賊情，未免又誤，可令竭忠督討，仰贊玄威。其遣衛官一員賞賜文華，宗憲及瓦氏銀幣，有差。」

趙文華疏報捷，謂：「前月倭犯嘉興，御史胡宗憲，先中以藥酒擊敗之。俞大猷率永順宣慰彭翼南等，又敗之於王江涇，擒斬千餘人；參政任環，又敗之於常熟，斬首百五十級，焚其舟二十七；而金山衛等斬獲亦不下二百，賊眾蕩平有期矣。」兵部言：「據此捷奏，兵威稍揚，人心正奮。然在浙江則餘黨未遯，在松江則舊巢尤（猶）在。宜乘勝逐捕，以靖地方。請先賞將士用命者。」上命賞彭翼南等四人銀幣，餘軍門領賞。

倭寇常熟，屢攻不克，移舟泊三里橋。知縣王鈇⑤及鄉官參政錢泮，率耆民家兵追賊，及于上滄港，為賊所掩擊，俱死，其民丁僅有脫者。巡按御史金澗上其事。上憫二臣死事，詔贈鈇為太僕少卿，泮光祿卿，各廕一子錦衣，百戶世襲；賜祭，立祠，有司歲時享祀。

趙文華復疏陳倭夷出沒之形，並劾巡撫周琬，總兵白泫，僉事董邦政等，縱寇喪師，使令賊奔潰，餘孽復張。因言：巡按御史胡宗憲，才志異常，安危可寄，宜亟付以大任。兵部覆議。上責琬統重兵不能擒斬逸賊，致蹶將損師，本當逮治，第時方用人，姑停琬俸，褫泫及邦政職，充爲事官，戴罪殺賊。如更怠縱，罪無赦。宗憲俟論功之日，不次超擢。文華命督師，參奏僨事者，勿畏避。

六月，倭賊百餘，自上虞爵谿所登岸，突犯會稽高埠，奪民居樓房據之。知府劉錫，千戶徐子懿等，分兵固守。賊潛縛木筏，由東河夜渡，潰圍而出。鄉官御史錢鯨，遭於蟶浦，見殺。賊遂流刼杭州，而西歷於潛、昌化，內地大駭。

倭進據江陰蔡注⑥閘，分衆犯唐頭，知縣錢錞統狼兵禦之。遇賊於九里山。時已薄暮，雷雨大作。伏兵四起，狼兵悉奔。惟餘錞及民兵八人，盡死于賊。按臣上其事。詔：「贈錞光祿少卿，蔭一子〔國子生〕，賜祭，立祠死所。」

勒浙直總督周珫，浙江巡撫李天寵爲民，以侍郎楊宜兼僉都御史代珫，以御史胡宗憲代天寵。先是，上聞珫疾甚，又以天寵嗜酒廢事，遂併斥之，乃命趙文華悉心督察；命禮部鑄督察關防馳賜之。

三板沙倭賊奪民船出洋。參政任環，督總兵俞大猷引舟師追擊於馬蹟山⑥，擒倭首灘捨賣，及賊五十七人，斬首九十三級。是日，倭舟被海風飄回者五十人，屯嘉定民家。環，率兵攻之，不克，乃投火民舍爇之。賊盡死。既而環有親喪，按臣周如斗以寇未平，請留之。詔：「奪情任事如故。」

七月，倭犯南京。先是，高埠逊倭自杭州西掠至淳安，僅六十餘人。以浙兵逼急，突入歙縣，流刼至南陵，趨太平府。時摻⑧江都御史史褒善駐太平，督兵禦之。賊引而東犯。江寧鎮守備，遣指揮朱襄等率勇士數百人出。時賊已至板橋。襄等怠緩不知，袒裼縱酒，一遇賊，盡為所殲。群賊沿途殺人，由安德、鳳臺、夾崗各門外鄉落搶掠。趨秣陵關。時應天推官羅節卿，指揮徐承宗，率兵千人守關，望風奔潰，賊遂潰圍，過關而去。

趙文華言：「始者賊逸松江也，宣慰彭蓋臣等，與賊相持十晝夜，賊遁蘇州。蓋臣及俞大猷、任環合兵追之於陸涇壩，斬首五六百級，兵勢稍振。頃者二司兵失利，而賊遂散逸，一犯宜興，一犯長興，勢復猖獗。良由吾兵寡勢分，士氣不揚耳。臣以為蓋臣等報效之勤，宜勞。寇至蘇州，我軍盡云（以）火器委諸賊中，而又海上福滄等州七十餘船，皆為賊燬。臣以為諸臣失事之罪，宜問。」兵部覆議，上命降勅獎勵彭蓋臣、彭明輔，各賜銀二十兩，紵絲一表裏；官舍彭翼南，准實授生員；彭守忠給與冠帶。其福滄兵船被燬失事，令按臣覈實以聞。

巡按直隸御史周如斗，因常熟之敗，疏言：「越浦之寇，蔓延內地，流毒日深。諸臣防禦失策，致鎮撫孫憲臣身嬰賊鋒。知縣王秩，鄉官錢泮，繼及于難。前後雖有小捷，所喪敗實多。」因參兵備副使任環功不掩過，海防僉事董邦政罪浮于功，及巡捕同知王如瓚，把總姜旦等失守慢防之咎。請卹錄憲臣等而正環等罪。又言：「永順、保靖之兵，屢戰多捷，實湖廣副使孫宏軾，參議王維洛監督有方，及官舍彭翼南、彭守忠等實心幹濟，請優賞以示。」兵部議覆，詔宥環，下如瓚等於御史問。賜宏軾、維洛各銀幣；贈憲臣指揮僉事，襲陞其子三級。

南京御史葉恩，以倭破杭州北新關，劾奏提督李天寵失誤軍機罪，宜重治。詔：「差官逮問。」時胡宗憲亦疏劾天寵縱寇殃民，參將尙允紹等防禦寡謀，請罷天寵，而治允紹等罪。得旨：「天寵已逮，允紹姑革職，充爲事官，與守巡官俱奪俸，令戴罪自效。」已，天寵詣京，下獄，竟以失律喪師論死西市。

張經、湯克寬逮至，詔下法司議罪。經上疏自理。言：「倭寇嘉興，即委盧鏜督保靖兵援嘉興；委俞大猷督永順兵，由柳⑨湖間道趨平望，以扼賊路；令湯克寬引舟師從中擊之，一戰而克，凡斬馘一千九百有奇，焚溺死者無算。賊遂氣餒，豈有一毫怠玩之念？自臣涖任，方半年，前後俘斬以五千計，惟是智略短淺，不能俄頃掃蕩，此則臣罪。」不報。刑部尙書何鰲，竟論克寬與經罪死，繫獄待決。

八月，倭自南京秣陵關至溧水縣楊林橋。典史林文景，率兵迎遏，不能禦。署縣縣丞趙珠臣，棄城走，遂由小北門入城，宴飲民家，信宿乃去。

柘林倭賊，載舟出海。僉事董邦政，總兵俞大猷等，各督所部水兵，分哨擊之，斬首七十有奇，獲賊船九艘。邦政復以嘉定兵擊賊於寶山，斬首九十八顆。

溧水倭流刼，趨宜興，至屺亭關，聞官兵自太湖出，取道官路橋黃土，越武進境，抵無錫惠山寺，一晝夜奔一百八十里。我兵追及，急擊之，賊夜至望亭。次日，至滸墅關。蘇松巡撫曹邦輔，督各官兵圍之。南京御史金淛、陶承學各言：「中國叛人王直，久住日本，主謀煽禍。請懸立爵賞，俘馘賊首。及將兩京十三省見監，并緣事大小武臣，許令殺賊贖罪，及公侯、勳戚、世臣有蓄養家丁，行令督率効用。」兵部議覆：「賞格宜如宣大例，有能擒斬王直來獻者，封伯爵，賞銀萬兩，授坐營坐府職銜管事。斬獲黨酋如明山和尚輩者，授指揮僉事，賞三千兩。緣事武臣本犯，仍監候，許令子弟、家丁報效贖罪。充軍以擒斬十名顆，永遠充軍者以二十名顆，死罪者以三十名顆爲□。勳戚家丁未便，姑已之。」詔：「悉從部議，第武臣犯死罪者，不准贖。」

倭自宜興奔蘇州，會柘林賊爲風飄旋者，三百餘，進據陶宅港。巡撫曹邦輔慮二賊合，且爲大患，乃親督副使王崇古會集各部兵扼其東路，四面蹙之。賊逃至五龍，復至海灣山。我兵隨地與競，頗有斬獲。太倉衛指揮張大綱被殺，兵卒傷亡亦衆。時僉事董邦政，把總婁宇，督沙兵守陶宅。邦輔計陶宅賊據險且衆，未可進兵，乃召邦政、宇，以沙兵助剿。一戰，斬首十九級，賊始懼，奔吳舍，欲潛走太湖。我兵覺，追及于楊林橋，盡殪其衆。此賊自紹興高埠竄走，不過六七十人，流刼杭、嚴、徽、寧、太平，至犯留都，經行數千里，殺戮及戰傷無慮四五千人。凡殺一御史，一縣丞，二指揮，二把總，入二縣，歷八十餘日始滅。

九月，趙文華以蘇寇之捷，已不得與爲恨，見調兵四集，謂陶宅倭乃柘林餘孽，可取。胡宗憲因大言寇不足平，以悅其意。遂悉簡浙江精銳，得四千人，文華、宗憲親將之，營於松江之磚橋，因約曹邦輔以直隸兵會剿。定期，浙兵分三道，直兵分四道，東西並進。賊悉銳衝，浙兵諸營皆潰。我兵擠沉于水，及自蹂踐死者甚衆。指揮邵昇，千戶劉勳，損失軍士凡千餘人。直兵陷賊伏中，死者二百餘人。由是賊勢益熾。

南京給事中朱文漢，御史侯東萊等，各以倭犯京城狀聞，并參內外守備官撫寧侯朱岳，太監郭瑊，及兵部尚書張時徹，侍郎陳洙等。時徹亦條上失事死事諸臣始末，詞多隱護，中有「信宿之間，遂爾潛遁，城外地方，一無所傷」等語，於是給事中丘橓疏參之。下吏部、兵部。議覆：「請降時徹俸級，令策勵自效。」上以本兵任重不允。特詔時徹及洙俱致仕。

倭舟三艘，泊台州海洋之螺門。備倭都指揮王沛等，引舟師出哨，遇於大陳山嶼，擒賊十七人，斬首九級。餘賊棄舟，登山走匿。我兵焚其舟，四面環守。參將盧鏜，以大兵會之，入山搜剿，生擒真倭烏魯美他郎，酋首林碧川等八十四人，斬首三十八級。由是三舟之倭盡殄。

浙江兵備副使劉燾，督兵五千餘，分三道攻陶宅倭巢。倭二餘來迎敵，諸軍望見，散走。燾與家丁陸本高等二十人，各引滿射之。賊不敢逼，燾僅以身免。

十月，應天巡撫曹邦輔，以剿滅蘇州滸墅關倭寇聞，且言：「僉事董邦政及妻宇，聞命疾趨，躬履行陣，橫犯鯨鯢之眾，不旬日而芟剷之，可謂奇功，請亟加褒錄。」浙直總督楊宜，亦捷報如邦輔言；復參邦政雖有斬馘功，然實故違節制，當罪。督察侍郎趙文華又言：「柘林餘賊復巢陶宅，巡撫胡宗憲督兵四千，來松江會剿。而巡撫曹邦輔，僉事董邦政，不協力進兵，顧乃避難趨易，僥倖功捷，乞加懲究。」詔：「下邦政於總督逮問。」初，文華聞蘇寇且滅，趣赴蘇，欲攘其功。比至，則邦輔業先已奏捷矣。文華遂大怒，乃以陶宅寇患委罪邦政，參之，復嗾楊宜排邦政。宜心知邦政功，而重文華意，故矛盾若此。

總督楊宜言：「柘林一鎮，乃倭奴出入之門，爲諸郡要害之地。請創立城堡公館，調取募兵防守，添設把總控制。舊有墩臺哨船，一併修復。事寧，設一所，摘發官軍塡補。」兵部議覆，從之。

倭二百餘人，自樂清岐頭登岸，流刼黃巖、仙居、寧海等處，所過焚戮，官兵莫能禦。至楓樹嶺慈谿，領兵主簿畢清見殺。賊遂至餘姚，由上虞渡曹娥江，犯會稽。

十一月，給事中孫濬言：「近見趙文華請罷曹邦輔，參稱：『約與夾攻，而邦輔後期。』及考疏內所列邦輔督俞大猷進剿，在九月十一日，浙兵次日方進。則後期之罪，不在直兵。今蘇、松士民，交口咸稱邦輔實心任事，而前流刼留都之倭，又爲邦輔所滅，功能顯然。遽請罷黜，文華之意，殆不可曉。」給事中夏栻言：「浙、直官兵會剿陶宅倭寇，屢遭陷敗，諸臣奏捷不實。且文華欺誑，大負簡命。」會巡按浙江御史趙孔昭，亦以敗聞。上令中飭文華，矢心秉公視事圖效。已，曹邦輔言：「川沙窪之賊，已集至四十餘艘，而繼至者未已。總兵俞大猷，把總劉鏜，擁兵觀望，縱賊合䑸，請究其罪。」上謂：「大猷縱寇，所宜逮治，姑革其祖職，揭黃令軍門責取死罪招，殺賊立功，別舉代者。鏜革，充爲事官管事。」

時倭二千餘人，自海洋駕舟四十餘艘，先後入川沙窪，與舊倭合勢，登岸沿浦一帶，焚刼四團、八灶等處。

倭八十餘人，駕舟泊海鹽之秦駐山，登岸刼掠。提督胡宗憲，遣指揮徐行健等率兵禦之。賊走入民家拒守，官兵縱火焚之，賊悉殘滅。

倭五十⑩餘人，突犯平陽縣，由大奥登岸，殺協守指揮祈⑪嵩，平陽所百戶劉愍。又倭八十餘人犯舟山，進屯謝浦。參將盧鏜遣兵禦之，不克，指揮閔溶死之。

倭寇犯興化涵頭舖等處，平海衛千戶丘珍、楊一茂與戰，死之。已，復犯清海口，泉州衛指揮童乾震，直奔其壘，斬賊十餘，亦被害。事聞，詔：「各立祠其地，有司春秋祭享，襲陞其子二級。」

閏十一月，提督胡宗憲以倭犯平陽，遣守備劉隆率兵禦之，遇賊於三港，敗績，隆及千戶劉綱，指揮張登俱死。

給事中孫濬言：「防倭諸臣既有巡撫、總兵，又有總督及督察重臣，事權不一，牽制靡定，所以迄無成功。」兵部覆奏：「諸臣職守，督察主竭忠討寇，核實布聞；總督主徵集官兵，指授方略；巡撫主督理軍務，置措糧餉；總兵主設法教練，身親戰陣。至於有司，責在保安地方，同守城隍。」上然之，命行諸臣，各遵勅諭施行。

趙文華乞還京，許之。文華初奉命至浙，適狼兵調至。土官婦瓦氏等，知倭厚蓄，銳意請戰，文華惑之，亟趣總督張經進兵，不得，則上書痛詆，經被逮。代經者周琓、楊宜，皆庸駑無遠略，由是賊勢益熾。及激瓦氏戰，亡其卒十餘人⑫；復計攻陶宅，遭颶餘倭大敗，始知賊未易圖，即有歸志。及十一月，川兵破周浦賊，俞大猷復有海洋之捷，文華遽言：「水陸成功，江南清宴⑬，臣違闕日久，請歸供本職。」是時海洋回倭，泊浦東川沙窪舊巢，及嘉定高橋皆有倭據，而新倭來者日眾。浙東西破軍殺將，羽書沓至。文華乃以寇息聞，其欺誑若此。

南京給事中朱文漢疏言：「周浦與川沙窪倭賊，新舊合夥而民兵柔脆不足以當黠寇。宜仍調客兵剿捕，摻江重任。宜留臨淮侯李庭竹供職，誠意伯劉世延稺弱不堪重寄。」上詰責兵部曰：「江防重任，何乃漫不擇人？李庭竹可南京掌府事，仍兼摻江如故。貸尚書楊博，姑不問。奪郎中宋國華俸一月。」

註：

①「前」，茅元儀，武備志，卷二三一，船舶條作「錢」。

②「塘西」，史語所影印本明世宗實錄，卷四二〇，嘉靖三十四年三月丙申朔丁未條作「搪棲」，廣方言館本及抱經樓本、嘉業堂舊藏明朱絲欄鈔本明世宗實錄，同卷同年同月同日條，俱作「塘棲」。

③「理問」，註一所舉書同卷同年同月同日條作「副理問」。

④「字」，前註所舉明世宗實錄，卷四二二，嘉靖三十四年五月甲午朔癸丑條作「學」。

⑤「秩」，前註所舉書同卷同年同月丁巳條作「鉄」。後文同此。

⑥「注」，註一所舉明世宗實錄，卷四二三，嘉靖三十四年六月甲子朔丙子條俱作「涇」。

⑦「引舟師追擊於馬蹟山」，前註所舉書同卷同年同月戊寅條作「督水陸官兵遊擊於鶯逗湖、平望等處。」「逗」，廣方言館本明世宗實錄同卷同年同月同日條作「洹」，內閣大庫舊藏朱絲欄鈔本明世宗實錄同卷同年同日條作「豆」。

⑧「摻」，註一所舉書卷四二四，嘉靖三十四年七月癸巳朔丙辰條作「操」。

⑨「柳」，前註所舉書同卷同年同月丁巳條作「抑」，廣方言館本、內閣大庫舊藏朱絲欄鈔本明世宗實錄，同年同月同日條俱作「泖」。

⑩「十」，註一所舉書卷四二八，嘉靖三十四年十一月壬辰朔戊午條作「千」。

⑪「祈」，前註所舉書同卷同年同月戊午條作「祁」。

⑫「亡其卒十餘人」，前註所舉書卷四三〇，同年十二月辛卯朔己巳條作「亡其卒十七八」。

⑬「宴」，廣方言館本、抱經樓本、嘉業堂舊藏明紅絲蘭鈔本明世宗實錄，卷四三〇，嘉靖三十四年十二月辛卯朔己巳條俱作「晏」。

嘉靖三十五年

正月，福建倭寇流入浙江界，與錢倉寇合。原任留守王倫，督容美土司田九霄等兵扼之於曹娥江，賊不得渡，還走。官軍追及之于三江民舍，連戰斬首二百級。復追至黃家山，盡殲之。

松江新場倭，襲敗官軍于四橋，參將尚允紹等死之，亡其卒四百餘人。

先是，三十四年十二月，蘇松兵備任環，都司李經，守備楊縉等，率永順、保靖土兵追剿新場倭寇。時賊眾二千餘人，皆伏不出，而詐令人舉火于數里外，若將引去者。保靖土舍彭翅，引軍先入，嘗之，不見一人。於是永順頭目田菑、田豐年等爭入。伏起，我軍四面為賊所圍，翅等偕所部俱死之。御史邵惟中以聞，因言：「旬月之內，酉陽、永順兵再戰再北，皆由督撫經略失宜，將領觀望畏怯所致。乞勅總督楊宜與巡撫曹邦輔，俾無再誤，而究治環及經、縉，褒卹菑、豐年等。」得旨：「宜調兵萬餘，不能平賊，屢失機宜，大負委任，姑革回籍閒住。邦輔、環、經等，戴罪剿賊。翅等各贈以官，仍賜以棺具殮。」

巡按御史周如斗，以正月間官軍禦倭於四橋事聞，因參：「總督楊宜，提督曹邦輔，輕率寡謀，致川兵敗於東溝，苗兵敗於新場，東兵、胡兵敗於四橋。乞將宜罷斥，邦輔罰治；陣亡參將尚允紹，指揮李田鮑，東萊千戶郭勛、崔彥章、季尚節、李鼎，百戶趙武、陳清褒卹。」疏下兵部參看。上深以南寇為憂，疑趙文華前言零寇將滅為不實，屢以問大學士嵩。嵩曲為營解，上意終不釋。文華聞而大懼，於是謀所以自解者。因詭言：「臣受皇上重托，為人所嫉，近奉命還京。臣計零寇指日可滅，乃督撫非人，今復一敗塗地。皆由吏部尚書李默，恨臣前歲劾逮其同鄉張經，私為報復。迨臣繼論曹邦輔，則嗾給事夏栻、孫濬媒孽臣及宗憲，黨留邦輔。延今半年，地方之事大壞。昨浙直總督又不用宗憲而用王誥抵塞。然則東南塗炭，何時可解？陛下宵旰之憂，何時可釋也？」默因得罪。上隨諭吏、兵二部曰：「南賊一事，不宜坐視，人臣都不盡忠。文華非告密，楊宜已黜，仍革去冠帶爲民。曹邦輔令巡按御史逮繫來京問。此任便推補，王誥不必去，仍令舊職。胡宗憲陞兵部左侍郎兼僉都御史，代邦輔後。」邦輔逮至，謫戍邊。

三月，兵部奉旨覆議九卿科道條陳禦倭事宜：一、選武將。一、任文職。一、精選練。一、處兵餉。一、守要害。一、明職掌。一、論奇功。一、分信地。一、計職任。一、行撫諭。近趙文華言：「獲降倭奴，入寇海賊，俱係日本所屬野島小夷，爲中國逋逃所引，其王未必知也。乞遣官勅朝鮮，令其傳諭日本國王，禁戢諸島。」詔：「俱如議行。」

四月，倭薄溫州，兵使者檄同知黃釧出兵迎擊賊，戰敗被執。寇欲還釧，索千金爲贖，釧罵賊不置。賊怒，磔殺之。事聞，贈參議，廕一子太學生，仍爲祠春秋祀之。

倭自福清登岸，散入內地，流刼溫、台、淮、揚、常、鎭諸府，殺掠焚燬，慘不勝言。

倭船二十餘艘，自浙江觀海登岸，攻慈谿，破之，殺鄉官副使王跡，知府錢渙等，大掠而去。軍民死者數百人。

江北倭流刼至圖山、山北等港，無爲州同知齊恩，率舟師迎戰，敗之，斬首百餘級。恩長子尙文，次子嵩升仲寔，弟寶榮，姪慎、寅、友良、大鄉、孫童等俱在行。嵩年纔十八，尤驍勇善射。獨前追賊至安港，恩等從之。會伏發，賊四面合圍，恩等及其家丁錢鳳等二十一人力戰，皆死之，獨嵩、慎、寅三人得脫。賊乘勝遂至金山，殺鎭江千戶沈宗玉、王世良於江中。

倭萬餘趨浙江皂林等處。游擊宗禮，帥兵九百人禦之於崇德三里橋，三戰俱捷，斬首三百餘級。賊首徐海皆辟易，稱神兵。會橋陷，軍潰，禮與鎮撫侯槐、何衡，忠義官霍貫道等俱死之。賊乘勝攻桐鄉，不克。禮，驍勇敢戰，所部箭手三千人皆壯士。及是役，論者謂：「兵興以來，用寡敵眾，血戰第一功。」事聞，贈禮都督同知，諡忠壯。廕一子世襲。指揮僉事槐、衡，各晉二級。貫道贈光祿寺丞，任一子知印出身。

時兩浙被倭，而浙東則慈谿焚殺獨慘，餘姚次之；浙西則松林、乍浦、烏鎮、皂林皆爲賊巢；前後至者二萬餘人。巡按御史趙孔昭以聞。詔：「總督胡宗憲亟圖剿寇方略，各處調兵，巡撫官有留滯者，罪之！」

先是，三十四年九月，胡宗憲請遣使詔諭日本國王禁戢島夷，并招還通番商犯，許立功免罪。既奉諭旨，遂以寧波生員蔣洲、陳可願往。至是，可願先還，言：「初自定海開洋，爲颶風飄至日本五島，遇王直、毛海峰等。言：『日本國亂，王與其相俱死，諸島夷不相統攝，須徧曉諭之，乃可杜其入犯。有薩摩州賊舟未奉諭，先已入寇矣。我輩習坐通番，禁嚴以窮自絕，實非本心。誠令中國貸其前罪，得通貢互市，願殺賊自效。』遂留蔣洲傳諭國王。」宗憲疏令本兵議其制馭所宜，俾臣等奉以從事。下部，覆：「東南自有倭患以來，有言悉販海奸商王直、毛海峰等，以近年海禁太嚴，謀利不遂，故勾引島夷爲寇者；有言彼國遭荒米貴，各島小夷迫於饑窘，乃糾眾掠食，國王不知者；用兵數歲，捕獲亦多，招報參差，茫無可據。故昨歲禮部從撫臣請，遣使偵之。今使者未及見王，乃爲王直所說而還。其云禁諭各夷不來入犯，似乎難保。且直等本吾編民，既稱效順立功，自當釋兵歸正，乃絕不言及，而第求開市通貢，隱若夷酋然，此其奸未易量也。宜令宗憲等振揚威武，嚴加隄備。仍移文曉諭直等，俾剿除舟山賊巢以自誠其信。果海埂清蕩，朝廷自有非常恩賚。其互市通貢，姑俟蔣洲回日，夷情保無他變，然後議之。」報可。

五月，倭圍巡撫阮鶚於桐鄉，攻城甚急。巡按趙孔昭上疏乞援。總督胡宗憲知賊首有麻葉、徐海二酋，乃餙美妓二人，黃金千兩，繒綺數十匹，月下舁送徐海，而不及麻葉。葉知之，疑有異志，遂拔砦歸，城不得破。

胡宗憲遣使至桐鄉，諭賊首徐海、陳東解圍，海聽命，歸我俘二百餘人。東不從，復留一日，始退屯乍浦。

巡江御史邵惟忠言：「倭薄通州，攻圍未解。餘眾自狼山轉掠瀕江諸郡縣，而瓜、儀爲留都門戶，鎮、常乃漕運咽喉，不可視爲緩圖。宜大集客兵，嚴勅諸臣協心戮力，共靖其亂。」下兵部，覆言：「倭自入犯以來，未有徧浙之東西，淮之南北，如今日者也。縱使地方多兵，而分投防禦，不無顧此失彼之患。徵兵應援，實不容已。日者趙孔昭乞援，已議令徵集湖廣土舍、永順夷兵，併山東、河南、廣東打手、胡盧等兵六枝，俱赴浙、直軍門聽用。今再議選河南睢陳及山東八衛兵，陝西延綏兵，徐沛募兵，勅遣才望大臣一人總督前去，以爲犄角，保障留都。」上然之。

命工部尚書趙文華兼副都御史，提督浙、直軍務。初，文華言殘寇無幾，旋當清蕩。已而海驚屢至。因上屢詰，懼誅，乃攻李默誹謗，爲脫罪也。上果大悅，陞文華尙書，加宮保。嵩因薦文華有文學，宜供玄撰，上不允。及是倭患日甚，羽書日夕數至。部議遣大臣督兵往援，已命兵部侍郎沈良才矣。上復諭嵩以南地人事物情再問文華，令備細以實對。嵩知上覺其欺詞窮且見譴，乃令文華自以其意，請復視師。嵩從中爲言良才不勝任，江南人引領俟文華至，宜仍遣督察。上乃止良才，令文華往，賜勅遣之。文華因奏薦文武官知兵可用者：副留守朱仁，守備朱廕，郎中陳惟舉、陳茂禮，知州盧孝達，通判黃元恭，請悉發自隨，與良才所舉何鳳、郭仁，一體效用。詔：「可。」

六月，摻（操）江史褒善，初駐蕪湖，聞浙西倭寇突至，即馳往徽寧避之。賊渡江陰，過狼山，直抵瓜州，至揚州，無能禦者。給事中張師載，論劾褒善巽懦失職。上令罷之。

廣東倭刼掠潮州等處，巡撫譚愷以聞。因請以本省兵船赴浙、直軍門者，掣還自救。部言：「並海諸省，俱係要地，宜令愷與胡宗憲酌議彼中事勢緩急，以爲去留，不得自分彼此。」從之。

倭入慈谿。初，王忬在浙，令兩浙諸縣皆築城自固，獨慈谿士人持不可。至是倭眾大至，知縣柳東伯不知所禦，攜印組走匿。倭殘殺人民無算，縉紳被禍尤慘，始追悔不城爲失計。東伯失守當坐死，以無城可守，爲民。

倭入慈谿，省祭官杜槐與父文明，率兵追敗於王家團。海道副使劉起宗，因委防守餘姚、慈谿、定海三縣。未幾，復與賊遇於白沙，一日戰十三合，殺賊三十餘人，斬其一酋。槐數被創，遂墜馬死。文明別將兵擊賊於白鶴場，斬白眉倭帥一級，從七級，生擒二賊。賊驚遁，呼爲杜將軍。既而復追賊至奉化楓樹嶺，以兵少無繼，陷陣歿。按臣以聞。詔：「贈槐光祿寺丞，文明府經歷，廕一子國子生，有司立祠祀之。」

倭薄海鹽，指揮徐行健、程祿，百戶方存人逆戰，死之。事聞，行健贈指揮使，任一子百戶。祿、存仁，各贈，有差。

八月，總兵俞大猷，大破倭寇於梁庄。初，趙文華赴浙，沿途徵檄河間、山東兵四千人，募徐沛兵千人爲前鋒。已而抵鎮江，整兵東下。諸寇在常州桃花港諸處者聞之，皆解散。亡何，復聚掠，倏忽莫測。胡宗憲計無所措，議欲招輯之，徐圖掩襲。浙江巡按趙孔昭，蘇松巡按周如斗，不可。因上言：「寇未一挫，撫之，徒滋後虞。今徵兵四集，初氣正銳，當大振軍聲，明彰天討，勿得輕信寡謀，自貽僇辱。」上然之，諭文華等協謀剿寇，剋期蕩平。文華仍陽與宗憲宣諭徐海等出降，而密檄總兵俞大猷督師襲擊，破之。

初，浙西倭寇惟陳東一部最強，徐海後至，與合。已，桐鄉之圍，海麾其兵遽退，東不得已從之。遂與海有隙。宗憲知其情，仍乘間說海，使爲內應。海許諾，即計擒東及其黨麻葉等百餘人以獻。餘賊有入海者，引兵追及之，沉其舟，無一人得還。海既縛獻陳東等，退屯梁莊聽撫，進退未決。其部眾仍出營肆掠不止。至是，官兵四面俱集，文華遂欲乘勝剿海，使人責問之。海知有變，乃阻深塹自守。大猷等督師襲擊於沈庄，破之。又進薄梁庄。會大風，縱火，諸軍鼓譟從之，賊遂大潰，斬獲一千六百餘級。倭窘迫，皆闔戶投火中，相枕籍死。海，倉卒溺水死。引出，截其首。生獲倭魁辛五郎等，餘眾解散，浙、直稍寧。

提督趙文華，總督胡宗憲，巡撫阮鶚，以乍浦捷聞。因類奏：「六月中，各哨官兵首功，前後共二千餘級。」兵部覆奏：「徐海雖稱效順，而擁兵自保，情狀叵測。宜所司嚴為之備，不得借口投降，貽患地方。其各處戰功，請行巡按御史覈實行賞。」時浙東仙居，浙西桐鄉二大寇略平。其分掠海門者，把總張成已敗之；江北寇流入鎮、常者，總兵徐珏等敗之。及蘇、松、寧、紹諸處相繼告捷，賊勢日衰矣。

九月，趙文華等奏上八月中梁庄平倭功次，因言：「水陸諸寇，相繼蕩平，皆上穹默佑，聖武布昭，非將帥之力能及此。」兵部覆：「請錄永、保二土司彭藎臣、彭翼南、彭明輔、彭守忠等，及文武將立功。仍祭告郊廟社稷，以明得意。」上曰：「妖氛蕩平，仰賴天地洪庇，朕心感悅。胡宗憲、趙文華、阮鶚，先賜勑獎勸，各處調兵將數多，督撫官即時勘酌散回。趙文華，命回京。」

十二月，趙文華還京。初，文華再出督兵，所至徵兵、集餉，浪費不經。於是提編傜役，加派稅糧，截留漕粟，扣除京帑，迫脅富民，脫釋兇醜，搜刮公私金寶、圖畫以百萬計，其為軍旅之用，纔什之一二。所徵官、土、民兵，川、貴、湖、廣、山東、山西、河南，無不罹患。而臨敵不前，遣還不去，往往潛為盜賊，行者，居者，並受其禍。雖有梁庄之捷，人腹誹之。至是還京，而吳越之間，始脫距矣。

倭俘麻葉、陳東等俱械繫至。兵部尚書許論等奏請獻俘。從之。群臣俱具服稱賀。仍舉謝玄大典。論平倭功，加趙文華少保，胡宗憲右都御史，各任一子錦衣千戶；餘陞賞有差。

自梁庄捷後，倭賊悉靖，惟舟山倭據險結巢，官兵環守之，不能克。時土、狼兵俱已遣歸，而川、貴兵六千人始至。胡宗憲方留防春汛，隸俞大猷經營舟山之賊。會夜大雪，大猷乃督兵四面攻之。賊悉銳出敵，殺土官莫翁送。諸軍益怒，競進，大敗歸巢。官兵積薪草，以棕簑捲火擲之。賊四散潰出，斬首一百四十餘級，餘悉焚死，賊遂平。

嘉靖三十六年

三月，有倭舟七艘自金沙登岸，復犯如臯，至泰州，轉掠揚州、山東及徐州。官兵禦之皆潰，遂進薄新水關。矢及城中。又進犯天長，都司沃田，把總丘君寵禦之，皆敗死。賊遂入縣治刼掠。已而由石梁趨盱眙，復攻入之，遂突犯泗州，攻城不克。分眾犯清河，攻入縣治，縱火焚掠而去，遂侵淮安，轉入安東焚刼。

江北倭至揚州，營於灣頭鎮數日，遂犯高郵，入寶應，信宿而去。突犯淮安，掠民船四十餘艘，旋復入寶應，燒燬官民廨舍，掘縣北土壩，泄上河水入，乃駕舟溯東鄉，由鹽城至廟灣，入海居數日，開洋東遯。

閏六月，淮揚兵備副使于德昌等，督兵擊倭賊於東鄉。德昌督水陸兵，參將劉顯率苗兵直前衝賊。親斬其渠首，賊衆披靡。諸軍鼓譟繼進，賊走登舟。我水陸兵夾擊之，斬首百餘，多焚溺死者。餘衆退泊雲梯關，尋去刀門港遁。南京科道等官劉堯誨言：「倭寇攻掠揚州高郵，勢且侵及天長、六合，去留都不數舍。夫淮揚爲運道要衝，則當爲國家血脈之慮；留都係陵寢所在，則當爲國家根本之圖。惟陛下速勅諸臣，刻期剿滅。仍重究參將黑孟陽等，以嚴失事之罰。」上以爲然，命南京撫按官及各督撫諸臣，亟調兵驅剿，不得怠緩。仍擬黑孟陽死罪，革把總韓德須，備倭王表職，俱令立功自贖。

八月，先是，總督胡宗憲奏差生員蔣洲、陳可願諭各島，至豐後阻留，轉令使僧前往山口等島①，宣諭禁戢。至是，山口都督源（大內）義長具咨送回被虜人口。豐後太守源（大內）義鎮遣僧德②等，具方物，奉表請罪，請頒勘合修貢；復送洲還。遣僧清授附舟前來，言前後侵犯，皆中國奸商潛引小島夷衆，義鎮等初不知也。於是宗憲數陳其事，言：「洲奉使宣諭日本，已歷二年，乃所宣諭止及豐後、山口。豐後雖有進貢方物，而無印信、勘合；山口雖有金印、回文，而又非國王名稱。是洲不暗國體，罪無所逭。但義長等既以進貢爲名，又送還被虜人口，真有畏罪乞恩之意，宜量犒其使，以禮遣回，令其傳諭義鎮、義長，轉諭日本國王，將倡亂各倭立法鈐制，勾引內寇一併縛獻，始見忠款，方許請貢。」疏下，禮部言：「來使宜優賚遣回，如宗憲義。其宣諭一節，事關國体，未可輕易（易）。」詔：「仍詳議具奏。」部臣乃請令浙江布政司以有司之意，移咨風示義鎮等，轉諭其王。餘如宗憲議。報可。

十一月，胡宗憲以擒獲倭寇王直等來聞。直與王澂、葉宗滿、謝和、王清溪等，共一其眾，屯五島自保。宗憲與直同鄉，習知其人，欲以招之。乃迎直母與其子入杭，厚犒撫之。而奏遣生員蔣洲等，持其母與子書，往諭以意，謂直等來，悉釋前罪不問，且寬海禁，許東夷市。直等大喜，奉命即傳諭各島，如山口、豐後等島主源（大內）義鎮等亦大喜。乃裝巨舟，遣夷目善妙等四十餘人，隨直等來貢市，以十月初至舟山之岑港泊焉。是時浙東西傷於倭，聞直等以倭船大至，則競言其不便。巡按王本固奏直等意未可測，納之恐招侮。於是朝議閧然，謂宗憲且釀東南大禍，而浙中文武將吏亦陰持兩可。直既至，覺情狀有異，乃先遣澂見宗憲問曰：「吾等奉詔而來，將以息兵安邦，謂宜信使遠迓，而宴賜交至也。今兵陳儼然，即販蕩小舟，無一達島者，公其紿我乎？」宗憲委曲諭以國禁固爾，誓無他心，澂以爲信。而夷目善妙等，見副總兵盧鏜於山，鏜誘使縛直等，直大疑畏，百凡說之，終不信。曰：「果不欺，遣澂出，吾當入見耳。」宗憲即遣之。直等仍要中國一官爲質，於是以指揮夏正往。直與宗滿、清溪來見，宗憲好言慰之。令繫按察司獄，具以狀聞。請顯戮直等正國法，姑准義長等貢市，永銷海患；或曲貸直等死，充沿海戍卒，用繫番夷心，俾經營自贖。本固闇於事機，力以爲未可，而江南人訩訩言宗憲入直、善妙等金銀數十萬，爲求通市貸死。宗憲聞而大懼，疏即遣追還之，盡昜（易）其詞，言直等實海氛禍首，罪在不赦。今幸自來送死，實籍玄庇。臣等當督率兵將殄滅餘黨，直等惟廟堂處分之。時直等三人來，留澂、謝和在舟，本固言諸奸逆意叵測，請便勑宗憲相機審處，務令罪人盡得，夷不爲變。

於是嚴旨責宗憲擒剿。宗憲乃大集兵艦，環夷舟守之。夷挾貨無所售，既索直等，不出，見兵船逼之，益急，乃揚言責中國渝約，數出怨懟語，移舟據舟山爲固。宗憲仍以好言挑之，令盡縛送中國人，將與善妙爲市。夷已狎知誑之，然冀倖萬一，彼此以危言相支調云。初，直泊岑港，宗憲欲戰，慮不勝，乃力主撫議。檄總兵盧鏜往來直舟，爲盟甚堅。直來，官以都督，署司海上互市。直亦自奮，言能肅清海波，遂與葉碧川等挺身來見。宗憲以賓禮遇之，使指揮某爲館主。給輿夫肩輿出入，復出薪、米、肉、酒，供餽其舟人，日費百餘金。且交質爲信，保無他虞。宗憲以狀上，然不敢悉其故。既而上謂直元兇，不可赦，命棄市。宗憲得旨，大媿沮，然不獲已矣。密檄按察司收直繫臬司獄。且諭令稍緩，恐急則激之去。然其實欲陰逸直，顧前盟也。而將歸責於按察使。按察使覺之，乃急收直，竟服上刑。③宗憲復以爲功，謂前招納爲密計，非本心也。朝廷信之，加宗憲太子太保，餘陞賞有差。然直雖就誅，而三千人無所歸，益恚恨，謂我不足信，撫之不復來矣。日散掠閩、越、淮、揚間，爲禍更慘。

註：

①「山口等島」，如據日本各種圖書與輿圖的記載，山口位於中國地方，即位於現今下關與廣島之間，並非島嶼。以下同此。

②「德」，明史日本傳作「德陽」。

③如據倭變事略的記載，王直就戮的時間在嘉靖三十八年十二月二十五日，地點則為浙江省城，即杭州的官港口。

嘉靖三十七年

二月，倭犯潮州之舵浦，攻蓬州千戶所。僉事萬仲分部水陸兵馬東西哨攻之。臨敵而哨兵皆潰，領哨千戶魏岳、高洪俱死。

倭犯福州，巡撫阮鶚不能禦，取庫銀數萬兩，及□機數百疋，金花、牙轎賂之；以新造大舟六艘俾載而去。

四月，倭寇二十四艘，約數千人，掠臨海之三石鎮，總督胡宗憲驅走之。

倭千餘攻惠安，知縣林咸率丁壯乘城禦之。倭攻五晝夜不克。丁壯死者數百人，倭亦頗有損失，乃引去。

倭攻福清，破之，執知縣葉宗文，刼庫獄，殺虜男婦千餘，縱火焚官兵廨舍。舉人陳見，率家僮禦賊，不克，與訓導鄔中涵同被執，罵賊而死。

五月，福建倭結艘自海口出港。參將尹鳳，武舉楊承業等，引舟師擊之，衝沉賊舟七艘，斬首六十八級，生擒七人。餘舟敗遁。鳳等復追至東洛外洋，及七礁、白大椋、衣大洋等處，斬首百餘級，生擒十有六人，銃傷及溺水死者甚眾。福、興之患，由是少熄。

惠安知縣林咸，率兵攻倭於縣境之鴨山，乘勝追奔，陷賊伏中死之。

六月，倭寇分犯同安、長樂、漳、泉諸處。攻福清、南安二縣，破之。巡按御史樊獻科以聞。上命趣巡撫王詢赴任，集兵追剿，殲于海口；在漳、泉者亦創殘遁去。已而敘功，革參將黎鵬舉職，充為事官。奪守巡官參政萬衣，副使邵梗等俸，俱戴罪殺賊。下福清知縣黃文宗、南安知縣涂光裕於御史問。

七月，以浙江岑港海寇未平，詔奪總兵俞大猷，參將戚繼光，把總劉英等職，期一月內蕩平；如過限無功，各逮繫至京問；并奪兵備副使陳元琦、曹金等俸。令總督胡宗憲督之剿賊，若失事者連坐。初，胡宗憲遣還毛海峰，誘降王直。及至直下獄，海峰遂絕與倭目善妙等五百餘人，燒船登岸，列柵舟山，阻岑港而守。官軍四面圍之，雖頗有斬獲，然海中數苦毒霧，賊憑高死鬬，我軍莫利，登先多陷沒者。是時新倭大至，朝議慮其先後併合，為害將大，屢下嚴旨，趣宗憲督諸將及時平賊，宗憲懼得罪，乃上疏侈言陸戰功，謂賊雖未殄，然可期月而待。於是科部極言其欺誕，并劾失事諸臣之罪，乃有是命。

十月，岑港倭移巢柯梅，總督胡宗憲，屢督兵討之，不能克。於是御史李瑚追劾宗憲私誘王直啓釁。御史王本固，南京給事中劉堯誨，亦劾其老師縱寇，濫叨功賞，請行追奪。堯誨又言：「前淮揚之變，知府石茂華、劉崇文等，嬰城自保，顧得援軍之力，郄（却）賊冒賞。御史馬斯藏偽增功次，亦當並治。」兵部覆：「請切責宗憲，而令查盤科道羅嘉賓、龐尚鵬，并勘斯藏等事。」上曰：「宗憲軍務重寄，宜去與留，其令廷臣集議，毋黨護依違。斯藏等，本兵既據實擬賞矣，如何又勘？其并議上！」於是成國公朱希忠等，吏部尚書吳鵬等議，言：「宗憲功多，當切責留用，如部議。斯藏等事已前決，當置勿問，如上旨。」上手（書）答曰：「妖賊王直，罪浮贓富，本宗憲用計誘獲，人皆知者。小人嫉功，會彼奏上，玄瑞遂爾有言。朕覽諸疏，付之丞弼議擬，用存公論耳。是豈不分是非，不明功罪？宗憲其仍舊用心平賊，以副簡眷。」未幾，宗憲疏辯，言：「王直爲東南大患，節經兵部題奉欽依，先購求之文，後有許降之議。臣仰承廟算，不惜身家，百計以圖之，茲幸擒獲。言者乃誣臣爲私誘，詆臣爲專擅，又以今歲繼來之寇，謂由臣擒直啓釁致之。是嫁無窮之禍於任事者之身。昔歲臣任巡按時，徐海、陳東、麻葉已盤據松江，結巢柘林，攻城破邑者四年矣。王直黨果何人招致？何人啓釁乎？矧直猾譎善戰，久雄海上。昔年以孤舟駐泊列表，俞大猷時爲參將，以福船五十艘攻圍數月，竟爾逸去。以此觀之，此非可以力勝，非可以常視之也。方直跳梁海洋，中外驚詫，以爲猛獸毒蛇，不啻丘富。臣苦心積慮，幸而獲之，乃言者復以么魔視之。夫直誠么魔，與海上事無輕重也？不足爲臣功已矣，而又安得爲臣大罪耶？臣力竭智殫，怨多毀集，願畢力以除舟山餘孽，退伏斧鉞，惟聖明裁察。」上復報曰：「卿計獲妖賊，人所皆曉。特以觽瑞，故人不敢直指，引軍事以害卿。宜竭誠展布，以平餘氛。不允辭。」

嘉靖三十八年

正月，胡宗憲以倭患未弭，春汎伊邇，請募山東民兵三千，選委謀勇將官督駐蘇、松、常、鎮防守。兵部覆議，從之。

廣東原屯黃岡倭賊，流刼海陽、饒平、潮陽、惠來等處。

浙江永嘉縣良醫王沛，招集鄉兵斬倭，戰於梅嶺，死之。胡宗憲以聞。詔贈太僕寺丞，立祠祀之。廕一子。

二月，廣東倭，流突犯福建，詔安官兵禦之。賊引眾犯漳浦。

三月，倭犯浙江，自象山何家𥓓、金井等處，焚舟登岸。海道副使譚綸，引兵與賊戰于馬崗，敗之，斬首七十七級。

總督胡宗憲言：「舟山殘孽移住柯梅。即其焚巢夜徙，力已窮蹙；小船浮海，勢易成擒。而總兵俞大猷，參將黎鵬舉，防禦不密，邀擊不力，縱之南奔；播害閩、廣，失機殃民，宜加重治。」上命逮繫大猷、鵬舉來京訊治。柯梅倭之造舟開洋也，宗憲實陰遣之，故不令諸將邀擊。及倭既出舟山，即駕舟南泛，泊於浯嶼，焚掠居民，由是福建人大譟，謂宗憲嫁禍南道。御史李瑚遂訐參宗憲，數其三大罪。瑚與大猷皆福建人。宗憲疑大猷漏言於瑚，故諉罪大猷，以自掩飾如此。

倭犯江南崇明縣治，泊舟三沙，登岸焚刼。

四月，江北倭趨通州，總兵鄧成遣兵禦之，敗，指揮張容被殺；倭進據白浦鎮。

初，倭僧清授隨侍郎楊宜所遣鄭舜臣①至寧波。未幾，總督胡宗憲所遣生員蔣洲復以僧德陽至。俱上書求貢市，朝議未允。令量賞遣歸。未行而王直就擒。宗憲疏言倭情可見，不必遣還。然留之浙西，非宜，請用洪武間例，發四川各寺安置。兵部議，從之。

時江北兵備劉景韶，以遊擊丘陞等，擊原駐白浦倭於丁堰、如皐、海安，三戰皆捷，斬首百餘。賊乃進掠通州，謀犯揚州。景韶復督陞等，以火攻其老營，擊敗之，斬首八十級，焚死一百七十九人。賊奔入潘家莊，盡銳攻之，斬首一百二十八級。初，自南沙登岸犯通州倭，至是剿絕。廟灣倭又合眾來攻淮安，參將曹克新禦之，戰於姚家蕩。自寅至申，賊大敗，斬首四百七十八級。賊奔入姚庄，我兵縱火焚庄，死者二百七十餘人。餘賊奔陳庄，我兵追斬七十四級，賊乃退入廟灣拒守。

劉景韶督兵擊倭於印莊，斬首四十五級，賊西走。次日，我兵復與戰於新州，斬首七十八級。賊從新河口遯入民莊，我兵以火攻之，凡再戰，斬首二百六十級，餘賊悉焚死，無一人脫者。是時江北流刼之倭悉殄，惟廟灣大夥據險，固守不出，水陸兵環其四面攻之。

福建新倭大至，且多賚攻具。先攻福寧、連江、羅源等處。流刼各鄉，遂攻福州府城，經旬不克。乃移攻福安，破之。參將黎鵬舉，以舟師擊倭於海中七星山屏風嶼，斬首六十七級，生擒六十八人。時沿海若長樂、福清等境，悉有倭舟，廣東流倭往來詔安、漳、潮間，浙江前歲舟山倭，移舟南來者，尙屯浯嶼，加之新寇徧福、漳、泉，無地非倭矣。

五月，江北兵攻倭於廟灣，衝其巢，斬首四千餘級，我兵死傷過當。復退守之，時賊守甚固，巡撫李遂，以我兵鼓戰而疲，宜圍困之。賊日久無食，且水陸斷其行道，可收全勝。通政唐順之以爲玩寇，乃自擐甲持矛，麾兵以進。屢挑戰，賊終不出。遂督兵入險，賊奮銳東西衝，我兵擁進，彼此皆傷。然賊復稍稍出掠，覓舟援道，爲走計矣。順之自知失計，以爲賊未可平，乃駕言經略三沙倭南去。

福建倭屯浯嶼經年，乃前舟山寇隨王直至岑港者也，至是開洋去。其毛海峰者，後移衆南澳，建屋而居。

倭寇二十餘艘，屯崇明縣三川沙，總督胡宗憲，檄總兵盧鏜帥師破之，前後斬首一百餘級，寇遁去。宗憲以捷聞。賜賚有差。兼言通政唐順之贊畫功。已而擢僉都御史，未幾，卒于官。

倭圍廟灣日久，副使劉景韶，督卒填濠塹，嚴兵逼壘而陣，賊終不出。乃令水兵載葦縱火焚其舟，復水陸進擊，倭潛遁入舟。官兵進據其巢，追奔至蝦子港，斬獲頗多。餘倭無幾，不能復戰，乘風開洋而去。

福建永福倭舟出梅花洋，參將尹鳳等，以舟師分擊之，斬首百餘級，生擒九人。既而倭復回舟泊澳頭，未幾，復遁。鳳等復以水兵追擊於橫山，斬獲甚衆。

七月，原屯三沙倭賊突犯江北，由海門縣七星港登岸流刼，過金沙西亭，將犯揚州。參將丘陸，併力禦之，戰於鄧家庄。賊敗走仲家園，復追至鍋團。陸輕騎先追，賊覘無後繼，盡銳來衝，陸馬蹶被殺。已而官軍大至，賊懼，奔遯。宗憲以聞。贈陸都〔督〕同知，蔭一子世襲。

八月，江北倭自鄧家庄敗後，沿海覓舟不得，我兵尾之於劉家橋、白駒沙等處。寇餒甚，奔庄，我兵圍之。時劉顯兵至，江北兵令顯先登，各營繼進，縱火衝擊。自辰至酉，巢破，斬二百十四級。賊奔白駒沙。我兵追擊，又敗之於七灶茅花墩，共斬首四百餘級，盡殄焉。

註：

①「侍郎楊宜所遣鄭舜臣」，歷史語言研究所影印本明世宗實錄，卷四五〇，嘉靖三十六年八月辛未朔甲辰條作「前總督揚直所遣鄭舜功」，廣方言館本、抱經樓本、嘉業堂舊藏紅絲欄寫本明世宗實錄同卷同年同月同日條俱作「前總督揚宜」；史語所本、廣本、嘉本將「鄭舜臣」寫作「鄭舜功」，抱本寫作「鄖舜功」。明史日本傳記為「楊宜所遣鄭舜功」。至於舜功所著書日本一鑑，各卷篇首均書寫著「奉使宣諭日本國新安郡人鄭舜功纂敘」十六字。

嘉靖三十九年

二月，倭寇六千餘人流刼，潮州等處告急。兵部言：「閩、廣二省，俱臨南海，倭奴侵軼廣中，皆以閩人爲嚮導，今其勢張甚。在兩廣固當剋期誅剿，在福建撫臣亦難辭縱賊貽患責，請令巡按御史通劾功罪以聞。」報可。

三月，給事中王文炳言：「邇者浙、直倭患稍寧，而閩、廣警報踵至。蘇、松、淮、揚間，博徒、悍卒，所在驛騷。宜勅下本兵，議所以安民、蓄兵、絕寇之策。」部議：「安民之策，莫若去不急之務，捐無名之征，重懲貪官酷吏。蓄兵之策，莫若訓練各處鄉兵；至隸籍行伍者，則責之軍衛；募之民間者，則責之有司。絕寇之策，宜令沿海有司，按籍所部居民，有與盜賊通者，許同里首告，即置（寘）之法。仍追所犯銀三十兩，給賞。又有無賴惡少，竄入軍中，功立報効，贊畫名色；平居坐糜公廩，有事爭冒首功。此輩亦將來禍本，宜一切禁革。」上皆納之。

五月，加胡宗憲兵部尚書，兼右都御史，仍督沿海軍務。初，南京御史李瑚劾宗憲邀功致寇。下兵部議，詳覆，上不問。已而閩、廣、浙訴倭寇日熾，福建巡按樊獻科，請趣宗憲赴閩應援；浙江巡按周斯盛，請勅兵部趣宗憲督師剿寇，以弭海患；宗憲仍泄泄如故。已而寇稍解散，竟以功進官。沿海撫巡諸官悉聽節制，其體統如三邊，而勳臣、總兵亦由掖門通謁，庭拜下風矣。

嘉靖四十一年

十二月，倭陷福建永寧衛，大掠數日而去。①三月，復攻永寧城，陷之，大殺城中軍民，焚燬房屋幾盡。

叛民江一峰等，盡發泉州諸山塚。守備歐陽深等，率兵進討，大破走之。生擒一峰等，皆伏誅，泉地始寧。　衛

倭犯懷安縣。提督都御史游震得，檄兵剿之。時坐營指揮王毫帥三軍，福州府通判彭登瀛帥鄉兵，先嘗賊，失利，歸罪於毫，震得執毫笞之，斬隊長以下三四人。三軍不服，有怨言。會副

使汪道昆閱操教場，遂大譟，格殺鄉兵數人。求殺登瀛，不得，屯城南，久之，乃散。

註：

①「十二月，倭陷福建永寧衛，大掠數日而去」，明世宗實錄將倭陷永寧衛事繫於同年三月。該書卷五〇六，同年二月己卯朔壬戌條云：「福建同安倭寇，夜襲破永寧衛城，脅指揮王國瑞、鍾塤，千戶蔡朝陽，降之。」

嘉靖四十二年

十月，倭犯福建。其自浙之溫州來者，合福寧、連江登岸海賊，攻陷壽寧、政和、寧德等縣；自廣之南畧來者，合福清、長樂登岸海賊，攻陷玄鍾所，蔓延及於龍巖、松溪、大田、古田之境，無非賊者。

初，浙江參將戚繼光等，既連破賊於林墩港等處，閩之宿寇盡平。繼光引兵還浙，遇倭自福清東營嶼登岸，麾兵擊之，斬首百八十級有奇，遂行。而倭寇至者日眾，始犯邵武，殺指揮齊天祥；轉掠羅源、連江等縣，殺遊擊倪祿，遂攻玄鍾所城及寧德縣，入之；乘勝直抵興化府。攻城不克，乃合兵薄城下圍之，且匝月。巡撫游震得以狀聞。部覆：「賊以旬月內連破數城，如入無人之境，帥府而下職守，謂何顧事急之際，姑俱令戴罪立功。請調新募義烏兵一枝，以戚繼光統之，仍起丁憂參將譚綸，與都督劉顯，總兵俞大猷等，同心共濟，以收奇功。」上從之。

十一月，都督劉顯率兵應援興化。初，顯大兵留江西剿海寇，所提入閩卒不及七百人，且疲屢戰。倭新至，勢衆且銳。顯知不敵，乃去府城三十里，隔一江，按兵不進，至是欲掩逗留之罪，始遣五卒賫文詣府，約欲率兵赴城禦敵。賊獲五卒，殺之。用其職銜，僞爲顯文，約某日夜某時分率兵潛入城中應援，勿擧火作聲，恐賊驚覺。擇奸細五人，詐爲劉卒。賫入時，參將畢高，參政翁時器在城，信之。至期，賊冒劉兵入城，人莫之疑。賊既大入，忽爾殺人，城中驚亂。畢高、翁時器及衛掌印指揮徐將等，皆倉皇縋城走，城遂陷。同知奚世亮爲賊所殺。賊遂據城中三閱月，殺擄，刼掠，焚燬，慘毒備極。劉顯乘亂，擄執城中逸出婦女。時有閒住參政王鳳靈繼妻，年少，竟爲劉顯擄去。賊既飽其欲，始如平海衛，欲擄船泛海去。

十二月，原屯興化倭，結巢崎頭城，與都指揮歐陽深相拒，久之不出。深，望見其兵少，輕之，直前挑戰。伏發，深與其下數百人皆戰死。賊遂乘勝攻陷平海衛。

以倭陷興化，命提督兩廣都御史張臬，總督廣、閩軍務，調兵馬分部擊之。罷巡撫游震得，回籍聽勘。令總兵劉顯戴罪剿賊。逮參政翁時器，參將畢高主①京問罪。初，興化敗書聞，震得已坐失事奪俸。既而巡按御史李邦珍言：「震得一籌莫展，宜簡命大臣有濟變才者，假以重權，亟往拯之。」南京科道范宗吳、張士佩等亦言：「賊薄興化時，震得詐疾告休；及城陷，則避之福清，不肯督兵救援。顯屯軍江口，遠在三十里外駐營，未聞提兵決戰。而時器與高，聞變即縋城宥遁，尚未識其所往，請各寘之理。」俱下兵部，議覆：「大臣有威望，累著擒賊功者，一時無如臬賢，宜重用之，震得等誠駑怯有罪。但題②素得士心，臨敵易將，恐一時難其代者，宜令立功自贖，俟事寧併論。」上然之，乃有是命。

平海倭引兵出海，把總許朝光以輕舟抄之，斬首四十九級，賊乃進（盡）焚其舟，還屯平海。副總兵戚繼光，督兵至福建，與總兵劉顯、俞大猷夾攻原犯興化倭賊於平海衛，大破平之，斬首二千二百餘級，火焚、刃傷及墜崖、溺水死者無算；縱所掠男婦三千餘人，獲得衛所印十五顆。自是福州以南諸寇悉平。

故海寇王直餘黨洪迪珍降，伏誅。珍，漳州人。初與直通番，後直敗，其部下殘倭，各依迪珍，往來南臬間。懼官軍誅之，聲言聽撫，而剽掠如故。至是勢窮，率其子文宗自詣福建海道副使邵梗所，願立功自效。總督張臬收下獄，馳疏以聞。詔：「即其地誅之！」

註：

①「主」，明世宗實錄，卷五一八，嘉靖四十二年二月庚戌朔丁丑條作「至」。

②「題」，前註所舉書同卷同年同月同日條作「顯」。

嘉靖四十三年

二月，時舊倭萬餘攻仙遊城，圍之三月，戚繼光馳赴之，大戰城下。賊敗，趨同安，繼光麾兵追至王倉坪，斬首數百級，餘衆奔漳浦之蔡丕嶺。繼光督各兵入賊巢，擒斬數百人，閩寇悉平。殘倭得脫者流入廣東界，掠魚（漁）舟入海。

三月，歸善盜溫七、伍端作亂，總督張臬檄參將謝勑討之。勑不爲備，爲盜所乘，殺指揮王佐等。勑懼，逃歸原衛。未幾，溫七兵亦敗，被擒。端自縛至軍門，求殺賊自效。端，即所謂花腰封也。總兵吳繼爵、俞大猷受其降。提督吳桂芳至，因使擊賊，官軍繼之，圍倭於鄒塘，連克三巢，焚斬四百餘人。捷聞，上命各加賞賚。

隆慶平倭（附錄）

隆慶二年，倭分道犯廣東化州石城縣，攻破錦囊所，殺千戶黃隆，又陷神電縣城。一時吳川、陽江、高州、海豐等，並遭焚劫。而山寇黃朝泰等復起，勢甚猖獗，官兵不能禦。提督軍務侍郎殷正茂以聞，自劾待罪。兵部以正茂初至任，宜赦弗問。上曰：「廣東舊賊未至，新倭復熾，至陷城池，皆守臣向來怠廢玩愒，守禦無策所致，罪不可宥，通候事寧核治。殷正茂素有才略，茲初任事，其督率將領、司道等官，悉力驅剿，務期蕩滅。其地方機宜，悉聽破格整理，敢有阻撓者，奏聞重治。」

廣東倭入犯新寧、高平等處，官兵與戰於外村島嶼，皆捷，俘斬二百餘人，焚溺死者甚衆。

事聞，詔下御史覈功具奏。

兩廣總督殷正茂奏：「撫民許瑞出兵攻剿倭寇，生擒七十八人，斬首二十五級。請授把總職銜，以示優異。」兵部謂：「廣盜未清，姑厚其賞，令盡剿諸賊，乃併授官。」上命如部議。

國朝典彙

都察院右僉都御史涂學聚編輯，廣西道監察御史趙胤昌訂正

卷一六九

兵部　三三

日本

○洪武二年正月，遣使以即位詔諭日本諸國，賜以璽書。按：日本古倭奴國①，海中諸夷，倭奴最大，西南至海，東北大山。國主世以王爲姓②，群臣亦世官。地分五畿七道三島，又有附庸國百餘，拘邪韓最大。其國小者百里，大不過五百里。戶小者千，多止一二萬，皆倭種也。漢滅朝鮮，通使稱王者三十餘國。倭王最雄長者居邪馬臺國，即邪摩維。歷漢、魏、晉、宋、隋皆朝貢，稍習華音。唐咸亨初，惡倭名，更號日本。元世祖使趙良弼招之，不至。遣唆都范文虎將十萬兵往征，至五龍山，暴風覆舟，軍盡沒，終元世絕不通。

○倭寇山東並海郡縣，又寇淮安。

○四月，倭寇出沒海島，侵掠崇明沿海諸處。太倉指揮戴德③率兵出海捕之，獲倭寇九十二人，及其兵器、海舟。奏聞，陞德爲都指揮④。遣使祭東海之神。

○三年三月，遣萊州同知趙秩持詔諭日本國王良懷⑤曰：「朕聞順天者昌，逆天者亡。自古帝王居中國而治，四夷歷代相承，咸出斯道。惟彼元君，漠北虜夷，竊主中國，汙壞彝倫。朕荷上天祖宗之佑，百神效靈，諸將用命，收海內之群雄，復前代之疆宇，即皇帝位已三年矣。比嘗遣使持書，飛諭四夷，高麗、安南、占城、爪哇、西洋鎖（瑣）里，即能順天奉命，稱臣入貢。既而西域諸種番王，各獻良馬來朝，俯伏聽命。北夷遠遁沙漠，將及萬里。特遣征虜大將軍率馬、步八十萬，出塞追獲，殲厥渠魁，大統已定。蠢爾倭夷，出沒海濱爲寇，已嘗遣問，久而不答。方將整飭巨舟，致罰爾邦。俄聞被寇者來歸，始知前日之寇，非王之意。乃命有司暫停造舟之役。然或外夷小邦，故逆天道，不自安分，神人共怒，天理難容。征討之師，控弦以待。果能革心順命，永保承平，不亦美乎？嗚呼！撫順伐逆，古今彝憲，王其戒之，以延爾嗣。」

○四年，趙秩等往日本，至析木崖，入其境，闞者拒勿納。秩以其書達其王良懷。王乃延秩入。秩諭以中國威德，而詔旨有責讓其不臣中國語。王曰：「吾國雖夷狄，僻在扶桑，未嘗不慕中國之化而通貢奉，惟蒙古以夷狄蒞華夏，而以小國視我。我先王曰：『我夷狄，彼亦夷也，乃欲臣妾我』，而使其使趙姓者訹我以好語，初不知其覘國也。既而使者所領水犀數十艘，已環列於海崖。賴天地之靈，一時雷霆風波，漂覆幾無遺類，自是不與通者數十年。今天子帝華夏，天使亦姓趙，豈昔蒙古使者之雲仍乎？亦將誅我以好語而襲我也？」命左右將刃之。秩不爲動，徐曰：「今聖天子，神聖文武，明燭八表，生於華夏，而帝華夏，非蒙古比。我爲使者，非蒙古使者後，爾若悖逆不吾信，即先殺我，則爾之禍，亦不旋踵矣。我朝之兵，天兵也，無不一當百。我朝之戰艦，雖蒙古戈船，百不當其一。況天命所在，人孰能違？豈以我朝之以禮懷爾者，與蒙古之襲爾國者比耶？」於是其王氣沮，下堂延秩，禮遇有加。即奉表箋稱臣，遣其臣僧祖來，隨秩入貢。詔賜祖來等文綺帛，仍賜良懷大統曆及文綺羅。

〇五年，上諭劉基曰：「東南尙禪教，姑遣明州天寧僧（仲猷）祖闡，南京瓦官僧無逸（克勤）開諭之。」良懷欲留，二僧力辭。王遣使同二僧入貢。

〇倭寇海鹽、澉浦、溫州，又寇福建海上諸郡。

〇六年，倭寇登萊。

〇七年，寇膠州。

〇五月，日本持明與良懷爭立，⑥使者賫其國書達中書省，貢馬及方物，而無表文，上命却之。其臣亦遣僧貢馬、茶、布、刀、扇。上曰：「此私交也。」亦不受。令中書省移文責王。

〇八月，靖海侯吳禎，捕獲倭寇人、船，送京師。

〇九年，日本屢寇瀕海州縣，上命中書省移文責之。良懷遣僧歸廷用等，奉表貢方物謝罪。賜王及使文綺，有差。已而上以所上表詞不誠，復詔諭之。

○十二年，日本來貢，無表文，安置使人於陝西番寺。

○十三年，日本再貢，皆無表文，以其征夷將軍源（足利）義滿所奉丞相書。來書倨甚，命錮其使。

○十四年七月，良懷遣僧如瑤等貢方物，上却其貢，仍命以書責之曰：「大明禮部尙書致書日本國王，王居滄溟之中，不奉上帝之命，不守己分，但知環海爲險，限山爲固，肆侮鄰邦，縱民爲盜，上帝將假手於人禍有日矣。吾奉至尊之命，移文與王。王若不審其微，井觀蠡測，自以爲大，無乃搆隙之源乎？王之國自漢、魏、晉、宋、隋、唐、宋之君，皆遣使奉表，貢方物。當時帝王，或授以職，或爵以王，由歸慕意誠，故復禮厚也。若叛服不常，搆隙中國，則必受禍，如吳大帝，晉慕容廆，元世祖，皆遣兵征伐，俘獲男女以歸。千數百年間，往事可鑒也，王其審之！」

○日本遣僧入貢，乞還安置諸僧使。上曰：「日本既謝罪，還其使。」召至京，宴賚遣歸。時日本納兵貢艘中，助逆胡惟庸。惟庸敗，事發，上乃著祖訓，示後世毋與倭通。

○十六年四月，倭寇浙東，又寇金鄉、平陽。

○十七年，如瑤又來貢。坐通惟庸，發雲南守禦。

○二十六年，倭寇金鄉。

○二十七年十月，倭寇金州。

○二十八年四月，復寇金州。
○建文三年九月，倭寇浙東。
○永樂元年，日本王源道義⑦遣使入貢。上賜冠、服、文綺，給金印。
○二年，日本屢寇濱海郡縣，及是遣人來貢，并擒獻犯邊賊二十餘人，縛至，甑中蒸死。遣通政趙居任賜日本王冠、服、文綺、金銀古器、書畫，又給勘合百道，令十年一貢⑧。每貢，正副使無過二百人。若貢非期，人、船踰數，夾帶刀鎗，並以寇論。居任還，不受日本餽。上喜，厚賜之。尋命僉都御史俞士吉賜王印、誥，冊封爲日本國王。詔名其國之鎮山曰：「壽安鎮國山」，上爲文勒石銘之。
○四年正月，對馬、臺⑨岐等島海寇，刼掠居民。勅道義捕之，獲渠魁以獻，而殲其類。上嘉其勤誠，遣使齎璽書褒諭之，仍賜道義白金千兩、綵幣、綺繡幣、銀壺諸物，并海舟二艘。
○十一月，平江伯陳瑄督海運至遼東。舟還，值倭寇刼沙門島。瑄率眾追至朝鮮境上，焚寇舟殆盡，殺溺死者甚眾。
○八年，源道義卒，賜諡恭獻。子源（足利）義持嗣，益奸狡，時時令各島人掠我海上。
○四月，源義持遣使（釋堅中）圭密等，奉使貢方物，謝賜父諡，及命襲爵恩。皇太子監國，賜鈔幣，有差。
○九年二月，遣使嘉源義持屢獲倭寇，賜金織文綺百疋，鈔五十緡。

○倭寇陷廣東昌化千戶所，殺死千戶王偉等。

○五月，倭寇磐石。

○十五年正月，倭寇浙東。五月，又寇。

○六月，倭船三十二艘泊靖海衛楊村島。勅捕倭都督同知蔡福等，會山東都司合兵殄滅，勿誤事機。

○十月，時捕倭將士擒寇數十人獻京師，賊首皆日本人。群臣言：「日本數年不修職貢，今賊首乃其國人，宜誅之以正其罪。」上乃遣禮部員外郎呂淵等，賜勅切責之曰：「爾父畏天事大，職貢不愆。先烈之不圖，而輕干上國，爾罪必討。朕所以隱忍者，未忘爾父之恭耳，爾其思之。」

○十六年四月，呂淵自日本還，義持奉表謝罪。⑩禮其使遣歸。

○時內官張謙及指揮、千、百戶等官使西洋諸番，還至浙江金鄉衛海上，猝遇倭寇。官軍在船者纔百六十餘人，賊可四千。鏖戰七十餘合，大敗賊徒，殺死無算，餘眾遁去。朝廷聞而嘉之，賜奬勞陞賞，有差。

○十七年，倭船入王家山島，傳烽沓至。都督劉江⑪率精兵急馳入望海堝。賊數千人分乘二十舟，直抵馬雄島，進圍望海堝。江發伏出戰，遣奇兵布伏諸山下，斷其歸路。賊奔入櫻桃園，江合兵圍而攻之，斬首七百四十二，捕生八百五十七。召江至京，封廣寧伯。倭自是不敢窺遼東。

○宣德元年，日本遣人來貢，⑫人、船、刀劍不奉我約束。上諭使臣自後貢無過三舟，使人不過三百，刀劍不過三十⑬，否不受。

○七年，以日本貢久不至，命中使諭其王。尋遣人來貢如約束，受之。

○八年，源義持卒，命太監雷春，少卿潘賜等弔祭。⑭

○十年，嗣王遣使貢謝。⑮

○正統四年四月，倭奴大寇浙東。先是，倭得我勘合，方物、戎器，滿載而來。遇官兵，矯云入貢，貢即不如期，守臣幸無事，輒請俯順夷情。主客者爲畫可條奏，即許復貢云：「不爲例。」嗣復再至，亦復如之。我無備，即肆出殺掠，滿載而歸。宣德末年，海防益備，賊不得間，貢稍如約，遂許夷至京師，宴賞市易，飽恣其欲。已而備禦漸踈。是年寇大嵩，入桃渚，官庾民舍，焚刼一空。驅掠少壯，發掘塚墓，束嬰竿上，沃以沸湯，視其啼號，拍手笑樂。捕得孕婦，卜度男女，刳視中否爲勝負飲酒。荒淫穢惡，至有不可言者。積骸如陵，流血成川，城野蕭條，過者隕涕。於是朝廷下詔備倭，命重帥守要地，增城堡，謹斥堠，修戰艦，合兵分番屯駐海上，寇盜稍息。

○七年，日本來貢。

○八年九月，倭寇浙東，僉事陶成整飭海道，率兵平之。

○十一年四月，倭寇海寧、乍浦。

○成化二年四月，倭忽至寧波，知我有備，矯稱進貢。守臣爲請於朝，且欲遣至京。楊守陳貽書主客，力言其不可許。

○四年六月，日本通事林從傑等三人奏，原係寧波府衛人，幼被倭賊掠，賣與日本爲通事。今隨本國使臣入貢，將還，乞容便道省祭。從之，仍禁其勿同使臣至家，及私引中國人通番，如違，聽有司治罪。

○五年二月，日本使臣回還，詐稱海上遭風，喪失方物，乞給價回國。禮部執奏不與，且欲治其通事閣宗達教誘之罪。宗達本奉化人，先年逃入海島，今隨使來朝。上曰：「宗達且不究治，若再反覆，族其原籍親屬。」

○五月，定海衛千戶王鎧言：「倭夷姦譎，時掠海邊。見官軍追捕，乃陽爲入貢；伺虛則掩襲邊境。往者大嵩嘗被其毒，近見使臣〔天與〕清啓入貢，臣恐使回有異謀，或爲掩襲之計。乞勅鎭守、總督、海巡等官，設策防禦之。」兵部因言：「邇者倭使清啓凌轢館僕，殘殺市人，迹實桀驁。鎧言誠當，宜移文備倭巡海等官，令督緣邊官軍，務振軍容，嚴飭堠，以防其奸。」

○十三年二月，日本入貢。

○二十年，日本遣〔子璞〕周瑋等來貢。

○弘治八年，日本〔堯夫〕壽蓂來貢。

○正德四年七月，日本南海道遣使來貢。

○六年六月，日本遣宋素卿、源永壽來貢，求祀孔子儀注，不許。鄞人朱澄告言：「素卿本澄從子，叛附夷人。」守臣以聞。主客以素卿正使，釋之。令諭王效順無侵邊。按：素卿者即朱縞也，逃入倭，有寵於王，易姓名充使。其族人相與耳目爲奸利。守臣白發之。素卿厚賄閹瑾，賜飛魚服遣歸。

○八年，日本僧〔了庵〕桂梧⑯等來貢。

○嘉靖二年五月，日本貢使大掠寧、紹諸處。時國王源（足利）義植⑰幼闇無道，國人不服，政在大夫，諸道爭貢。左京兆〔大〕內藝興，遣僧宗設〔謙道〕來貢，而右京兆細川高〔國〕，亦遣僧〔鸞岡〕瑞佐來，與宋素卿偕先後（先後偕）至寧波。市舶故事：凡番貢至者，閱貨、宴席，並以報至先後爲序。時瑞佐後至，素卿奸狡，通市舶太監賴恩，饋寶賄萬計。恩令先閱瑞佐貨，宴又令坐宗設上。宗設不平，即席間與瑞佐忿爭相仇殺。恩又以素卿，故陰助瑞佐，授之兵仗。宗設衆，益鬪燬嘉賓堂，刼東庫，逐瑞佐至姚江，臨紹興府城索瑞佐。不得，殺掠至西霍山洋。殺總督備倭指揮劉錦，千戶張鏜，縛去指揮袁璡，百戶劉恩。又自育王嶺逃至小山浦，殺百戶胡源，大掠寧波，奪舟去。

○禮部言：「日本宋素卿來朝，勘合乃孝廟時所降，其武廟時勘合，稱宗設奪去，恐未可信，不宜容其入朝。但二夷相殺，釁起宗設，而素卿之黨被殺甚衆。雖素卿以華從夷，事在幼年，而長知效順，已蒙武宗宥免，毋容再問。惟令鎮守等官省諭素卿回國，移咨國王，令其查明勘合，自行究治，待當貢之年，奏請議處。既而給事中張翀，御史熊蘭等言：「各夷懷奸仇殺，事干犯順，乞明正其罪。」上命繫素卿及宗設夷黨於獄，待報論決。乃令鎮巡官詳鞫各夷情僞以聞。

○十一月，給事中夏言等言：「鄕者倭夷入貢，肆行叛逆，地方各官不能先事剿捕，而前後章奏，言辭多遁，功罪未明。該部按據來文，遷就議擬，雖云行勘，亦主故常。乞勅風力近臣，重行覆勘。且寧波係倭夷入貢之路，法制具存，尙且敗事，其諸沿海備倭衙門，廢弛可知，宜令所遣官，由山東循淮楊（揚），歷閩、浙，以極於廣，會同巡撫，逐一按視，豫爲區畫。其倭夷應否通貢絕約事宜，乞下廷臣集議。」得旨，差風力科臣一員，其餘事宜，兵部議處以聞。乃遣給事中劉穆往按其事。

○宋素卿伏誅。⑱初，宗設肆掠後，匿入海島，無可踪跡。獨素卿、瑞佐就執下獄待訊。廷議備責沿海備倭官緝捕宗設無所得，而朝鮮國王李懌奏稱：「倭奴入犯上國，至殺官兵，不伏天誅，偷生到境。仰仗皇威，剿殺幾盡。今將賊倭二俘仲⑲林、望古多羅，首級三十三顆，及長箭船䑸等物，并華人被虜者王漾等八人獻之闕下。」上命給事中劉穆，御史王道按覆之。乃發仲林、望（古多羅）等至浙江，令與素卿對簿備鞫，遣貢先後，及符驗眞僞。獄既具，乃論素卿叛正，仲林、望古多羅故殺，各斬，瑞佐等釋還本國。失事人員各謫戍，奪俸，有差。

○遣日本夷僧妙賀等各歸國。勅諭日本國王，以宋素卿、仲林、望（古多羅）等皃殺就戮，妙賀等無罪，以禮遣還。其元惡宗設及佐謀倡亂數人，亟捕繫傳送中國，以聽天討，餘並罔治。虜去人民，仍優恤送歸，不者，將閉絕貢路，徐議征討。時有琉球貢使鄭繩歸國，即令齎勅傳諭之。

○十八年，日本國王源（足利）義晴，復遣使來貢。

○十九年，源義晴差使（湖心）顧⑳鼎等來，貢馬及獻方物，宴賞如例。又加嗣（賜）國王、王妃。使臣方物，各給以價。因乞賜嘉靖新勘合，及歸素卿等原留貢物。言官論其不可。上命禮部會兵、刑二部，都察院僉議以聞。覆言：「事情譎詐難信，勘合令將舊給繳完，始易以新。素卿等罪惡深重，貨物已經入官，俱不宜許。以後貢期、貢船，違例者阻回。督遣使者歸國，仍飭沿海備倭衙門嚴爲之備。」從之。

○二十三年，日本使釋壽光等復來稱貢。禮部言：「日本例十年一貢，今貢未及期，且無表文并正使，難以憑信。宜照例阻回。其方物收候作下次貢儀，移文本國知會。」㉑詔：「如例阻回，方物仍令本夷帶還。各該司省發起程。」既而各夷嗜中國財物，相貿易，延歲月不肯去。巡按浙江御史高節，請治沿海巡視備倭等官故縱之罪。從之。

○二十五年，倭寇寧、台。自嘉靖元年罷市舶，凡番貨至，輒賒與奸商，久之，奸商欺負，不肯償。番人泊近島，遣人坐索，不得。番人乏食，出沒海上爲盜。久之，百餘艘盤據海洋，日掠我海濱不肯去。小民好亂者相率入海從倭，兇徒、逸囚、罷吏、黠僧，及衣冠失職、書生不得志群、不逞者，皆爲倭奸細，爲之鄉導。於是王五峰、徐必㉒溪、毛海峰之徒，皆我華人；金冠龍袍，稱王海島，攻城掠邑，莫敢誰何，浙東大壞。至是，巡按御史陳九德㉓請置大臣，兼制浙、福，乃以朱紈爲都御史，巡撫浙江兼領福、興、泉、漳。紈任怨任勞，嚴禁閩、浙諸通番勾引主藏者，凡隻檣餘艎，一切毀之。時浙人通番，皆自寧波定海出洋，閩人通番，皆自漳州月港出洋，往往諸達官家爲之。強截良賈貨物，驅令入舟。紈因上言：「去外夷之盜易，去中國之盜難。去中國之盜易，去中國衣冠之盜難。」於是福建海道副使柯喬，都司盧鏜，捕獲通番九十餘人。紈欲禁止令行，遣旗牌督決於演武場，一時通番稍息。而巨姓諸不便者大譁詆誣，惑亂視聽，諷御史周亮，給事中葉鏜，奏改巡視。從之。紈尋罷卒。

○二十七年，源義晴差正使〔策彥〕周良來朝，貢方物，宴賚有差。以白金、錦綺報賜其王及妃。時良等不及貢期，以六百餘人駕舟百餘艘㉔入浙江界，求詣闕朝貢。巡撫朱紈以聞。禮部以倭夷入貢，舊例以十年爲期，來者無得踰百人，舟無得過三艘。乃良等先期求貢，舟、人皆倍數於前，情實叵測。宜令紈循十八年例，起送五十人赴京，餘留嘉賓館，量加賞犒，著令回國。報可。已而紈力陳不便狀。禮部欲賞其百人如例，非正額者皆罷勿賞。良因自陳貢舟高大勢須五百人。中國商舶入夷中，往往匿海島爲寇，故增一艘者護舟故也，非敢違明制。禮部不得已，請百人之外，各量加賞犒，百人之制，彼國勢難遵行，請相其貢舟斟酌。又，良等持弘治勘合十五道，言其餘七十五道爲宋素卿子宋一所盜，捕之不得。正德勘合留五十道爲信，以待新者。而以四十道來還。部覈其簿籍脫落，故勘合多未繳，請勿予新者。令異時入貢，持所留正德勘合四十道，但存十道爲信，始以新者予之。而宋一所盜者，責令捕索以獻。報可。

註：

①「日本古倭奴國」，日本古稱倭國，非倭奴國。參看鄭樑生，明史日本傳正補。

②「國主世以王為姓」，按：日本皇家無姓，僅以名稱呼。

③「太倉指揮戴德」，明太祖實錄，卷四一，洪武二年四月乙丑朔戊子條作「太倉衛指揮僉事翁德」。

④「陞德為都指揮」，註一所舉書同卷同年同月條作「陞太倉衛指揮僉事翁德為指揮副使」。

⑤「良懷」，良懷之為懷良之誤，請參看本書頁第六輯頁二二五七，註③。

⑥懷良雖系出南朝大覺寺統，但無與北朝持明院統爭皇位之實。以下同此。

⑦「日本王源道義」，即日本室町幕府第三任將軍足利義滿，道義係他皈依佛教以後的法號。

⑧永樂年間並無限制日本十年一貢之實。有關限制日本入貢的理由，與限制日本貢期的時期問題，參看鄭樑生，明代中日關係研究（臺北，文史哲出版社，民國七十四年三月），頁七五～七九。

⑨「臺」，日本文獻史料俱作「壹」。

⑩他書及日本史乘均未言足利義持遣使奉表謝罪事。

⑪劉江之為劉榮之誤，請參看明史，卷一五五，劉榮傳。

⑫日本史未紀於宣德元年（應永三十三年，一四二六）遣使朝貢事，此元年應為八年（永享五年，一四三三）之誤。因日本為復貢所遣之使節龍室道淵，於宣德七年自京都出發，翌年抵中國。

⑬「十」，應為「千」之誤。

⑭如據日本史乘的記載，室町幕府第四任將軍足利義持卒於宣德三年（正長元年，一四二八），當時明廷未曾遣太監雷春等弔祭。

⑮明實錄、明史及日本史乘，均未紀日本於本年遣使朝貢。

⑯「梧」，日本史料俱作「悟」。

⑰「植」，日本史乘俱作「稙」。

⑱「宋素卿被誅」，宋素卿未被誅，係瘐死獄中。明史日本傳云：「至（嘉靖）四年，獄成，……繫獄。久之，皆瘐死。」

⑲「仲」，明史日本傳及朝鮮王朝實錄皆作「中」。

⑳「顧」，日本文獻史料俱作「碩」。

㉑日本文獻史料俱未言於本年遣使朝貢中國，故此次朝貢，應屬私貢。

㉒「必」，鄭若曾，籌海圖編、鄭舜功日本一鑑俱作「碧」。

㉓「陳九德」，鄭舜功，日本一鑑，窮河話海，卷六，海市條；明世宗實錄，卷三二四，嘉靖二十六年六月庚辰朔癸卯條；明史，日本傳俱作「楊九澤」。時間則實錄、明史日本傳俱作嘉靖二十六年六月，朱紈傳作七月。

㉔「百餘艘」，明世宗實錄，卷三四九，嘉靖二十八年六月己亥朔甲寅條，及日本史乘俱作「四」艘。

日本一鑑

奉使宣諭日本國新安郡人鄭舜功纂敘，民國二十八年據舊鈔本影印本

卷六

窮河話海

渡航

○皇明嘉靖癸未，福建市舶太監趙誠奏稱：「海上夷人數十，遭風漂船，奔逃海岸乞食被獲。即今日逐關給口糧，撥軍防守，亦欲伺便放歸本國。」又，廣東之揭陽縣大家井民郭朝卿，販稻航海市漳泉，遭風漂流至其國。既還，得知海道，復販貨財私市矣。故濱海有犯罪者亡入彼中，彼島之主不知為罪犯，而哀落魄唐人，多給之文移，令週遊所部。及別島主與本島主之親，故以濟究苦自足。罪犯錯綜盤固於夷島，歲增月益乎其間，誘引倭夷，從來海市，漸為寇邊之患

也。

海市

○皇明洪武辛亥，福建興化衛指揮李興、李春，私遣人出海行賈，上命都督府臣嚴處之。

○洪武丙辰，日本人滕八郎以商至，獻弓、馬、刀、甲、硫黃之類，却之。

○伏按國制，毋倭商市之條，惟入貢夷順帶貨物，許諸人互市。

○嘉靖甲午，給事中陳侃出使琉球，例由福建津發，比從役人皆閩人也。既至琉球，必候汛風乃旋。比日本僧師學琉球，我從役人聞此僧言日本可市，故從役者即以貨財往市之，得獲大利而歸，致使閩人往往私市其間矣。後有私市平戶島，島夷利貨，即殺閩商。未幾，天乃雨血其地，地復出血，島夷俱灾。遭殺諸商皆見夢於島主，島主寢疾，立廟祀之，其島始安。自後私商至彼，待以殊禮。繕舟匱乏，島夷稱貸，故私商衆，福亂始漸矣。

○夫廣私商，揭陽縣民郭朝卿，初以航海遭風漂至其國，歸來亦復往市矣。

○浙海私商，始自福建鄧獠，初以罪囚按察司獄。嘉靖丙戌，越獄逋下海，誘引番夷私市浙海雙嶼港，投託合澳之人盧黃四等私通交易。嘉靖庚子，繼之許一松、許二楠、許三棟、許四梓，勾引佛郎機國夷人（斯夷於正德間來市廣東不恪，海道副使王鋐驅逐去後，乃占滿剌加國住牧，許一兄弟遂於滿剌加而招其來。）絡繹浙海，亦市雙嶼、大茅等港，自茲東南釁門始開矣。

○嘉靖壬寅，寧波知府曹誥，以通番船招致海寇，故每廣捕接濟通番之人，鄞鄉士夫嘗爲之拯拔。

知府曹誥曰：「今日也說通番，明日也說通番，通得血流滿地方止。」

○明年癸卯，鄧獠等寇掠閩海地方，浙海寇盜亦發，海道副使張一厚，因許一、許二等通番致寇，延害地方，統兵捕之。許一、許二等敵殺得志，乃與佛郎機夷竟泊雙嶼。伙伴王直（的名鋥即五峰）於乙巳歲往市日本，始誘博多津倭助才門等三人來市雙嶼。明年復行，風布其地，直、浙倭患始生矣。

○歲丙午，許二、許四因許一、許三事，故所欠番人貨物無償，却以姦黨於直隸蘇、松等處地方誘騙良民，收買貨財到港。許二、許四陰嗾番人搶奪。陽則寬慰被害之人，許償貨價，故被害者不知許二、許四之謀，但怨番人搶奪。自本者則舍而去之，借本者思無抵償，不敢歸去，乃隨許四往日本國，價以歸舟。至京泊津，遭騙之人，寖以番人搶騙財貨之故告以島主。島主曰：「番商市中國，敢搶中國人財，今市我國，莫不懷擄矣。」即殺番人，乃以薪粒等物給許四，使送華人以歸。許四自思初欠番夷貨物，又失番夷啇賈歸，竟不敢向雙嶼，却與沈門林剪、許獠等合踪，刼掠海隅民居。許二以兄弟許一、許三喪亡，許四不歸，所欠番人貨財不能抵償，遂與朱獠、李光頭等誘引番人寇刼閩、浙地方矣。

○明年丁未，胡霖等誘引倭夷來市雙嶼，而林剪往自彭亨國，誘引賊眾來，與許二、許四等合為一踪，刼掠閩、浙，邊方騷動。巡按浙江監察御史楊九澤，事聞於朝。勅都御史朱紈調兵征討許二、許四等，以靖閩、浙，以安地方。

○明年戊申，科道交章軍門購獲許二，許四逃去西洋，雙嶼港窒。於時林珣誘引倭夷稽天私市浙海，官兵獲之。又王直、徐銓（即惟學，一名碧溪）誘倭私市馬蹟潭。惟陳思泮①誘倭來泊大衢山，名雖稱商，入劫洋（揚）子江船矣。

○己酉冬，王直等誘倭市長途。明年庚戌，巡按廣東監察御史王紹元，以鄉宦族通倭構（搆）訟，乃建議曰：「海利獨歸於宦豪，莫若屬權於官府。」惟時朝議，琉球、朝鮮、爪哇諸族，地隔漲海，自古未爲邊寇。惟日本一國只宜遵祖訓，不許與同。今御史王紹元要開市舶事，亦慎重之至。合行直隸、浙江、福建、廣東撫、操、巡、按、三司等官會議，果於地方無損，國課有益，咨覆奏奪。而御史王紹元雖懷富國之謀，未審寇盜之漸，議亦未行。

○本年徐銓等勾引倭夷俱市長途。比有盧七、沈九誘倭入寇，突犯錢塘。浙江海道副使丁湛，移檄王直等拏賊投獻，姑容私市。王直脅倭即拏盧七等以獻。

○明年辛亥，王直等船泊列港，又拏陳思泮等以獻，惟龔十八（一名碧溪），王直縱之，使同海市。又明年壬子，拏七倭賊以獻。比時徐海誘引倭夷，亦泊列港。陽則稱商，陰則爲寇。又別倭船來稱海市，王直欲與伢市之，抑無所齎，濟以薪、米，遂同行日本。於時巡按浙江監察御史林應箕，乃以海上多事奏聞於朝。勅都御史王忬經略浙、直地方。

○明年癸丑，而葉宗滿（即碧川，一名五龍）勾引倭夷來市浙海。比懼舟師，不敢停泊，往市廣東之南澳，閩、廣倭患始生矣。比有王十六等，誘倭焚劫黃岩縣，參將俞大猷、湯克寬欲令王直拏賊授獻，而賊已去。乃議王直，以爲東南禍本，統兵擊之於列港，追至長途，次馬蹟潭，銃砲聲響，驚起螯龍，兵船漂散。王直之船無敢定泊，於夏六月乘風逃去，之平戶。

○歲甲寅，佛郎機國夷船來泊廣東海上，比有周鸞號稱客綱，乃與番夷冒他國名，誑報海道，照例抽分。副使汪柏故許通市。而周鸞等每以小舟誘引番夷，同裝番貨市於廣東城下，亦嘗入城貿易。又，徐銓等誘倭市南澳，復行日本，因風逆回泊柘林。都御史鮑象賢，先命東哨統兵官黑孟暘②，統率舟師伺擊之，徐銓入水而死，餘皆就擒。

○歲乙卯，佛郎機國夷人誘引倭夷來市廣東海上，周鸞等使倭扮作佛郎機夷，同市廣東賣蔴街，遲久乃去。自是佛郎機夷頻年誘倭來市廣東矣。姦民、罪犯深重者，移家受廛於夷島，深根固蒂（柢）乎其間，藉以買賣之名，用其賊寇之技，汛去汛來，東南多事。科道憂時，不知海賊之盤根，但以王直爲奇貨。惟時工部右侍郎趙文華，奏奉欽勅祭告東海，切惟己禍不得要領，故問通番之人。而通番輩告以必得王直，主通海市，則禍可息，故遣使招之。

○明年丙辰，毛烈（王直義兒）③、葉宗滿聽招而至，船泊列港。都御史胡宗憲，命往舟山拏賊授獻。又以贊畫俞一鑑等，質於毛烈、葉宗滿，乃得王濡、夏正、邵岳、童華、謝天與等到官用之，故縱毛烈、葉宗滿，私市而去。於時南澳倭夷，常乘小舟直抵潮州廣濟橋，接買貨財，往來南澳。而胡宗憲又遣使人至澳招諭王宗道（即清溪）、李貴顯（即華山），隨以家屬到官，自許送倭還國，復歸浙海，以圖自効。

○歲丁巳，招來貢夷德暘④等船一艘，泊於舟山馬墓港，遂館本山道隆觀。又招至毛烈、葉宗滿、謝和、王直等，誘來市倭四百餘，船四艘，倶泊舟山之岑港。時趙文華以病去位，而胡宗憲遣使招諭之。復以指揮伍惟統質於葉宗滿船，而葉宗滿乃與毛烈先來到官。烈復下海，王直乃到軍門。

○歲戊午，毛烈、謝和與同倭夷善妙等，登據岑港，乃挾德陽入巢。遂焚舖宇，而王宗道、李貴顯自日本至浙海，驚見舟師卒伍往南澳。久之，毛烈與倭移巢柯梅。用兵年餘，費靡無算，乃縱之，拔巢而去。誘倭來市之初，總兵俞大猷，副使劉燾，即欲繫之以成速効，然而副總兵盧鏜，及與功志闇合，不欲繫之以成長策，各言軍門，倶不聽。乃以開囮鷹犬以市媚軍門，上下交征利，是故僨事矣。

○戊午春，葉宗滿夥謝二、董二等，誘倭來市，官兵誘擒之。宗滿即碧川，又名五龍。先私貨雙嶼，被許二黨騙，流落日本。歲癸丑，始誘倭市南澳。歲丙辰，王直聽招以市，畏法不決，欲毛烈先行。烈子難之，邀宗滿。宗滿欲市南澳。直曰：「市南澳，有利無名。同烈行，名利兩得。」宗滿聽，與童華來市烈港。時徐海亂，軍門知華爲海契，以俞一鑑質之。到官，散海黨。宗滿率倭商紮舟山倭賊後去日本。歲丁巳，宗滿至岑港，軍門以伍惟統質之。到官，復縱下海。歲戊午，軍門用兵，預令宗滿歸囚之後，夥謝二、董二誘倭來市，泊朱尖，官兵誘擒。歲庚申，宗滿逮，戍鎮蕃衛。又且南澳自戊午歲前，皆海市者，戊午以後，乃爲賊窩。而許朝光等，負固其間。倭寇閩、廣，則歸此澳，擄得貨財、人口，許朝光等則必預造大船，市與賊眾，裝載以歸。刼得金銀，與之伢市而去。

○嘉靖己未，巡按廣東監察御史潘季馴，禁止佛郎機夷登陸至省，惟容海市。今年，許朝光造船市倭賊，賊市船，乘即破，卒怨許朝光，欲復刼掠地方。又慮官兵不利，議刼許朝光，乃得貨舡還島，遂入澳刼殺許朝光。朝光不支，即脫澳，倭賊乘船以去，官兵遂守澳中。後兵因缺糧，適新賊至，兵乃導賊刼掠東莞地方。而許朝光聽從都御史吳桂芳招諭，船泊闢望海上，蓋畏國法，不即傾心矣。近又訪得日本之夷，皆以華人勾倭離島，名雖稱商，實爲寇盜。故今鮮有從商者，多從佛郎機夷之船，來市廣東海上。

○今年佛郎機夷號稱海王者，官市廣東龍厓門，得聞三洲有船私市，謂減己利，而乃牽入龍厓，與之伢市而去。稱海王者，蓋屋居止龍厓門。民厭其禍，官懷隱憂。遣使驅逐，恬然不懼，此患積至十年矣。又聞市銅鑄造大銃，聲言朝貢，莫知所爲。復有佛郎機夷號稱財主王者，橫過海王，俱處其間，隱禍亦不可測也。爲今之計，若非寬恩委任，漸次處分，潛消不形之禍，設或凶變，不論十年之積禍，一時坐責當事者，孰願治海之任哉！奚成已禍之道哉！伏思我皇祖宗之制，既無倭市之條，只當宣昭大信，庶使四夷永守畫一之法猶可也，何乃以市自誣之。功念介子之微勞，幸覩堯皇之盛世，不敢設施奇詐，乃敢殫竭孤忠，期杜萬釁之門，須明一定之理。功幼寡學，少不師章句，茲心奉使，憂勤以勵報國者耶。仰惟天眷，鑒察微衷矣。

註：

①「泮」鄭若曾，籌海圖編，卷八，寇踪分合始末圖譜作「盼」。以下同此。

②「黑孟暘」，鄭若曾，籌海圖編，卷八，寇踪分合始末圖譜作「里孟陽」。

③「毛烈(王直義兒)」，采九德，倭變事略，鄭若曾，籌海圖編俱以毛烈即毛海峰又名王澂為王直義子。

④「德暘」，明史日本傳作「德陽」。

流逋

○元末，倭屢入寇，抑無所紀。倭寇國初者，乃寇元之利也，必有流逋以導之。備考：流逋誘倭入寇，自洪武己酉歲，廣東賊首鍾福全挾倭寇掠，官兵平之。又倭寇直隸，上遣使臣祭告東海，出師捕之。故於己酉、庚戌之歲，遣使往諭日本。於辛亥歲，其王良懷（懷良）遣使送至明州、台州被虜男女七十餘口。

○明年壬子，又歸所掠海濱男女七十八人。

○歲甲寅，靖海侯吳禎，率沿海衛軍出海捕倭，至琉球大洋，獲□□京。日本又以所掠瀕海民一百九人來歸。

○洪武辛酉，姦臣胡惟庸□□□□□□□□□□□□

○洪武丁卯，昌國（即今舟山）姦民，嘗從倭爲寇，故徙之爲寧波衛卒。

○洪武辛未，黃岩賊首張阿馬，誘倭至海邊摽（剽）掠，兵之。

○洪武壬午，使有還自東南夷者，言諸番夷遁居海島，中國軍民無賴者，潛與相結爲寇。成祖文皇帝遣使賫勑諭之曰：「好善惡不善，人之同情，有不得已而爲不善者，亦非本心。爾等或被罪譴，或苦饑寒，流落諸番，與之雜處，遂同爲刼掠，苟圖全活。巡海官軍既不能矜情招撫，更加侵害。爾等雖有悔悟之心，無由自遂，朕甚憫焉。今特遣人賫勑往諭九番國之人，即各還本土。欲來朝者，當以賜賚遣還；中國之人，逃匿在彼者，咸赦前過，俾復本業，永爲良民。若仍恃險遠，執迷不悛，則命將發兵，悉行剿戮，悔將何及。」

○永樂癸未，錦衣衛臣奏：「福建送至海寇若干人，法當棄市。」上曰：「朕許以不殺，今殺之，是不信。不信，後來者之路塞矣。」俱宥之，謫戍邊。錦衣衛臣復奏：「寇有婦女一人，本虜得之，今已爲妻，合無俱發邊。」上曰：「本吾良民，不幸爲寇掠，可釋歸原籍。」

○永樂甲申，倭寇直隸、浙江地方。

○遣使中官鄭和往諭日本王。①

○明年乙酉，其王源道義，遣使獻所獲倭寇嘗爲邊患者。上嘉其勤誠，遣使齎璽書褒諭之。遂封其國之山曰：「壽安鎮國之山」。上親製文，立石其地，仍賜白金等物。

○於時福建都指揮張鑑，統兵捕倭，私受賊賂，又縱兵掠民財，罪止謫戍，夫何寬貸如是耶？

○歲丙戌，仍遣勅諭海島流人曰：「爾等本皆良民，爲有司虐害，不得已逃移海島，刼掠苟活，流離失業，積有歲年。天理良心，未嘗泯滅，思還故鄉，畏罪未敢。朕比聞之，良用惻然。茲特遣人齎勅諭爾，凡前所犯，悉經赦宥。譬之春冰，渙然消釋。宜即還鄉復業，毋懷疑慮，以取後悔。」惟時平江伯陳瑄，率海運船過沙門島，適遇倭寇，隨率運軍，追至朝鮮境上而還。

○永樂丁亥，日本王源道義又遣使獻所獲倭寇道金等，上嘉之，賜勅褒諭。

○明年戊子，又遣使獻所獲海寇。上命以寇屬刑部，宴賚其使，嘉賜其王。王道義死，海寇復作。

○永樂丁酉，捕倭將士擒寇數十人獻京師，賊有微葛成二郎五郎者，訊之乃日本人。群臣言：「日本數年不修職貢，意爲倭寇所阻。今首賊乃其國人，宜誅之以正其罪。」上曰：「遠人威之以刑，不若懷之以德。姑宥其罪，遣使押示其王。」王源義持，隨遣使奉表謝罪，朝貢如初。②

○永樂戊戌，倭寇金山衛。

○明年己亥，鎭守遼東總兵官劉江（榮），殲賊寇於望海堝。於是內嚴武備，外嚴禁戢，寇盜漸已。

○宣德之世，馭以要領，東海晏然。

○正統己未，賊首畢善慶，乘間誘倭寇掠大嵩等處，失職官員被刑者三十六人。

○景泰己亥，寇健跳。

○成化丙戌，賊僞稱貢，又寇大嵩。

○備按：正統、景泰、成化時賊雖間發，驅之即去，未嘗深入爲患也。

○嘉靖癸未，二倭讎殺，驚動地方，此乃入貢之倭，固非入寇之賊，蓋當事者處置未當，故招其亂。乃挾指揮袁璡以去。於是罪犯逃夷曰鍾③林、望古多羅漂至朝鮮。國王李懌獲俘二倭，併級三十，及被擄民汪漾等八名來歸。

○邇者倭寇始自福建鄧獠，初以罪囚按察司獄，於嘉靖丙戌越殺布政查，約逋入海，誘引番夷往來浙海，繫泊雙嶼等港，私通罔利。至庚子歲，繼之許一、許二、許三、許四等，潛從大宜、滿剌加等國，誘引佛郎機國夷人絡繹浙海，亦泊於雙嶼、大茅等港，以要大利，東南釁門始開矣。

○嘉靖癸卯，賊首鄧獠，寇掠閩海地方。浙海寇發，蓋以許一、許二兄弟等爲誅首。惟時海道副使張一厚，統兵討捕，敗績，故許一、許二等遂以番船竟泊雙嶼矣。

○嘉靖乙巳，許一夥伴王直等往市日本，誘博多津倭助才門三人來市雙嶼港，直、浙倭患始生矣。

○嘉靖丙午，許四市倭不利，歸背雙嶼，却與賊首沈門、林剪、許獠等眾刼掠閩、浙海隅。許二以兄弟許一、許三喪亡，許四不歸，隨與賊首朱獠、蘇獠、李光頭等，脅同番夷刼掠閩、浙海隅民居。

○明年丁未，賊首林剪等誘引彭亨賊眾來，與賊首許二、許四合爲一踪，肆掠閩、浙地方。而謝文正公遷第宅，遭其一空。備倭把總指揮白濬，千戶周聚，巡檢楊英，出哨昌國海上，却被許二、朱獠擄去。指揮吳璋，乃以總旗王雷齎千二百金往贖之。賊得此利，故每擄邊富民以索重贖，地方多事。

○巡按浙江監察御史楊九澤，事聞於朝。勅都御史朱紈調兵征勦賊首許二、許四，以靖閩、浙，以安地方。

○明年戊申，科道交章，軍門購獲而廣示諭，有獲賊首許二、許四一名者，賞銀一千兩，舉官萬戶侯。許二、許四不能任泊，逃入西洋，而雙嶼港始窒也。惟賊首朱獠，夥番夷人旋環（還）

浙海，入刼太湖洞庭山，得獲大利，謀殺番人，而朱獠即離海上。又，陳思泮誘倭潛泊大衢山，入刼洋（揚）子江船。

○嘉靖乙酉，閩、浙小康。浙江海道副使丁湛，傳示備倭各總官，凡福船勿復給支，任其歸去。福兵既歸，於路乏糧，刼掠到家。福建海道副使馮璋，得聞前情，已到福兵，遂獲於獄，其未到者聞風遁去，之日本，此又益增賊寇也。

○嘉靖庚戌，賊首盧七、沈九，誘倭寇掠，突入錢塘。惟時王直誘倭私市長途，海道移檄王直等拏賊授獻。王直脅倭拏盧七、沈九以獻。明年辛亥，拏陳思泮④以獻。

○於時賊首龔十八，亦誘倭夷寇掠直、浙海邊。

○歲壬子，日本之種島土官古市長門守，聞島倭夷脅從唐人犯華者，誅首凡五人，惟時王直等拏七倭賊以獻。

○賊首徐海誘倭入寇浙海地方，自是浙海倭寇漸眾。巡按浙江監察御史林應箕奏聞於朝。勅都御史王忬經略閩、浙地方。

○明年癸丑，而葉宗滿誘倭來市浙海，驚見舟師，故不敢泊，往市廣東之南澳，閩、廣倭患始生也。

○時有賊首蕭顯等，誘倭入寇上海縣，賊首王十六、沈門、謝獠、許獠、曾堅等，誘倭焚刼黃岩縣。參將俞大猷、湯克寬，欲令王直於黃岩拏賊授獻，而賊已遁。乃議王直，以為東南禍本，統兵擊之於列港，追至長途，次馬蹟潭。銃砲聲響，驚起蟄龍，風浪大作，兵船漂散。王直舟不能泊，於夏六月乘風逃去，之平戶。

○嘉靖甲寅，賊首徐海二度誘倭入寇直、浙。

○賊首吳德宣，誘倭巢柘林。

○蕭顯誘倭寇嘉定。

○王阿八誘倭寇蘇州。

○劉鑑誘倭寇常熟。

○許二、許四誘引番夷犯廣東。

○歲乙卯，倭寇猖獗，工部右侍郎趙文華，奏奉欽勑，祭告東海，揚師討賊。巡按浙江監察御史胡宗憲，乃以毒劑酖殺倭寇於王江涇。

○夏四月，布衣臣舜功，奏奉宣諭日本國。

○賊首許二，自廣東海上與同王濡即汝賢，王直之姪、徐洪徐海之弟往日本，會王直、徐海、沈門等。許四潛搬家屬，以俟許二回船，一同入倭。

○賊首林碧川，誘倭入寇直、浙。一枝誘倭入寇，燔燼湖墅民居二萬七千餘家。一枝，一名阿九，先年被誘下海，王直得之，以爲義兒。自後奔入普陀山，僧明懷獲之爲徒，更名真其，與之遊方，寓宜興之善權寺。嘉靖壬子，復還普陀。適王直等詣山燒香，識爲阿九，乃帶下海。明年癸丑，海上舟師追捕王直甚緊，一枝同逃去日本。久之，乃竊王直貨財，奔匿島原。貨財既盡，無以聊生。聞徐海入寇有利，至是誘倭入寇直、浙，焚燬湖墅民居二萬七千餘家，復往日本。後於丁巳歲王直聽招，將行時訪知一枝踪跡，隨招同來。王直到官，一枝乃爲船頭。明年戊午，負固舟山。冬十一月，奔去閩海五⑤嶼，與倭寇犯海隅，官兵撲滅之。

○又賊一起五十二人，初自邱洋登陸，渡曹娥。鄉宦史史（衍）錢鯨被害。走紹興，過蕭山，渡錢塘，入富陽，奔嚴州，歷徽州，經寧國、太平，逸京郛。把總朱襄、蔣陞陣亡。賊越常州等地方，至蘇州之木瀆。御史曹邦輔，親自提兵討滅之。

○惟時工部右侍郎趙文華經略東南，廣詢已亂之策，而通番輩告以必得王直，主通海市，乃可已亂，故遣使以招之。許二之船至日本，泊於京泊津，乃送王濡以會王直，徐洪以會徐海，自會沈門於高洲。歸歷小琉球盜島木植，島夷殺之。

○嘉靖丙辰，徐海三度誘倭入寇直、浙，隨與賊首陳東圍桐鄉，巢沈莊，都御史胡宗憲計謀搗散之。徐海即明山，爲虎跑寺僧，法名普淨。嘉靖辛亥，海聞叔銓誘倭市列港，往謁之，同行日本。日本之夷初見徐海，謂中華僧，敬猶活佛，多施與之。海以所得隨繕大船。明年壬子，誘倭稱市於列港。時銓與王直奉海道檄，出港拏賊送官。而海船倭每潛出港刼掠，接濟貨船遭刼掠者，到列港復遇刼掠。賊倭陽若不之覺，陰則尾之，識爲海船之倭也，乃告王直。直曰：「我等出港拏賊，豈知賊在港中耶？」隨戒海，海怒，欲殺王直，而銓亦復戒海，乃止。海復行日本。歲甲寅，誘倭入朝。明年乙卯，大肆寇掠，乃於崇德虜妓□王翠翹、王綠妹等以去。其弟洪光自廣東附許二船至倭會海，告以叔銓爲廣東官兵所滅。明年丙辰，海乃糾結種島之夷助才門即助五郎，薩摩夥長掃部日向彥太郎、和泉細屋，凡五六萬眾，船千餘艘，欲往廣東爲銓報讎。酋輩聞曰：「浙海市門爲其所閉，今復至廣東，我等無生意也。伺他去時，合拏送官，免閉市門。」海聞懷懼，遂不赴廣東，乃向直、浙。船行洋中，多遭漂沒。而海仍部二萬餘。會陳東、葉明肆掠直、浙地方，隨與陳東圍桐鄉。都御史胡宗憲，以民人何子實諜知海情，復以何子實導引民人祝夢麟、陸鳳、陸喬充指揮千戶贊畫，往質海巢，得海弟洪以解桐鄉之圍。復以中書羅龍文質於海巢，期內海降。乃先期挾兵入平湖，見工部侍郎趙文華，都御史胡宗憲、阮鶚，御史趙孔船。於時文華宣言曰：「你這狗骨頭本是中國生民，如何勾引島夷殘害地方，本當斬首毋赦，但念爾投降一念可嘉，今特赦。爾靜處梁莊，待我奏請朝廷發落。若不安分，使有一木一草之動，我當親率大師以奉天討，決不爾貸。」比海有逆狀，文華覺，欲賜海酒酖殺之。而宗憲乃以龍文尚在海巢，故止。海既退，巢沈莊，宗憲但以童華爲海法眷，嘗使往海巢，脅同龍文說海歸順。凡海所慾，而龍文、童華隨即合言於宗憲，必姑與之。復以童華、汪泰、何子實等通海，以擒陳東。又以何子實同應襲、管懋光等通海，以擒葉明。仍以龍文、童華計啗海等以散黨。料理既定，夜以何子實執旗鄉導，搗散海巢。隨獲翠翹、綠妹，令擠溺之。徐洪等解京大戮。

○本年賊首吳定、韓朝仕初爲王直夥伴，以徐海入寇有利，誘倭入寇，不知所終。

○賊首周一，誘倭寇慈谿。

○賊首許獠寇月港。

○朝鮮送還被虜人口。

○冬十二月庚子，日本西海修理大夫六國刺史豐後土守源（大友）義鎭，僧清授附舟報使。先是，布衣鄭舜功奉使日本，至是報使，請乞國典，還國一體遵照施行。

○嘉靖丁巳，春正月辛巳，賊首許四帶同家小匿汀贛，以俟許二回船裝載入倭。惟時布衣鄭舜功使日本，還道經汀贛，訪知許四踪跡，招諭不從，擒致總督軍門。賊黨有事軍門者，謀請寬貸縱放湖廣鎭溪衛從戍終身。許四即許梓，其兄許二、許三先年下海通番，贅於大宜滿剌加，自後許四與兄許一嘗往通之。

○嘉靖庚子，始誘佛郎機夷往來浙海，泊雙嶼港，私通交易。每與番夷賒出番貨，於寧紹人易貨抵償。濱海遊民視以禁物，輒捕獲之。於是游民得志，乃駕小船沿海邀刼，致殺傷人。被害之家乃以許一、許二賺騙下海嗚於海道。副使張一厚親自統兵以捕之，敗績，自是番船竟泊雙嶼。未幾，許一被獲，許三喪亡。許二、許四向與番人賒出貨物，十無一償，番人歸怨。許二、許四無以爲解，計令夥件於直隸蘇、松等處地方誘人置貨，往市雙嶼。既至其間，許二、許四陰嗾番人搶奪，陽則寬慰誘來之人，認運貨價，久無所償。自本者舍而去之，借本者不敢歸去，乃從許四泛日本，圖償貨價以歸。既至日本京泊津，遭害之人乃以番人搶貨之事告於島主。島主曰：「番人市中國，敢搶中國人財，今市我國莫不懷携矣。」即殺番人，乃以薪粒等物給許四，使送華人以歸。許四自思初失番人貨物，又失番人商賈，是故不敢向雙嶼，即與沈門、林剪等刼掠閩、浙地方。乃以林剪往彭亨，邀賊入寇。於時許一、許三喪亡，許四不歸，番人折本，自己乏食，遂與朱獠等誘同番人刼掠閩、浙海隅。明年丁未，林剪自彭亨誘引賊衆，駕船七十餘至浙海。會許二、許四合爲一踪，刼掠地方，而謝文正公遷第宅，爲之一空。備倭把總指揮白濬，千戶周聚，巡檢楊英，出哨昌國海上，却被許二、朱獠擄去。指揮吳璋，乃以總旗王雷齎千二百金往贖之。於是得志，故每擄掠海隅富民，以索重贖，地方多事。巡按浙江監察御史王③九澤奏聞於朝，敕都御使朱紈調兵征討許二、許四。明年戊申，科道交章軍門購獲而廣示諭，有獲許二、許四一名者，賞銀一千兩，舉官萬戶侯。許二、許四逃去西洋，雙嶼港空。惟賊首朱獠乃與番人復回浙海，入寇太湖洞庭山，得獲大利，卒與夥件謀殺番人，即離海上。於歲甲寅，許二、許四復誘番人犯廣東，得聞沈門已帶家屬去住日本。許二遂以許四潛搬家屬，却自先往日本會沈門，復回廣東，期約許四同搬家屬入倭。於是許二一同王濡、徐洪往日本，以會王直、徐海，而許二自會沈門於高洲。歸經小琉球，盜島木植島夷殺之。許四搬帶家屬匿身汀贛，以候許二船還。於歲丁巳，布衣鄭舜功宣諭日本，歸經贛州，訪知許四踪跡，招諭歸正，不從，擒至總督軍門。賊夥先在軍門聽用者爲之謀，請縱放湖廣鎭溪衛，從戍終身。備按：許四倡亂海洋，罪逆深重，又況不從招諭，常赦不原，其生擒歸軍門而輕縱之。渠魁既縱，脅從則亦可縱矣。向使深根固蒂（抵）於夷島，以釀無究之禍歟？

○賊首施寶圓誘倭入寇浙江地方，惟時出海官乃以王濡誘擒之。
○浙江妖人馬道士搆姦謀叛，隨定之。
○日本西海修理大夫源（大友）義鎮，差僧德陽求貢。先是，遣使招諭日本，又招王直，故招其來。又招至謝和、葉宗滿、毛烈、王直各船一艘泊岑港，而葉宗滿、毛烈與王直先後到官。毛烈又復下海。
○本年朝鮮送還被擄人。
○嘉靖戊午春二月，招來毛烈，與招來倭善妙等，棄船巢岑港。於時招來貢夷德陽等⑥，先館之於道隆觀。至是，善妙挾之入巢，遂焚館宇。
○日本國屬周防國，差僧龍喜求貢。先是，遣使招王直，故招其來。於時都御史胡宗憲，用事舟山，海上官兵掩殺之，抑復有逃去者。
○夏四月乙巳，義士沈孟綱、胡福寧往諭日本王。還至潮州海上，竟被弓兵陷殺之。先是，布衣鄭舜功往諭日本，至豐後島⑦，得彼之情，乃以從事沈孟綱、胡福寧齎執批書往諭日本國王源知仁⑧，獲其聽信。還至潮州，執批赴投闢望巡檢司照驗，却被弓兵毀滅批文，誣執下獄。信報得知，告言軍門而不之信，令人申救，已陷殺於其間矣。
○秋七月，毛烈等移巢柯梅。冬十一月，拔巢而亡入閩、廣。
○本年賊首洪澤珍誘倭寇福建。

○嘉靖己未，賊首毛烈誘倭寇閩、廣；許獠誘倭寇潮州；嚴山獠誘倭寇福建；直隸別起倭賊盤據南洋之三沙。久之，遁過北洋。及先犯北洋地方倭賊，皆都御史李遂平之。⑨

○於時吳淞、定海兵夫爲亂。

○冬十二月壬午，王直伏誅。王直，的名鋥，即五峰。初以游方下海。於歲庚子，乃與許一、許二、許三、許四等，誘引番夷來市浙海。至乙巳歲，往市日本，始誘倭夷來市雙嶼，搆成大禍於東南。至庚寅⑨、辛亥、壬子歲，浙江海道檄令拏賊，是故得名。明年，賊首王十六等誘倭焚刼黃岩縣，參將俞大猷、湯克寬欲令王直拏賊授獻，而賊已去。乃議王直，以爲東南禍本，統兵擊之於列港，追至長途，次馬蹟潭。銃砲聲響，驚起蟄龍，兵船漂散逃去，兵士延上馬蹟者，皆被王直等脅倭盡殺之。直亡去日本，其母、妻、子獲之於獄。其姪王濡奔入廣東，附許二船往倭會直，告以前事，欲爲全家之計。既而海患日繁，科道憂時，不知要領，却以直爲奇貨。是故軍門乃以直子王澄刺血寫書，使人招直。直姪王濡而先到官，直同毛烈、謝和、葉宗滿續後而至。直畏國法，不即傾心。而葉宗滿、毛烈先到軍門。毛烈又復下海，軍門遣使使夏正諭直曰：「汝若到官，爲汝保奏，全汝身家，若不聽從，再差鄭舜功往諭日本王，縛汝來歸。隨差夏正示諭，招來市之矣。」德陽、善妙曰：「軍門傳示汝等，若拏王直送官，爲汝奏請，容汝貢市，仍賞汝等以歸，否則不容貢市，亦無賞賜。」德陽謂之善妙曰：「主君兩官，不圖受賞，若得一朝皇帝，我等歸去，主君也有面目。」將拏直，直覺之，思無所容身，乃曰：「我本華人，肯與倭兒價賣耶？自割頭獻軍門。」至是到官，毛烈遂不復返。按得：直本是游民，初以圖利下海，固無酋長之號，不過頭目之稱。蓋因庚戌、辛亥、壬子歲，奉檄拏賊，是故負名。既負虛名，東南向受實禍矣。且如直者，固深夷島，稽今不知幾多耶。書云：「殲厥渠魁，脅從罔治。」久無一決，縱之深固，而乃究兵，奚爲長治久安之道。」

○嘉靖庚申，貸戮葉宗滿充鎭蕃衛永遠軍，賊首蕭雪峰、張璉，又徐獠、王獠、許西池及謝獠暨□□□□□□□□閩、廣地方。浙直軍門遣回廣兵，過江西，焚燼玉山、永豐等縣。

○本年朝鮮送歸被擄人。

○嘉靖辛酉，賊首陳思達犯詔安，獲之。

○嘉靖壬戌，南澳賊首洪獠，聽從福建軍門招諭，亦復下海。又，小洪獠、林獠、郭獠、魏獠、王東梁、徐北峰即徐元亮等新舊賊船，俱滿載去訖。賊首張璉等，都督俞大猷計擒之，隨散其黨。

○冬十二月，賊首魏獠、郭獠誘倭陷興化，據之。

○嘉靖癸亥，南澳賊首許朝光，聽從福建軍門招諭以散興化之寇。朝光亦復下海，屯聚南澳。

○賊首王伯宣，誘倭寇廣東，官兵獲之。

○賊首許朝光，被倭刼殺，出南澳，南澳始窒。官遂設兵以守之，新到倭賊之船不能停泊，適被反兵導之寇掠東莞地方。

○□兵抵省至雷州，福建之兵亦亂，俱撫息。

○備按：嘉靖以來倭寇中國，擄掠男女，刼奪貨財，費靡刑傷，不可勝計。今禍不已者，皆內治之未當耳。且如許二、許四倡亂海洋，固東南之禍本，繼之王直誘倭來市於雙嶼，此爲浙、直之禍本。又，葉宗滿誘倭來市於南澳，此爲閩、廣禍本也。且王直聽招而來，蓋以遲久，故請大戮，此固宜矣。而葉宗滿矢心歸正，貸死以充永遠軍可也。許四不從招諭，常赦弗原其生者，故擒致之於軍門，而乃縱放從戍終身。處此三事，情、法當歟？未當歟？致使逋逃首鼠不決。故王宗道已奉招諭至而復遁，洪獠既聽招諭，又復下海。今許朝光雖曰聽招，仍駕樓櫓於闢望海上，不即傾心者，蓋聞前官招亡未成忠信，今此之流，畏罪未敢。此固當爲忠信處之，以開來路，以弭海患，猶可也，豈惟殺戮爲奇耶？抑且王直歸順之秋，浙鄉士大夫有曰授官者。巡按浙江監察御史王本固曰：「做賊授官，則人不必讀詩書，登科第，做賊亦可做官矣。今許朝光，人亦有言授官者，殊不知如朝光輩，深固夷島者甚多，若非長議以成忠信而處之，抑恐此輩效尤爲亂階爾。前者誘來之夷，處置失宜，或殺或遁，又且流逋深固夷島，煽惑夷心，向化解體，春防秋備，而兵妄殺平民者有之，自爲寇盜者有之，此何時以致太平耶？」

○功按：倭夷尙習詩書，稍明禮義。其至敬者文德也，至恥者賊寇也。念功昔奉宣諭，其能聽從。然用方略，不厭詐謀。擴充武功，必本忠信，豈昔當年之臣助長盜名，輒懷娼嫉，不用要領，惡反究黷乎？孔子云：「成事不說，遂事不諫，既往不咎。」明智者今可不圖後患哉！仍將古今寇年，以記其略，與憂世者鑒。

○元至大戊申，浙江有警。

○己酉，寇浙江之慶元路，此招來市之倭。

○洪武己酉，寇山東、浙江、廣東、直隸。

○辛亥，寇廣東、山東。

○壬子，寇浙江、福建，日本歸所掠海濱男女。高麗王顓遣中郎將宋坦，以被擄金希聲等十一人來歸。

○癸丑，寇山東、浙江。

○甲寅，寇山東、直隸。本年高麗、日本送還被擄人。

○乙卯，寇廣東。

○庚申，寇廣東，詔責日本縱民爲非。

○辛酉，倭使如瑤，脅從叛逆，此原內姦所致也。

○甲子，寇浙江。

○己巳，寇山東。

○庚午，寇浙江。

○辛未，寇廣東、浙江。

○癸酉，寇福建、浙江。

○甲戌，寇浙江、遼東。

○丙子，寇廣東。

○戊寅，寇山東、浙江。

○辛巳，寇浙江。

○壬午，勅諭海島流人。

○永樂癸未，寇福建。

○甲申，寇浙江、直隸、福建。

○乙酉，日本以獲倭寇來獻。

○丙戌，遣勅詔諭海島流人。

○丁未，日本以獲倭寇來獻。

○戊子，寇山東。日本以獲倭寇來獻。

〇己丑，寇山東。
〇辛卯，寇廣東。
〇壬辰，寇浙江。
〇乙未，寇遼東。
〇丙申，寇直隸、山東。
〇丁酉，寇浙江，時獲生倭，遣使押示日本王。
〇戊戌，寇浙江、直隸。
〇己亥，浙江有警。寇遼東。朝鮮送還被虜人。
〇庚子，寇浙江、福建。
〇壬寅，寇浙江。
〇正統己未，寇浙江。
〇壬戌，寇浙江。
〇癸亥，浙江沙嵩藤嶺地方獲倭一人解官，此倭使人迷失至此，疑或有故。
〇丙寅，寇浙江。
〇景泰乙亥，寇浙江。
〇成化丙戌，寇浙江。

○嘉靖癸未，二起貢夷爲亂浙江。

○乙巳，王直誘倭，初至浙江之雙嶼。

○戊申，寇浙江、直隸。

○庚戌，寇浙江。

○辛亥，寇浙江、直隸。

○壬子，寇浙江。

○癸丑，寇浙江、直隸。葉宗滿誘倭，初至廣東之南澳。

○甲寅，寇直隸、浙江。

○乙卯，寇直隸、山東、浙江、福建。

○丙辰，寇直隸、浙江、福建、山東。朝鮮送還被虜人。

○丁巳，寇福建、浙江、直隸。朝鮮送還被虜人。

○戊午，寇廣東南澳之間爲賊淵藪；浙江、福建皆有賊。

○己未，寇廣東、福建、浙江、直隸。

○庚申，寇廣東、福建、浙江、招門。朝鮮送還被虜人。

○辛酉，寇廣東、福建、浙江。

○壬戌，寇廣東、浙江、福建。

〇癸卯，寇浙江、廣東、福建。

〇甲子，浙江有警，福建、廣東已上賊寇所聞知者，詳於海亂鬼錄。海亂鬼者，倭海魚名，以方倭賊也。

註：

①「遣使中官鄭和往諭日本王」，日本之文獻史料俱無相關記載。

②永樂丁酉即永樂十五年（應永二十四年，一四一七），本年日本既未遣使至中國謝罪，也未曾遣使復貢。

③「鍾」，明世宗實錄，卷五〇，嘉靖四年四月庚寅朔癸未條；明史，卷三二二，日本傳；朝鮮王朝實錄俱作「中」。

③「王」，明世宗實錄，卷三二四，嘉靖二十六年六月庚辰朔癸卯條，明史日本傳，及本書頁二八四七，嘉靖丁未條俱作「楊」。

④「泮」，鄭若曾，籌海圖編，卷八，寇踪分合始末圖譜作「盼」。

⑤「五」，鄭若曾，籌海圖編，卷四，福建倭變紀及他書俱作「浯」。

⑥「貢夷德陽等」，德陽一行非日本國王（室町幕府將軍）所遣，乃是九州諸侯大友義鎮所派。明史日本傳云：「先是蔣洲宣諭諸島，至豐後被留，令僧人往山口等島傳諭禁戢。於是山口都督源（大

內）義長具咨送還被掠人口，而咨乃用國王印。豐後太守源（大友）義鎮遣僧德陽等具方物，奉表謝罪，請頒勘合修貢，送洲還。」明世宗實錄，卷四五三，嘉靖三十六年十一月庚戌朔乙卯條並見此事。

⑦「豐後島」，豐後乃日本古代行政區域之一，位於九州東北部，現屬大分縣，故非島嶼。

⑧「日本國王源知仁」，如據日本史乘的記載，室町幕府前後十五任將軍裏，並無名為「知仁」者。

⑨「庚寅」，嘉靖庚寅為嘉靖九年（一五三〇），「辛亥」為三十年（一五五一），故此「庚寅」，可能為「庚戌」（一五五〇）之誤。

被虜

備按：嘉靖庚戌以來，倭寇每犯於中國，於今一十五年矣，邊民被虜於夷島，莫可勝算。昨歲癸亥，提督浙江都御史趙炳然出師於溫州，俘囚童馬二（一名陳十二又名陳二），稱倭薩摩（倭音肥茲邁）之高州（倭音太佳自）邊海所居不滿百，被虜中國男女二三百人。髠其髮，跣其足，使之牧牛馬，供薪水為炊爨。凡炊飯挨次以給其長幼，餘着釜之焦飯，加以豆滓、糟糠、糠皮、山菜、草根之類，亦皆犬彘之食。食既不能充腹，衣又不能蔽體，被虜思歸而有脫逃者，却被巡兵斬首以獻功。竊有同逃之民，登高窺望，豈不寒，又復遁入倭居矣。羈縻歲久，隨風而化成寇，倭樂為之嚮導。愚謂海之鰕鮓也。嗟夫！此輩非倭種類，痛罹賊虜於夷島，籲天無路，伸其情叩地無門，達其意乃作倭寇而受戮。功臨斯島，抑知此輩，豈不哀歟？覆按：洪武己酉，遣使宣諭日本王以倭犯境之故。逮歲辛亥，其王良懷（懷良），遣使送至明州、台州被虜男女七十餘口。明年壬子，又歸所掠海濱男女七十八人。詔有司送還鄉里。歲甲寅，又以所掠瀕海之民一百九人來歸，詔各還鄉。又按：永樂戊戌，倭寇金山衛，百戶應襲、麴祥被虜去，久之，乃至日本王都。王見之悅，留在左右，更名元貴，命爲土官，蓄有妻子。宣德壬子，而祥得與貢使之列，入朝陳請。上以柔遠方隆，不欲遽留之。遣令往諭夷王。於歲乙卯，仍遣使詳（祥）入朝。既達京師，復申前情，詔許襲職。今者被虜之人而爲夷奴，不若中國之犬彘，於中豈無應襲乎？設使歸國，又何必於襲官？假使送歸被虜之民，亦不必發寧家。縱使從戍終身，抑必自甘心矣。孰願生爲夷奴，死爲夷鬼者耶？哀哉！狐首尙自知丘，被虜生民，不亦可憫。

征伐

備按：中國征伐四夷，自古有之。然而征伐夷海外之夷倭，不嘗有也。抑伐倭者，考自吳大帝，晉慕容廆，元忽必烈而已。抑吳伐倭，掠其三千人以歸，而慕容廆掠其數千人，以之捕魚給軍食。逮忽必烈，乃以范文虎驅十萬衆，葬於魚腹之中，得還者僅三人焉。抑吳、晉、元勒兵漲海之外，得其民安焉用之，喪兵足以爲恥。夫隋之伐高麗，惟渡鴨綠一小江，仁者以之爲究兵。又況日本隔一大海，曷不敢之以情，而乃究兵於遠乎。惟我太祖高皇帝，聖神文武，明著八表，書於訓章曰：「日本限山隔海，僻在一隅，得其地，不足以供給；得其民，不足以使令，故不興兵致伐。」是以成祖文皇帝敬承高皇帝訓，則宣文德化，導日本。其王源道（義）深知夏夷之義，圖雪醜好之私，凡三獻俘，海隅絕警。自道義死，倭寇復作，職貢不修。我重文德，致使日本國王源義持遣使謝罪，朝貢如初，①倭寇是已。宣廟以來，世守舊章，以馭夷狄，滄海晏然，百數十年矣。邇來倭寇竊發之初，功乃廣博詢采，始知賊寇爲內訌之隱誘，非外夷之本心。故奮狂愚，冒奏聖明，奉宣文德，夷使來庭，期爲萬世太平計，豈當事臣助長盜名，召兵據險，負固年餘，縱之全勝而去，不義不武，不知文德獨尊也。竊惟中國，以馭夷狄，設或□化，則修文德以來之，既來之，則安之，何乃招殺貢夷，棄置報使，誤國殃民固如此，大抵唐、宋之弊政，豈容卒見明良之世乎。伏念天理人心，寔中華之大道，文德忠信，固東海之長城。功本賤夫，不學軍旅，謬以文告外夷來歸。皆文德之靈，成忠信之驗一念。聖明俊德，舞階長風。功奉天使，寔顯舊章，敢不宣泄。使違□□□□□□□大信，而責効於戈兵之末乎。

註：①如據明太宗實錄、明史日本傳、善鄰國寶記等史乘的記載，足利義持除於永樂九年（一四一一）遣釋堅中圭密答謝成祖之遣使弔祭其父義滿之喪外，並未遣使朝貢於明。故此一記載有違史實。

○洪武初，遣使告諭。

○明年辛亥，日本王良懷（懷良）遣僧祖①等九人奉表，貢馬及方物。又送至明州、台州被虜男女七十餘口。

○歲壬子，又歸所掠濱海男女七十八人。

○洪武甲寅，其國遣僧宣聞溪、淨業、喜春等來朝，貢馬及方物。時日本持明與良懷爭立②，宣聞溪等齎其國臣之書達中書省，而無表文，却之。又志布志（地名）、島津（地名）、越後（國名）守臣民③久等亦遣僧道幸等進表、貢馬，及茶、扇、刀、布。以無日本國王命而私入貢，却之。復詔禮部，符下民久等，賚使遣還。

○先是，上賜日本高山報恩禪寺僧靈樞袈裟，至是靈樞亦遣其徒靈照謝恩，貢馬。詔賜遣還。

○夏六月，僧宗嶽等七十一人遊方至京師，處之天界寺，賜布各一疋。

○是月戊午，日本以所掠濱海民一百九人來歸。

○洪武乙卯，來貢。

○洪武丙辰，日本王良懷（懷良），遣使沙門歸廷用等，奉表，貢馬及方物，謝罪。詔賜其王；賜廷用等文綺，各有差。復詔諭之。

○明州備倭指揮林賢，交通樞密使胡惟庸。宣使陳德忠設計，乃以廷用以寇擒其貢船，分其賞賜，移文中書奏具失，謫流林賢於日本。

○夏五月，日本人滕八郎以商至，獻弓、馬、刀、甲、硫黃，却之，仍賜白金遣歸。其附本國高宮僧靈樞貢馬二疋，授納之。仍遣綺帛，令滕八郎歸賜靈樞。

○洪武己未，遣使來貢，驗無表文，却之。

○洪武庚申夏五月，遣僧慶有來貢，驗無表文，却之。

○秋八月，日本關東征夷將軍源義滿④，遣僧明悟、法助來貢。驗無表文，惟奉丞相書，却之。

○洪武辛酉，如瑤來貢，不恪，却之。

考略云：「先是，姦臣胡惟庸，僞使李旺充中書使日本，取回林賢。致使如瑤詐獻巨燭。彼至，惟庸預以不執。事露，伏誅。倭兵發陝西、四川等處，守禦林賢典刑，仍命禮部移書責其王。於是高皇帝著爲訓章以絕之。」功謹按：此原內姦之陰誘，非倭夷之初心也。

○洪武丙寅，遣僧嗣亮上表，貢方物，却之。

○洪武壬午，遣使來歸。

○永樂癸未，日本王源道義，遣使〔堅中〕圭密等三百餘人，奉表，貢方物。⑤考略曰：「日本王源道義，遣使百番來貢，賜圭密等文綺、紬、絹、衣，并錢、鈔、苧、絲、紗、羅，有差；賜其通事冠帶。命禮部宴之。給與勘合百道。十年一貢，船二艘，人二百，違例，寇論。仍命遣使同圭密往賜日本國王冠、服、錦、綺、紗、羅，及龜紐金印。」

○永樂甲申，遣使〔明室〕梵亮奉表，貢馬及方物，謝賜冠、服、印章。命禮部賜王鈔錢、幣綵，宴賚其使。

○冬十一月，遣使永俊等奉表賀冊立皇太子，并獻方物。命禮部賜王錢鈔、綵幣，宴賚永俊等。

○永樂乙酉冬十二月，遣使源通賢等奉表，貢馬，并獻所獲倭寇嘗爲邊患者二十餘人。上嘉之，命禮部宴賚其使，遂以冠命使人治以其國之法。於鄞手界鄉蕭皐砌築竈，令一人執炊，一人上甑，盡蒸殺之。於是賜王九章冕服、錢鈔、織金文綺、紗、羅、絹物，使齎璽書褒諭之。

○夏六月，遣使（堅中）圭密等貢名馬、方物，謝賜冕服恩。賜錢鈔、幣帛。

○永樂丁亥，遣僧（堅中）圭密等等七十三人來朝，貢方物，并獻所獲倭寇道金等。上嘉之，賜勅褒諭曰：「王忠賢明信，恭敬朝廷，殄滅兇渠，俾海濱之人，咸底安靖，朕甚嘉之。茲特賜王白金一千兩，銅錢一萬五千緡，錦、苧、紗、羅、紬、絹四百一十疋，衣十二襲，帷衿、褥品、皿若干事，并賜妃白金二百五十兩，銅錢五千緡，苧、絲、紗、羅、絹八十四疋，用示旌嘉之意。」

○永樂戊子，遣使（堅中）圭密等百餘人貢方物，并獻所獲倭寇。上命以寇屬刑部，賜圭密鈔百錠，錢十萬緡，綵幣表裏，僧衣一襲；賜其徒從，有差。圭密等陛辭，致其王之言曰：「請仁孝皇后勸善、內訓二書。」命禮部各以百本賜之，并賜其王綵弊等物，圭密等加賜衣、鈔。

○冬十二月，日本國王世子源（足利）義持，以父道義卒，遣使告訃。命往祭，賜謚恭獻。賻絹、布各百疋。復遣使齎詔封義持嗣日本國王，賜錦、綺、紗、羅六十疋，仍遣使齎勅諭王義持討賊。

○永樂庚寅，日本國王源義持，遣使（堅中）圭密等奉表，貢方物，謝賜父謚，及命襲爵恩。皇太子賜圭密等鈔幣，有差。

○永樂戊戌，遣使日向、大隅、薩摩三州刺史島津滕存中等奉表謝罪。先是，捕倭將士擒寇數十人獻京師。賊有微葛成二郎五郎者，訊之，皆日本人。群臣言：「日本數年不修職貢，意爲倭寇所沮。今賊首乃其國人，宜誅之以正其罪。」上曰：「遠夷威之以刑，不若懷之以德。姑宥其罪，遣使押示其王。」至是遣使奉表，隨來謝罪。曰：「日本蕞爾小邦，自臣祖父以來，受命朝廷，霑被恩德，不敢背忘。比因倭寇傍午，遮遏海道，朝貢之使不能上達。臣自知有負大恩，而境內之人，肆爲鼠竊，皆亡賴逋逃之徒，寔非臣之所知。既皆天兵所擒，皇上天地之量，父母之恩，曲赦其罪，悉皆遣歸。臣之感戴，莫盡名言。伏望貸臣之罪，自今許其朝貢如初，不勝虔懇之至。」上以其詞順，特釋其罪。命行在禮部宴賚其使遣還。

○宣德丙午，遣使來貢，⑥人、船逾數，刀劍過多。上命使臣：「今後貢船毋過三隻，使人毋過三百，刀劍毋過三千把，多皆違禁。」

○宣德壬子，如數來貢。

○宣德癸丑，日本王源義持卒，上命出使垂弔。

○宣德乙卯，遣使具貢，⑦謝恩。

○正統壬戌，船九艘來貢。朝廷雖責其越例，亦容以致柔遠之意。

○天順戊申，遣使來貢。

○成化甲辰，遣使〔子璞〕周暐來貢。
○弘治乙卯，遣使〔堯夫〕壽蓂如數來貢。
○正德乙巳，山城刺史右京兆細川高國得請勘合於王，遣宋素卿、源永春請祀孔子儀禮。⑧廷議謂：「中國聖人，不當爲夷狄褻瀆。」不允。鄞民朱澄，首稱素卿乃其族姪朱縞，昔因其父與夷使交通買賣折本，將伊塡去。鎭巡奏聞。陰賂逆瑾覆其事，陽憫專使以遣之。
○正德丁未，周防刺使左京兆大夫大內多多良義興（大內義興），得請勘合於王，遣使省佐來貢。⑨
○正德己酉，遣使僧〔了庵〕桂悟等如數來貢。⑩
○嘉靖癸未，多多良（大內）義興得請勘合於王，遣僧宗設使人謙導⑪等三百餘人，船四⑫艘來貢。夏四月，細川高國遣僧〔鸞岡〕瑞佐、宋素卿等一百餘人，船一艘亦貢，及辯勘合。謙導等遂於城中掛甲殺宋素卿等夷伴，遂焚境清寺館，挾指揮袁璡以去。而罪犯逃夷曰中林，曰望古多羅等，及被虜人口漂至朝鮮。國王李懌擒送來歸，發浙江會問素卿等，以正其罪。其餘得奔活夷，上命有司造舟發放還國，移咨其王。
○嘉靖己亥，遣使〔湖心〕石⑬鼎、〔策彥〕周良來貢。
○嘉靖甲辰，夷僧壽光等一百五十人來貢，以不及期却之。⑭
○嘉靖乙巳，夷屬肥後國得請勘合於夷王宮，遣僧𠙖俅來貢，以不及期却之。⑮
○嘉靖丙午，夷屬豐後國刺史源義鑑，得請勘合於夷王宮，遣僧梁清⑯等來貢，以不即期却之。⑰

○嘉靖丁未，遣僧周良一名策元⑱，乃山城國都天龍禪寺之僧等三船來貢。又宋素卿子東瞻船一艘追隨而至。⑲官司繩法，姦民撥置，捏報護送兵船而混納焉。

○嘉靖丙辰，日本西海修理大夫六國刺史豐後土守源（大友）義鎮，遣僧清授報使。先是布衣臣舜功，奉奉宣諭日本國，行至豐後，得彼之情，著令從事沈孟綱、胡福寧，齎書往諭日本國王，一面曉諭西海修理大夫源義鎮禁止賊寇，故遣僧清授附舟報使，請奉國典，還國一體遵照施行。皆當事者不用忠謀，助長僨事，而乃妄引典例，謬請置使清授之於四川茂州治平寺。功謹按：大中祥符戊申，倭夷滕木吉附商舟至，上皆召見之，賜裝錢遣歸。元豐戊午，日本太（大）宰府遣僧仲回入貢，抑非日本王之正使也。時納明州之言，以其貢與諸國異，請自移牒報答物直付仲回歸。詔賜僧號慕化懷德大師。胡元至元壬申，日本太（大）宰府遣稱四郎報使，宴賚遣還，此蓋柔遠懷來之意也。永樂乙酉，使臣源通賢。永樂丁亥、戊子，使僧（堅中）圭密三度獻俘，使皆宴賚之。今使清授効順已亂，而當事者助長盜名，故不爲請宴賚，獎勸優勸之，一至僨事，乃請投荒安置，可謂謀臣乎？自此以來，信使不通，流逋深固，汎動風生，不知何時而已也。伏念堂堂天朝，以來遠人乞加詳議，以彰大信，早成長治久安之計矣。

○丁巳，源義鎮遣僧德陽來貢。功謹按：德陽之來，因遣使人招王直，故招其來。彼來之初，而源（大友）義鎮以父義鑑於嘉靖丙午，自其國都請給勘合一道，遣僧清梁入貢，以不及期沮回，其勘合仍貯豐後。義鎮欲僧德陽齎作貢憑。王直告以勿齎，再圖請給。又復告謀僞造印章鈐表入朝，而遣使人謬從之，仍許照樣請給，飾詐歡夷。致德陽來船泊舟山馬墓港，館於本山道際觀。一則以不及期，一則以非正使，照例沮回。未幾，招來市夷妙善等船，泊舟山之岑港，徐巢其間。朝議欲兵，方揚師，妙善懼，乃至道隆觀攀請德陽入巢。德陽自謂貢使，若從之，是自求斃，不允。乃以通事吳四郎，與同倭伴告於通判吳成器，請易館，不聽。復以吳四郎等告於參將張四維。四維疑詐，恐蹈指揮袁璡之轍，遂殺吳四郎等。四郎者廣東海陽縣之彩塘人，亦宋素卿之流輩也。於是德陽慮恐害己，遂從妙善之請，自焚貨財，延及館宇，奔入妙善等巢。軍門使人往招之，而德陽等輒以軍門輕信，不聽。久之，一同妙善亡去。備按：義鎮兩遣使臣，蓋有兩觀之意合，容入朝議，當於一勞來以勸猶可也，何乃馭之而無策，一至亡去，貽怨東夷。大夫柔遠，懷服之道也。

○嘉靖戊午，日本國屬周防國遣僧龍喜來貢。功謹按：龍喜之來，亦因遣使以招王直，故招其來。彼來之初，官兵用事於舟山。海上游兵掩殺之，亦復有逃歸國者。而乃告語眾夷曰：「今者中國殺我貢夷，羈我報使，不容向化固此，如又且流逋煽動鼓舞，欲望東夷復修職貢，得乎？」功竊謂：欲定荒夷，宜修大信以復祖宗之制，庶乎邊鄙乃得長治久安之道矣。已往貢使，詳於賓典籍。

註：

①「祖」，日本史乘及明史太祖本紀、日本傳俱作「祖來」。

②「日本持明與良懷爭立」，參看本書頁二八三五，註⑥。

③「島津越後守民久」，明太祖實錄，卷九〇，洪武七年六月乙未朔攸作「島津越後守臣氏久」。

④「關東征夷將軍源義滿」，如據日本史乘的記載，應為「征夷將軍足利義滿」。

⑤源道義即足利義滿，道義乃義滿皈依佛教以後之法號。義滿在前此建文辛巳（三年，一四〇一），曾以祖阿為正使朝貢中國。

⑥日本史乘與明世宗實錄、明史及日本史料俱未言日本於本年（宣德元年，一四二六）朝貢中國，故此段文字內容有違史實。

⑦日本史乘記載，足利義持卒於宣德戊申，即宣德三年（一四二八），由其弟義教繼將軍職位。宣德壬子恢復對明貢船貿易。宣德乙卯無遣使朝貢之實。

⑧正德無乙巳年。宋素卿之朝貢在正德戊辰（五年，一五一〇），事見明史日本傳及釋瑞溪周鳳善鄰國寶記。此乙巳應為戊辰之誤。

⑨正德無丁未年。日本史乘及明武宗實錄、明史日本傳、善鄰國寶記均未言日本遣省佐朝貢事。

⑩正德無己酉年。大內義興所遣了庵桂悟，於正德壬申（七年，一五一二）領貢舶三艘至中國。事見明武宗實錄，卷八四，正德七年二月丙子朔癸卯條，及明史日本傳、善鄰國寶記。此己酉應為壬申

之誤。

⑪「遣僧宗設使人謙導」，如據日本史乘的記載，大內義興所遣使節為「僧宗設謙道」，此係將一人誤為兩人。

⑫「四」，如據日本史乘的記載，宗設謙道所率貢船為三艘，故此「四」為「三」之誤。

⑬「石」，日本史乘俱作「碩」。

⑭日本史乘無僧壽光來貢之相關紀錄，故彼輩之至中國，應屬私貢。

⑮日本史乘無僧倻俠來貢之相關記載，故此應屬私貢。

⑯「梁清」，明史日本傳作「清梁」。

⑰日本史乘無僧梁清來貢之相關紀錄，故此應屬私貢。

⑱「元」，日本史乘及本書後文俱作「彥」。

⑲「周良等三船來貢又宋素卿子東瞻船一艘追隨而至」，周良，日本臨濟宗夢窗派僧侶，丹波（京都府）人。號策彥。亦稱謙齋、怡齋、龜陰、西山艸堂、朵云。嗣天龍寺心翁等安之法。嘉靖十八、二十六年兩次使華，獲世宗優遇。第二次使華返國後住天龍寺妙智院。遺有使華期間所寫日記策彥和尚初渡集三卷、策彥和尚再渡集二卷，詩集謙齋詩稿等。如據日本史乘，及朱紈甓餘雜集卷二所錄嘉靖二十七年四月初六日所上哨報夷船事疏，明世宗實錄，卷三三〇，嘉靖二十六年十一月戊寅朔丁酉條，明史日本傳等之記載，俱言周良以四船，六百人先期而至，未言宋素卿之子領船一艘來

貢，故此段則文字與史實不符者甚多。

表章

備按：四夷入貢中國，必奉表文。又，倭之奉表，始於魏正始庚申，自後乃知奉表矣。惟宋天聖丙寅，日本太（大）宰府遣人貢方物，非其王命，故不知且表，又詔却之。勝國之世，彼以蒙古，故不入朝，是以倭夷百年不知表文也。聖朝洪武辛亥，始復奉表來貢。洪武甲寅來貢，無表，却之。是時日本志布志島津越後守亦遣僧來貢，俱無表文，又以其私貢，人發三邊安插。又考略云：後來貢表有前來姓氏，悉取到京宴賞賜歸。永樂以來，亦皆奉表入貢也。嘉靖丁己（巳），豐後來貢，因遣使入招王直，故招其至，雖奉表文，抑知僞印，又非王使，却之。其貢使必奉表文，原賜印鈐者。

咨文

備按：四夷朝貢中國，古今具表，惟宋元豐戊午，日本國之太（大）宰府不奉其王之命，越分行禮，不知奉表，以牒使備貢色段、水銀。於時明州議以貢物與諸國異，請自移牒付本使人，以答物直。聖朝洪武庚申，日本山城國都之城關東征夷將軍源（足利）義滿，遣使來貢，不持表文，惟奉丞相書，却之。抑惟咨文自國家洪武壬戌以來，四夷入朝，必先具咨，布政司乃與比對勘合，查照表文、方物，事理明白，然後遣使驅驛，否即却之，而不易於天聽也。其奉咨來，必以給賜印鈐。又按：中國遣使其國，文移其間有可考者，自魏正始庚申賜詔，正始、丁卯；晉掾史張致，齎詔至其國家。淳熙己酉，賜詔。元豐戊午，明州移牒。元至元乙丑、丁卯、戊辰，皆賜書。己已（巳），中書省移牒。冬十二月及至元乙亥，皆賜書。聖朝初，賜詔。洪武己酉春二月，賜璽書。庚戌，賜詔。甲寅，中書省移書，仍符下民臣久。丙辰、庚申，皆賜詔。辛酉，禮部移書，仍書下臣源義滿。壬午，賜詔。永樂甲申，賜勅，仍賜璽書。歲丁亥，賜勅。戊子，賜詔，仍賜敕。歲丁酉，賜璽書。嘉靖丁亥、庚子、戊申、乙卯歲，浙江布政司移咨日本王，夫咨弊端，抑有達而不達者。其不達也，因來使人尚有夾帶人、船之私，我遣使人，若非忠信篤敬之寔，雖咨之不易達矣。嘉靖丙辰，功奉宣諭，自以大明國客之名，書致其主，仰仗仁威，致其聽信。歸罹娼嫉，功志不伸，故亂不息也。

勘合

備按：勘合給與四夷，起於洪武壬戌。時以外夷入貢，真僞難辨，乃以禮部立勘合文簿，給與暹羅、占城、琉球①等國五十九處。凡入貢曠齎給勘合，於各自布政司比對相同，然後發遣。覆按：洪武壬戌，而日本已絕其貢。昔詢夷云：「洪武、永樂兩勘合，未詳何年，其勘合皆藏日本國王之宮房宮房者倭之猶言后宮也。」②正德以來，夷中列國請充貢使入朝者，必先具錢一千貫價值，白金二百鎰，納於宮房，其餘關節，費萬餘金，乃得請給勘合一道，奉表咨具方物，發艇入朝。③正德乙巳，山城刺史細川高國得請勘合，遣使朝請祀孔子儀禮。正德丁未，周防多多良（大內）義興得請勘合，遣使入朝。嘉靖癸未，細川高國、多多良（大內）義興，各請勘合一道④遣使於朝，各執稱辯者以洪武、永樂兩給也。⑤嘉靖乙巳，肥後刺史得請勘合，遣僧御俅來貢，以未及期，照例沮回，此勘合仍貯肥後。嘉靖丙午，豐後刺史源（大友）義鑑請給勘合一道，遣僧梁清⑥入貢，蓋緣使入招王直，故招其來。比源（大友）義鎮以父義鑑前請勘合仍貯豐後，浙江通志、寧波府志，謬以兩給勘合，一貯肥後，一貯周防；日本國圖纂、籌海圖編，謬以勘合皆在山口陶殿之亂⑦，勘合俱焚矣。夫此言者，蓋昔任事諸臣壞謀，始終甘自欺，殊不知我皇祖給與勘合，悉貯日本國王之宮房，至今無失。嘉靖己亥、戊申歲，而山城國都天龍寺僧周良（一名策元）⑧，先後奉充正、副使入朝。勘合果在山口，山口豈不自專？曷以山城之僧奉使乎？功得其詳，言非好辯，但欲澄源端本，豈容惑世誣民？

註：

①如據大明會典、皇明外夷朝貢考的記載，朝鮮、琉球兩國無需勘合，故未發給。其理由在於「朝鮮素號秉禮，與琉球國入賀謝恩，使者往來，一以文移相通，不待符勅勘合為信。」

②「其勘合皆藏日本國王之宮房」，如據京都相國寺蔭涼軒所存紀錄蔭涼軒日錄的記載，當時負責處理對明貢船貿易之事務者為蔭涼軒主，保管勘合者亦為蔭涼軒，故鄭舜功之此一說法有違事實。

③如據蔭涼軒日錄的記載，當時籌辦貢船時，貢品由派遣貢船者籌措，明朝皇帝的回賜則一律歸幕府

所有。故此所謂必先具錢一千貫價值，白金二百鎰納於宮房云云，亦與事實不符。

④「各請勘合一道」，如據大明會典及蔭涼軒日錄、戊子入明記等書的記載，四鄰各國至中國朝貢時，每艘船各需一道勘合。嘉靖癸未（二年）來貢時，大內義興所遣貢船三艘，細川高國所遣貢船一艘。大內氏持用正德勘合三道，細川氏所持者則為弘治勘合一道，所以在此所言「各請勘合一道」云云，有乖事實。請參看鄭樑生明代中日關係研究（台北，文史哲出版社，民國七十四年三月）頁六四～八九，及寧波事件始末，見鄭著中日關係史研究論集第十二集（同上，民國九十二年四月），頁九～六九。

⑤「以洪武、永樂兩給也」，如據大明會典、皇明外夷朝貢考等的記載，明廷首次為日本製作之勘合為永樂勘合，共頒永樂、宣德、景泰、成化、弘治、正德六次，洪武年間未曾頒給。

⑥「梁清」，朱紈甓餘雜集卷二，嘉靖二十七年四月初六日哨報夷船事疏，及日本史乘俱作「清梁」。

⑦「山口陶殿之亂」，指大內義隆為其家臣陶晴賢所襲殺（一五五五）的事件。大內氏因此沒落，不再籌辦貢船，故明與室町幕府之間的貢船貿易，亦因此中斷。

⑧「策元」，策元之為「策彥」之誤，前文已有所說明，請參看本書奉貢條註⑮。

貢期

備按：日本入貢，前代無期。自唐貞觀辛卯倭使來朝，帝矜其遠，詔有司無拘歲貢。宋亦無拘，多附商舟入朝。聖朝混一之初，而彼來朝亦無定期。自成祖文皇帝朝定制十年一貢，①抑來朝賀、謝恩、獻俘、告訃，無拘也。嘉靖癸未，夷使宗設（謙道）入朝，而宋素卿又復稱貢。於時市舶太監賴恩處置失宜，致兩來使竟自相讎殺，寧、紹地方搔（騷）動矣。嘉靖丁亥，禮部題奉欽依，仍令十年一貢。嘉靖己亥，其使入朝後，於甲辰、乙巳、丙午歲，毗年來貢，以未及期，皆却之。於歲丁未，又使（策彥）周良來京入貢，亦未及期，不容入港。明年戊申，乃是貢期，准納其貢。嘉靖丁巳，豐後遣使僧德陽來貢，此係遣使招王直，故招其來。以非日本王使，且未及期，不容入港。復使來夷驚懼逃去，此失柔遠懷服之道也。嘉靖戊午，周防遣使龍來貢，亦係遣使招王直，故招其來。雖然及期，原非正使，此因舟山用事，游兵掩殺之，夷亦有逃去者，大失柔遠懷服之道也。然我祖宗制定貢期，宣昭大信，懷來遠人，而夷國中必資華物。然貢則可以得市，而物不可以常給，故夷慕貢，猶農望歲有。不及期來貢者既到中國，而我有司以不及期沮還，中國姦民又復告以潛泊海山，私通罔我利，此亂之所由生也。今者私商潛市於彼，姦賊發生於中，却掠貨財以歸，充斥島宇，貧者坐以致富，富者坐以買賤，朝貢之道愆期，航海之禍不息。爲令（今）之計，必須得人，申明大信，復定貢期，以來遠人。非惟日本貨財有資，信使姦宄之賊，不得乘間而作，然此內外之民，有賴永安之計，得其所矣。

註：

①「文皇帝朝定制十年一貢」，如據明實錄、明史、籌海圖編、善鄰國寶記、相國寺文書、蔭涼軒日錄、大乘院寺社雜事記、異國使僧小錄、唉雲入唐記、戊子入明記、策彥入明記等的記載，永樂元年至八年，前後朝貢六次，船共三十八艘。宣德年間則於八年五月以五船朝貢，十年則以六船至中國。故明史日本傳及日本一鑑所言永樂年間定制十年一貢失實。其限制時期應是景泰四年，以船九艘，人員一千兩百朝貢之後。至個中詳情，請參看鄭樑生明代中日關係研究，頁七五～七九。

貢人

備按：日本進貢之夷，前代毋拘其數。永樂初年，其來朝貢，人三百餘。時奉恩例，進貢使人，止許二百，後無逾數。宣德丙午，使人過多，上諭之曰：「今後使人毋過三百。」後貢如數。再後使人違例。正統壬戌，使人千餘，弘治乙卯，使人七百餘，正德乙巳，使人六百六十八，①嘉靖癸未兩來貢夷，一起人三百餘，一起人百餘人。嘉靖己亥，正副使二十四人，從人生手三百五十八人②，嘉靖戊申，使人六百三十七。前此違例，罪非其王，原奉使夷附人利己，其王不知。及使貢回，而我有司移咨其王，抑未必達。夫未達者，其來使人未全識乎中國之大義，故咨致有不達矣。為撫夷奠夏之計者，必得乎人，申明大信，不使復為前弊，此亦澄源端本之謀，柔遠懷服之道也。覆按朝使，正德己巳，嘉靖戊申，例皆正、副併僧人、居座、土官、通事等五十人入朝，餘置寧波嘉賓館，俟使朝鮮一同津發。嘉靖戊申，夷使入朝，押官三員，寧波副千戶周世賢，照磨蔣文粹，知事李寔，通事周文苑，管送往還。爲今之議，凡點押使之官，必須廉能，方可取用，否則通事、伴送人役，玩法撥置，擾害沿途地方，既不得罪於遠夷，而輒坐罪於押官者，不亦謬乎。古云：「作事必謀，始夫用人」者，不可不慎，必慎於初焉。又考恩例，凡外國使臣病故者，令所在官司賜棺及祭，或欲歸葬，聽從其便，此我聖朝恩及四夷，浩蕩無涯矣，又豈當事之臣，殺其貢夷，棄置報使，可爲中國奠安之道乎。良由助長盜名，慣事彌縫，苟全一身之計，不息十載之兵，致侵五省之民，奚慰九重之望？功昔奏奉天使，蓋愛國體，以懷遠人念，省兵力以惜民命。必欲奠安中國者，忍視向化之夷，不得其所哉。

註：

①「正統壬戌使人千餘弘治乙卯使人七百餘正德乙巳使人六百六十八」，明實錄、明史、籌海圖編、善鄰國寶記、相國寺文書、蔭涼軒日錄等均未紀日本於正統年間（一四三六～一四四九）派遣貢船事。日本史料所紀弘治乙卯（九年，一四九五）所遣貢舶為三艘，人員三百。正德無乙巳年，此乙巳疑為己巳之誤。如據前舉各書的記載，日本曾於正德己巳（四年，一五〇九）遣貢舶一艘至中國，人數不詳，赴京人數則為一百五十，正德壬申（七年，一五一二），遣貢舶三艘，人員六百，赴京人數五十。故此紀錄與事實有出入。

「嘉靖己亥……從人生手三百五十八人」，嘉靖己亥為嘉靖十八年，此次所遣正使為湖心碩鼎，副使策彥周良。如據上舉諸書的記載，此次貢船共三艘，人員四百五十六，赴京人員五十，故此三百五十八之數不符事實。

貢物

〇洪武辛亥，其來貢馬及方物。

〇洪武甲寅，使貢馬及方物。又，其國之志布志島津越後守民久①等，遣使貢馬及茶、布、刀、扇，蓋以不誠，越分而却之。惟僧靈樞貢馬，謝恩而去，授納焉。

〇洪武丙辰，貢馬及方物，授納之。又，日本人滕八郎以商至，獻弓、馬、刀、硫黃，却之。惟僧靈樞所附貢馬二疋授納之。

〇洪武己未、庚申，貢馬、硫黃、刀、扇。又其國都之關東征夷將軍源（足利）義滿②，遣使貢方物，蓋不以不識③、越分而却之。

〇洪武辛酉，貢方物考略云：「獻巨燭，內藏兵器。」，以不恪却之，遂絕其貢。

〇洪武丙辰，貢方物，却之。

〇洪武壬午，來貢方物。

〇永樂癸未，其來貢馬及鎧冑、佩刀、瑪瑙、水晶、硫黃諸物。時禮部尚書李至剛言：「日本國遣使入貢，已至寧波府。凡番使入中國，不得私載兵器、刀槊之類，鬻於民，具有禁令。宜命有司會檢，番船中有兵器、刀槊之類，籍封送京師。」上曰：「外夷向慕中國，來修職貢。危蹈海波，涉跋萬里。首途既遠，貲費亦多。其各有齎以助路費，亦人情也，豈當以一切拘之禁令？」志剛復奏：「刀槊之類，在民間不許私有，則亦無所鬻，惟當籍封送官。」上曰：「無所鬻，則官爲，準中國之直市之，毋拘法禁以失朝廷寬大之意，且阻遠人歸慕之心。」又，按考略：永樂乙酉限定貢例，毋許夾帶鎗、刀。

○宣德丙午，刀劍過多，上諭使臣：「今後刀劍，無過三千把，多皆違禁。」

○成化乙巳，禮部尚書周弘謨奏：「日本王貢刀三千六百一十把，各夷附搭貢刀三萬五千餘把，比之宣德年間進刀三千餘把，不啻十倍。」舊例：貢夷自附貢刀，每一把酬價銅錢一千八百文，共該銅錢七千萬有餘④。弘謨言：「若不裁抑，以後益增。定以每刀一把止銅錢六百文，比舊價只該三分之一，通減去銅錢四千四百四十萬文，該銀五萬九千二百兩。」夷人次日進本，要照日例。不與覆本。又題准：限於日後日本來貢，止照宣德年間定例，刀不過三千把。豈料各夷作弊，每刀一把，斂金五分，其斂金一千九百餘兩。送日本正、副使等四人，約以得照舊例得錢，却用此金謝正、副使。其後因不得照舊例，各夷皆取金回。至將辭朝之日，方知此弊。以後遵照舊例，止許貢刀三千把，永爲定例。此一次省庫銀五萬九千二百兩。

○備考：貢船初著船時，不拘貢刀及各私帶刀仗，官司查盤，則必貯之東庫。嘉靖癸未，兩起貢夷互相讎殺之秋，其持刀仗，皆出殯室之中，蓋懷私市，故先暗藏其間。及至讎殺，藉此以爲兇具矣。

○嘉靖戊申，都御史朱紈奏稱：「貢船進港，閣岸館處之秋，其貢刀劍及帶兵器，官與查盤，悉貯紹興府庫，後以爲例。」

○嘉靖戊午，貢夷德陽亡去之秋，軍門永差吳孝至憲獄，謂王直曰：「倭僧德陽逃入岑港去了。」軍門直言曰：「祖宗舊制，貢夷刀仗，必先卸貯於庫。我在舟山時，嘗見貢夷佩刀出入城市，故有此變云。」

○按：其實貢物例該使人營辦進貢。國制，貢物底以適用，不貴異物，賤用物也。而日本貢奉，皆是用物，中國頗多。物議輕微，夷涉漲海，蓋自危身以貴德，豈論物之輕重乎。今奉貢物，并詳著之：

馬　盔　鎧

劍　腰刀　鎗

塗金粧彩屏風　洒金廚子　洒金文臺

洒金手箱　描金粉匣　描金筆匣

抹金提銅銚　洒金木銚角盥　貼金扇

瑪瑙　水晶數珠　硫黃

蘇木此非土產，海市西南夷國者　牛皮

註：

①「島津越後守氏久」，明太祖實錄，卷九〇，洪武七年六月乙未朔條作「島津越後守臣氏久」。

②「其國都之關東征夷將軍源義滿」，應是「其征夷大將軍源義滿」之誤。

③「識」，疑為「誠」之誤。「不誠、越分」，已見於前文。

④「七千萬有餘」，疑為「七萬餘」之誤。

貢船

備按：日本貢船前代無紀，自永樂初始奉欽定貢船二艘。宣德丙午，貢船踰數，上諭使人今後貢船無過三艘，永以爲例。又按：正統壬戌，貢船九艘。嘉靖癸未，兩起貢夷，貢船五①艘。嘉靖戊申，貢船四艘。按：其違例，國王不知，皆是貢夷私帶圖利。②嘉靖庚戌，貢船三艘，行盡彼域，別有一艘追隨而至。③於時貢使受賄，通事作弊，揑作護送兵船。有司審失其弊，故容之。按：貢船初至，太（大）宰府則必掛號，然後入朝，還國亦然，向罹奸宄之誤也。爲今之議，必欲申明大信，以謹後來，以革前弊，以清內外者，須得乎人焉矣。又考彼中列國得請奉使者，乃繕貢船，附貨互市，則必抽分，準備貢儀。貢船盤費，人工及請勘合，納錢關節之用，而不啻於萬計也。

註：

①「五」，應為「四」之誤。日本史乘謂宗設謙道領大內氏所遣貢船三艘，宋素卿領細川氏所遣貢船一艘，先後至寧波。

②「嘉靖戊申貢船四艘……國王不知皆是貢使受賄通事作弊揑作護送船」，嘉靖戊申，即嘉靖二十七年（一五四八），此次正使為釋策彥周良。策彥於前此一年抵定海，因先期而至，故明廷欲阻回。經浙江巡撫朱紈之疏請，始得在舟山外海之嶴山等待貢期，至本年，因距貢期不遠，乃允其入貢。有關人、船踰額的問題，鄭舜功所說，有待商榷。可參看朱紈，甓餘雜集，卷二所錄，嘉靖二十七年四月初六日哨報夷船事疏，及策彥周良，再渡集。又，如據蔭凉軒日錄的記載，日本的勘合由相國寺蔭凉軒保管，每當遣貢舶時由蔭凉軒主取出交與經辦者，故其管理相當嚴密。正德勘合雖有因內戰而落入大內氏之說，但即使在大內氏手中，其保管也應相當嚴密，故貢使、通事欲作弊中途私帶預定外貢舶的可能性甚微。

③嘉靖庚戌即嘉靖二十八年（一五五〇），明實錄、明史及日本史乘俱未言於本年遣貢舶至中國，只言策彥周良一行於本年東返。

貢道

備按：日本海道，後漢初知時會稽東冶之人，航海遭風，漂流至澶州者，所在絕遠，不可往來。魏、晉、隋、唐，亦各遣使，取道於韓。魏、隋方陳，雖紀未詳，又況世遠，島名有易，亦不可得而詳矣。盛國之世，雖屢遣使，惟至夷中西海道。聖朝遣使，自洪武、永樂、宣德間，凡十餘度。惟僧（仲猷）祖闡，太監王進，略記去程。又按：夷初入朝，由新羅、百濟、樂浪，循鴨綠江而入朝焉。一由彼中西海道肥前國西之松本①，次壹岐島，次對馬島至朝鮮之對戶（戶，一云門，或即金州海口，爲古樂浪之地）一，各四百八十里。次循鴨綠，遵道遼陽而入朝焉。唐天寶中，新羅梗道，始目（自？）明越入朝。此由西海道大隅國西之棒（坊）津次天堂島放洋入朝，故肥前、大隅二國之間，其爲古今入唐道。又，天堂島名天堂官渡，蓋謂入朝之義。光啓己巳，其東海嶼有邪古波、邪多尼、三小王兆，距新羅西北，百濟西南越州有絲絮怪云。而對馬島、平戶島、五島、硫黃島、屋久島，爲其極西之域，近緣中國之邊。廣輿圖云：「六朝及今，乃從南道浮海，率自溫、寧以入。」又按：宋端拱間，夷僧奝然謝表云：「季夏解台州之纜，孟秋達本國之郊。」此由台入，準主山也。今則寧波入朝，準韭山焉。入溫州則準南几山矣。功前奉使日本時，浙、直、福皆有賊，故取道廣。初自潮門馬耳澳放洋，用艮寅縫鍼，略遵給事中陳侃出使琉球水程，一自閩海烏丘山放洋，值西南風用艮寅縫鍼，東南風甲卯縫鍼，西北風正丑鍼，西風正艮鍼，取有馬島（島屬肥前國），此蓋遵彼上海也。聖朝遣使，多自浙海韭山放洋，用單卯鍼取其屋久島寄（音耀固世邁），人指之曰野顧山，又目之曰白雲島，凡五六日。一至烏沙門放洋，用甲寅縫鍼，若陳錢山放洋，用艮寅鍼，皆準屋久等島矣。

若或屋久遵其右海，取椿泊歷奴島，次大門島，至堺江入山城國都。若或屋久徑遵上海之道，又山城國都用艮寅縫鍼，四更取大島，即乞島，人目之曰亞甫山（倭音押付腮），本島之西六十里有礁四五，人目馬蹄。取道馬蹄之上，用艮寅縫鍼，約至十更，取敦理宮島（倭音押茲利密耀如不見山），次用正艮鍼，二更，艮寅縫鍼。五更，取江輪野（倭音耶歪儒），一名江門野岳觀（倭音耶大懦阿佳密）。次用正子鍼，一更，正癸鍼，二更，取野島，一曰野島磯關。野島之南有暗礁，取道島上。次用正丑鍼，一更，正子鍼。四更，取淡路島，一名大門山，取道其上。次用正丑鍼，三更至兵庫港，更易小舟入山城國都。若或韭山放洋，取道大隅之棒津，初用乙卯縫鍼一二日，次正卯鍼二三日，到本津頭。若自本津取海右道之入山城國都，次山河（即山川津），次有泊（即大門泊），次血野湊（即千湊），次戶浦，次耳，次細島，次垢水（即赤水），次東海（即遠海），次竹島，次釜江，次渡柏島，次駒妻（即小豆），次清水（即志水），次津龍，次舟崎，次畝戶，次東津留（即大津留一名戶路），次椿泊，次渡來島，次堺江，易小舟。次大阪，次守口，次八幡，次下鳥羽（即下戶宇），牛車、轎馬至山城國都。或自下鳥羽更易最小舟，次上鳥羽（即上戶守），牛車、轎馬。次塔寺，次山城國都。次門浦，次伊竺，次今日泊（即京泊津），次阿久根，次渡天草（即雨來），次渡戶坂浦（即江浦一名軍瓦。），次渡河島，次渡瀨戶，次博多津，次足屋，次渡赤坎關，次掛坐，次上關路，次渡宮島，次渡釜雁，次渡竹源，次渡志波久島（即連島），次渡牛窗，次室，次兵庫港。易小舟，次杉田，次山崎，次下鳥羽。更易最小舟，次上鳥羽，乘牛車、轎馬。次塔寺，次山城國都。一自棒津取道陸路，馬行月餘，至山城。初棒津，次伊竺（即伊地久），次伊力（即井利市），次阿久根，次根島，次（關之），次八代，次高足（即音瀨），次瀨高，次宰府（即太宰府），次博多津，次滿即狩，次國羅即小倉，次足屋，次渡赤坎關即阿伽摩關，一名阿開間關，次府國，次淺即朝佐，次山口，次小即小波田，次廿日市，次聲部即壁，次山原即出肚，次吉田，次橫田，次高山，次戶九即三原，次道委，次成輪，次河歌即笠岡，次品川，次和氣即分氣，次燒山，次酉子，次五著，次御未即右木，次明石浦，次兵庫港即日護，次西宮，次小屋，次善川，次山崎，次渡，次上鳥羽，次塔寺，次山城國都。此計（記）大略，詳具桴海圖經。

註：

①「本」，疑為「浦」之誤。

風汛

備按：日本來朝中國，必乘風汛乃可入覲。抑夷島居東北，論風汛有大小，大汛者，清明以後，端午以前，風有旬日之久，若端午後不利其來也。小汛者，中秋以後中月望前，踰期則不得而遵，貢道乃漂流入閩、廣矣。曩昔鄞人每於朝貢之期至，清明之後，端午之前，則曰日本進貢風光，只今東南則曰倭賊風候也。其歸本國，必西南風，端午以後，中秋以前，十月望後，仲冬望前可行也，否則不利於行爾。鄞館貢夷之秋至，端午後則人語曰送使風。只今東南則兵語曰助陣風，何也？夫賊之來，則乘風至，而我兵船則難通風，故賊得而登犯者矣。賊乘風去，而我兵船亦預乘風追擊之。賊舟中擊則溺，賊奴則浮其首級，謂得寔利。竊謂實利不在殺賊蓋在己，賊必欲至已，賊須則來賓，來賓有嘗，海隅絕警，何必防風備汛而自擾之乎？抑海風能黑人耶？

水火

備按：澹水海航所貴，蓋海水鹹，不可以爲飲食也。如以海水爲飲食，嘔泄不堪。苟烹臘味，則棄其汁，臘味可用，是故使者必須蓄澹水。抑倭使人每備澹水四百斛（倭秤一斤二十五兩，斤水八椀），惟飲食不沐浴，否則行洋不易登陸覓取，期到彼岸，必有餘可也。盛水之具，不論陶器、木器，必須注水久遠者乃可用之。或以新器注水，冬月苟可，若値災天，不二三日，水臭不堪。如置之久，水性作過，則亦可用。如乏澹水，或不遇山，則必煮海，若燒酒法，取氣水而用之，味不爲美。抑海水殺疥蟲，去職膩，麄肌膚。使船行洋，必帶火石、火石以擊火，或預鍋煤，或預草紙而引之。又用乾竹取火之法，以竹二片，一中斷濠，一急鋸之，俟其火發，用煤引也。用乾硬之木以爲鑽用，繩急牽鑽杉木，火發煤引，惟桑鑽桑取，火易得。

使館

備按：國制，日本來貢，初館使於寧波市舶司。勝國之世，招其來市，館於慶元（即今寧波）天寧寺。馭之無策，寺罹燔炳。嘉靖癸未，兩起貢使俱至寧波，事屬違例。於時市舶太監賴恩，以兩貢使一館之於市舶司，一館之境清寺。館雖兩處，待有偏頗，二使爲讎，寺惟燔炳。嘉靖丁巳，使館舟山道隆觀，此招王直，故招其來。馭之無策，觀罹燔炳，此固人謀不臧也，豈惟倭夷無知耶？嘉靖癸未二起貢夷讎殺之後，迄守己亥其修貢，有司議館之，遂以境清閑基起造嘉賓之館，向來以處來使也。及入朝，則處之於四夷館，即今會同館，謂倭蠻驛也。天使日本，初入其境，若登岸，多館僧寺，若陸馳行，則舍驛傳。至其國都，向舍鴻臚館，因其國僧曩昔授華僧教，故其累代使僧入朝。唐宋以來，授親文學，是以天使東華，臨而夷僧眾多白其王，請處僧寺，蓋其眾僧但欲得親文教矣。及通其言，各有通事。彼西海道太（大）宰府，自古迄今，有大唐通事之官，及設大唐通事人役。按：宋元豐戊午，太（大）宰府遣通事僧仲回入朝。夫此通事，皆會倭書，識漢音，知唐字，而能翻譯也。入使，出使，以之通事，抑亦不誣。鄞有通事，粗知倭音，不識譯字，但知罔利，弗諳大義，故昔以致利害也。又考：洪武、永樂以來，設立御前答應大通事者，有都督指揮等官統屬一十八處，小通事以通四夷之情。成化己丑，奏定小通事六十員名，於內日本通事四名，以通夷情。抑此通事，粗通倭音，不精譯字，故不盡識其說也。抑且使僧入朝，多識華文，欲通其事，疑有未盡者，又當命使以筆代言。言合於義，則當俯從之；言不及義，尤宜啓勸之。夫如是，然則慕華向化之夷，亦得被以文教，而不致於通事之誣也。奉天使人，誕敷文德，帶去通事，抑惟備數而不通其理敬之說，惟天使人以筆談之，庶幾無誤。又考：待使廩糧下程，宴勞之典，自宋永和庚申倭奴國王來朝，有宴勞之典。唐長安辛丑，遣使粟田（真人）來貢，宴之麟德殿。宋雍熙甲申，遣僧奝然求詣五臺，詔許之，今（令？）所過續食。胡元至元壬申，日本太（大）宰府遣彌二郎等二十六人來報使，皆有宴勞。聖朝洪武己酉，詔定藩王朝貢禮，使臣初至龍江驛，則宴之。應天府同知侍其使臣，座設廳之西北，東向。同知座設廳之東南，西向。

至會同館，禮部侍郎奉旨侍宴於館中，儀如龍江驛。夷使朝見，必先習儀鴻臚寺，朝畢，奉旨賜宴於館，擇日皇太子賜宴，次中書省宴於左司都督府御史臺（即今都察院事領廣東道），皆宴之於經歷司。使臣陛辭，禮部官率應天府官，送之龍江驛，設宴如初。永樂丙戌，命浙江、福建、廣東市舶提舉司，凡外國朝貢使臣往來，皆賜宴勞。宣德間，使臣通州湯飯，令行在光祿寺送至濟寧州。回至浙江布政司，並寧波府茶飯管待。向來使臣入朝，筵宴二次，禮部管待，中官亦預。回至寧波府，管待一次。在京遇正旦、冬至、聖節吉慶及朔望，朝見，辭酒、飯，皆有常例。其正、副使僧、居（座）、土官、通事、使從廩糧，亦皆有例。留處嘉賓館者，首尾奉支於鄞縣，夫入朝者，沿途往還，給支廩糧之外，每人肉半觔，酒半瓶。若在中途無故停止一日之上者，廩糧住支。若至會同館，光祿寺支送常例下程，每人日肉半斤，酒半瓶，米一升，蔬菜、廚料。若奉欽賜下程，五日一送，每十人羊、鵝、雞各一隻，酒二十六瓶，米五斗，麵十二觔八兩，果子一斗，燒餅二十箇，蔬菜、廚料外住支。常例下程若奉旨優待，則又不在前例也。天使日本，各驛供奉如至列國。及其都筵名潔洲精進者，此其至敬之禮，有歌舞管絃之樂，且奉天使禮遇存誠。

市舶

備按：浙江寧波府，向有市舶提舉司，非通四夷商市，蓋謂（爲）日本貢夷而設也。備考：始設於永樂之初。四夷來朝，上許順帶土產互市，而恐奸民欺騙，有失遠人向化之心。遵照國初事例，於浙江、福建、廣東各設市舶提舉司，以隸各布政使司，隨設正、副提舉吏目之官。部頒行人，專主貢夷交易。又有太監提舉市舶司事。嘉靖初，日本一國有兩貢使至寧波，提舉司太監賴恩，處使偏頗，兩貢使自相讎殺，寧、紹地方，一時騷動。按：市舶司太監不知起於何年，而罷於嘉靖初年也。又按：市舶行人，但知覓利，不識國體，故弘治乙卯，此等行人乃與鄞之朱漆匠賒得夷人湯四五郎漆器，價錢入手花費，竟無貨償。貢船歸國之秋，不得漆器，將告於官。行人慮責，與之催逼。而朱漆匠計出無奈，以子朱縞塡去。後更名宋素卿，於正德辛未奉使入朝，其叔朱澄，首鳴其事。比賂逆瑾，得以放去復生。癸未之禍，此皆行人所致也。嘉靖己亥，寧波之民應姓者，干犯撥置之罪。嘉靖戊申，貢夷方至之秋，値許二、許四倡亂之際，官司處使嘉賓館，而寧波人尤有擲書撥置者。都御史朱紈奏議略曰：臣體得地方積弊，常年入貢夷人隨帶貨物，有等姦民指以交易爲由，誆騙推延，往往貢畢京回，守候物價累年，不得歸國。官司苟且避事，佯爲不知，其寔不能禁遏。奸人因此肆志，夷人無處申鳴；內傷國體，外起侮心，非一朝一夕之故。乃於貢船閣岸之初，貨物報官給領巡海道司信票，許其明白互市，以慰遠人之望，以絕奸人私通誆騙之弊；無票者以通番論罪。隨諭貢夷，若有買賣交易，許爾明白報官，給領信票，塡寫合同，照出照入，官免抽稅。以此示諭，使勿聽人哄弄。俱各感激，一遵約束。其朝貢者並無往年沿途驚擾，存留夷伴，安心在館，並無往年出外交通。此類賴都御史朱紈處置有略，是以使夷感恩矣。又按：大明會典者，官收買賣貢夷附來貨物，俱給價，不堪者令自貿易。又令夷人朝貢到京，會同館開市五日，各鋪行人等，人（入？）館兩平交易。染作布絹等項，立限交還。如賒買及故意拖延騙勒，夷人不得起程并私交易者問罪，仍於館前枷號一個月。若各夷人潛入人家交易者，私貨入官，未給賞者量爲遞減。通行守邊官員，不許將曾經違犯夷人起送赴京。又令在京在外軍民人等，與朝貢夷人私通往來，投托照顧，撥置害人，因而透漏事情者，俱問發邊衛充軍。軍職有犯，調邊衛帶俸差操。通事併伴送人等，係軍職者照軍職例，文職有贓者，革職爲民。又令甘肅、西寧等處，遇有番夷到來，本都司委官，關防提督，聽與軍民人等兩平交易。若勢豪之家主，使弟男、子姪、家人、頭目等，將夷人好馬、奇貨包收，逼令減價，以賤易貴，及將粗重貨物，并瘦損頭畜拘收，覓取用錢，方許買賣者，聽使之人問發附近衛分充軍。干礙勢豪及委官知而不舉，通同分利者，參問治罪。又令迤北小王子等，差使臣人等赴京朝貢，官員軍民人等交易，只許光素紵絲、絹布、衣服等件，不許將一應兵器并違禁銅、鐵等物，有違犯者處以極刑。又令官員軍民人等，私將應禁軍器賣與夷人圖利者，比依將軍器出境，因而走泄事情者律各斬，爲首者仍梟首示衆。焰硝祕書，然法當此。功覆按得弘治乙卯，鄞縣朱漆匠以子朱縞準抑夷人，乃更姓名宋素卿，故於正德辛未撥置。山城刺史細川高國幸請勘合於日本王，得以奉使入朝。既不能自陳情，及致其叔朱澄首出，仍賂逆瑾，得以縱去復生。癸未之亂事，於大法未見定律以戒。後來功又訪得有等奸民伺貢夷至，則托通事、行人領貲本，往景德鎮定陶磁器，底書日本年號要其大利者，前此俱干天憲也。抑茲疲弊，尙艱內治，徒責外夷，可不自慎於將來乎？按：今貢夷在京，在市，其各行貨，必先報單，而後入館交易，此法得矣。大抵在京，在外，安得夷使？必須提督、提舉得人。然則館伴畏法，行人不能與之私通，閑人不得與之交接，雖有夾帶違禁之姦，賒騙告擾之弊，亦默化而潛消也。如此肅清，夷使戴德，國體愈加尊重矣。

賞賜

○洪武辛亥，賜使僧祖〔來〕等文綺帛及僧衣，賜王良懷①大統歷（曆），及文綺紗羅。

○洪武甲寅，賜使宣文溪等文綺紗羅各二疋外，從官錢帛，有差。

○賜志布志島津越後守臣民（氏）久等，使僧道幸等文綺、紗羅各一疋，通事、從人以下錢、帛，有差。賜僧靈樞徒靈照錢一萬，文綺帛各一疋，僧衣一襲。賜〔遊？〕方僧宗嶽等七十一人布各一疋。

○洪武丙戌，賜謝罪使圭廷用等文錦，有差。賜夷人滕八郎白金，附賜僧靈樞綺帛。

○洪武己巳，賜太學日本生滕佑壽衣、鈔、靴、襪。

○永樂癸未，賜使（堅中）圭密等文綺、紬絹、錢鈔、紵絲、紗羅，有差。賜其通事冠帶。賜王源道義（足利義滿）冠服、錦綺、紗羅等物。

○永樂甲申，使（明室）梵亮來謝恩，賜王錢鈔、幣綵（綵幣？），宴賚其使人。

○十二月，遣使永俊等，奏表賀冊立太子，賜王錢鈔、綵帛，宴賚其使。

○永樂乙酉，遣使源道通賢②獻所獲寇嘗爲邊患者，賜王九章冕服，鈔五千錠，錢一千百緡，織金文綺、紗、羅、絹三百八十七疋。宴賚其使。

○永樂丙戌，遣使（堅中）圭密謝恩。賜王錢、鈔、綵幣。宴賚其使。

○永樂丁亥，遣使（堅中）圭密獻所獲倭寇道金等。賜王白金一千兩，錢一萬五千緡，紵、絲、紗、羅、絹四百一十疋，衣十二襲，帷帳、衿褥、皿若干事，并賜王妃白金二百五十兩，錢五千緡，錦、紵、紗、羅、絹八十四疋。宴賚其使。

○永樂戊子，遣使圭密等獻所獲海寇。賜王綵幣等物。賜使鈔百錠，錢十萬，綵幣五表裏，僧衣一襲；賜其僧從，有差。

○冬十二月，日本王世子源（足利）義持，以父道義卒，遣使告訃。賜謚恭獻，賻絹、布各五百疋。封義持嗣日本王，賜錦、綺、紗、羅六十疋。

○永樂庚寅，使（堅中）圭密等來謝恩，皇太子賜圭密等，各有差。

○永樂辛卯，禮部尚書呂□□上蠻夷來貢朝賞例，請照品級以賞之。上曰：「朝廷馭四夷，當懷之以恩。今後朝貢，悉依品級，雖加厚，不為過也。」

○永樂戊戌，其王源（足利）義持，使（日）向、大隅、薩摩三州刺史島津滕存中等謝恩，宴賚其使。③

○宣德乙卯，使來謝罪。賜王紵、絲二十表裏，紗、羅八疋，錦二疋，銀二百兩；妃銀一百兩，後以為例。及賞正、副使并僧人、居座、土官、通事。初到，賞衣、靴、帽，正賞紗、羅、絹、布、銅錢諸物，有差。④

○備考：賞賜如斯而已，曩者議論厚賞，未然。竊謂日本乃東海最大之夷，中國外藩之地，我皇祖宗，朝貢之國，十年一度漲海來庭，賞賜其王與妃銀共止三百兩，表裏紗、羅、錦、綺共止五十一疋；及來使人，賞則有常。且永樂時，其三獻浮（俘），賞賚不至萬鎰，能致百數十年之太平。⑤若今用兵，竭民膏血，傷民物命，幾廿年而不已者，蓋昔人謀之不臧，甚不臧也。啗賊自以為奇謀，資舟自以為計，助器自以不厭詐，侵漁自以可通神。國法、軍聲因而不振，國家元氣隱被消磨，欺罔壅蔽於朝廷，取怨貽笑於夷狄者，不若忠信；奉宣文德，容使來庭。蓋賞有常數矣，究心經世，士君子欲乎。日本之來庭，而爲尋常賞賜歟？欲視倭夷之來寇，靡費濫冒不已歟？

註：

①「良懷」，「良懷」之為「懷良」之誤，參看本書頁二二五七，註③。

②「源道通賢」，日本史乘皆作「源通賢」。

③日本史乘無相關記載。

④前此宣德癸丑（八年，一四三三），日本以釋龍室道淵為使，率貢船五艘朝貢。

⑤舜功此言與事實有出入，詳情請參看本史料集第六輯續善鄰國寶記所錄「大明書別幅」。

印章

備按：中國給賜日本國王印章有三種焉，其一漢光武丙辰，其二魏景初戊午，其三皇明永樂癸未，此二（三？）給者，皆金章也。前三金章，俱藏日本國王之宮房宮房者猶倭之後宮也。①夷國書云：「本朝三種神器，正謂此也。」②而日本國圖纂、籌海圖編，日本國印久爲山口所得，及損一角，今印不知所在之說，夫此語者，蓋昔使人之用詐謀以圖王直，直畏國法，恐使得達日本國都，咨以大義，則必檻以歸，故用作誣，在圖自利，乃誘豐後僞造印章、鈐表來貢，此効役者果知國體之尊歟？果顧朝廷之信歟？比知印僞不納，其貢使之抱赧懷慚矣，何復欺罔觀聽耶？覆按：嘉靖戊申，都御史朱紈於日本入貢之秋，奏稱日本使奉表咨、勘合，俱各硃墨相同。又況日本自古迄今，其惟源氏世王其國，且無大變，何謂金印不在山城，之在山口者，蓋昔任人，既非綏遠之才，終負深臨之役，由是開邊之釁，輒復欺罔觀聽，一至板行而取惑於時政也。功知不語，罪何所逃。又按：景和戊午，其來使臣曰難升米，曰（都市）牛利，各賜之銀印。正始癸亥，其來使臣曰伊耆③，曰掖耶狗④亦各賜銀印。今其都臣石上（即石野守）者尚存有焉。又，其南海土佐國有圓圖書，未審篆文，不知其所出也。其通國中，重一押字，惟前賜印爲寶，而無自作符章也。

註：

①「前三金章俱藏日本國王之宮房」，漢光武賜與倭之奴國王之金印，於清乾隆四十九年（天明四年，一七八四），從福岡縣粕屋郡志賀島出土，傳於福岡藩主黑田家。東京國立博物館所典藏者為仿製品，故此金印未曾典藏於日本國王宮房。

②「本朝三種神器正謂此也」，如據日本史乘的記載，自古以來象徵日本皇位而世代相傳之三種神器為八咫鏡、草薙劍、八咫瓊曲玉，非中國賜與之金印。三種神器之來由，詳於日本書紀。日本天皇如無此三種神器，則被視為非正統。

③「伊者」，三國志魏書卷三〇倭人條作「伊聲者」。

④「掖耶狗」，前註所舉書同卷同條作「掖邪狗」。

授節

〇聖朝洪武己巳，日本生滕佑壽入國學讀書。歲辛未，以爲觀察使。

〇永樂癸未，日本國王源道義（室町幕府第三任將軍足利義滿）遣使來朝，賜王冠服及冕紐金印，賜通事冠帶。

〇永樂乙酉，其王源道義遣使來朝，併獻犯邊之賊。賜王九章冕服。

〇永樂丙戌，其王源道義遣使來朝，併獻犯邊之賊。賜璽書褒諭其王，詔封其國之山曰壽安鎮國之山。上親製詩文，勒石其上。

〇永樂丁亥，其王源道義遣使來朝，併獻犯邊之賊。賜勅褒諭之。

〇永樂戊子，日本國王世子源（足利）義持，以父源道義卒，遣使告訃。詔諭祭賻，賜謚恭獻。封義持嗣日本國王。

〇宣德癸丑，義持卒①，俱奉恩典。

註：

如據日本史乘的記載，室町幕府第四任將軍足利義持沒於宣德三年（正長元年，一四二八），宣德癸丑（八年，一四三三）當時之將軍為第六任的足利義教，故此則記事有違史實。

卷八

評議

備按：馭夷一事，立言最難，如言不中，則醜夷狄之玩侮，若言格正，可啓夷狄之畏懷。啓畏懷始可以慰朝廷之宵旰，釀玩侮，曷能以慰廊廟之憂勤，此立言者固不可以不謹。而乃苟惑於時政，竊取一時之富貴，故使百靈膠鋒鏑以爲千古罪魁歟？念功一誠，効役萬死餘生，三至京師，孤忠自許。伏覩闕下之法令，則曰：「說謊者斬」；又覩兵部之門示，則曰：「一應人等，但有禦侮平倭長策者，俱許具開揭帖，不時赴部，以備採擇。」此官情國法如斯而已。夫北虜事，非功可知，而南倭情，使臣頗識。兵部之謂長策者，而功竊爲要領也；朝廷之禁說謊者，而功自許盡忠也。念昔効忠，痛罹媢嫉，彌縫歲久，雖得要領，忠不能攄，亂不得已。故憂世者有懸斷遙度之差，故賊寇也有東滅西生之患。患今不息，良由中國流逋之隱誘。差昔設施，致使東夷職貢之愆期，必欲貢，須彰天朝之大信；欲亂必定，須鑒草澤之孤忠，庶使東夷得効順之名，此顯聖王之化彰大信，庶使外患就潛消之計，此顯仁者之功。功雖寡學無知，自委必期盡己敬，以祖宗垂訓，古今格言，一一各附言於下，固雖不成章句，蓋有明徵定保。夫馭東夷，奠安中國，而功自謂畫一之說也。草莽僭議，萬罪何辭。仰惟皇上，勿究媢嫉匪人，既往之欺，庶不復亂。孤忠經國之大謨，如蒙明良察，功之言行，功之議，如夷狄不誠服，東南不太平者，甘受誤國之誅矣。

布衣吳（時）萊疏略曰：海東之地爲國，無慮百數，北起拘邪韓，南至耶馬臺而止。又有夷洲紵嶼人，莫非倭種，度皆與會稽臨海相望。遡漢、魏之際，已通中國，其人弱而易制。慕容廆掠其男女數千捕魚，以給軍食。其後種類繁殷，頗知用兵。唐攻百濟，扶餘借其兵，敗於白江口，乃逡巡歛甲而退。今之倭奴，非昔之倭奴也。昔雖至弱，猶敢拒中國之兵，況今之恃險且十此者乎。向自慶元航海以來，艨艟數十，戈矛劍戟，莫不畢銛鋒淬鍔，天下無利鐵。出其重貲，公然貿易。即不滿燔炳城郭，抄掠民居，海道之兵，猝無以應。追至大洋，且戰且却，戧風鼓濤洶湧，前後失於指顧。相去不啻數十百里，遂無奈何。喪士氣，虧國體，莫大於此。然取其地不能益國，掠其人不可以強兵，徒以中國之大，而使見侮於小夷，則四方何所觀仰哉。唐太宗擒頡利，而靺鞨來朝；太宗遠來，突厥既服矣。今倭奴不及突厥遠甚者，其屬之如靺鞨者之多，臣恐其有効尤於後也。以臣度之，倭奴之國，去高麗、耽羅不遠。今戍高麗、耽羅者，當不下數百萬，戍慶元海道者，亦不下數百萬。比歲水教以作事卒之氣，大船數百薄海上下，然迄未能以兵服之者，絕地絕大海險，故之以間往征之三軍之士，感激嗚咽，誓不再見父子妻孥。颶風連晝夜，大魚跋扈，驚觴篙拖，勁弩不暇發，嚙舌相親，不幸而有覆艦之虞。衣衿結連，溺死枕藉，幸而一存，拔刀斫舷，手指可掬。雖親戚而不相救，生死而未能保，何暇較勝負哉。昔者隋伐高麗，高麗終拒守不下。所守恃者，鴨綠一小江耳。今倭奴之強，固不如高麗，而大海之險，甚於鴨綠水者，奚啻幾十倍？其人率多輕悍，其兵又銛利，性習於水，若鳧雁然。又以能攻擊爲事，而吾海道之兵，擐甲而重戍，無日不東面望洋而嗟。使其恃強不服，雖盡得而剿之，摧朽拉腐也。而彼乃肆然未皆一懼，非恃險也，何敢若是。吳嘗浮海伐夷洲矣，獲其人三千而兵不助強，隋嘗浮海伐留仇矣，拔其城數十而國不加益，何也？人非同我嗜慾弗能生也，地非接我疆土，弗能有也。爲今之計，果出兵以擊小小之倭奴，猶無益也。古之聖王，務修其國，不敢勤兵於遠。當其不服，則有告命之詞而已。今又往往遣使奉朝貢，飛船浮海，以與外夷互市，是有利於遠物也，何人能格哉？魏文帝謂辛毗曰：「昨張掖獻徑寸大珠，今欲求之，曷若？」辛毗對曰：「聖王惟德之務，四夷畢獻方物，求而得之，不足貴也。」今不若罷我互市，從彼貿易，中國免徵利之名，外夷得効順之實，莫便於此。彼倭奴者，心嗜利甚，我苟不以利徼之，雖不煩兵，猶服也。何以知其然也？漢建安中，鮮卑軻比能稍寇遼東三郡，其後來朝則詰之。曰：「我雖夷狄，亦人也。禽獸猶知擇美水草以居，況我人乎。前者守臣數徼以利，使吾不得畜牧，吾故叛去。今反其法，吾故來。」又況倭奴之人，稍知文字，豈反不及軻比能耶？而獨不能効順者，此臣日夜所扼腕切齒，爲朝廷惜也。臣年長矣，每思傅介子、班超之所爲，慨然嘆息。使天子不奮於絕域，未免爲田里之匠夫，功或不成於漢朝，至老亦無聞於後世。臣自揆不能如二子之智，而有二子之功；罪不容於殂，幸而朝廷假臣一命，奉其告辭，得往喻（諭）之，亦一奇也。議者必曰：「向曾數奉使，猶不得要領，近自對馬、絕景等島渡大海，逕超太（大）宰府，高麗、耽羅沮撓百出，留使臣，不使遽見，中夜守護，排垣破戶，喧呶器號，兵燧交舉。後雖僅得其使介來庭，終至渝平而不服。意者一泛使之遣，未足以服之乎。」自臣觀之，今則高麗、耽羅已服，所未服者，倭奴而已，然亦不勝其懼矣。故今不遣使，不可與向遣使諭也，云云。功謹按：已上之言，恰如舟山之役，役人未必見此。如見之，烏得覆溺前轍哉！夫勝國時，雖有前此之言，惜乎其不能用，如用之而倭亦可化導矣，此蓋以理而論也。功昔之奉宣諭而倭筆談曰：「昔者中國、蒙古閏位，故不入朝。今者中國是真帝王國，復修貢，此固尊中國之誠也。」蓋知文字之驗爾，若遣之使，則先自利，惡得要領濟時耶夫？成祖時，倭王道義而能道義，今聖明時，倭王知仁，豈不知仁者乎？功竊謂：倭奴可比內肆欺罔者，尚未可化，曷敢媚嫉？苟饕祿位以貽子孫，作東南癰症痼疾，致使邊氓肝腦塗地不已者，向臣不得專盡忠志之故也。可憤。

皇明祖訓曰：「四方諸夷，皆限山隔海，僻一隅，得其地不足以供給，得其民不足以使令。若其不自揣量，來擾我邊，則彼為不祥；彼既不為中國患，而我興兵輕伐者，亦不祥也。吾後恐（恐後）世子孫倚中國富強，貪一時戰功，無故興師，致傷民命，切記不可。但胡戎與我西北邊境，互相密邇，累世爭戰，必選將練兵，時謹備之。」功謹按：聖祖之言，而大學士丘文莊公濬著於大學衍義補則曰：「萬世聖子神孫，即當佩服以為家訓者也。故謹錄而備書之，以為萬世統馭華夷之則。」

大明會典曰：「日本國雖朝實詐，暗通姦臣胡惟庸，謀為不軌，故絕之。」功謹按：聖祖之言以格內姦，以絕外禍，生亦莫不由內奸之所致猶如是，然必治內而後治外也，茲功敢以明良告。

吏部侍郎楊守陳之書略曰：倭奴狙詐貪狠，自唐以至於近代，嘗為中國癬疥矣。國初洪武間常來貢而不恪，朝廷既正其罪，後不與通，著之為訓。至永樂初始復來貢，而後繼之，於是往來。數知中國之虛寔，山川之險易，固肆奸譎，時挐舟載其方物、戎器，出沒海道而窺伺我。得間則張其戎器而肆侵夷，不得間則陳其方物而稱朝貢。侵夷則擄財，朝貢則圖賜。是間有得有不得，而利無不得，其計之狡如是。且其所貢刀、扇之屬，非時所急，價不滿，而所靡國用，弊民生。而厚之者，一則欲其向化之心，一則欲弭其侵邊之患也。今其狡計如前所陳，則非向化者矣。受其貢亦侵，不受其貢亦侵，無可疑者矣。然彼以貢獻爲名，既入我境而遂誅之，則類殺降，不武，不義。若從而納其所貢，則其（衍）中其奸計而益招其玩侮。竊以爲宜降明詔，數其不恭之罪，示以不殺之仁，歸其貢獻，而驅之出境。申明海道帥臣，益嚴守備，俟其復來，則薙而禽彌之，則姦謀詭計被沮不行矣。功謹按：以上之言，蓋是致君澤民之誠，間有懸斷遙度之失。失也者謂間則張其戎器而肆侵夷，不得間則陳方物而稱朝貢。殊不知朝貢者，倭王臣也，姦偷者倭頑民也。夫此倭夷，久習中國之詩書，頗知中國之儀文，未若北虜一概而言賊也。抑賊寇法必誅，向無流逋之隱誘彼倭，安敢犯我耶？又曰：然彼以貢獻爲名，既入我境而遂誅之，則類殺降，不武不義，此固中國仁義之言也。但原不得其要領，故議貢所不容者，則云驅逐而已。夫僧德陽龍喜者，蓋緣招其來，至此任臣也，既不能勞來以勸，宣明國法，輒嗜殺之。況復有逃去者，可降明詔，數其不恭之罪，以示不殺之仁者乎。且招來貢夷，況既殺之，今其貢使必不復至，流逋得遂深固之謀，此懷鼠竄蠶食之賊，苟能止之不來乎？賊寇年來痛靡國用，苦弊生民，若授其不急之貢物，使守祖宗成法，全活有用之邊氓，馭夷之道得矣。

嘉靖癸未，巡按浙江監察御史歐珠等，當日本使夷宗設謙導①，及別起使人（鸞岡）瑞佐、宋素卿讎殺之秋奏議，略曰：二起倭夷到來之時，實因各官從事怠緩，處置失宜，釀成禍亂。及至變作，却又一籌莫展，狼狽失措，貽害生靈。甚至以城門之扃鑰，付之賊手；以日本之國號，封我東庫。舉火自焚舶司，差官爲賊嚮導。帥墮馬②，而走匿民家，守臣棄城而縱賊焚刼。沿餘姚江吶喊殺人，地方之驚擾可知。抵紹興城逼令獻賊，府衛之官何在？且宗設所領倭夷不滿百十餘，而寧、紹兩郡軍民何啻百萬。今乃任彼兇殘，肆志攻略，畢竟無與爲敵。尙謂國有其人，致使蕞爾島夷，蔑視華夏，蹂躪城郭，破壞閭閻，殺司都司方面，質虜指揮，貽國大恥，事出非常。中間隱匿事情，得於道（路）傳聞，未易悉舉。及差指揮馮進恩奏詞，亦曰其間情節，隱礙甚多，不敢盡露。今若止令鎭巡官查勘回奏，恐有上誤朝廷事機，下移地方災害。法今（令）幾於不振，功罪終是不明。況巡按御史當時倉卒問聞奏，稽察未精，鎭守等官員，身負罪愆，豈肯吐實？臣等夙夜思慮，實懷隱憂。伏望皇上軫念海隅蒼生，罹此凶變，兼係裔夷猾夏，事體國紀，特遣近臣素有風力才望者一員，領勅前去寧波府地方，逐一勘查前項失事緣由，分別功罪等第，參詳奏來，然後重行誅賞，大明黜陟，庶人心以定，國威以伸，而四方邊徼，皆聞風知所警懼矣。再照宋素卿，本寧波人，背棄中國，潛從外夷，正本朝叛賊，法所必誅。正德年間勾引外夷，倶來入貢。事已敗露，將寘重典，乃以金寶厚賂逆瑾，寅緣特旨，幸逭天刑。今次復因此人，激成宗設之變。訪聞宗設倭船先到，而搬貨在後；素卿倭船後到，而搬貨獲先，宗設內已不平。及市舶太監賴恩置酒命坐，又以宗設席次抑置素卿之下，其心愈加懷憤，搆此禍端，實為戎首。若不明正典刑，梟首海賓，則將來射利效尤之徒，習為謀叛，靡所禁絕，伏望明旨送都察院。兵部將今次朝鮮國獻賊倭中林、望古多羅二名，遵照前旨繹審明白案候。仍將二倭押發浙江，解送欽差官處，今（令）與宋素卿對鞫前項搆禍緣由，及彼國差遣先後，并勘合真僞來歷，具招奏聞。臣謹按：已上之言，莫不切實

匡時，但原遠夷，不易可得要領者。功自奉使日本，始知我皇祖宗所給日本勘合藏本王宮③。正德己巳，日本學校之徒，欲報祭先師，議請儀禮。時宋素卿自謂鄞人，希圖奉使，故誘山城刺史細川高國，幸請勘合於夷王宮，始上納錢請給之。既而入朝，不允其請。比有朱澄者，首鳴素卿乃姪朱縞，弘治乙卯潛從貢夷去情。時賂逆瑾，寅緣特旨而去。自後日本五畿、南海、西海、山陽等道諸列國使因得利，故不守候貢期，亦各幸請勘合入朝，此固素卿誅首也，至是後來多事矣。功又訪得鄞諸父老曰：「嘉靖癸未，素卿復至，艤舟。初問岸人曰：『市舶者誰？』答曰：『賴太監。』又問之曰：『劉太監安否？』答曰：『逆謀伏誅矣。』（鸞岡）瑞佐曰：『是何言歟？』素卿曰：『劉太監逆謀伏誅了。』佐曰：『若此，不來也罷。』」又訪得正德己巳素卿去時，逆瑾以指揮服色與素卿。素卿復來，罪犯重典，囚繫憲獄，而日給支。夫內訌不為大戮，以戒後來，而乃囚豢二十餘年。④至歲丁未，其子東瞻又發艇，追隨正貢使（策彥）周良而至鄞，⑤通事輩私哀東瞻省父之心，輒撥置之，嗾夷正使揑作護送兵船。內姦教誘，有如此東夷，可不聽從之。於時官司尙未之審，故違明例以啓後來之亂者，此皆內姦之罪也。此寧波民與素卿、東瞻通信者發之，素卿懼誅。未

幾，自斃沉，未顯戮⑥，未足以告天下，以令四裔，致使內奸吳四郎於丁巳歲，乃隨招來貢，使德陽通事。未幾，招來市夷善妙等船泊舟山，我方揚師，善妙驚懼，乃邀德陽同巢，計不殺使，以圖混全之故。德陽不聽，即欲易館以避，乃以吳四郎偕倭使伴，告於參將張四維。四維疑詐，恐蹈指揮袁璡之轍，卒殺四郎及夷伴。夫此夷伴，蓋使招來貢者，固不可殺。而四維乃背夏亂夷之大奸，假以四維之手，豈非代天誅戮乎：且如麴祥情固可憫，功竊謂古今夷狄之初心，未嘗敢亂中國法，亂我法者，蓋由內奸所致，歷歷可考。抑且癸未之亂，蓋在腹裏，一時失事，初未塞聞。此論且詳欽差往勘事，終難掩舟山之役。事屬海島，蓋謀不臧，通神壅蔽矣。既壅蔽，僅能保己，其如朝廷何，其如蒼生何。

監生薛俊上當道書略曰：倭奴窺伺，得間則潛剽刼以行鼠竊之奸，不得間則佯稱以馨致魚之餌。伏覩皇明祖訓暨大明會典，太祖高皇帝絕不與通。成祖文皇帝始詔十年一貢⑦，船隻、水手、貢物，俱有定額。洋洋睿謨，古先聖王制馭夷狄之道，莫是過也。邇年以來，或比年貢，或二三年一貢，而貢無定期；船或三，或五，或至六七；水手或至千有餘人，而人、船無定數，叛靡常，來否莫測。靡費邊餉，日艤舟以待。一或失備，彼之咎不追，而此之罪莫贖，噫！可傷也。伏冀當道，借重奏請，申明舊制，移文到彼，限以十年一貢，船止一正一副，水手多不過百；如不及限，及踰限而至，即以寇論，人、船踰數，亦以寇論。此既不失王者示無外之意，亦不使狡夷縱不恭之謀。中國聖人之頌作九重，東顧之憂永殄矣。功謹按：已上之言而論且詳，但貢與賦固不可以混說，移文遣使固不可以泛常，餘議確然。官如郵傳，孰行也歟？噫！

嘉靖乙亥，禮部等衙門會議，奏略曰：嘉靖癸未，使臣宋素卿等逞兇搆亂，干犯天紀，不許通貢一十七年⑧，此我皇上絕之之心耶？即太祖之心也，春秋懲其不悋之義也。昨歲使臣〔湖心〕碩鼎等航海遠來，卑詞納款，禮部題奉欽依，照例進貢，此我皇上容之之心，即成祖列聖之心也，春秋嘉其自通之義也。功謹按：已上之言，正所謂春秋會戎，來者勿拒，去者勿追，以不治而治之意也。嘉靖丙辰，功奉宣諭，其來報使，置而不遣。嘉靖丁巳，招來貢使，拒殺逃亡。嘉靖戊午，招來貢使掩殺間通，自後貢使絕無來往，亦無拒追。致於逆賊，頻年入犯，曷曾長驅不返耶？曩聞善笑歌舞者，捫心則大爽傷矣。

嘉靖戊申，巡撫浙福都御史朱紈，當日本使僧〔策彥〕周良先期奉貢之秋，値許二、許四倡亂洋海之際，抑且人、船逾數，不准其貢，使於海外守候。至期，內姦隱誘，捏作護送兵船，哀詞懇納，後不援例之說。巡撫衙門酌處奏議，其略曰：臣聞開創軍門，責任至重，業以專奉勅旨，從宜處置之命，宣諭安插。剿除賊巢之後，夷館私通出入，又嚴禁制。臣之宣諭，即朝廷之大信也；臣之剿除禁制，即中國之大法也。奸人之煽惑教誘，臣之不敢姑容也。彼之狡猾，所以覘我守法之疎密者，正在於此彼之驕縱，所以雖有煽惑之姦，而終不能違。面審親筆之信者，亦在於此彼之遵守約束，安心在館，不敢如往昔之沿途驚擾，出外交通者，亦在於此。向使機事不密，處置失宜，雙嶼之巢難傾，而眾夷之亂先作。於時師老無功，官民荼毒，不知靡費騷擾狀也。今撫慰既定，乃欲執詞發回，則眾夷必以臣爲不足信，其後不援例之詞，亦將反覆；而姦人煽惑之計遂行，教誘之言遂動。臣具不免誤事之罪，雖有畫一之法，亦無所施矣。且中華人物，尙有通番、通賊，背公私黨，不守畫一之法，如臣所參林希元、許福⑨、張德熹者，外夷犬羊，欲以中國之治治之。臣雖粉骨碎身，無濟也。何也？六百人之軀命易制，百餘年之邊釁難開爾。功謹按：已上之言，莫不正心誠意，但原倭夷，地隔漲海，內姦隱誘，然卒難知底裏。雖有面審親筆之信，而奸民教誘之計已成矣。例外人、船，故納矣，時若知之，終焉俯就。於時貢使固然不入賊巢，而巢賊必不免於煽惑矣。又曰：六百人之軀命易制，百餘年之釁難開，亦柔遠懷服之仁，致君澤民之義也。若丹（舟）山之役，徒增太息而已。

寧波志略曰：「番船不可通，倭夷不必征。」今日倭奴，不知揣量，冒其不祥之災，我惟備之，殲之，逐之出境而已。然則倭奴悔禍，或揚帆稱貢而至，又將何以處之？且前此入寇之少，蓋以通番下海，勾引嚮導者多也。乃不嚴禁姦之令，而欲開非時入貢之門，是沸止而益之薪也。況倭王微弱，號令已不行於國中，即使通貢，果能禁諸島之寇掠乎？且貢夷止數百，而寇邊者動以千萬計，豈寇邊之賊，皆欲貢而不得貢者乎？謂宜頒明詔，申命海道帥臣，益嚴守備，貢則却而驅之出境，寇則草薙而禽獮之，則奸謀狡計破沮不行矣。今之議者復曰：「昔王代盛，王九，夷八，蠻五，戎六，莫不來王。聖人之作春秋於荊楚，猾夏則書人以黜之至遣椒。」告戒不當招至列國之貢也，賊寇焉圖入貢耶？蓋今之賊雖自倭名，孽自流逋之所作，況流逋何利，賊不求貢可知矣。曰：「宜頒詔申命海道帥臣益嚴守備，貢則却而驅之出境，寇則草薙而禽，獮之則奸謀狡計破沮不行矣。」夫嚴守備，不得不然杜門殺賊，似非長策。曰：「今議者，三代盛王，九夷八蠻五戎六狄，莫不來王。聖人之作春秋，於荊楚猾夏則書人以黜之，遣椒來朝則書爵以進之。招攜以禮，懷遠以德，蓋王政之所不廢也。」倭奴自祖宗朝效其職貢，已非一日，邇朝廷准令遣使移檄往論，實屬招來之意，以開其補過之門。但奉使者不能直達於倭王，而徒以私意簡率行之，欺罔觀聽，此明告戒奉使不忠者，奚成招攜懷遠之道哉。既以倭王微弱，號令不行於國中，遣使何濟？責使不前，何謂也？雖則使人欺罔者，蓋亦受其欺罔矣，其果號令不行乎？且使不達，大甘欺罔者，自行大賚。夫沈孟〔綱〕、胡福寧乃功往諭日本，於豐後時值彼，匪人忌功忠義，陰謀沮抑，密令沈孟綱等齎書往諭倭王。回還中國之日，而功預罹媢嫉，囚繫不伸，致遠使人，遽遭妒害，是可忍而孰不可忍？及致僨事於舟山，而乃誣蕩平，故將報使投荒安置，一至通神彌縫者，是可欺而孰不可欺乎？揆度其心之於旦氣之初，非不自警，但知事壞謀始，必欲陷殺忠義，以滅欺罔之跡，爾功聞勸懲者，人之性情也，賞罰者人之父母也，廢賞罰而忘勸懲，天下惡寧取中哉。曰：如款邊納貢而峻却之，恐永塞其自新之路，而益堅其稔惡之心，東南未知所息肩也。夫爲是說者，猶治病之標，而未察其本者也。王者內夏外夷，修之有道。軍志亦曰：「毋恃其不來，恃吾有以待之。」使在我者未修，而疎於所恃也，則通之適所以招侮絕之，亦足以啓釁，此豈安懷之長策哉。夫寇邊者，蓋姦宄也，奉貢，倭王臣也，察此二者，即知其本然後可治其末矣。圖制其末，必先內修，內治既修，即服遠之長策也。曰大過者，臺省部寺欲行撫諭，酌以時議。允協者而兼行之，圖成功績如貢且威讓之，令文告之辭，質其信使，堅其誓約，遵照太祖明訓之義；成祖綏來之仁，明徵定保君子，鑒成憲而行之功。竊謂欲行撫諭，必須用人，恐須用人，不惟以功效忠不賞，幽禁七年以戒。又況沈孟綱等遠涉夷庭，其成功歸，罹陷害，壅蔽朝廷，奇冤無比。後奉使者，以此莫不寒心耶。夫質信使，自古有之，所受質者，蘇武之於夷狄，尚然還國；郝經之於趙宋，壅蔽危邦。況今隆盛之世，明良之世，可爲夷狄之事，壅蔽之政乎？且盛國者固夷狄也，其使黑的等之至對馬島，致其彌二郎、塔二郎以歸，而忽必烈尚遣使人以還之。今報使僧清授者，蓋效順而已，亂也可安置之，而不遣乎報使。既不遣招貢，既遭誅，此夷懷怨，寇必不禁，貢必不修，何也？彼隔漲海，莫不恃險負固。又況祖宗垂訓，不許勤兵於遠。夫如是，彼何復修貢職而自求質乎？假如質者或其親王，或其王子，尚屬情切，至於他使，及如清授，何爲重輕，而中國體關繫甚大，此固不可以不察也。功昔使往日本時抑知匪人，忌功忠義，陰遣使人齎賂夷國之中，言使達其君，置功勿遣，以圖利夷。申言曰：「中國有此大奸耶？將擊之。」奸徒遁，事遂寢。嗟夫！夷狄之人，尚知仁義，有如此華人欺罔，一至於如是哉。功竊謂：中國之人異於夷狄禽獸者，蓋以仁、義、忠、信，苟無四字，不如夷狄，不若禽獸，偷生亦以奚爲？功因詣闕過吳門，比有監生鄭若曾聞而顧之，願聞要領。功因出書以示未。若曾曰：「昔爲圖纂、圖編時，但倭夷事風聞，未真見。是書惜見不早世，昔纂編類，願爲改證。」功固辭之。若曾復曰：「事在國家，願勿我辭。」嗟乎！若曾尚未食肉，初見功書，惜乎不早。夫志寧波者，志在家國也，又豈不欲早見功書乎。而明越也，向爲倭使往來之故道，邇爲倭寇出沒之要津。功念中國之民，而同胞奉使東夷，得要領志書隱憂，固當嗟慰罹媢嫉，恨慰不早。茲所慰者，即巡按直隸監察御史尙維持所謂及時內修，以圖地方治安者也。其他搖尾乞憐之徒，傚犬嗥媚之輩，每與媢嫉匪人飾非，文過惑世，誣民罔上要功，冒受子孫官祿，開邊啓釁不息，滄海風波，致百姓之災殃，廑九重之宵肝（旰），果謂造謀不臧歟？功爲正言曰：「忠信不渝，槪古人也，得回訖（紇）以定吐番，忠信俱亡。故今人也，玩土番以失哈密，非已往之明徵乎？而建州不啻維州之悞，駁日本不當，己本之欺。」功懷鄭使之忠，加感吳萊之義，既蒙天使，但欲攄忠以圖治安，雖罹媢嫉，曷敢曖昧，貽生靈之慘毒？苟取辱於名教，而爲千古罪人耶？

嘉靖乙未，通政唐順之奏議曰：「海寇入寇以來十餘年矣，東南雖苦其毒，而賊之被殺者亦積至幾萬。今年寇江北、寇浙東者且萬餘，而寇福建者傳聞不下二三萬，則是殺者不可勝紀，而〔來〕者不爲少止。夫爲南倭，與北虜異，口外砂礫之地，從古以來原有韃子，腹裏膏腴之地，二十年前原無倭子。今口外尙有一年二年無寇，而倭子却無一歲不來。如此不已，非止外患，將爲內虞。古云：『兵久則變生。』近者吳淞、定海之間，水卒呼糧，挾官縛吏，則兵變之漸矣。蘇城人素性怯弱，而游冶子弟，懷毒蓄機，日伺倭寇來，裏外合應。幸早發之，猶尙燒官寺，刼獄囚，鬨然一逞，則民變之漸矣。此其萌芽也，不可不深圖而熟慮之。若謂倭寇之來，一歲支却一次，一番支却一番，便自了事，則臣不知所終也。伏惟聖明，勅下禮、兵二部，備講祖宗以來招懷撫諭之略，防海固圉之機；及勅督撫諸臣遍訪倭事，集議長策。二十年前何以絕無倭患，若此年年禦寇，是時是了，如何可以永斷倭寇之路，以復東南之舊？苟可以利於國，不必爲身家顧慮；苟可以便於今，不必以成說拘牽內外臣工。方略畢上，然後聖明廟堂大臣從中主斷而力行之，期於三年四年斷却此寇，臣猶以爲速也。不然，一歲一來，一來一勝，臣猶以爲浪戰。」功謹按：已上之言，可謂知本，可謂知之至也。蓋馭夷以禁賊者，以夷入寇，宣諭夷王禁之則已，此皆懸斷遙度，恒理而斷而已。既入其境，得知流逋之淵藪，奸宄之盤根，必須拔本塞源，而禍始息。諭之使禁，但治病之標，未究其本，非善醫者也；。禍本不拔，則必究兵，兵每自亂，奚爲寧謐之道哉。故功己未之疏，不無有勝國揚完之憂，而有東威西生之患也，此豈不信，餘論頗詳。及歲壬戌，功爲馭夷正言曰：「私商之路不窒，則姦盜之禍不息；奸盜之禍不息，則來王之道不通。」此固知本之言也。古云：「拔本不自其本則復生，塞水不自其源則復流，已禍不自其本必復亂。」此豈虛文也哉？

嘉靖庚申，浙江右布政使胡松錄梓廣輿圖，後附日本圖事，憂絕要領。故永長算，其猶須詳議乎？及至寓事，則曰：「此損段聞於誰某云。」至論時政，然徇名弗思，終屬文具。若夫約己，裕人宜民，酌損修明法紀，變易風俗，力挽衰頹黯冒之習，布効忠實節愛之政，是謂先爲不可勝，則存乎其人焉。功謹按：已上之言，憂絕要領而難任人，告戒欺罔而已。夫治天下，用匪其人，多必僨事。既絕要領，終甘自欺。任人既當，要領可得，治事有濟，又何欺罔哉。嗟夫！用人犯國家之難，苟非忠信仁義者，必不果也。故舜典曰：「惇德允元，而難任人，蠻夷率服。」蓋任人固不可以不謹矣，舉其往古而言曰：「龔遂之於渤海，張敞之於冀州，馮異之於三輔，耿純之於東郡，張堪之於漢陽，張綱之於廣陵，皇甫規之於戎羌，諸葛亮之於孟獲，郭子儀之於回訖（紇），宗澤之於王善，凡此有功於國者，皆由信義得之也。」故郭進之於軍校，信則足以成功，彥博之於唐介，義則足以成德，匪人難乎功德者，反是故也。夫治國家在於任人，急於得人，於是卑禮以求之，側席以待之。將使卑者踰尊者，疏者踰戚，此加隆遇者，蓋不得已也。功昔謬以一一得之，愚冒奏朝廷，未嘗以草茅微賤而舍之耶。功固難如科甲之貴也，先儒有言曰：「夫人不必貴賤，有才則善；才不必貴賤，有用則善。」故太公舉於屠釣，管子舉於牧奴，李廣舉於騎射，衛青舉於奴僕，趙充國舉於材官，李勣舉於賊盜，李晟舉於神策，狄青舉於義勇，岳飛舉於小校，韓世忠舉於應募。凡此有功於國者，曾何科甲之拘哉。必於科甲而用之，雖顏淵、伯奇，無所施傳說，伊尹無所事。功昔奉使，蓋有明徵者。功昔勤功毫毛馬體，功昔奉詞皆可覆按。痛罹媢嫉，彌絕無間。汎動風生，生靈荼毒，孤憤不已，此功反覆申說也，肯效毛遂自薦耶？或曰孔、孟大聖，尚不得致君以行王道之於周，程、朱大賢，尚不得澤民以宣王道之於宋。況今一統全盛之世，朝野英賢何以勝算？區區草茅，寧能畢遇乎。

註：

①「導」，日本文獻史料俱作「道」。

②「帥墮馬」，夏言，桂州奏議，卷二，請勘處倭寇事情疏作「閫師墮馬」。如據此疏內容，本文作者應是兵科右給事中夏言，而非巡按浙江監察御史歐珠。又，這段文字與該疏原文雷同，非節錄。

③「日本勘合藏本王宮」，如據蔭涼軒日錄的記載，保管明廷所賜勘合者為京都相國寺蔭涼軒，故此

語有違事實。

④「囚萘二十餘年」，明史日本傳則謂：「至（嘉靖）四年，獄成，素卿及中林、望古多羅並論死，繫獄。久之，皆瘐死。」

⑤「其子東瞻又發艇追隨正貢使周良至鄞」，策彥周良此次使華期間的日記再渡集未見相關記載。

⑥如註所言，素卿係瘐死獄中，非自斃。

⑦「成祖文皇帝御極始詔十年一貢」，如據日本貢船前往中國的實際情形，明廷限制日本貢期與船數、人員的時間，應是代宗景泰四年以九艘一千二百人朝貢之後，亦即以東洋允澎為正使朝貢之後。參看鄭樑生明代中日關係研究頁七五～七九。

⑧「不許通貢一十七年」，寧波事件過後，明廷未曾閉關絕貢，故此語有違事實。參看鄭樑生寧波事件始末，見於鄭著中日關係史研究論集第十二集（臺北，文史哲出版社，民國九十二年四月）。

⑨「許福」，朱紈，甓餘雜集，卷二，嘉靖二十六年十二月六日閱視海防事疏作「許福先」。

接使

○聖朝初，遣使以即位詔諭日本。①

○洪武己酉，行人楊載使日本。先是，倭寇廣東地方，故遣楊載齎璽書使其國。

○明年庚戌，又遣萊州知府同知趙秩齎詔往諭之。秩泛海至析木厓②，閽者拒之。秩以書達其王良懷（懷良）始延入。諭以詔旨威德，責其不臣。王者曰：「吾國雖遐在扶桑，未嘗不慕中國之化。昔蒙古戎狄蒞華，乃以小國視我，使趙良弼誅我以好語，初不知覘國也。既而發水犀數十艘，一時雷霆風波，漂覆幾無遺類。自是不與通者數十年。今使得非蒙古良弼之雲仍乎？亦將誅我以好語而襲我也？」將刃之。秩徐曰：「聖天子生華，帝華，非蒙古比，我非良弼之胤，爾悖而殺我，禍不旋踵矣！」王氣沮，下延③秩，禮遇有加。具方物遣僧九人隨秩奉表稱臣入貢；又送至明州、台州被虜男女七十餘口。

○洪武辛亥，僧（仲猷）祖闡、（無逸）克勤等使日本。惟時太祖高皇帝謂劉基曰：「東夷固非北胡腹心之患，猶蚊蚤警悟，自覺不寧。議其俗尚佛教，宜選高僧說其歸順。」遂命明州天寧僧（仲猷）祖闡，南京瓦官僧（無逸）克勤使日本，賜以緇器、禪衣之屬。令大官進享於武樓。臨行，天界住持（季潭）宗泐爲諸詩贈行云：「帝德廣如天，聖化無遐邇。重譯海外國，貢獻日貲委。維彼日本王，獨遣沙門至。寶刀與名馬，用致臣服意。天子矜其衷，復命重乃事。由彼尚佛乘，亦以僧爲使。仲猷知心宗，無逸寫經義。三師當此人，才力有餘地。朝辭閶闔門，夕宿蛟川矣。鉅艦揚獨帆，長風天萬里。怒鯨不敢驕，馮夷効驅使。滄茫熊野山，一髮青雲際。王臣聞詔徠，郊迎聖忻喜。時則揚帝命，次乃談佛理。中國法師尊，遠人所崇禮。祝茲將命行，孰有重於此？海天茫無涯，相念情何已。去去善自持，願言見終始。」持獻於上俯覽，賜和云：「嘗聞古帝王，同仁無遐邇。蠻貊盡來賓，我今使臣委。仲猷通洪玄，倭夷當往至。於善化凶人，不負西來意。爾僧使遠方，毋得多生事。入為佛弟子，出為我朝使。珍重浦泉徑，勿失君臣義。此行非瀚海，一去萬餘里。既辭釋迦門，白日宿海涘。艨艟掛飛帆，天風駕萬里。平心勿憂驚，自然天之理。禮問海范范，直是尋根際。諸彼佛放光，倭民大忻喜。行止必端方，毋失徑之理。入國有齋時，畢齋還施禮。是法皆平等，語言休彼此。尺善囚頑心，了畢絕方已。歸來為拂塵，見終又見始。功奉宣諭，恭和一章附錄：滄海起狂濤，宵旰憂在邇。草莽奮孤忠，解紛獨自委。仗策躍金門，激切屏營至。奉命行扶桑，念言宣德意。廊廟俯就時，南來召從事。今此同誓盟，各各盡忠義。義勿慮風波，忠可格天地。朝出虎頭門，日望鳥羽市。汪洋泛一槎，晝夜六百里。馮夷肯効靈，道彰偕信使。壽安鎮國山，有物必有際。若或得其情，哀矜而勿喜。道本皆人心，口則談天理。信使蠻貊間，盡行中國禮。德教既周流，尊親無彼此。歸來報聖明，滄海狂濤已。仁者涓令言，作事必謀始。

祖闡等自翁州郡濯五日至其國，又踰月入其都，館於洛陽西山精舍。一遵聖教，敷演正法，無非約之於善。聽者聳愕，以為中華禪伯，亟白其王，請主天龍寺，乃夢窗（疎石）國師道場名刹也。祖闡以無上命力辭之，且申威德，罔間內外，所以遣使來之意。王悅，命僧宣聞溪同僧淨業喜等，奉表稱臣來貢。上嘉賜祖闡、克勤白金各百兩，文綺、帛各二疋，從行僧白金、綺、帛，有差。祖闡等奏日本贐馬，命受之。

○洪武庚申，遣使招諭日本王。先是，日本關東將軍源義滿（室町幕府第三任將軍足利義滿），遣使貢方物，不持表文，惟奉丞相書，上命却其貢。時倭寇廣東，是以招諭之。

○成祖文皇帝遣使以即位詔諭之。④

○永樂癸未，左通政司趙居任，張洪，僧錄司右闡教（雪軒）道成使日本。賜居任等各紵絲衣一襲，道成金襴袈裟及僧衣、錫仗、如意、淨瓶、缽盂各一事，仍賜銀三十，各鈔十錠，錢一萬文。

甲申秋九月，居任還，賜絲幣三表裏，鈔二十錠，嘉其能却贈遺故也。

○冬十月，遣使日本。先是，日本王源道義（室町幕府第三任將軍足利義滿），遣使先百番來貢，故命使賫冠帶、錦、綺、紗、羅，及龜鈕（紐）金印以賜之。

○永樂甲申，中官鄭和使日本。⑤時倭寇浙江、直隸地方，故遣鄭和奉勅討賊。

○永樂乙酉，鴻臚寺少卿潘賜，內官王進等，賫九章冕服，鈔五十錠，錢千五百緡，織金文綺、紗、羅、絹三百七十八疋，賜日本王，以獻所獲倭寇故也。

○永樂丙戌，僉都御史俞士吉，賫璽書褒諭日本國王源道義。先是，對馬島海寇刼掠居民，勅道義捕之。道義出師，獲渠魁以獻，而盡殲其黨類。上嘉其勤誠，故有是命。仍賜道義白金千兩，織金及諸色綵幣二百匹，綺繡衣六十件，銀茶壺三，銀盆四，及綺繡紗帳、衾縟、枕席、器皿諸物，并海舟二艘。又封其國之山曰「壽安鎮國之山」，立碑其地。上親製文曰：「朕惟麗天地而長久者，日月之光華，麗地而長久者，山川之流峙。麗於兩間而永久，賢人君子之令名也。朕皇考太祖，聖神文武，欽明啓運，俊德成功。統天大孝，高皇帝智極八周，而納天地於範圍，道冠百王，而亙古今之統紀，恩施一視，而溥民物之亨。嘉日月星辰，無逆其行。江河山岳，無易其位，賢人善俗，萬國同風。表表於茲世，固千年之嘉會也。朕承鴻業，享有福慶，極天所覆，咸造在廷。周爰咨詢，深用嘉歎。惟爾日本國王源道義，上天綏靖，錫以賢智，世守茲土，冠於海東，允爲守禮義之國，是故朝聘職貢無闕也，猶是四方之所同也。至其恭敬，栗栗如也，純誠懇懇如也，信義旦旦如也。畏天事上之意，愛自保國之心，揚善遏惡之念，始終無間。愈至而猶若未至，愈盡而猶若未盡，油油如也，源源如也。邇者對馬、壹岐暨諸小島，有盜潛伏，時出掠刼？爾源道義，能服朕命，咸殄滅之，屹爲保障。誓心朝廷，海東之國，未有賢於日本者也。朕嘗稽古唐虞之世，五長迪功，渠搜即敘，成周之隆，髳微盧濮，率遇亂略。光華簡冊，傳誦至今。以爾道義之是，大有光於前哲者。日本之有源道義，又自古以來未之有也。朕惟斷斷唐虞之治，舉封山之典，特命日本之鎮號爲壽安鎮國之山，錫以銘詩，勒之貞石，榮示於千萬世。銘曰：「日本有國鉅海東，舟航密邇華夷通，衣冠禮樂昭華風，服御絺繡考鼓鏞。食有鼎俎居有宮，語言文字皆順從。善俗殊異羯與戎，萬年景運當時雍。皇考在天靈感通，監觀海宇罔不恭。爾源道義能迪功，遠島微寇敢鞠凶，鼠竊蠅嘬潛其踪。爾奉朕命搜捕究，如雷如電飛蒙衝。浥港餘孽以火攻，焦流水上獲復縱。什什伍伍擒奸兇，荷校屈肘衛以鏦。獻俘來庭口喁喁，彤庭左右誇精忠。顧茲太史疇酹庸，有山鎮國宜錫封。惟爾善與山增崇，寵以銘詩貞石礐，萬世照耀扶桑紅。功奉宣諭，恭和一章附云：日本島居溟渤東，貢道由來萬里通。自從恭獻邁夷風，照耀史冊世所鍾。邇來部曲不守宮，草竊妄作朝脅從。上帝震怒委元戎，撥亂反治會時雍。東滅西生罔會通，不明要領塵篤恭。漢家惟羨貳師功，嚴明紀律殲群凶。嗟哉捕獸須捕踪。物知本源兵厭究，汎動奇伏分要衝。可守則守攻則攻，至仁之術非縱橫。七擒七縱誰敢兇，邊廷黷武聲鏦鏦。臣思文告思喁喁，上帝好生臣盡宣。力濟濟皆登庸，⑥黎民祝願劾華封。泰山不讓土壤崇，頌勛紀績巨石龔，草茅自愧顏發紅。使臨日本，國王源道義（幕府將軍足利義滿）隨遣使人進貢謝恩。

○永樂戊子，中官周金⑦使日本。先是，日本國王世子源（足利）義持，以父源道義卒，遣使告訃，故命周金⑧往祭，賜謚恭獻，賻絹、布各五百疋。復遣使齎詔封源義持嗣日本國王。賜錦、繡、紗、羅六十疋，仍遣使勅諭其討賊，以光恭獻之功。隨遣使奉表，貢方物，謝恩。

○永樂辛卯，中官王進齎勅賜日本國王源義持織金紗、羅、綾、絹百疋，錢五千緡，嘉其屢獲倭寇故也。

○永樂丁酉，刑部員外郎呂淵，改贈行人使日本。時捕倭將士擒賊數十人獻京師，賊有微葛成二郎、五郎，訊之皆日本人。群臣言曰：「日本數年不修職貢，意爲倭寇所沮，今首賊乃其國人，宜誅之以正其罪。」上曰：「遠人威之以刑，不若懷之以德，姑宥其罪，遣使押示其王。」故淵奉使日本。隨遣使奉表謝罪，朝貢如初，海患乃息。⑨

○宣德癸丑，中官雷春出使垂弔日本國王，其嗣王隨遣使進貢謝恩。⑩

○嘉靖癸未，布衣鄭舜功奏奉宣諭日本國。自歲庚戌以來，倭寇猖獗，荼毒生靈，命將調兵，遠近搔（騷）動。功原草茅，生逢聖明之世，追念先世忠義，書旂常，奮輒狂愚，廣詢博採。伏覩我皇祖宗之舊章，感懷淵穎之心志，且以博望未究，定遠餘詐，但欲謹持忠信，布宣文德，用夏變夷，塞源拔本，以爲東南長治久安之計。於歲乙卯赴闕陳言，荷蒙聖明不以愚昧罪功，特下兵部咨送總督軍門，轉咨浙福軍門，文移浙江司道議。功使往日本國，採訪夷情，隨機闢開諭，歸報施行等因。功募從事沈孟綱等，訂盟歃血，忠義一心，盡忠報國。取道嶺海，治事偵風。丙辰汛月，舟至日本豐後國，自以大明國客之名，隨諭西海修理大夫源（大友）義鎮，禁戢所部六國地方，其餘列國，止可移書，由其禁否。功按：大體必先曉諭日本王，乃得遍行通國，協一禁止。我舟因風不可泛海，又按豐後且有姦宄顛倒其間。功加深慮，隨為批書，付與從事沈孟綱、胡福寧潛濟二海，曉諭日本王，期得真情歸報朝廷，以為東南長治久安之計，庶不負功捐軀圖報之心也。從事去後，功於豐後國察知姦宄之淵藪。盜賊之盤根，必欲塞源拔本，期無東滅西生之患。既得要領，漸次曉諭修理大夫源（大友）義鎮，與國臣鑑、續長、生鑑、增鑑、治親、守鑑、速鑑、直國，僧清梁等，議欲遣人附舟報使，請奉國典，還國一體遵照施行，以順天朝之意，此其先知向化之心也。功以白手空談，仰伏聖德，用竭愚忠，獲其聽信，自謂一奇。遂不顧非時之險，與報使清授俱來。遴流溯風，延迴大小琉球國，凡四十晝夜，萬死一生，乃克至廣，歸報軍門，奏聞區處，庶使東海之夷早定，邊鄙之民早安，南顧之懷早紓，於是備言。軍門非惟不用功謀，而更陷功於獄。繼而從事沈孟綱、胡福寧曉諭日本國王源知仁⑪，與其文武陪臣近衛、三條西、柳原、飛鳥井、滕長慶等會議行禁，遂與回書，并付信旗，與孟綱等經過豐後。豐後君臣告以差僧附舟報使之意，亦與信旗，盡彼之域。回至潮州海上，執批投赴闢望巡檢司照驗，竟被弓兵毀滅批文，誣執下獄。信報得知，言於軍門而不之信。令人赴廣伸救，已陷殺於其間矣。既而任臣助長債事，致臣幽禁，乃以報使清授妄引典例，謬請安插於四川，圖滅欺罔之跡。前此事情，功於丁巳、己未歲三次奏聞，痛遭彌縫，今數年矣。而忠勇智謀之人，雖歷抱火積薪之憂，蓋以功與沈孟綱等為戒，無復敢言者。自匪人去位之後，訴蒙憲司哀憐釋獄，赤心未灰，步走京師，上言兵部。以心跡蒙哀，朴忠津咨浙江軍門收錄之。錄抑惟海患，東生西滅，春備秋防，而人視之猶痼症，何也？蓋憂世者不得其情，得其情者不得其位，得其位者不得其信。世人皆醉，何忍獨醒？故將宣諭之旨，節略微情，俾救世者宣昭文德忠信，以明賞罰勸懲。不惟孤憤得伸，奇冤得白，荒夷得所，堂堂天朝奠安矣。大抵奉使而難任人，若非成仁取義之懷，視死如歸之志者，不能綏遠，必致誤國。故易有云：「開國承家，小人勿用。」甘難國家之難者，非懷忠信，不亦難乎！功賤學疎，不登科甲，謬承天使，敢不欽哉！前此略言古今使人，別詳星槎纂節

註：

①本年無遣使以即位詔諭日本之實，朱元章之首次遣行人楊載赴日在洪武二年（己酉）正月。事見明太祖實錄，卷三八，洪武二年正月丙申朔乙卯條，及明史，卷三二二，日本傳。

②「厓」，明史日本傳，嚴從簡殊域周咨錄皆作「崖」。

③「下延」，明史日本傳作「下堂延」。

④「以即位詔諭之」，成祖原擬遣左通政趙居任，行人張洪，僧錄司右闡教雪軒道成（金陵天界禪寺）等赴日招諭，將行，因日本貢使釋堅中圭密一行已至寧波，故未前往。明史日本傳雖謂「又遣左通政趙居任……」，而似為第二度遣使，然考諸書所紀，招諭日本使節的人選，係在永樂元年此時方

纔決定。

⑤「中官鄭和使日本」，鄭和使日本事，未見於明太宗實錄、明史、籌海圖編，及日本各種史乘。疑此一記載有誤。

⑥此句原文脫一字。

⑦「金」，明史日本傳作「全」。以下同此。

⑧「周金」，瑞溪周鳳，善鄰國寶記，應永十五年大明書作「周全」。

⑨「朝貢如初海患乃息」，明太宗實錄、明史及日本史乘俱未言足利義持在呂淵赴日後朝貢如初，且在此以後寇患亦未絕。明史日本傳所謂：「明年四月，其遣使隨淵來貢，……禮使者如故，然海寇猶未絕。」可證。

⑩雷春之使日，係與鴻臚寺少卿潘賜，行人高遷同往，非單獨東渡。第四任將軍足利義持死於宣德戊申（三年，一四二八）。此時之室町幕府將軍為第六任足利義教（一四二九～一四四一在位）。義教於本年復貢，故此段文字有違事實。

⑪「日本國王源知仁」，如據日本史乘，室町幕府歷任將軍裏並無名為「知仁」者。此一時期的將軍應是第十三任的足利義晴（一五四六～一五六五在位）。

備按：日本之域，旋隔漲海，天使其間，必使五六晝夜，經無究之巨浪，歷不測之深淵，化外來歸，艱危若是。痛定思痛，毛聳骨寒。若非皇祖宗之威靈，荷上玄之聖德，致鬼神之呵護，此功忠義之身心，蓋莫不葬於魚腹，埋於獄底，安得復言要領也。夫此賴海神感應之功，固可以不可矣。伏自乙卯歲工部右侍郎趙文華，奉欽勅祭告東海，出師捕賊，比功奏奉宣諭，採訪夷情，深入萬死一生之地，煙漲鴻濛之間，乃知乙卯、丙辰，倭賊入寇，年約十萬餘，多遭漂沒，及有漂至諸東夷國者，盡被殲之，惟朝鮮則殺倭而歸華人。功得要領，隨許報使，急欲歸奏聖明，庶使邊鄙之民早安，南顧之懷永紓，於是歸志甚速。時非汛月，眾皆疑沮，乃告諭之曰：「我等既為地方共効忠義，必蒙天神之佑，行將無危。」眾不之信，乃具牲醴質之於神，神皆協吉。眾毋敢譁，隨與報使俱來，出外洋水道。風忽轉逆，左右皆馬蹄礁，舟觸即破。舵經處所，忽漏舟之水，浸者數板而莫知水從何入。卜諸神云，占舵倉也。驗視得孔竇，遂窒之，舟得不溺。隨風延迴大琉球，見兩石山嵯峨如刀而入目。曰石劍門，門路正窄，禱蒙神佑。我舟正出其間，且舟泛（乏）淡水，遂泊一小島（夷音耶剌付），問泉尚遠，日晡不及。夜得風，乃行舟。至天明，見石塌間有泉上涌如虹，意上涌者為澹水也。令人取之，以活舟眾。且行風作，凡一晝一夜，舵牙折者二十許，舟之備木易之殆盡。已而併舵俱折，眾皆祈禱。有光類火，其大如升降於舟，又異香襲人。風稍恬，乃以備舵易之，乃行。風張於前，惟舵著水。夜甚昏黑，無所見，眾伸祈禱。頃之，有光一道，如纜拽舟，迤邐至廣。及罹娼嫉，繫身縲絏，獄眾多災，乃於良夜祈禱之曰：「功抱忠義，捐軀蹈海，蓋爲生靈立性命，萬世開太平。痛罹媢嫉，久罹壅蔽，功屈不伸，邊患不已。若蒙天神可憐忠義，庇佑呵護，庶幾得上要領，不負草茅奉使之誠，聖明用人之實，益顯鬼神護國佑民之功矣。」明晨，異香滿室，人眾驚異，莫知所以。功深思之，必荷神佑要領，上亦有日矣。既荷釋放，再復來京，以上要領。途路辛勞，病患痰火，不事湯藥。從事爲功代禱曰：「一誠爲國，十載亡家。茲者跋涉，將上要領於朝，以竭忠義，以奠黎元，以酬初志。今病垂危，要領奚進？邊鄙奚安？如神保庇東南，可憐忠義，俾喉吞吐，得飲湯藥，庶幾□□□夷利貨，乃殺傷人。神祇顯幽，災及島宇。況此行商，大海之神，不害島夷，殺害隨伴，降災異於其間，豈天使人不蒙海神之庇乎。念斯神靈，本是婦女，功固草茅，本是男兒，雖無官守言責，況已奉天使，正氣尙存，赤心尙在，又豈不念婦女之靈耶？曩罹媢嫉，亦功數奇。今上要領，赤心已盡，庶不負上玄遺使之大恩，海神庇佑呵護之至德，俾沈孟綱等之在九地知功上言與伸冤。抑然此忠義之靈，則亦必爲厲鬼默褫，賊奴之魄底定，以長治久安之報矣。□□□□□□□□□門緣由交著，不能刪整者，寡學孤忠之故也。伏望皇上俯哀犬馬微勞，干戈未已，特勅詞臣刪其繁文，少資時政，以爲撥亂反治之用。不惟草茅幸甚！東南幸甚！天下幸甚！

殊域周咨錄

明嚴從簡撰，明萬曆初年原刊本

卷二

東夷

日本國

日本國，其地在海中，三①面環水，惟東北隅隔大山，山外皆島夷，不通中國者。名毛人、文身等國。前代號倭奴國。②其酋世世以王爲姓。③秦時，遣方士徐福將童男女千人入海，求蓬萊仙不得，懼誅，止夷、澶二州，號秦王國，屬倭奴，故中國總呼之曰徐倭云，非日本姓號也。漢武帝滅朝鮮，使譯通於漢者三十許國，皆稱王。其大倭王居邪馬臺，亦謂之耶摩維。光武中元二年，始來貢獻。至桓、靈時，國亂無主，有一女子卑彌呼者，年長不嫁人，以夭術惑衆，共立之爲主。法甚嚴峻，在位數年死。其宗男嗣，國人不服，更相誅殺。復立卑彌呼宗女壹與，國遂定，時稱女王國。後復立男王，並受中國爵命。歷魏、晉、宋、齊、梁、陳皆來貢，無犯邊之事。隋大業初，遣使入貢，致國書曰：「日出處天子致入沒處天子，無恙。」煬帝覽之不悅。後其國稍習夏音。唐咸亨初，惡倭名，自以其國近日所出，更號日本。或云日本乃別一小國，爲倭所併，故冒其號。貞元中，其使有願留中國受經肄業者。久之，附新羅使者入貢。後新羅路梗，始由海道至明州。宋雍熙後，累朝皆至。熙寧以後，至者皆僧也。元世祖遣使招諭之，不至，命范文虎率兵十萬往擊之。至五龍山，忽暴風破舟，敗績，④終元世不復至。

本朝初，連寇山東濱海州郡。洪武二年，遣行人楊載賚璽書往報即位，書曰：「上帝好生，惡不仁者。向者我中國自趙宋失馭，北夷得據之，播胡俗以腥羶中土，華風不競，凡百有心，孰不興憤？自辛卯以來，中原擾擾。彼倭來寇山東，不過乘胡元之衰耳。朕本中國之舊家，恥前王之辱，興師振旅，掃蕩胡番，宵衣旰食，垂二十年。自去歲以來，殄絕北夷，以主中國，惟四夷未報。間者山東來奏，倭兵數寇海邊，生離人妻子，損害物命，故修書特報正統之事，兼諭倭兵越海之由。詔書到日，如臣則奉表來庭，不臣則備兵自固，永安境土，以應天休。如必爲寇賊，朕當命舟師揚帆諸島，捕絕其徒，直抵其國，縛其王，豈不代天伐不仁者哉，惟王圖之！」其國猶未嚮化通好。

是年，倭寇復出沒海島中，數侵掠蘇州、崇明，殺傷居民，刼奪貨財，沿海皆受其患。太倉衛守禦指揮僉事翁德，帥官軍出海捕之，遇于海門之上幫。及其未陣，麾眾衝擊之，所殺不可勝計，生獲數百人，得其兵器、海舟。奏至，詔以德有功，陞本衛指揮副使，其官校賞綺、帛、白金，有差；戰溺死者，加賜錢、布、米，仍令德往捕未盡倭寇。

遣使祭東海神曰：「予受命上穹，爲中國主，惟圖乂民，罔敢怠荒。蠢彼倭夷，屢肆刼寇，濱海州郡，實被其殃。命將統率舟師，揚帆海島，乘機征剿，以靖邊民。特備牲醴，用告神知。」德被命，復往捕之。倭寇皆畏懼不復出，沿海遂寧。

四年，上以日本未廷，乃遣趙秩宣諭。秩泛海至析木崖，入其境，關者拒弗納。秩以書達其王良懷⑤，王乃延秩入。秩諭以中國威德，而詔旨有責讓其不臣中國語。王曰：「吾國雖僻在扶桑，未嘗不慕中國之化。惟蒙古以戎狄蒞華夏，而以小國視我。我先王曰：『我夷彼亦夷，乃欲臣妾我耶？』且其使趙姓者訹我以好語，初不知其覘國也。既而所領水犀數十艘已環列海崖，賴天地之靈，一時風雷，漂覆幾盡，自是不與通者數十年。今天使亦姓趙，豈昔蒙古使者之雲仍乎？亦將訹我以好語而襲我也？」命左右將刃之。秩不爲動，徐曰：「今聖天子，神聖文武，明燭八表，生於華夏而帝華夏，非蒙古比。我爲使者，非蒙古使者後，爾若悖逆不吾信，即先殺我，則爾之禍亦不旋踵矣。我朝之兵，天兵也，無不一當百。我朝之戰艦，雖蒙古戈船，百不當其一。況天命所在，人孰能違？況我朝以禮懷爾，豈與蒙古之襲爾者比耶？」於是其王氣沮，下堂延秩，禮遇有加。遣其臣僧祖來隨秩來朝，進表箋，貢馬及方物。

五年，倭復寇邊，海上不寧。上謂劉基曰：「東夷固非北胡，心腹之患，猶蚊虻宙警寤，自覺不寧。議其俗尚禪教，宜選高僧說其歸順。」遂命明州天寧寺僧〔仲猷〕祖闡，南京瓦罐〔寺〕僧無逸〔克勤〕往諭。將行，天界〔寺〕住持四明〔季潭〕宗泐賦詩餞別，持獻於朝。上覽，俯賜和之。⑥

闡等自滃州啓棹，五日至其國境，又踰月入王都，館於洛⑦陽西山精舍，一遵聖訓，敷衍正教。聽者聳愕，以爲中華禪伯，亟白於王，請主天龍禪寺。闡等以無上命，辭之，爲宣國家威德，罔間內外，且申所以使來之意。王悅，具表遣使隨闡等入貢。

按：〔季潭〕宗泐，台州人。博通古今，凡經書過目輒成誦，善為詞章，住持京師天界寺。上一日幸寺，見其動止異常，命蓄髮授官，固辭。上不欲奪其志，從之，賜宗泐免官說。嘗奉詔註心經、金剛、楞伽三經，有全室集行世。時又有僧來復，字見心，豫章人。通儒術，工詩文，一時名士皆與之友，與泐齊名。上聞，召見之，嘗承賜御食，謝詩云：「淇園花雨曉吹香，手援袈裟近御床。闕下彩雲生雉尾，座中紅拂動龍光。金盤蘇合來殊域，玉盌醍醐出上方。稠疊濫承天上賜，自慚無德頌陶唐。」上見詩大怒，曰：「汝詩用殊字，是謂我為歹朱耶？又言無德頌陶唐，是謂朕無德不若陶唐耶？何物奸僧，敢大膽如此！」遂誅之。所著有蒲庵集。夫宗泐詩呈而蒙和，來復詩呈而受戮，是固命存焉。而祖闡、無逸宣化海外，能格戒心，又可見異端之中，亦有乘槎應星之彥。論者謂：國初高僧泐、復為首，予則謂闡、逸秉節懷遠，不辱君命，勝於元朝水犀十萬多矣。戒行弘勳，又當出泐、復之上也。

德慶侯廖永忠上言曰：「臣竊觀倭夷鼠伏海島，因風之便，以肆侵掠。其來如奔狼，其去若驚鳥，來或莫知，去不易捕。臣請令廣洋、江陰、横海、水軍四衛，添造多櫓快船，命將領之。無事則緣海巡徼，以備不虞；有事則大船薄之，快船逐之，彼欲爲寇，豈可得乎今之八槳船，乃因其製爲之者？」上從其計。

七年，倭人復寇邊，命靖海侯吳禎往捕，遇賊琉球大洋，悉俘其衆以歸。是歳後，復貢，無表文。其臣號征夷將軍者，亦私貢馬及茶、布、刀、扇等物，且奉書丞相，詞悖。上怒，却其貢，安置所遣沙門於川、陜僧寺。

八年，日本又遣僧如瑤入貢，陳情飾非。上待之如前，命禮部移文，責其君臣。既又遣歸廷用入貢，有表文。詔宴賚之，遣還。時丞相胡惟庸謀不軌，欲召倭人爲己用而無由，乘此機白於上，調金吾衛指揮林賢明州備倭，陰遣宣使陳得中諭賢送歸。廷用出境，謬指其貢船爲寇，聞於中書，私其貨物與賞賜。賢聽其計。惟庸佯奏賢失遠人心，謫居倭國。既而復請宥賢復職，上皆從之。惟庸以廬州人李旺充使召賢，且以密書奉倭王，借精鋭百餘人爲用。王許之。賢還，王遣如瑤率倭兵四百餘人助庸，詐稱入貢，獻巨燭，暗置火藥、兵器於燭內，包藏禍心。比至，惟庸已敗，上猶未悉賢通於惟庸，僅發倭人雲南守禦。

按：史載聖祖嘗與劉基論宰相曰：「胡惟庸何如？」基曰：「此小犢，將僨轅而破犁矣。」聖祖不以然。惟庸恨基，用藥毒基死，而後果擅政横行，不惟頤指在廷諸臣，且計結遠夷助逆。醴泉之觀，使非雲奇挺身告變，聖祖亦幾墮其術中矣。嗚呼！危哉！（惟庸謀逆，誑言所居井湧醴泉，邀上往觀。惟庸居第近西華門，守門內使雲奇知其謀。乘輿將西出，奇走衝蹕道，勒馬銜言狀，氣方勃，舌駃不能達意。上怒其不敬，左右撾捶亂下，奇垂斃，右臂將折，猶尚指惟庸第，弗為痛縮。上方悟，登城眺察，則見滿第內衷甲伏屏帷間數匝。上亟反，遣兵圍其第，誅之。召雲奇，死矣，深悼之，追封右少監，賜葬鍾山。）基初封誠意伯，爵止終身，至是始思其先見，詔世襲焉。林賢後在洪武二十年事覺，論謀反為從，滅其族。夫倭奴自來匪茹，難化而易叛，故聖祖晚年絕其朝貢，亦有懲於惟庸之事耳。前車不遠，其尚鑒於茲哉！予謂聖祖之英明，遠能照臨四夷，而近不能檢制一相；青田之玄算，大能贊決萬軍，而小不能保全一身。語曰：「寸有所長，尺有所短。」詎不信夫！

上常惡倭國狡頑，遣將責其不恭，示以欲征之意。倭王上表答，出不遜語。表曰：「臣聞三王立極，五帝禪宗，惟中華而有主，豈夷狄而無君？乾坤浩蕩，非一主之獨權；宇宙寬洪，作諸邦以分守。蓋天下者乃天下人之天下，非一人之天下也。臣居遠弱之倭，偏小之國，城池不滿六十，封疆不足三千，尚存知足之心，故知足者常足也。今陛下作中華之主，爲萬乘之君，城池數千餘座，封疆百萬餘里，猶有不足之心，常起滅絕之意。天發殺機，移星換宿，地發殺機，龍蛇起陸，人發殺機，天地反覆。堯、舜有德，四海來賓，湯、武施仁，八方奉貢。臣聞陛下有興戰之策，小邦有禦敵之圖，論文有孔、孟道德之文章，論武有孫、吳韜略之兵法。又聞陛下選股肱之將，起竭力之兵，來侵臣境，水澤之地，山海之洲。是以水來土掩，將至兵迎，豈肯跪塗而奉之乎！順之未必其生，逆之未必其死，相逢於賀蘭山前，聊以博戲，有何懼哉！倘若君勝臣輸，且滿上國之意，設若臣勝君輸，反作小邦之恥。自古講和爲上，罷戰爲強，免生靈之塗炭，救黎庶之艱辛。年年進奉於上國，歲歲稱臣爲弱倭。今遣使臣答黑麻敬詣丹墀，臣誠惶誠恐，稽首頓首，謹具表以聞。」

按：別史載上嘗問倭使嗐哩嘛哈：「其國風俗何如？」答以詩曰：「國比中原國，人同上國人。衣冠唐制度，禮樂漢君臣。銀甕篘新酒，金刀膾錦鱗。年年二三月，桃李一般春。」上初欲罪其謾，徐貰之。觀此詩及前表，則倭奴恃其險遠，不可以朝鮮各藩禮待之明矣。又奚必許其通貢，以啟窺伺之端哉！

日本復連歲寇浙東西邊。上欲討之，懲元軍覆溺之患，乃包容不較，姑絕其貢，著於祖訓。二十八年⑧，命信國公湯和緣海相地，築城備倭。和嘗以年高思歸故鄉，從容乞骸骨。上喜之，賜鈔五萬，俾造第鳳陽。因謂和曰：「日本小蠻，屢擾東海，卿雖老，強爲朕行，視要地築城增戍，以固守備。」和行海上，自山東登萊至廣東雷、廉，築數十城，民三丁抽一，屯戍備之，尤嚴下海通番之禁。

按：和初為滁陽王部曲，上之始起兵也，和率先推戴，聽命惟謹，上深愛之。屢立戰功，封信國公，恩禮特異。至是鳳陽新第成，和率妻子謝。降勅褒嘉，賜黃金三百兩，白銀一千兩，文綺四十端；夫人亦賜黃金三百兩，白銀一千兩，彩段三十端，預為塋葬之資。後卒，親為文以祭，追封東甌王，謚襄武，塑像功臣廟，復配享太廟焉。然當時沿海經略之宜，自和一出，規制頗密，使守之弗失，自可摧倭奴之入也。惜承平日久，法度廢弛。嘉靖癸丑，蜃氛扇焰，肇於兩浙，蔓於各省。和之孫有名克寬者，衆謂其祖有功海防，特調用之，尋能樹立，擢陞參將，而求其實效，有愧前烈多矣。噫！安得和於九京而與之籌倭備哉！

永樂二年，對馬、臺⑨岐諸島夷刼掠邊境。上命行人潘賜捧勅往諭國王源道義（室町幕府第三任將軍足利義滿）捕之。⑩國王卑辭納款，謝約束不謹，出兵殲其衆，獻渠魁二十人於闕下。賜回進歸化書及永樂大典頌。⑪上覽之稱善，命入史館。陞禮部郎中（此五字疑爲衍文），命倭使擒取獻俘還海濱，治以其國之法。倭使乃於鄞縣蕭皋碶築灶，以甑加其上，俾一人入甑內，一人執爨，盡蒸而死。倭使歸，勅獎國王甚隆，給以勘合百道，定約十年一貢⑫，人止二百，船止二艘，毋得夾帶刀鎗，如違例越貢，並以寇論。仍命僉都御史俞士吉賚白金、彩幣并海舟二賜之。又封其國之山爲壽安鎭國之山，勒碑其上。上親製文曰：⑬是時禮遇彼倭者如是，終莫肯革心。明年，平江伯陳瑄督領海運，值倭寇於沙島，追至朝鮮島，盡焚其舟，斬獲無算。

按：陳建謂國初海運之行，不獨便於漕綱，實令將士習於海道，以防倭寇。自會通河成而海運廢。近日倭寇縱橫，海兵脆怯，莫之敢攖，亦以運道不習之故耳。此則言海運之當復者也。然給事中錢薇著論唐、宋無海運，故倭奴之修貢也勤。元為海運，倭奴刼掠運舟，故其為寇也繁。我洪武北伐，亦為海運以濟。永樂中，海運凡十三，舉行給遼東等處，惟我運於海，故彼寇於海。宣德以來，倭患遂少，蓋運從內河而寇無所利，故耳，此不足見罷海運之功哉！二說各有所見，故並存之。

八年，國王源道義死，命太監雷春，鴻臚寺少卿潘賜往行弔祭禮（即前行人）。後又寇廣東廉州府，破其城，殺教授王翰。九年，上遣中官王進等往日本收買物貨。倭人謀阻進，不使歸。進覺之，潛登舶，從他路而返。十年，國王具方物謝弔祭恩。

十九年，犯遼東馬雄島，總兵劉江⑭殲其眾於望海窩⑮。初，江至遼東，巡視諸邊，相地形勢，得金州衛金線島西北望海窩者，其地極高，可望諸島，為濱海咽喉之地。築城堡，立煙墩，以便瞭望。既完，一日瞭者言：「東南夜舉火有光。」江度倭寇將至，急調馬、步官軍起窩上小堡備之。命都指揮徐剛伏兵山下，百戶江隆帥壯士潛燒賊船，截其歸路。與之約曰：「旗舉，伏起；砲鳴，奮擊，不用命者，軍法從事。」翼日，倭寇二千餘，乘海艘直趨窩下登岸。一賊貌甚醜惡，揮刃率眾而前。江惟犒師秣馬，略不為意。既而賊至，江被⑯髮，舉旗，鳴砲，伏起，賊眾大敗，死者橫仆草莽，餘寇奔櫻桃園空堡內。將士皆奮勇請入剿殺，不許。特開西門以縱之出，仍命師分兩翼夾擊，生擒數百人，斬首千餘。間有潛脫入艘者，悉為隆等所俘，無一人得脫。凱還，將士請曰：「明公見寇，意思安閑，臨陣作真武被髮狀；追賊入堡，不殺而縱之出，何也？」江曰：「寇始遠來，必饑且勞，我以逸待勞，以飽待饑，固禦敵之道也。賊始魚貫來，作長蛇陣，我故爲眞武狀厭服之。雖愚士人之耳目，亦可以壯兵氣。賊入堡，若急攻之，必死戰。我故縱其生路，此圍師必闕之意也。兵法皆有之，顧諸君未察耳。」自國初禦倭，數十年來，無如此役之大捷。江以功封爲廣寧伯，食祿二千石，子孫世襲。將士有功者賞賚，有差。

倭又嘗寇金山衛，登岸，指揮同知侯端，與主帥分兵出戰。主帥出南門，軍覆；端以孤軍馳東門，衆不能繼，與賊巷戰數十合，身被箭如蝟，轉戰益奮。賊驚曰：「好將軍也！」乃以所掠染家布橫於街，欲生致之。端以一劍挑布，一劍截而斷之。賊仆地而笑。端由是得出東門，次於楊家橋，鳴鼓招散卒，得百人。適潮退，舟膠下，令人持草一束，與砲俱進，至海灘，焚賊船十餘艘，賊不得歸，遂大敗之。

端有膂力，府治前石狻猊高四五尺，端以一手挽之，行十餘步。策馬過坊門，交手擁楣，以足挾其馬而懸之。騎射刀槊皆過人，故能立功。端巷戰時，一劍忽墜地，所乘馬口啣以授端，其異如此。（端馭士明紀律，有恩信，所向無敵，凡諸夷款塞者，綏輯備至。後卒，人咸思之。謚忠武。）

宣德元年，又入貢⑰踰制。朝廷申增格例，人毋過三百，船毋過三艘。時有言：「浙江海鹽縣地臨海岸，每有倭寇窺伺軍衛，陸置烟墩，水備戰船，瞭望遊巡，纔保無虞。永樂七年，盡拘軍船赴沈家門，立水砦以守，撤去烟墩。倭寇乘虛，連年縱掠水砦。相去海鹽千里，不能救援，民甚苦之。請如洪武舊制。」事下兵部，移文巡撫大理卿胡見與三司，計其可否處，行得復舊。

正統四年五月，倭船四十餘艘夜入大嵩港，襲破千戶所城，轉破昌國衛城，大殺掠而去。備倭官失機，被刑者大小三十六人。惟爵谿所官兵擒獲一賊首名畢善慶，誅之，浙江僉事陶成之功也。七年，倭船九艘，使千餘人入貢。⑱朝廷責其越禁，姑容之。迷失二倭使，普福於樂清縣沙嵩藤嶺獲解。

普福被獲嘆懷詩曰：「來遊上國看中原，細嚼青松咽冷泉。慈母在堂年八十，孤兒為客路三千。心依北闕浮雲外，身在西山返照邊。處處朱門花柳巷，不知何日是歸年。」

景泰六年，倭寇健跳。官軍守備，不得入。天順二年，復遣使貢。⑲成化二年，僞稱入貢，寇大嵩諸處，官兵因潮落，夜圍其舟。寇設詐，以燈懸於篙尾，卓之沙上。官兵望見，以爲檣燈，達曙不移。比曉，舟已乘潮遁去。臺閫大臣俱坐失機獲罪。十一年，復遣使周瑞入貢。⑳勅諭倭王宜守宣德中事例。備倭閫帥欲報前恥，乃於送倭使出境之時，金鼓聲中隨以砲銃。倭船被擊沉於海，自是略知畏憚。

十三年，日本復遣使入貢。庶吉士鄞人楊守陳貽書主客郎中，欲請絕之。書曰：「倭奴僻在海島，其俗狙詐而狼貪。自周以至近代，嘗爲中國疥癬矣。國初，洪武間來貢，不恪。朝廷既正其罪，後絕不與通，著之爲訓。至永樂初，始復來貢，往來數數，知我中國虛實，山川險易。因肆奸譎，時挐舟載其方物、戎器，出沒海道，以窺伺我。得間則張其戎器而肆侵暴，不得間則陳其方物而稱朝貢，侵暴則捲民財，朝貢則霑國賜。間有得不得，而利無不得，其計之狡如是也。宣德中，來不得間，乃復稱貢。朝廷不知其狡，許其至京，宴賞豐渥，稛載而歸，則已墮其計矣。

正統中，來而得間，乃入桃渚，犯我大嵩，刼倉庾，燔室廬，賊殺蒸庶，積骸流血如陵谷，縛嬰兒於柱，沃之沸湯，視其啼號，以為笑樂。捕得孕婦，則計其孕之男女，刳視以賭酒。荒淫穢惡，殆有不可言者。吾民之少壯與其粟帛，席捲而歸巢穴，城野蕭條，過者隕涕。於是朝廷下備倭之詔，命重師守要地，增城堡，謹斥堠，脩戰艦，合浙東諸衛官軍分番防備，而兵威振於海表，肆七八年間，邊氓安堵，而倭奴潛伏，罔敢喘焉。茲者天宥其衷，復來窺伺，而我兵懷夙昔之憤，以幸其自來送死，皆瞑目礪刃，欲食其肉而寢處其皮。彼不得間，乃復稱貢，而我帥遂從其請，以達於朝，是將復墮其計矣。今朝廷未納其貢，而吾鄞先罹其擾，芟民稼穡，為之舍館；浚民脂膏，為之飯食；勞民筋骨，為之役使防禦。晝號而夕呼，十徵而九歛，雖雞犬不得寧焉。而彼且縱肆無道，強市物貨，善譴婦女，貂璫不之制，藩憲不之問，郡縣莫敢誰何，民既譁然不寧矣。若復詔至京師，則所過之處，其有不譁然復如吾鄞者乎？且其所貢刀、扇之屬，非時所急，價不滿千，而所為糜國用，弊民生。以過厚之者，一則欲得其向化之心，一則欲弭其侵邊之患也。今其狡計，如愚前所陳，則非向化者矣。受其貢亦侵，無可疑者矣。昔西旅貢獒，召公猶致戒於君；越裳獻白雉，周公猶避讓不敢受。漢通康居、罽賓，隋通高昌、伊吾，皆不免乎君子之議。況今倭奴最為讎敵，而於搆釁之餘，復敢懷其狙詐狼貪之心，施其奸計以罔我，其罪不可勝誅矣，復可與之通乎？然彼以貢獻為名，既入我境，而遂誅之，則類於殺降，不武不義。若從而納其所貢，則中其奸計，益招其玩侮，又不可謂智；取一損十，得虛而費實，又不可謂計；弊所恃以待無用，俾其不兵甲而騷，不水旱而窘，又不可謂仁。有一於斯，皆非王者之道也。竊以為宜降明詔，數其不恭之罪，示以不殺之仁，歸其貢獻，而驅之出境，申命海道帥臣，益嚴守備，俟其復來，則草薙而禽獮之，俾無噍類。若是則奸謀狡計破沮不行，若日之所照，月之所臨，物莫能遁，故天下咸知朝廷之明；貢獻不納貨賄之貪，雖有遠方珍怪之物，無所用之，故天下咸知朝廷之廉。自江、浙以達京畿，數千里之民，舉不識輸運之勞，不知徵斂之苦，父哺其子，夫煦其妻，而優遊以衣食，故天下咸知朝廷之仁。裔夷知吾國有禮義而不敢侮，奸宄知吾國有謀而不敢發，桴鼓不鳴，金革不試，故天下咸知朝廷之威。舉一事而眾善皆備焉，斯與勞民費國而幸蠻夷之服者，萬不侔矣。守陳不稔民之罹殃，而慮國之納侮，故敢布之，下執事，冀採擇以聞。」禮部不果從。

按：守陳後至吏部右侍郎，卒，謚文懿。性恬淡，官五品十有六年，泊然自處，未嘗求進權幸。有重其賢欲援之者，使所親喻意守陳，謝却之，私謂其人曰：「吾猶嫠婦也，守節三十年，今老矣，豈白首而改節耶？」嘗被命教內豎，教成，多去為近侍，與守陳同事者率因之取寵貴，而守陳獨無所資籍，士論多之。今觀此書，鑿鑿正誼，洞燭倭情。使當時肯奏行之，豈有今日擾亂之禍哉！噫！

大率其國奉使得利，往往各道爭先受遣。正德四年，南海道刺史右京兆大夫細川高國強請勘合，遣宋素卿、源永春入貢。㉑素卿，鄞人朱縞也。先因父喪無倚，遊蕩學歌唱。弘治間倭使湯四郎五郎以貢至鄞，見縞秀惠唱歌，相與情密。其叔朱澄又為牙人，與縞各市湯四郎五郎刀扇，負其值，乃將縞塡還。㉒湯四郎五郎之逋攜歸倭國，詐稱天朝宗室，國王以女納縞爲婿，官拜綱司。至是，僞充正使來。澄識之，不敢見，隨至蘇州閶門，混作伴送人役，至縞船上相認。後事發，應論投夷重典。時內臣劉瑾專橫，迺厚賂之。瑾謂澄已自首，縞係夷使，請原其罪。從之。縞貢畢，乞賜祀孔子儀註，廷議不許。六年，西海道刺史左京兆大夫大內藝㉓興復請勘合，遣省佐入貢。㉔

嘉靖二年，各道爭貢。國王源義植㉕嗣位，幼沖，勢不能制。大內藝遣使宗設謙道，細川高國遣（鸞岡）瑞佐、宋素卿來貢，舟泊寧波港，互相詆毀。素卿重賄監市舶中官賴恩，宴坐宗設之上。其貢船後至，賴恩復先與檢發。宗設等積忿，遂爲亂，欲殺素卿，追抵紹興城下。官兵備禦，不得逞。還寧波，執指揮袁進㉖，越關遁去，備倭都指揮劉錦，追至海上，戰歿。巡按御史歐珠奏稱：「五月初一日，有先到夷人擁入收藏方物東庫，搶出盔、甲、刀、鎗，各行披執，自靈橋門外循城奔至和義門，將後到夷人宋素卿人船燒燬，及在岸夷人一十二名。素卿等以該府衛遣避地名青田湖，出城約有十餘里。宗設等趕至紹興城下，口稱還我宋素卿。次日，將宋素卿等移入府城會審。據各稱：西海路多羅氏義興者，原是日本國所轄，向無進貢。我等朝獻，必由西海經過，彼將正德年間勘合奪去。今本國只得將弘治年間勘合由南海路起程。至寧波，因我說出，怪恨被殺。會同鎭守太監梁瑤議得，遠夷入貢，禮應柔待，今宗設等囚怪素卿，訐其詐僞，遂行讎殺，若終待以常禮，許其入貢，不加譴責，不以威示，則犬羊腥羶，越肆縱橫，終無悔禍之期。

除再加撫處，及撥官軍防禦外，乞敕該部會官詳議。」

按：太監賴恩受素卿賂，浙參政邵錫，副使許完，都指揮江洪，俱懼失事之愆，多匿其實，故疏詞多左右素卿耳。

後得旨，宗設免究，素卿無別情罪，責令回國，㉗宣布天朝威德，令國王嚴束夷酋，畏天保國；并查頒降勘合是否宗設奪去？今次朝貢，果差何人？務見真僞，待後該年分具本回奏，以憑議處。河南道御史熊蘭疏曰：「訪得宋素卿原本華人，叛入夷狄，先年差來進貢，已經敗露。時則逆瑾當權，陰納黃金之賄，遂逃赤族之誅。國法未行，人心未厭，今乃違例入貢，大起釁端，跡其罪惡，雖死猶不足以容之也。參照海道副使張芹，市舶太監賴恩，與同府衛掌印、巡海等官，禁令不申，守備不設，既不能善處以息其爭，又不能預謀以防其變，分守參政朱鳴陽，分巡副使許完，各有地方之責，俱懷觀望之私，以致蠻夷公行刼殺，把關管海指揮千百戶等官，任夷人出入往來，未有能攔截防禦者，指揮袁璡，承委自陷其身，推官高遷，越牆以避其鋒。凡其侵掠之地，若履無人之境，按法原情，通合查究。除備倭同知劉錦被殺外，乞各正典刑，一以爲蠻夷猾夏者之戒，一以爲備禦不嚴者之懲。然臣等竊有議焉：夫倭奴僻居東海，其俗狙詐，其性狼貪，自唐以至近代，已嘗爲中國患。國初洪武年間，許其來貢，後因交通奸臣胡惟庸，我太祖既正其罪，絕不與通，復載於祖訓，著爲令典。今皇上踐祚之初，復有入貢之請，跡若涉於忠誠，心實懷夫欺詐，故朝廷未受其貢，而浙民先罹其殃。乞特降明詔，數其不恭之罪，示以薄罰之威，絕其朝貢之請。申明海道帥臣，益嚴備禦，俟其復來，則草薙而禽獮之。保國裕民之方，居中制外之道，無有過於此者矣。」

禮科給事中張翀疏曰：「參照副使張芹，市舶太監賴恩，參政朱鳴陽，都指揮張浩等，均承委任，便樂因循，議處未定，而令素卿之盤船慢藏，啓窺瞰之奸，逆狀已形，而聽宗設之謝罪，當面甘愚弄之術，避地觀望，恣賊縱橫，策未展於一籌，禍幾延於兩浙。合應據法查究，創艾後來。及照日本國，蕞爾海夷，利觀中夏。先年使者肆爲不道，荷我明天子仁聖，曲賜優容。茲以讎殘殺我內地，謂宜檄諸夷之甲，興鬪罪之師。但釁起使人，國王無罪，且其國與朝鮮、琉球諸夷，俱係不征之列。伏望備行淮、浙、閩、廣鎭巡等官，凡沿海要害去處，如遇前項夷船到彼，就便督發官軍，併力截殺。仍行浙江鎭巡等官，將見獲夷黨并宋素卿譯審明白，取問罪犯。緣宋素卿係先年潛通外夷人，數重賂逆瑾，脫網生還；宗設人衆，俱係從逆賊徒，罪在不赦。通合置之典刑，以昭天朝之法，以嚴夷夏之防。昔漢之英君誼辟，或棄珠崖，或謝西陲，況倭奴詭譎情態，具有明驗。若更許其通貢，是利彼尺寸之微，損我丘山之重，其於皇祖垂訓之意，不無背馳。尤望絕約閉關，永斷其朝貢之途，毋徒弊所恃，以事無用。其一應誤事人員並死事，地方作急備查，奏請大昭賞罰，以示懲勸，毋得通同隱蔽。又訪得寧波、紹興等處有一種無賴，潛從外夷，引誘作奸。如宋素卿者，實繁有徒，合行出給榜文，張掛曉諭，遇有前項無賴，踪跡可疑，許鄰里首告，官府不時覺察，即便擒拏，家屬從重究治。庶幾中國之勢常尊，外夷之侮少禦。」

初，宗設追宋素卿不及，還。把總指揮欲率兵追擊，謀於新建伯王守仁。守仁曰：「歸師莫追，當縱其出而拒其入，把截要害，使來無所獲，退無所資，疲臥舟中，於是取之，兵不血刃矣。」既而倭果疲臥，為暴風漂入朝鮮境，被朝鮮斬首三十，生擒中林、望古多羅二人。朝鮮國王李懌，表獻於朝。上命浙江鎮巡官將素卿事，從實嚴審回奏。後復勅差給事中一員前去訪察，查勘其事。

兵科右給事中夏言疏曰：「宗設謙道所領倭夷不滿百十餘人，而寧、紹兩郡軍民何啻千萬？今乃任彼兇殘，肆意攻掠，蹂躪城郭，破壞閭閻，殺死都司方面，質虜指揮，貽國大恥，事出非常。再照宋素卿，本朝叛賊，激成宗設之變。訪聞宗設倭船先到，而盤貨在後，素卿倭船後到，而盤貨獲先，宗設內已不平。及市舶太監置酒命坐，又以宗設席次抑置賊首。若不明正典刑，梟示海濱，則將來射利效尤之徒，習為謀叛。伏望將朝鮮國執獻賊倭中林、望古多羅二名，押發浙江，解赴欽差官處，令與宋素卿對鞫前項搆禍緣由，及伊國差遣先後，并勘合真偽來歷處治。又，倭夷入貢，往往為邊方州郡之害，我聖祖灼見其情，故痛絕之，於山東、淮、浙、閩、廣沿海去處，多設衛所，以為備禦。後復委都指揮一員，統其屬衛，摘發官軍，以備倭為名，操習戰船，時出海道，嚴加隄備。近年又增設海道兵備副使一員專督，可謂防範周且密矣。是以數十年來，彼知我有備，不復犯邊。奈何邇來事久而弊，法玩而弛，前項備倭衙門官員，徒擁虛名，略無實效。寧波係倭夷常年入貢之路，法制尚存，猶且敗事，其諸沿海去處，因襲日久，廢弛尤甚。合無選差官員領勅前去，由山東循淮陽，歷浙達閩，以極於廣，會同巡撫官員，按部備倭衙門，親歷海道地方查點。原設官軍閱視舊額墩堡盤驗，見在兵器官員軍缺乏者，即與撥補，墩堡圮壞者，即與修築，兵器朽鈍者，即與換給，官員之不才者，即與易置，法制之未備者，即與區畫。庶使海防嚴謹，中土奠安。嘗觀本朝禮部侍郎楊守陳家藏文集，亦常惓惓以倭夷變詐兇虐，不當與之通好。乞勅下勳戚、文、武大臣詳加會議。再照宗設犯華之罪，不可使之竟脫天誅。乞通勅沿海各處備倭衙門，整搠官兵，修理戰船，習占風候，時出海洋瞭捕，務俾罪人斯得，國威以伸。」

兵部尚書金獻民議謂：「備倭衙門地方久處承平，武備盡已廢弛，相應依擬差官閱視。但恐前項地方廣闊，迴迴萬里，一人顧理不周。本部欲便移咨都察院，揀選歷練老成御史二員，各請勅一道，分定地方，一員自山東直抵淮陽、蘇、松，一員自福建直抵廣東各沿海地方，其浙江就令差去給事中勅內該載整理，各分投親詣沿海一帶閱視。」上命各官失事等情，着差去給事中上緊前去，會同清軍御史，用心訪察，查勘明白，分別等第，并究各夷致亂根因，進貢真僞。沿海一帶邊備，不必差官，只着各該撫、按、督併海道備倭并守巡等官，嚴加隄備，閱視整頓，不許怠玩。

刑科給事中張逵疏稱：「浙江寧、紹、台、溫、杭、嘉六府，地濱溟海，境接倭夷，實東西之巨屏，北都之外帑也。是以國家建設衛、所，特置都指揮以總揖之，封墩、戰艦、軍器，靡不周備。蓋恐外寇時窺中區爲梗耳。臣見去年倭夷入貢，恣睢仇虐，橫屠生靈，戕及都司，吾中國大被虔劉，拱手莫捄，實由武備廢殘，素有蔑視之意，將來之患，恐未可量，固不可不預爲之處也。伏望皇上查照巡視舊例，添設諳悉事故，加意民隱都御史一員，請勅督理，將前項封墩、戰艦、軍器之數，一一增修，令不失舊，然後奏聞成績，徐議功賞，以輟其任，庶中國奠安，而小醜絕窺覬之心矣。」時戶科給事中劉穆承命訪察倭夷事情，至是上不允逵請，勅令劉穆仍往浙江沿海地方，整理武備等事。後素卿械至杭州，有司勘以謀叛下海罪，繫浙江按察司獄。及二倭賊自朝鮮至，并繫之。論鞫獄成，久而不行誅決，先後盡瘐死於獄。倭奴自此懼罪，不敢款關者十餘年。

四年，浙江市舶太監賴恩奏：「請頒換勅諭，與臣管市舶司事兼提督海道，遇有夷賊動調，官軍剿捕，以固地方便益。」上命照成化年間例換勅與他。兵部尚書李越疏曰：「政每患於紛更，法當務於謹始。此地內官緣為提督市舶司而設，比與邊方腹裏鎮守守備內臣專為地方者不同。即令沿海督兵禦寇，自有海道副使與備倭都指揮使分理於下，又有鎮守太監與巡按御史提調於上，事體相因已久，沿海有警，俱可責成。若復又令市舶太監提督，誠恐政出多門，號令不一，必掣肘誤事。又況動調官軍，係朝廷威柄，遇有緊急，必須奏請定奪。賴恩小臣，豈宜得輒擅自專？推原其心，不過欲假借綸音以招權罔利也。乞將原降成命收回，仍戒諭賴恩，令其謹守舊規，安靜行事。」給事中鄭自璧亦疏曰：「賴恩肆意攬權，恣情黷貨。信鄭澤之姦計，則延僞使為上賓，受素卿之金銀，則致宗設之大變。三司兼欲受轄兵權，輒冀專擅，心每上人，動將壞法，內臣中之奉職無狀者也。乞將取回別用，另選老成安靜內臣代其任事，惟復痛加切責，姑令揩省前愆，用圖後贖。其勅書仍照舊止管夷人進貢，并抽分貨物，衛、所官軍不得干預，勿得輕信撥置，紛擾事端。」上詔前已有旨，俱不從。

賴恩又疏曰：「竊審日本國有武臣三人，一曰大內，一細川，一曰畠山，是皆權臣，猶魯之三家。彼國政柄不在國王而在權臣，進貢之事，彼強則彼奪，此強則此擅，國王則卒亦莫革。近況素卿叛去，弊愈深矣。合無將素卿從重處治，同來夷伴，或流遠方，或遣歸國。另別差官賚勅往諭國王，今後來貢，益謹効順，親具表文，面用國璽，毋容詐僞。貢船毋過三隻，使人毋過五百，毋得仍致大內、細川等弄權私貢，以乖國體。浙江備倭等官，除將臣庸材，乞賜取回閒住。另別差賢能一員，嚴加提督，整理邊務，葺城池，修戰船，整軍器，愼烽瞭，練兵卒。先之於昌國、石浦、大嵩、象山、穿山、舟山、定海、觀海等喉舌緊要之處，次之於松海、金盤、寧海等衛可緩之方，巡海、兵備等官，務選年力少壯，熟諳武略，勅專督理。不拘三年五年，就任加職，庶免更換，致曠重務。不許久坐省城，時須遍歷操練。事干急重，乞許便宜。仍勅福建等處鎭巡、備倭等官，嚴禁漳州賊船，不許縱放出海，眩惑地方。各衛官軍月糧，務着有司及時徵給，不許缺乏，疲斃官軍。日後倭夷入貢，照舊瞭報審實，各執堅甲利器防守，譯審是的，方許護送入港。苟有賊船臨邊，務使多帶兵糧勦殺。如有畏怯，即以軍法重治，永爲遵守。庶幾內則官軍不致虛費廩餼，外則足制邊境，不致爲島夷侵漁矣。」上乃詔沿海武備，着鎭巡等官嚴督舉行。巡海備倭官員有久不出巡，坐視民患的，聽各該巡按參究。

戶科給事中劉穆疏曰：「節該欽奉勅浙江沿海地方，武備久廢，爾仍會同巡按、督併海道備倭並守巡等官，親詣各處查勘，原設墩堡、兵器、戰船，及官員、軍士，一一修復振作，從宜區畫，務俾武事修舉，堪以保障，事完回京覆命。臣會同巡按浙江御史潘倣，親詣寧、紹、台、溫沿海地方，一應武備逐一修舉，從宜區畫，事完，另行造冊奏繳。外間有事關重大，稍議興革，雖未盡合機宜，聊以補塞罅漏。謹用條陳：一、添設巡視重臣。東南諸夷，惟倭黠猾，比北虜尤爲難制。我太祖遣信國公湯和，親詣沿海經略數年，是以兵威大振，夷醜竄伏。今醜眾窺伺，邊境危疑，雖嘗嚴督海道官員整飭修舉，但壞之於百年之餘，而欲復之於一日之驟，雖才智拾倍過人者，恐不能立致成效也。況南北延袤千有餘里，中間衛、所、堡、寨、錢、谷、甲、兵，不減陝西三邊之一，獨責成海道一人，威權既不加重，施爲且不自專。添設都御史巡視地方，督理戎務，假以便宜之權，寬以歲月之久，位望之重，既足以清肅頹頑，委任之專，又足以振刷積習，何武事之不舉，而邊患之足慮哉！一、召募補伍軍士。臣巡歷沿海衛、所，查點額設，軍士逃故者既已過半，老弱者又多不堪。凡遇出海守哨，未免足此缺彼，武備之廢，未有甚於此者也。議將各衛、所、縣軍民舍餘人等願充軍者，量行召募在官，塡補逃亡正軍，以便差撥出海，此固權宜區畫之道，亦急迫不得已之舉也。一、選調才能武職。臣請將在京，在外各衛指揮等官，查選才識優長，性氣剛果，武藝閑熟之人，量加調遣，分布沿海邊衛，每處二三員，或令把總守禦，或令掌印管操，加以鼓舞振作，扶植誘掖，氣習剛勁。既足以振起頹風，騎射精熟，又可以教習士眾，新舊無牽制之人，挾詐有指據之迹，庶幾體統一正，號令一新，積習可袪，兵威聿振矣。」亦不果行。

按：觀張逵、劉穆之疏，則後日添設巡撫，其機已兆矣，又豈待楊九澤之奏哉！但浙中既有賴恩為市舶而請改勅書，兼管兵務，又有鄧文為鎮手而請換勅書，如成化舊規行事，俱得俞允。及查成化勅書，除相同外，仍有兼管銀場，並官員貪贓壞法者，四品以上，具奏區處，四品以下，即拏究治，軍民詞訟，亦聽准理。蓋先時張慶有翊護前星之功，憲廟知其忠而柄之以任。若是文之請，蓋為含糊之詞，冒攬權之實。給事中鄭自壁請取回鄧文，選老成代任，不從。夫以一省之地，置二豎之橫，殆亦中國內倭也，其視巡撫之設何如哉。而今論者，乃獨歸咎於九澤，議其議建巡撫以啟倭患，謬矣。且如銀場舊時許開，未敢大憝，今銀場封閉，而礦寇嘯聚，如四十六年之大刼，非有總制三省之命，其禍恐未息也。因時制宜，不可拘泥如此云。

十七年，倭使〔湖心〕石㉘鼎、〔策彥〕周良來貢。二十三年，復至。㉙無表文，以非期，弗納。二十六年，仍以非期，使停泊於海山嶴㉚，候明年期至而入。

先是，王直者，徽州歙縣人，少落魄，有任俠氣。及壯，多智略，善施與，故人樂與之遊，一時無賴若葉宗滿、徐惟學（即徐碧溪）、謝和、方廷助等咸宗之。爲間相與謀曰：「中國法度森嚴，吾輩動觸禁網，孰與至海外逍遙哉！」直因問其母王媼曰：「生兒時有異兆否？」王媼曰：「生汝之夕，夢大星入懷，旁有峨冠者詫曰：『此孤矢星也。』已而大雪，草木皆冰。」直獨心喜曰：「天星入懷，非凡胎；草不兵者，兵象也。天將命我以武興乎！」於是遂起邪謀。嘉靖庚子年，直與葉宗滿等造海船，置硝黃、絲綿等違禁貨物抵日本、暹羅、西洋諸國，往來貿易五六年，致富不貲。夷人大信服之，稱爲五峰。船主招集亡命，勾引番倭，結巢於寧波霩衢之雙嶼，出沒剽掠，海道騷動。是年，巡按御史楊九澤，請設提督以彈壓之，乃命都御史朱紈巡撫兩浙，開軍門於杭。紈乃調福建都指揮盧鏜，統率舟師擣其巢穴，俘斬、溺死者數百。直等皆走逸，餘黨遁入福建海中浯嶼。復命鏜剿平之。紈仍躬督指揮李興，發木石以塞雙嶼港，使賊舟不得復入。時海禁久弛，緣海所在悉皆通番，細奸則爲之牙行，勢豪則爲之窩主，皆知其利而不顧其害也。紈嚴申禁令，有犯必戮，不少假貸。然其間亦有一二被刑者未及詳審，或有過誤，杭人口語藉藉，罪及建議，主議群公。紈又以督府新開，綱紀務在振肅，由是官吏亦稱不便，而失利之徒，怨謗蜂起。明年，朝廷更議廢置，乃改巡撫爲巡視。未幾，紈復解官去，而東南自此多事矣。

按：嘉靖八年，兵科都給事中夏言，歷查浙江巡按王化有磐石衛縛官之奏，張問行有蒲圻所殺官之奏，歐珠有寧波殺方面官之奏，故建言請設巡視大臣。已得旨，勑部中推選才望謀勇大臣二三員來看，而輔臣張孚敬申議不可，中止不設。至是憲臣楊九澤乃復奏，而夏言爲首相，適協其前，既行復寢之議，遂得旨，設巡撫大臣來浙，而朱紈首膺其任，故今之議倭患者多追咎於楊，以爲不宜創建大僚，以生事端。又歸咎於朱，以爲法網太密，使奸無所容，遂致群逞。殊不知是時王直之輩，如蜮含沙，勢必射人；如蜃藏氛，勢必迷空。況又有福建繫囚李七、許二等百餘人逸獄歸直，而爲虎翼，雖欲自已，此輩將何適哉！防海之官，不過列位正佐耳，素倚通蕃貿易者爲生計，此與奸豪互窩無以異，雖有海道兵憲臨之於上，然不操生殺之柄，則號令之而不畏，不寄便宜之權，則調發之而不應，安能潛消此蠢動之兇卵也耶？況因循積習之後，動有牽制，此督府之建所以不容已者。晁論漢諸王曰：「削亦反，不削亦反。」愚於建督府亦云，且不建則叛遲而禍大，建之則可以備叛而弭禍。何也？觀紈在浙之日，號令嚴明，賞罰必信，規模法制，卓有條緒，是以浯嶼之剿，雙嶼之塞，確然著績。使紈久任以責其成，則懾服之威，防御之策，合必井井，而下海者絕跡矣。由是貿易不通，夷人且將乏用，而況王直輩其有不窘困受縛者乎！吾見其或無今日荼毒之慘，勞費之苦也。今乃撤機穽以縱虎，自貽禍患，可勝嘆哉！朱紈，蘇州人，清介之士。歸家後，朝廷有詔械繫別省舊巡撫朱某者，訛傳建〔逮：〕紈，紈伏〔服？〕毒死。

五島倭人爲亂。王直有憾於倭，欲報之，及欲以威懾諸蕃，請於防海將官，剿之略盡，遂聲言宣力朝廷，以要重賞，且乞通互市。將官弗許，但饋米百石。直以爲薄，大詬，投之海中，從此怨朝廷，頻入侵盜。事聞，廷議復建臺閫於杭，命僉都御史王忬巡視海道督兵，仍置二參將湯克寬、盧鏜分守境內。

三十年，王直令倭夷突入定海關，移泊金塘之烈港，自以巨舟泊烈表。參將俞大猷，率舟師數千圍之。直以火箭突圍去，怨朝廷益深。且眇官軍易與也，乃更造巨艦聯舫，方一百二十步，容二千人。柵木爲城，爲樓櫓，四門其上，可馳馬往來。據古薩摩州之松浦津㉛，僭號曰京，自稱曰徽王。部署官屬，咸有名號，控制要害，而三十六島之夷，皆聽其指使，每欲侵盜，即遣倭兵。

三十一年，直遣倭兵寇溫州，尋破台州黃巖縣，復寇海鹽，長驅至嘉興城外。官兵禦賊，戰於孟家堰，死者三千餘人。指揮李元律，千戶薛綱等俱戰死。㉜別寇犯海寧，僧兵與戰，敗績，皆死於赭山下。是時官吏多不知兵，惟松陽知縣羅拱辰廣西人嫺於武藝，調守浙東西諸處，挾悍勇家丁數十人自衛，所在皆有功，得陞按察僉事，駐浙西殺賊。副使陳應魁，整飭兵備，借其家兵半爲己用，由是軍遂弱，不能抗賊。調至松陽等邑土兵，皆不習水戰，每退縮奔還，投河、溺水者無算。各處所募遊僧所號僧兵是也，雖健勇而寡謀。倭人狡猾多防，每爲其掩襲而敗。官軍技窮。已而賊襲乍浦城，由是瀲浦、金山、上海、嘉定、青村、南匯、太倉、崑山、崇明諸處及蘇州府治，皆僅保孤城，城外悉遭焚刼。賊或聚或散，往來靡定，如入無人之境，遍於川陸。凡吳、越所經村落市井，昔稱人物阜繁，積聚殷富者，半爲丘墟，暴骨如莽。而柘林八團等處，陳東建屋爲巢據之，持久不動。

餘半歲，朝廷命南京戶部尚書張經總督軍務，別置浙江巡撫，命李天寵爲之，協謀剿殺。經乃檄調川、湖、兩廣、山東、河南諸處兵。未集而陳東拔巢，四處剽掠，滿載長驅，至嘉善縣市。會福建義夫長賴某被徵，自汀州先至，勇敢前向，大破賊鋒。賊已遁走，賴兵因失傳餐，迺爲退食，被賊復轉掩殺，遂爲所乘，多死焉。賴兵每以大旗爲陣門，賊有衝先者，則揮旗一捲，必能夾之過陣，斬其首，賊遂潰，故能常取勝。至是與賊戰，勝後，時有二偏將亦在嘉善，使作虛聲，策應賴兵，賊必不敢來襲，乃退縮不顧，賴兵勢孤而敗，遠近痛惜之。經與天寵，時駐嘉興，比田州土官婦瓦氏統狼兵至，士民踴躍，望其殺賊，而瓦氏亦願出戰立功，復其孫祖職，請於經，不許。寇復攻北門，燔廬舍，掠子女，橫殺無算，河水爲赤。狼兵未得經令，不敢動。

按：瓦氏者，田州土知府岑猛之媳也。猛自乃祖陰謀奪嫡，枉殺忠良，頭目呂召傳至其父岑溥，恣惡興兵，結怨鄰壤，猛承其官，又偏聽頭目黃驥，私撥土地，結好思恩府土知府岑濬。濬作亂，襲破田州，逐猛，放兵刼掠。兩廣都御史潘蕃，總兵韋經討濬，誅之。遂奏濬已顯戮，猛自陷府治，難托專城，要將二府改為流官，猛改降同知。尚書王時中、馬文升等議從其請，且將濬家小解二千里外安置，猛降為世襲正千戶，押赴福建沿海衛分帶俸，庶禍源可絕。孝宗從之。押猛送平海衛。猛中途逃回，後調南丹，拒不赴任。正德二年，猛托祖母奏以侍養為名，又令田州夷民奏乞容留本處附近衛所，聽調殺賊。四年，猛納金刀、異器於劉瑾，改授本府同知，後調征柳州，得陞指揮，調征饒州姚源洞。江西都御史陳金，乃奏指揮、知府品級相同，復猛知府，仍於知府上論賞，瑾為之地，武宗准於指揮上陞一級。嘉靖初，猛得志，復作亂，殺官奪印。其子岑邦彥，縱兵殺掠。世宗乃命都御史姚鏌征之，猛被獲，剉屍梟示。邦彥走死齊村，其遺下頭目盧蘇、王受搆眾扇亂，攻陷思恩。鏌復征之，久弗克，為巡按石金所論，鏌罷去。改命新建伯王守仁總督兩廣軍務，隨宜剿撫。守仁至，下令招降盧蘇等，議立其子邦相為田州知州。世宗詔邦相，准與相死，做田州署州事，吏目仍聽流官知府控制，後有勤勞，依擬陞擢。今瓦氏，蓋邦相妻也。子復繼，亡，瓦氏以太君權州事，年在五十以下，馭眾剛明，人畏憚之。張經兩廣總制之時，常調其州兵殺賊有功，曾蒙奏賞，故遠來報效，冀立殊勳，以復同知之職與其孫也。初至，甚有紀律，軍士斂戢不敢肆，咸奮迅破倭，而經竟不遣之出戰，優遊於嘉善諸處，頗有河上翱翔之意，軍士咸生怨悔之心。經去後，又隨閫帥往來年餘，竟無成功而還。於是所至騷擾，雞犬不寧，聞瓦氏兵至，在在閉門逃出，殆與倭寇之禍無異焉。又按：經之在嘉興，諸路兵集，各有殺賊之志，而經再不發一令者，何哉？蓋其初制兩廣，苗賊不出刼，賊巢不遠，一掠即歸，歸後方命兵尾其後，取所擄遺老弱，即以報功，未嘗交戰，狃為長策。今經欲待倭奴殺掠飽還迺出師，如兩廣故事，而不虞倭奴自海登陸，焚舟持久，殘破日深，遂疑軍門通賊，流言四播。朝命趙文華至浙，名雖祭海，實偵經也。經始不自保矣。

上以賊未平，勅工部〔右〕侍郎趙文華致祭海神，尋有察視之命。倭眾四千攻圍金山城，久據乍浦，尋擁至平望、王江涇諸處。巡按御史胡宗憲，督參將盧鏜，總兵俞大猷所統部卒，及狼、苗等兵，大戰於百步橋，悉擒斬之，築京觀。

嘉靖初，平望鎮殊勝寺有一道人來遊，題其壁曰：「我自蓬萊跨鶴歸，山僧不遇意徘徊。時人莫解菩提寺，三十年餘化作灰。」題畢而去。後倭夷至鎮，寺悉被燬，距題詩之日，凡三十一年矣。

文華還朝，遂劾經玩寇殃民，按兵不戰，械繫入都下，擢宗憲代經。㉞然賊愈猖獗，一支數千，自柘林走海寧，直抵杭州北關外，屯聚刼掠。巡撫李天寵，命燒近城湖上僧寺，閉門歛兵而已。一支有賊九十三人，自錢塘渡浙至奉化，復轉而還，渡曹娥江。御史錢鯨，便道還慈谿，適值賊，遇害。已而入富陽，過嚴州、徽州，到南京城下。京營把總朱襄、蔣陞被殺，城門晝閉。賊鼓行東掠蘇州，寇常熟，知縣王鈇，與致仕參政錢泮俱爲所殺。已，復攻圍江陰，知縣錢錞死之。言官劾天寵懦怯縱賊，奪其職，尋亦被逮，與張經並下吏，以軍法論死。

三十三年七月，倭夷寇廣東潮州。先是，都御史談愷，聞兩浙、直隸諸郡倭寇猖獗，恐其延及惠、潮也，遂移息巡視海道，議戰守事宜，以靖海防。時廣東巡視海道副使汪栢，議將防守潮州柘林、長沙等處海澳兵船併爲柘林一哨，顧募東莞烏艚二十隻，潮州白艚船十隻，共撥兵一千二百名，委指揮黑孟陽爲中軍統領，指揮李爵、李鑑，千戶王詔、虞欽、倘昂、戴應先等部領，來往巡哨。議上督府，愷允之。既而守備玄鍾澳指揮同知侯熙，亦請禁接濟倭夷，遂以其議行巡視海道，轉行備倭守備，及沿海府、縣、衛、所掌印、巡捕等官，嚴督各哨官兵，如遇倭船乘風泊岸，星火飛報各處官司，督兵協力追捕。適備倭千戶于瑛，報有賊首徐碧溪、洪老等，撐駕大夾板灣尾船，從福建海洋乘風突來深澳，湊合賊首林寄老等。督撫令于瑛加謹防備，及督指揮黑孟陽等部領兵船，協同各該哨備倭官兵，相機設法擒捕。至七月初二日，果有賊船三隻，哨馬船五隻，從福建汀州外洋泊潮州柘林。時我兵既以預先警備，賊至，不敢近岸。黑孟陽等即統各哨兵船，兼程前進，初三日至柘林。初四日，官兵奮勇與戰對敵，兵威大振。攻賊，敗船三隻，賊首徐碧溪等被傷，賊眾落水淹死者不計其數。浪湧不能取功，生擒番海賊寇方四溪等共一百八十名，皆是近時攻陷浙江等台、溫，及蘇、松諸郡縣巨寇；今湊合暹羅、東洋諸國番徒，經年在海劫掠，流毒滋甚。幸而籌策先定，防守唯嚴，數千逋寇，一旦削除，各省宿冤，一麾可雪矣。朝廷廑憂東南，加胡宗憲兵部侍郎，總督浙、直、福建軍務，八省錢糧、官吏聽其調用，以提學副使阮鶚為巡撫。

三十五年，海賊徐海號明山和尚，即徐碧溪姪，亦與王直相黨援者、陳東，與倭酋辛五郎等，復擁眾寇松江、嘉興諸郡，聲言欲取金陵建都，乃由峽㉟石越皂林，出烏鎮以北。新巡撫阮鶚，自嘉興還杭州，適與之遇，急走輕舸，入保桐鄉城。㊱參將㊲宗禮，與禪將㊳霍貫道，皆河北驍帥，厚集其陣合擊，殺數十人。會日暮，賊引去。時賊氣雖窘，而二將亦絕嚮道，不得擇善地休止，孤壘無援。賊復縱兵出戰，二將俱陷歿。賊乘勝圍桐鄉。宗憲檄諸路兵進援，逡巡惶怖，不敢近城，中奪氣。陳東又伐大木，盛為撞杵以攻城，城幾壞。一男子獻計，為巨索懸於城，候撞杵至，即攣之曳以升，不得撞。又募冶工煮鐵為汁，灌城下賊，賊不敢逼。久之，賊解圍去，阮鶚得出，還杭州鎮。徐海等擁至平湖，據沈家莊為巢。初，攻桐鄉時，海先撤圍，陳東意海私受軍門重賄，頗不平。至是海又與麾下葉麻㊴爭一女子有隙，海乃遣人至軍門約降，且以計縛葉麻，陳東送至為信。軍門許之。時文華陸尚書，奉命督察軍務，重莅嘉興，乃與宗憲暨當事諸公詣平湖受其降。海率死士三四百人擐甲露刃，突進城中，納款稱罪，遂厚犒之而出。尋將歸大洋，適所調永保峒兵至，奮擊敗賊。海死亂兵中，辛五郎即被獲，與葉麻等囚至京師，獻俘告廟，伏誅。時浙西諸郡，唯嘉興去海七十里而近，賊登岸甚便，最爲要衝。先是，海寧衛庫中兵器，夜則自鳴，錚錚有聲，識者以爲兵兆。郡城地方李上生瓜，長寸許。剖之，其中惟水。諺云：「李樹生黃瓜，百里無人家。」後果被賊禍，村里斷烟云。錢薇血淚歌曰：「四月五日海作天，青天霹靂山走潮。千艘蜃賊狐狹虎，萬屯鐵騎鼠見貓。金緋大將膏鋒鏑，糜爛細民喙鳥鵰。端陽五日與六日，四郊煙焰連雲高。紅巾塡塞秦溪野，勁鎗毒矢殺氣豪。此時哭聲動天地，橫山積血成波濤。少婦汚蛾觸白刃，嬰兒中塑娘同刀。豈無脫奔保首領，官軍刼奪無路逃。夜來仰看旄頭星，炯炯未滅心忉忉。誰為入奏明光宮，流離乞撫血淚號。」

註：

①「三」，應為「四」之誤，因日本為島國，不與大陸接壤。

②日本在古代東亞國際上的稱呼為「倭」，非「倭奴」。卜部兼方，釋日本紀，卷一，開題，日本國條引弘仁私記云：「古者謂之倭國，但倭義未詳。或云：『取稱我（日本）之音，漢人所名之字也。』」參看鄭樑生，明史日本傳正補（臺北，文史哲出版社，民國七十年十二月），頁一～一〇。

③「世世以王為姓」，日本天皇有名，無姓，此言有違事實。

④忽必烈曾兩次東征日本，首次在至元十一年（一二七四），動員蒙、漢、高麗軍三萬二千三百人，大小船艦九百艘；第二次則為至元十八年（一二八一），動員蒙、漢、高麗軍十四萬二千人，船艦

四千四百艘。參看元史、新元史日本傳，及高麗史、高麗史節要。

⑤良懷之為懷良之誤，參看本書第六輯頁二二五七，註③。

⑥季潭宗泐之餞別詩及明太祖賜和之詩，已見於前舉鄭舜功日本一鑑窮河話海卷九接使條，故不重錄。

⑦「洛」，指京都而言，前往京都謂「上洛」。

⑧湯和之在緣海相地築城備倭，明實錄、皇明四夷考、明史卷九一海防條，及卷三二二日本傳，俱繫於洪武十七年，湯和傳為十八年。明紀則書於十九年，且於二十年條謂：「湯和亦以浙東西之民戶，四丁以上者，一為戍卒，得五萬八千七百餘人。增置諸衛所，先後築城凡五十九。」由此觀之，湯和應是在受命之初作若干應急措施，其大規模築城，則為洪武十九年至二十年。

⑨「臺」，日本文獻史料皆作「壹」，以下同此。

⑩明實錄、明史、善鄰國寶記俱將潘賜之使日繫於三年。

⑪「賜回進歸化書及永樂大典頌」，善鄰國寶記未錄此兩書名。

⑫「定約十年一貢」，有關限日本十年一貢的時期問題，請參看本書頁第七輯。

⑬明成祖親製之壽安鎮國之山銘文之全文，已見於前舉鄭瞬功日本一鑑窮河話海卷九，接使條，故不予重錄。

⑭「江」，江之為「榮」之誤，參看明史劉榮傳。

⑮「窩」，明實錄、明史及其他各文獻史料俱作「堝」。以下同此。

⑯「被」，新刊校正皇明資治通紀、皇明法傳錄、新刻明政統宗及他書俱作「拔」。

⑰「宣德元年又入貢」，明實錄、明史、善鄰國寶記等均未紀錄日本於本年朝貢事，故此言有違事實。

⑱「七年倭船九艘使千餘人入貢」，明實錄、明史、善鄰國寶記、蔭涼軒日錄、大乘院寺社雜事記俱未言於正統年間遣貢舶事，明廷亦未曾頒正統勘合給日本。日本之遣貢舶九艘，使人一千二百至中國，係在景泰四年以東允澎為正使時，故此正德七年應為成化四年之誤。

⑲「天順二年復遣使貢」，明英宗實錄、明史、善鄰國寶記、蔭涼軒日錄、大乘院寺社雜事記俱未言於本年遣貢舶事。日本在景泰四年遣貢舶後，至成化四年方纔遣貢舶三艘，其中二、三號兩艘於同年四月至北京，一號船則遲至十一月方纔抵京，故此一記載有違事實。

⑳「十一年復遣周瑞入貢」，上舉中、日兩國史乘俱未言日本於本年遣使入貢。日本之遣使入貢，係在成化十三年，正使為竺芳妙茂，貢船三艘。

㉑宋素卿之入貢在正德五年二月。明武宗實錄，卷六〇，同年二月丁亥朔己丑條云：「日本國王源義澄，遣使臣宋素卿來貢，賜宴，給賞，有差。」

㉒宋素卿赴日原因，鄭舜功，日本一鑑，窮河話海，卷七，奉貢條的記載與此有出入，該奉貢條云：「鄞民朱澄，首稱素卿，乃其族姪朱縞，昔因其父與夷使交通買賣折本，將伊填去。」

㉓「藝」，日本史乘俱作「義」。

㉔明武宗實錄、明史、善鄰國寶記、蔭涼軒日錄等紀日本貢使於正德七年四月至南京，貢使為了庵桂

悟。

㉕「國王源義植嗣位幼沖」，「植」，日本史乘皆作「稙」。義稙即室町幕府第十任將軍足利義稙（一四六六～一五二三），義稙嗣位（一四九〇）時年已二十五，不能言幼沖。又，嘉靖二年（一五二三）當時的幕府將軍為第十二任足利義晴（一五二一～一五四六在位）。

㉖「進」，明世宗實錄及他書俱作「璡」。

㉗「後得旨宗設免究素卿無別情罪責令回國」，如據夏言，桂州奏議，卷二，請勘處倭寇事情疏，及明史日本傳等之記載，宋素卿等旋被移杭州之有司，以謀反下海罪鞫問，繫浙江按察司獄，經久未予誅決而瘐死獄中。

㉘「石」，明史日本傳及日本史料俱作「碩」。

㉙日本史料未紀於本年遣貢使，故此應屬私貢。

㉚「海山澳」，策彥周良再渡集言泊於「嵜山」。

㉛「薩摩州之松浦津」，如據日本載籍，薩摩在今九州南部，舊屬薩摩國，松浦則位於九州西北部，舊屬肥前國。

㉜「三十一年……戰於孟家堰死者三千餘人指揮李元律千戶薛綱戰死」，李指揮、薛千戶之死事，倭變事略、嘉靖東南平倭通錄、史語所影印本明世宗實錄、嘉靖以來注略，俱繫於三十三年四月；死事地點則嘉靖東南平倭通錄及實錄書為孟宗堰。官軍傷亡數目，嘉靖東南平倭通錄言差官軍四百

人，溺死五百人，倭變事略謂戰溺死者共計一千四百七十五人，實錄則謂亡卒千人。至於薛千戶，實錄紀為薛絅。

㉝「瓦氏邦相妻也」，倭變事略作「瓦氏土司岑彭妾也」，嘉靖東南平倭通錄則謂「廣西田州土官婦瓦氏」。

㉞此段文字與實錄、明史有出入，參看實錄，卷四二二，嘉靖三十四年五月甲午朔己酉條之相關記載。又，張經被逮後係由周琉繼其任，胡宗憲代李天寵為浙江巡撫。可參看明史張經傳、胡宗憲傳、周琉傳、日本傳。

㉟「峽」，倭變事略卷三作「硤」。以下同此。

㊱「急走輕舸入保桐鄉城」，倭變事略，卷三作「阮鶚錯愕單舸走入桐鄉避之」。

㊲「參將」，嘉靖東南平倭通錄作「遊擊」，籌海圖編，卷五，浙江倭變紀作「佐擊」。

㊳「禪將」，領僧兵官。

㊴「葉麻」，明史日本傳作「麻葉」。

是年（按：嘉靖三十五年），徐海雖斃，而王直在島稱雄如故，遣倭酋紛擾浙東濱海郡邑，破臨山衛等城，禍如浙西；復寇通州、海門，突流揚州。直之母并子俱在浙省，心切念之，欲致其歸，乃請講和。尋率將領渡海，執無印表文，詐稱豐洲王入貢，來泊岑港，遣人通好，索家屬，要開市。軍門胡宗憲許之，且賂以厚賄，說其來降。直遷延者久之。直既離本巢，自失負嵎之勢，而受賄繁渥，諸島亦各生疑貳。直恃其強，謂中國決不敢害己，或可徼幸如意，傑然詣款塞。詔誅之，梟直于市，餘黨潰去。

別誌曰：「奸民王直倡亂于海，倭酋部落數萬皆受直節制，流刼兩浙郡邑。三四年間，吏民死鋒鏑填溝壑者，亦且數十萬，官軍莫敢攖其鋒。督閫胡宗憲，懲張經之獲罪不知所措，乃欲議和以舒目前之急，奏乞遣使移諭日本國王，禁戢屬夷。上從之。先是，宗憲檄徽州府收直母、妻及子，繫金華府獄，至是出之，令有司豐衣食、潔第宅以奉，而遣生員蔣洲、陳可願借市舶提舉職名，充正、副使往日本，且命二人持重賄見王直，說令滅賊保親屬，取官爵，以覘其意。二使至五島，見直養子王滶，道以諭倭事。滶曰：『往見日本國王，無益也。此間有徽王，島夷所宗，令渠傳諭，足矣。』明日，直出見二使，推髻左衽，旌旗服色擬王者，左右簇擁。二使心動，坐論鄉曲。直設酒食，情款方洽。二使曰：『軍門遣僕等敬勞足下風波無恙。』直避席曰：『直海界逋臣，軍門不曳尺纏牽而鞠之，而遠煩訊使，何也？』二使曰：『軍門以足下稱雄溟渤，諸蕃畏服，偉哉丈夫也。風波隔限，不能親犒，敢命僕等以黃白絲綿若干為壽。』直忻然納。二使曰：『軍門推心置腹，援足下令妻壽母而出之獄，館穀甚厚者，蓋以足下材略超世，未能奮跡龍池，故遂涉身鯨波，亦不得已焉耳，非足下本心也。且足下曩歲曾扣關獻捷，人孰不知其功？今日能乘機改節，滅賊自效，則爵賞必隆，悠久富貴，非但保全妻孥而已。』直默然。乃挾二使登舟，巡數小島，誇示富強而還。初，直聞母、妻為戮，心甚怨，欲犯金華，及見二使，始知家音，心竊喜，乃集所親信者計之。謝和等曰：『今日之舉，未可冒昧突往也，當遣我至親為彼所素信者，先往效力，以示欲降，待彼不疑，然後全師繼進，始可逞耳。』直笑曰：『妙算也。』遂遣王激等來投誠効力，宣言王直歸順成功之後，他無所望，惟願進貢通市而已。宗憲為直上疏于朝，許之。時直雖偽約歸順，而徐海、陳東、葉麻等已擁薩摩州夷王之弟，過洋入寇矣。時適舟山有零寇數百，宗憲遣葉宗滿等助官軍往剿，盡殄焉。疏其功次，犒賞三酋。王激笑曰：『此何足賞！若吾父來，當取金印如斗大耳。』既而徐海、陳東寇松江、嘉興，勢大猖獗。宗憲召王激等謀之，以觀其意。激等初欲小試慇懃，甘心助滅舟山零寇，至於徐海等正其所倚以圖大事者，且利直速來共濟，乃辭曰：『是非吾所能，須吾父來乃可耳。』遂留夏正、童華、邵岳，輔王汝賢在軍門，自以招直捕賊為名，與葉宗滿開洋去。徐海、陳東由峽　石抵烏鎮，圍桐鄉城。巡撫阮鶚在城中，孤危，甚急。時王直又遣養子曰毛海峰　者，款定海關以謝過（謂海不知通好之故，乃爾入寇。），間奉直命諭徐海。徐海未允，宗憲疾走人賄毛，毛又遣人詣海。宗憲復令諜者賚銀數萬兩賄海而說之曰：『足下所求，不過欲多得利耳，與其鏖戰而取刼掠之財，孰若安閒而享所自致之貨。且直與足下，固唇齒也，直已遣子入款，朝廷赦其罪，將官之矣，足下不於此時解甲歸順，他日使直獨保富貴，孤立將安所為也？』海然其計，於是遣所親入謝，約罷圍去，因索賄遺他倭酋。宗憲許之以銀牌、綺幣，厚賜來者。來者德之，以報海。明日，復遣他使來謝，宗憲厚待如初。凡數復，海始喜慰。而陳東以海私受重賄，不與之約，怏怏不樂。是夕，海果潛移巢去，道崇德而西。東聞海去，勢孤，亦引去，圍始解。徐海乃屯於海鹽、平湖交界曠野之處，將造舟為歸島計，日遣人與宗憲索餽。宗憲悉其意，與之，凡銀兩、絲綿、錦段與夫酒、米、鹽、醯、裁縫、醫師，巨細取給傳送之，所饋動以萬計。舟相接於道，雖供應月餘，未嘗缺乏。徐海既感宗憲之誠，且謂其不足憚，遂以故所戴飛魚冠及堅甲、名劍來酬獻，間遣其弟洪入質，於是彼此無忌。諜報宗憲：『徐海麾下獨書記葉麻為長，黠而悍，近與海爭一女子，不相能，非用間急縛之，則阻海歸心，且將為後患。』於是遣諜賄海，說令縛麻以擅功，潛并賂麻，使不疑也。海從之，與麻共宴宗獻之使。半酣，海謂麻曰：『予輩既與軍門通好，便為一家，今使者歸，予輩當釋兵遠送，以示款洽。』麻然之，命各部下俱不必從。海遂與麻同舟，復舉酒大飲，送使者至十里外。伏發，執葉麻。麻出，而故隸葉麻部曲皆怨且懼矣。宗憲恐生他釁，時時遣諜持簪、珥、璣、翠、金飾遺徐海兩妓女不絕（一名翠翹、一名綠珠，侍海專寵。），令兩侍女日夜說海并縛陳東。東乃薩摩王弟帳下書記。海猶豫未決。宗憲出葉麻囚中，令其詐為書於東，乞兵賊殺海。其書故不以遺東，陰泄之於海。海得書，謂東等叛己，遂詐請東於薩摩王弟，代署書記。既得，則縛之以獻。葉麻與陳東相繼縛，而海麾下洶洶，益疑且怨矣。初，葉、陳二部下賊雖有憾海之意，而俱沾軍門之賄，遂皆隱忍。海恐此輩終為己患，乃遣人與宗獻定計，先遣己部下數十人詣軍門求賞，皆受銀牌、花幣，厚宴而歸。次遣葉、陳二部下之雄者各數十人，皆欣喜爭往，一路酒饌厭沃之。抵嘉興，通事者語賊云：『前日來者皆去兵器，空手入城，以便簪華執盞。爾等當亦如前。』賊從之。官軍伏於甕城，一將官先閉內城門，坐城樓上，令賊分四門而入。賊既入甕城，而外城門隨閉。通事者語賊當拜城樓上將官受賞。賊下拜，伏出，每二人執賊一人，截其拇指而囚之。於是徐海自度縱歸故島，必為蕃落之所殺，內附之心益固，請與部下入款。宗憲許之，諜往，定期。海先期一日率倭眾數百人，冑而陣平湖城外，又自擁百餘人，冑而入平湖城中，庭謁軍門，稽首稱罪。宗憲與當事諸公厚犒之，竟傲然出。是日，城中人無不魂戰色變。當事諸公忿其強，皆議誅海以杜後患。宗憲欲縱海生還，迫於眾議，不得已而從之。然海眾尚千餘人，屯近獨山，猛鷙難即破。於是令海自擇便地居之。海擇沈家莊，即僦與居，且饋遺海如曩時。既而永保峒兵俱應徵集，宗憲又令陳東詐為書夜遺其黨，言海已約官兵夾剿汝輩矣。陳東黨果大驚，即勒兵篡兩妓女過海所，罵曰：『我死，若俱死耳！』遂相稍而鬬。海中稍，眾大亂。明日，官兵四面合牆立而進。風烈，縱火焚之。海窘甚，沉河死。餘酋蒐斬殆盡。永保兵俘兩妓女以歸（二妓溺死於河）。於是辛五郎率餘黨遁至海島，官軍邀擊，獲之，與葉麻等囚送都下。宗憲以下各進官，有差。然而王直猶負固自若，遣賊寇浙東諸郡，流及通州、揚州。宗憲欲以弭誘直出巢。於是委心留用直前所遣來王汝賢數人，撫摩若親子，及葉宗滿兄弟（前同宗滿來者）盡加禮遇。時時對將吏言曰：『直非反賊，顧崛強不一見我耳。見我鄉曲，故當有處也。』直聞之，謂軍門誠樸可欺，欲乘機見之，而還得完聚親屬，且自度縱不如平日所料，也不至為失水大魚。

遂決策渡海，首遣蔣洲，次遣王激、葉宗滿等率驍卒千餘人，且以豐洲王入貢為名，先泊岑港，據形勢，分布要害訖，直乃與謝和等慷慨登舟，令衆曰：『俞大猷，吾嘗破之列表，泊岸時，須謹備之。』軍門當直未至時，已度其前有隙，豫調俞大猷於金山，而以總兵盧鏜代之。盧鏜者，舊與王激等同事舟山，撫循倭夷備至。直坦然不疑，惟日聚群倭，礪兵刃伐木為開市計。且索母、妻、子弟，求官封。宗憲列狀以聞。上詔相機擒剿。宗憲秘不宣，夜馳至寧波城，密調參將戚繼光、張四維等督諸健將埋伏數匝，乃以夏正等為死間，諭直曰：『汝欲保全家屬，開市，求官，可以不降而得之乎？帶甲陳兵而稱降，又誰信汝？汝有大兵於此，即往見軍門，敢留汝耶？況死生有命，苟命當死，戰亦死，降亦死，等死耳。死戰，不若死降，降且萬一有生焉。』直猶持疑。宗憲則使蔣洲往為質曰：『如負約，則洲命懸爾手，敢爾欺乎？』直信之。凡直意所欲，軍門輒饋遺之，不吝巨萬，一如餉徐海時。直頗心喜。又其所親信王激、葉宗滿遣來見者，軍門必降禮厚賄，笑語飲食，連床共臥，歡契無間，皆為說諭。往來相通者五旬，久益情洽。風聞諸夷謂直已歸國，無復主之之心。而叛賈素依直為淵藪者，且各散去。直計回島之難立，而納款則猶可徼倖保全親屬，且莫敢奈何我也，乃挺身詣軍門降。宗憲委曲諭之曰：『汝既來歸，我當表奏，爵汝崇秩。但事達朝廷，上意不測。汝當以罪人居于獄，庶九重知汝負罪引慝之誠，我之為汝請者，可如意而得。脫有他變，汝之堅甲利兵固在，我敢負汝哉！』乃命一指揮伴送入杭州按察司獄。直遂俛首受命，獄中供帳備具。自是日有宴，夜有官伴宿，雖在狴犴，無縲絏之拘，有費應之資，直乃安之，以俟恩旨。其黨之在舟者，亦賜遺不乏如常。杭城日夜戒嚴，如虎在拳。王激輩棲遲日久，各無鬪志。蔣洲以計先脫歸，宗憲乃遣將出師抵岑港，要賊黨去路。繼有別島賊來援，官軍奮擊敗之，斬獲甚眾，餘竄歸大洋。有詔誅直，梟其首，妻、子給功臣之家為奴。直眾既破，惟毛海峰等擁眾稱雄。然勢孤無援，時寇海濱，亦不甚張皇矣。後毛海峰率倭夷侵據舟山，官軍四面圍之，絕其水草。賊困乏，官軍夾擊，賊敗死殆盡，毛海峰亦死於亂兵中。③自是浙中稍得寧帖云。」

浙東備倭議曰：「昔我祖宗之制，防邊戍海，樹設周詳。郡縣之間建立衛、所，定海衛內轄四所，外轄後所、霩衢④、大嵩中中左所，旗軍一萬有奇，歲給官軍糧餉十萬餘石此皆舊額，今軍缺糧，減存者止十三。又置巡檢司九，曰螺峰，曰岑江，曰岱山，曰寶陀四司環置舟山，俱隸寧波府。，曰長山，曰穿山，曰霞嶼，曰太平，曰管界俱隸定海縣，莫不因山塹谷，崇其垣墉，陳列兵士，以禦非常。復於津陸要衝置為關隘，曰定海關在南薰門外，最爲衝要。舊制：額設指揮一員，旗軍五十名，盤詰舟航，以防奸細。官哨戰船停泊於此。今增協守民兵一十名，福蒼兵船亦停泊。，曰舟山關舊制：額設官軍盤詰，今撥福蒼兵船防守。，曰小浹港隘，曰青嶼隘，曰碶頭隘，曰錢家隘，曰梅山隘，曰慈嶴隘，曰橫山隘，曰螺頭隘，曰碇齒隘，曰小沙隘，曰沈家門水寨，曰路口嶺隘，曰岱山隘，曰大展隘，凡一十有六，皆屯兵置艦，以為防守。其中若定海關、舟山關、沈家門水寨、小浹港隘最為要害，自昔至今，尤致嚴焉。定海烽堠一十三，後所烽堠十，霩衢烽堠六，舟山烽堠二十五，咸設旗軍以瞭望聲息。晝煙夜火，互相接應。若霩衢之三塔山，舟山之朱家尖，矗峙最高，所望獨遠，故設總臺，多撥旗軍，戒嚴尤至。設總督備倭，以公、侯、伯領之；巡視海道，以侍郎、督御史領之（洪武三十年以後，總督領於都指揮，海道領於憲臬。）。海上諸山分別三界：橫牛山（在慈谿縣北大海中，與海鹽縣海洋爲界。）、馬墓、長塗、金塘、冊子、大榭、蘭秀、劍岱、雙嶼、雙塘、六橫等山為上界，又灘滸山、三姑、霍山、徐公、黃澤、大小衢等山為中界，花腦、求芝、絡華、彈丸、東庫、陳錢、壁下等山為下界，率皆潮汐所通，倭夷、貢寇必由之道也。前哲謂防陸莫先於海，緣邊衛、所置造戰船，以定、臨、觀三衛九屬所計之五百料（上定海港一隻）、四百料、二百料尖快等船一百四十有三，量船大小，分給兵仗火器，調撥旗軍駕使，而督領以指揮千、百戶，每值風迅（汛），把總統領戰船，分哨於沈家門。初哨以三月三日，二哨以四月中旬，三哨以五月五日。由東南而哨，歷分水礁、石牛港、崎頭洋、孝順洋、烏沙門、橫山洋、雙塘、六橫、雙嶼、青龍洋，亂礁洋，抵錢倉而止。（每哨抵錢倉，所取到單並各處海物爲證。）凡韭山、積固、大佛頭、花腦等處為賊舟之所經行者，可一望而盡。由西北而哨，歷長白、馬墓、龜鱉洋、小春洋、兩頭洞、東西霍，抵陽山而止。（哨至，亦取海物爲證。）凡大小衢、灘滸山、丁興、馬跡、東庫、陳錢、壁下等處為賊舟之所經行者，可一望而盡。由此而南，通於甌越，北涉於江淮，皆以南北兩洋為要會，而南北之哨，則以舟山為根柢。六月哨畢，臨觀戰船則泊於岑港，定海戰船則泊於黃崎港，（海中以六月十二日爲彭祖忌，颶風大作，舟必預期收港避之。）仍用小船巡邏，防守備至密也。今日倭奴，更不可以春汛期，（自三月至五月爲汛期，六、七、八月風潮險惡，舟不可行。九、十月小陽汛期，賊舟復可渡海，亦有停泊海島，乘間而至者，故今四時皆宜防海也。）而備禦宜益密矣。皇上軫念元元，震耀神武，命將興師，誅討不庭，一舉祖宗之舊章，而振飭恢弘之。設總督直隸、閩、浙軍務大臣，及巡撫都御史，以藩臬分任兵備，調發橫江烏尾船二百餘艘，（今皆廢壞）改造福清船四百餘隻，（停造五百料等戰船，取軍四民六料銀，增價改造。）蒼沙民船復數百隻，（或官造，或僱稅。）召募福建、兩廣、邳、徐、松藩、保靖、永順、桑直、麻遼、鎮溪、大㡖及蒼處等兵不下十萬，（今川、廣諸溪洞土兵，悉皆免調。）勅鎮守總兵駐劄臨山（今改劄定海。）協守副總兵駐劄金山（今改劄吳松。）參將分守各府（寧、紹一參將，並各府四參將。）把總統轄衛所，（舊制：臨、定、觀一把總，今定海專設一把總，並各衛共六把總，俱題請欽依。）一時任事之臣，非不攄殫謀畫，務底安壤。而豺虎未消，烽烟未靖者，蓋以城戍不足，而告急者多，則疲於奔命，庚帑不實，而資用者乏，則窘於設防，而凍餒者眾，則怯於應敵；土著不練，而徵召者至，則艱於行法，此皆用兵之大患也。且倭奴入寇，自彼黑水大洋舟行一二日，抵天堂山，復一二日渡官綠水，抵陳錢壁下，漸經濁水，（海水東去三四百里，涵泥而黃濁色，過此，水漸深而清，且滷，爲官綠色。千里之外，海極深，益滷，視之黝黑色。海道經所載及人所見皆然。）因潮乘風，寇無定跡。甌、閩、渤海，南北可從。即其南涉韭山，北由馬跡，舟山則四面可登，緣海則隨處可犯。游兵把總等官督領兵船，自春歷夏，凡小陽汛期，於南北海洋窮搜遠探，遇有賊舟，即為堵截，馳報內境，俾為預防。復於沈家門列兵船一枝，以一指揮領之；馬墓港列兵船一枝，以一指揮領之；把總駐劄舟山，兼轄水陸，總參標下各選練精兵三千，以聽征勦。（近年議將總參標下陸兵更屬海道兵備訓練，仍各選親兵一千隨征。）定海則屯聚重兵，屹為巨鎮。賊或流突中界，則沈家門、馬墓兵船迤北截過長塗、霍山洋、三姑，與浙西兵船為犄角，迄南截過補陀、桃花、青門關，與昌國、石浦兵船為犄角。賊或流突上界，則總兵官自烈港督發舟師，北截於七里嶼、觀海，參將自臨山海洋督兵船為應援，南截於金塘大貓洋，而石浦梅山港兵船為應援。以故今日之海防，會哨、分哨於外海者為第一重，出沈家門、馬墓之師為第二重，總兵督發兵船為第三重。巨艦雲屯，倭夷之舟航弗預也；火器飆發，倭夷之短兵弗預也。以我之眾，制彼之寡；以我之長技，攻彼所不足，折蛇豕之勢，而免內地震驚之虞，斯策之上者也。萬一踈虞而賊得登陸，由抽泥、烏山、鳴鶴場、古窑、松浦、丘家洋、官莊諸路，可犯慈谿與定海之西北境，以達於郡城，則向頭、觀海、龍山管界之備不可以不嚴，而丘洋、金嶴、慈谿、新城石牆之築，實所以扼其衝。由小浹港、穿山、崑亭、㡣頭、尖崎諸路，可犯鄞界與定海之東南境，以達於郡城，則小浹口置列兵船，海道兵憲譚綸，總兵盧鏜，建議於港口置鐵發貢，重五千斤者一座，調發兵船防守定海，添設民八槳船一十隻，汛期則巡邏哨探，汛畢則容其樵採近境與後所、霩衢、大嵩、甬東、太平諸所之備，不可以不嚴，而慈嶴、蛤嶴石牆之築，實所以扼其衝。由大浹口直走郡城，則西渡東津、桃花、梅墟之備不可以不嚴，而關口水陸之兵，與招寶山威遠城之築，實所以扼其衝。蓋我尺寸之地，皆係金湯，得人而守則其險在，我防或少懈則反以資敵。若舟山，故定海治也，四面環海，其中為里者四，為嶼者八十三，五穀之饒，魚鹽之利，可以食數萬之眾，不待取給於外。初以承平無事，止設二所守之，軍卒止二千有奇，而歲久逃亡且大半矣。重以城垣低薄，不足為固，萬一夷且生心，據以為穴，則險阻在彼，非有勁兵良將，卒未易以驅除。而彼方挾其利便，四出攻剽，則濱海郡縣，容得安枕而臥乎？此今日之所當以為憂，蓋不止如雙嶼、烈港之為賊窟而已也。夫海防莫急於舟師，今計定、臨、觀、昌各港官、民船可二百艘，仍增造福蒼沙船五十隻，復有八槳漁網等船。舊例：官船料價，六分則徵於里甲，四分則扣於軍儲，以充造作。三年則輕修，六年則重修，九年則折造，其價仍扣於月糧，變責於釘板，而給公帑以佐之。今之造舟給直，又數倍於昔矣。昔之出海，旗軍食糧八斗，內將三斗安家，五斗隨行。今之給餉水兵者，又數倍於昔矣，公私安得不困哉！且昔日之水軍，固皆尺籍之編伍，未始徵兵於外也，與其募閩人以充水兵，孰若省召募而兼用土著，使久而習其揚帆捩舵之法，戰功衝擊之技，宜無不便。況吾緣海之民，流亡內地，投充水兵以百千計，歸而用之，又奚不可哉！然滄溟萬里，茫蕩無涯，潮汐風勢之逆順，帆櫓人力之遲速，把截港汊要害之處，曠闊亦不下數十百里，非若潼關、劍閣，可一夫扼險而守者，寇已登突而為之備，計亦晚矣。即今定海衛所軍兵之外，復有總兵標下之兵，以戰以守，足備緩急。若霩衢、大嵩、穿山、龍山管界，形勢單薄，兵力寡鮮，宜各增置陸兵，勢相犄角，而於鎮兵所屯，相機調遣巡司鄉團，俾聯絡策應。若舟山則水陸缺防，亦不容緩矣。海道兵憲劉應箕，撥兵六百戍守霩衢，蓋為是也。議者曰：國初緣海之兵，自足以周備禦之用，而乃謂不足，何也？蓋衛、所之軍兵，止存空籍，竄漏裁革者過半，倉庾之儲蓄，止存空額，那移逋負者不貲，而復以羨餘歸計部，此皆非訏謨之善者也。近年衛、所軍兵，隻身、贅壻、義子，悉皆革罷，止准見在軍伍者派撥糧餉，皆指爲羨餘，解輸戶部，以充別用，故軍日耗而糧日寡。今欲圖安壤久遠之策，無他，舉祖宗之成憲而行之爾。奏復原額錢糧，盡充養兵、募兵之費，不得復以挪減充羨餘，禁止逋負之奸，不得以國賦潤豪猾。如又不足，不得已而加賦於民，當不至如今日之甚矣。仍嚴行清勾之法，移查原籍有無丁壯可補者補之，如原籍亡絕，即於衛、所見簡其見在丁壯補足。行伍贅壻、義子，年力強壯，俱准收充，不必執空籍以糜歲月。今巡撫趙炳然奏准舉行補足全伍官軍。其犯罪充軍者，嚴為解發，使明隸尺籍，遵照近年本兵題准事例，不得有所脫漏。又不足則召募土著之人膂力精強者，程能試補，仍復其身而給之食，立以程限，壯年為兵，力衰而罷。不苦之以終身，不陷之以永久，則人皆鼓舞，樂於為兵。軍無缺額，糧不虛廢，必無不任戰之民，死於無罪者矣。議者曰：「主兵不足，則客兵不得不用。夫環海之變故無常，東南之財賦有限，以有限之財賦，募無已之客兵，以防無常之變故，此豈異於割股以啗犬豕者也？況其貪殘之性，不減於倭奴，使久居內地，閑熟道路，習知土風，必有不戢自焚之禍。昔元末苗帥楊完之流毒於嘉禾，邇歲閩、廣之兵屢叛而從寇，益可鑒矣。」此言補足行伍，兼用土著，可以省召募客兵。議者又曰：「山海有自然之利，捐之民而困可甦，故屯大榭之田，可以固穿山之守；而耕牧金塘，足裨內地之糧餉。然其地廣袤，物產無窮，賊屢過而不問者，以其中未有可欲也，既田之則有可欲矣，能保其不據乎？苟無重兵以守，是委以與敵也，而可為之乎？」此軍大榭、金塘，斷不可田。議者又曰：「今之水戰，止能邀擊去賊而已，未能遏來者之鋒。夫來賊銳而去賊惰，擊惰易而攻銳難，人情所皆知也。然擊來賊者譬之，撲火於方燃之始，火滅則棟宇可以無虞。擊去賊者，譬之收燎於既燼之後，此其利害則有間矣。自海上下師擊來賊者僅一二見，戊午，參將張四維擒朱家尖寇；己未，總兵盧鏜殲三沙之寇。而邀去賊者，亦不過文其縱賊不追之罪耳。今若以擊來賊之賞，而優於追去賊之賞，以縱來賊之誅，而嚴於縱去賊之誅，更得當事者同心僇力，急如救焚，則邊鄙又何不寧耶？」此言水戰以擊來賊為奇功。議者又曰：「我兵陸戰，每退怯而鮮成功。夫倭奴常敗於水而得志於陸者，非其勇怯有殊也，交兵海上，吾特以戰艦之高大，帆檣之便利，與火器之多取勝耳。總兵俞大猷，嘗議賊或製舟與吾巨艦等，則未易取勝，故防海尤急于防陸。總兵盧鏜攻破雙嶼，得蕃寇鳥嘴銃與火藥方，其傳遂廣。彼登陸即沉船破釜，所以一其志也。環龜自守者，專其力也。顧能用兵，飽以饑我，逸以勞我，伏以伺我，佯北以誘我，狡獪深入之窮寇，與吾柔脆之兵相角逐，勝負之數，可坐而策也。誠能察彼、己之情，即以其勝我者而勝彼，握符馭眾者，復以威克厥愛行之，寧不足以殄滅兇頑耶？」（此言陸戰當以謀勇兼全取勝。）議者又曰：「定海緣邊舊通番船，宜准閩、廣事例，開市抽稅，則邊儲可足，而外患可弭。」殊不知彼狡者倭，非南海諸番惜身重命保貨之可比，防嚴禁密，猶懼不測，而況可取之乎。況其挾貲求利者，非脯肝引血之徒，捐性命犯鋒鏑者，必其素無賴藉者也。豈以我之市不市，為彼之寇不寇哉！殷鑒不遠，往事足徵。當商船未至，而絕之為易，貿易既通，一或不得其所，復將窮兇以逞，此時何以禦之耶？況彼之寇邊者，動以千萬計，果能逼一而與之市乎？內地之商，聞風膽落，果能驅之而使與之為市乎？既以市招之而不與市，則將何詞以罷遣之耶？市以百至，兵以千備，市以千至，兵以萬備，猶恐不足以折其奸謀，今我財力，果足以辦此乎？且市非計日限月之可期也，彼之求市無已，則我之備禦亦無已，果能屯兵而不散乎？此皆利害之較然者也，乃謂可以足邊儲而弭外患，不已大謬耶？（此言蕃舶不可通。）議者又曰：「倭奴悔過，或揚帆稱貢而至，又將何以處之？」昔楊文懿公守陳，嘗著卻貢之說，謂其受貢亦侵，不受貢亦侵。今倭奴已為讎敵，乃於構隙之餘，復敢懷其狙詐狼貪之心，而欲售其譎計，其罪不勝誅矣，況可與之通乎？且前此入寇之少，以通蕃下海勾引嚮道者少也，今茲入寇之多，以通蕃下海勾引嚮道者多也。不嚴禁姦之令，而欲開非時入貢之門，是止沸而益之薪也。況倭王微弱，號令已不行於國中，即使通貢，果能禁諸島之寇掠乎？且常年貢使止數百計，而往歲寇邊之賊，動以千萬計，豈寇邊之賊皆欲貢，而不得貢者乎？謂宜頒降詔旨，申命海道帥臣，益嚴守備，貢則却而驅之出境，寇則草薙而禽獮之，則彼姦謀狡畫破阻不行矣。如其引慝伏罪，重譯效款，必欲率賓，同於諸蕃，以自納於覆載之中，則必質其信使，堅其誓約，諭令禁戢各島不復犯邊，期以數年為斷。若果能恭命不渝，而後如先朝例，復許之貢，此則義之所以為盡，仁之所以為至也。是故明徵定保，君子監成憲而行之，修治垣隍，慎固封守，一策也；編立保甲，內寓卒伍，一策也；譏察非常，嚴禁闌出，一策也；綏拊瘡痍，固我根本，一策也；此皆所以治內也。修復墩堡，嚴明烽堠，一策也；繕治器械，精理戰船，一策也；此皆所以治外也。至於練主兵而免調募之擾，足財用而資軍興之需，聚芻糧而給餉以時，嚴賞罰而功罪不掩，設畫樹防，出奇應變，為吾之不可勝以待敵之可勝，則在中外任事之臣加之意而已。然昔人有云：「其備不在邊境而在朝廷，故曰無怠無荒，四夷來王。」又曰：「惟德動天，無遠弗居。」今明主方隆唐、虞之德，崇干羽之舞，又何必規規責效于甲兵之末乎？

直既就戮，海賊徐惟學等據島分掠，往來于福建省界，⑤蜂屯豨逐，連破縣城。

三十八年二月，倭寇犯饒平，流入漳州等處。督闖范欽遣都指揮孫敖會兩廣兵進剿，親率狼兵及千戶張春等，二次斬級七十七顆，生擒九名，奪回被虜官民人口一百八十餘名，牛馬二百二十餘頭匹；陸續官兵又獲真倭賊一，名林居鳳，奸細余超、張大、陳元愛，接賊犯人楊二，及賊馬、吳絲、紬、絹等件。百戶趙孟李，鎮撫楊德於石牌地方斬獲倭賊首級十顆，典史萬邦邑，奪回被虜一人，番衣一件。

四十二年，復破興化府城，都御史譚綸，與參將戚繼光率師救援。賊走，敗之，潰入廣東界。

野記曰：「歲癸亥，倭賊圍興化城，相持數月，殺掠無算。賊偵近郊塚墓為鄉宦富室者，則發其棺舁至城下，而俾之贖，否則屠屍而焚焉。城中米價倍湧，無所得，至於薪、水俱竭，軍民疲困殆極矣。參將劉顯，駐兵江口應援，不敢進；兵備副使翁時器，新至任。適鄉宦陳應時建策，謂城上刁斗喧噪，賊視為常，今令夜不舉號，鳴柝息燈，靜坐至三更，四門各舉銃飛擊賊巢，若欲往刼之者，使其自相鬬殺，我軍繼之，可以取勝。時器從之。適顯使健卒八人，間道以公文會時器，其服俱以天兵二字為號。倭賊得而殺之，乃相與定謀，選黠賊八人，各服其服，持公文叩城。城中遂挽而上。或有言健卒不類，須察而防之。時器不聽。諸賊因得遍觀街巷出入、樓櫓登降之處。時器下令守城者入夜輒靜，譁則有罰。時眾久憊，是夕相與寐熟，舉城寂然。賊探至城下，試呼官軍，無一應者，乃罵：『城中人豈俱死耶？』八黠賊乃放火舉號，賊皆掩至，長梯蟻附而上，亂殺守卒，開城門擁入，縱焚廬舍，而時器猶未之知也。眾亂，時器從東門引下逃脫。賊分守城門，吏民無得出者。時賊半為漳州土人，凡有名士大夫及巨室，悉素知之，拘繫一大寺中，命以金帛贖身，各限以數，不如數者，腰斬鋸解之。蒲多縉紳，有四五世科第相承者，古今典籍比屋連巷，至是俱罹鋒燹，為斯文之烈禍。賊搜掠編戶，靡有子遺。屯城月餘，糧食盡罄，城外亦蕭然無可剽掠者。賊不能住，又慮援兵將集，去屯平海衛為巢。都憲譚綸與參將戚繼光兵，統兵攻之。繼光兵四千，聲言三萬，俱義烏人，素練習知軍法，而繼光又善鼓舞，俱敢向前死戰者。

繼光初至，惟言我兵遠來困疲，須養月餘乃可用也。因出橐資，命造紙甲，既完，猶言未可用。賊探知之，守稍懈。一夕夜半，忽傳令造飯，飯畢，自率兵居中，俞大猷為左，劉顯為右，啣枚疾走，天明逼賊巢。賊不意猝至，皆棄巢走。官軍掩殺，呼聲動地，斬賊數千餘，逃奔至廣東界。初，有庠生張某者，十年前夜夢一鐵甲人，告之云：『我是天兵，放火殺人，歷午未至酉辛，滅皇紀，破土城。牛女之分，號令明，重熙會，見太平。』醒而記其半。至夜，復夢如前，乃記全文，常與眾語，不知此為何兆。至是，八賊果以天兵服色倡難，進城以午未日，出城以辛酉日，於譚號二華，戚名繼光，並合重熙之義。二公紀律嚴整，士各用命，又俱江西人，分野屬牛女，而賊迄今前夢語，無不驗者。則生靈禍伏，冥冥定數，信不可逃者也。自是閩恃譚、戚為長城，而賊迄今蔓延，抄掠各邑，未獲安堵。繼光父某，亦為總兵，先在山東魯橋，與賣卜者鍾八交好甚密，鍾授繼光父以兵書，且教其用法，相別去。繼光有事至京，旅次，一日鍾復來訪。時繼光母方妊，父年三十一，未有子，因侵就館所得是男是女。鍾曰：『若欲男，須戊子年九月朔亥時生，乃汝子耳，可名之曰鍾祥壽，他日以勳名昌汝家也。』繼光父笑而頷之。是後鍾每至不由戶入，從空而下，去則付從空而上，倏然不見。繼光父知非凡人，盡誠祈叩之，鍾乃吐實，謂我狐仙也。自此不復再見。繼光父抵家，果產女，後母復妊，至戊子年閏九月，父意其言，默禱俟驗。迨朔日亥分，忽見鍾閃入臥內，舉子即繼光也，小字鍾祥壽。既長，父授以兵法，穎悟若素習。負膽氣，饒智略，有古良將之風。御卒雖嚴，恩養備至，甘苦與共，結其死心。教以戰法，賊敗不許取首級，惟以鏖戰為功，臨敵却顧者，始犯則截其耳，再犯則梟首，偏裨以下不少貸。所獲賊輜重，俱歸將士，分毫無所私，故戰無不勝。著心法紀略，兵間鑿鑿，皆可行云。」

四十三年三月，倭賊屯潮之烏石，流突滅水都神山溝地方，約三千餘人。都閫范欽，會同兩廣軍門吳桂芳，恭順侯吳繼爵，督兵進剿。三月二十六日，總兵俞大猷移營，五鼓發兵，以福兵並王詔、門崇父二參將下，兵分三大枝而進。午時逼賊寨。賊率精銳出寨擺定，分兵來衝。福兵首與相持，半頃未決。俞大猷督後，急遣人斬哨長首級二顆，徧行宣示於福兵，奮勇先登。王、門二參將狼兵繼之，吶喊直奔賊中，大戰良久，一鼓破之，或奔入寨，或奔入山，各兵分投追殺，殺六百有奇。恐寨中埋伏，用火箭、銃炮四面圍焚，燒死一千餘人。是役倭賊大率死於鋒鏑灰燼，將及二千，奪出被虜者逾數百人。已而敗衄遁走，搶船出海。忽風雷大作，俱溺，無免者。

廣東海倭論曰：「海寇有三路，設巡海備倭官軍以守之。春末夏初風迅之時，督發兵船出海防禦，中路至東莞縣南頭城，出佛堂門、十字門、冷水角諸海澳。東路惠、潮一帶，自柘林澳出海，則東至倭奴國，故尤為瀕海要害。西路高、雷、廉海面，惟廉州境接近安南，為重地焉。夫倭當朝鮮之下流，山巒巉屼，而環以大海，天地東南之仁氣至此而盡。性譎且兇，狙詐狼貪，風土使之然也。歷齊、魯東、淮、浙、泉、漳，而後至於潮，雙桅出沒東洋，如履平地久矣。其為海壖患也，弘治以前無通蕃者，故亦無海寇之擾。正德初始漸有之。宋素卿、宗設〔謙道〕之犯鄞，圍城刼庫，放火殺人，非無人而至前也。吾廣玩愒，防備失策，漳船過糶，而巡哨私通。是以螳螂逞威，肆其暴竊，一聞風鶴，懼喙宵奔，豈非浙固剝床，災近者耶？然波濤洶湧，千里呑吐，而我之步騎弗與。木筏輕舸，俘沉聚散，出沒若鬼，而我之巨舸弗與。彼若焚舟登陸，拼死而鬪，又有交通接濟為之助焉，浙災其在閩、潮矣。是故杜寇之來，莫若嚴於自治，禁豪勢交通之私，斷小民接濟之路，沿海居民互相保伍，昭王度，示國信，俾其革心，感我綏來，計之上也。師有潛伏，謀有察微，勢有窒礙，謀在攻堅，以不可勝而待勝，計之中也。若夫立鈎距作沈，命草薙而禽獮之，計之下也。噫！用其上，寇亦民矣，用其中，寇自寇矣，用其下，則民亦寇矣。司海道者請三思之！」

方倭之寇浙，趙文華以工部尚書賜玉帶出督察，胡宗憲後亦論功加兵部尚書，有玉帶之賜。既文華還朝，得罪罷職。時寇既平，朝議宗憲、文華及巡撫阮鶚費用不節，軍餉多弊，上命給事中羅嘉賓，御史龐尙鵬，同往查軍門及督察用過錢糧數目。文華冒破十二萬，阮鶚六萬，宗憲亦不下十萬。疏論其侵匿。時宗憲猶在浙，曲爲彌縫，上疏辨明。鶚去官，文華已故，皆坐貽追併。後南科給事中陸鳳儀，疏劾宗憲不法事，上詔逮至京，尋原其罪免歸，皆輔臣嚴嵩之力也。遂以都御史趙炳然代宗憲，除總督福、直，㘅止巡撫兩浙，兼理軍務。炳然舊爲浙巡按，見宗憲靡爛之弊，務崇安養，民得息肩矣。然浙之嘉、湖，與直之江南諸郡，固澤國也，縣多無城，府雖有城，而弛斥不堪禦寇，況承平日久，驟加倭警，非惟鄉民奔竄不自保，凡城中居民亦無固志。於是各處縣邑俱創新城，而府城之圮壞者皆議增高培厚。嘉興爲浙西直南，倭寇必經之地，尤爲要害。知府侯東萊請於當道，重修其城，屹然爲東南巨鎮焉。

行人嚴從簡東南巨鎮賦序曰：「維昔南仲，城彼朔方，玁狁於襄，詩人賦之。而周宣中興之美，南仲良翰之績，炯炯若在當時，而親覩其盛也。嘉興為浙大郡，予之故里，擾於倭夷，民遭荼毒，視玁狁蓋有加焉。而城守之議，累歲弗定，偷豫目前，不為遠慮，能免厝積之虞也幾矣。維時監司郡守，却顧而起，規畫既定，百堵具興，匝月迄事，不失尋丈，可以制治保邦，使海魁望而畏，聞而遁，如玁狁不再肆於朔方也。予奉使江藩，便道歸省，適觀厥成，嘉其保障之有藉，而民風可採以上獻也。敢繹詩人之緒，比辭摛藻，以紀一時咨諏之所得云，豈敢自謂登高能賦也歟哉！賦曰：『奧惟名郡，瑞產嘉禾，治分七邑，道達四途。星麗斗女之纏，險環海若之都，虎右琚而望越，龍在盤而控吳。塞以泰山，枕以太湖，雄一方之形勝，冠兩浙之輿圖。民生其間兮，既庶而康；百年化洽兮，守法而臧。士詩書兮農稻糧，外弦誦兮內組裳。怯於見長吏兮，重於去故鄉。非有推埋睚眥之豪兮，亦無探丸鳴桴之強習。太平之嬉遊兮，曾不識夫金鎗。雖外戶之不閉兮，誰念及？夫城隍頹垣兮，斷塹破櫓兮，屺梁荊棘兮，叢生鼪鼯兮，嘷藏台上下兮，恬熙忘儆戒兮，苞桑夫何昊窮，降割歲癸不仁。天蠆掉尾以生狼，狂鯢鼓數鬣以揚氛。驀倭奴之市艦，泊武原之海濱。曾無幾人而登岸，可以一討而成擒。豈奈我軍之烏合，輕嘗彼賊之狼腥。始轉戰於鹽縣，既敗北於竹林。嗣是寇知無備，大集四侵。或由姑蘇，或由柘村，或由沙川，或由石墩。指郡地以為囊橐，遂直擣以薄孤城。烽焰倐起，玉石俱焚。烏驚星散，鬼哭天昏。此在郊野之慘毒，孰與城居之酸辛？驅孱弱以荷戈，分堡垛以守援。流矢進插於內舍，飛丸直貫於周塵。荒垣可以立碎，肩壁可以潛攀。遑遑晝夜，額額如年。時有訛言之卒發，恒致隤竄之莫前。遊魚於釜，笠獸於柵，或掩泣以待戮，或乘隙以出遷。蓋危於壘卵者凡幾矣，而猶或免於摧殘。天不好殺，賊飽而還。乃僥倖於一擲，非可恃於萬全。時則元戎懲其禍，御史恤其危。諸司讚其猷，士民條其規。咸謂諸郡之要害，獨惜茲城之敝頹。宜崇宜補，宜擴宜培。雖眾議之僉同，惟當事之睽違。靳小費而昧弘略，計目前而忽遠程。譬諸富人巨室，門扃不硜。未免犬吠夜起，主人不寧。矧溟濤之叵測，能安枕於無驚。事如有待，以迄於今。既天時民志之協吉，正一勞永逸之當興。迺請迺任，迺相迺視；迺咨迺諏，迺營迺締。圭測既定，大功斯起。不聞徵召，工雲集矣；不聞採鑿，石山纍矣；不聞斬木，楨森列矣；不聞破壞，土層屯矣；不聞戒儲，餉日盈矣；不聞會歛，費時給矣；不聞督責，畚插騰矣；不聞令委，官司效矣；不聞致期，雉堞整矣。詔爾勿亟，眾子來矣。倏爾匝月，事告竣矣。卑者是崇，傾者完矣；狹者是闢，薄者厚矣。豈神輸而鬼運，實經畫之中理。不勞民而傷財，竟大工之畢舉。由是國有維翰，民有攸護。奸可防，隙可杜。戰可勝，守可固。聿制治於未亂，信折衝於樽俎。建一方之巨鎮，樹東南之強輔。噫嘻！人知新城之為美，曷若舊業之安堵。則所以感時追盛，而扶植其基本者，尤宜先務也。故觀於其市，則百工居肆，行旅出途；商賈輻輳，弦管謳歌。作息不禁，襦袴且多。昔之恬利斯城者，今果不耗其資乎？觀於其士，則從容庠序，帝典王謨，濟濟藹藹。樸棫菁莪，桃李蔭植於公門，奎壁聯耀於黌廬。昔之黻黼斯城者，今果不喪其美乎？觀於屬邑，則鹽膏展武，澤潤當湖。魏塘仁洽，崇桐義摩。嘉秀風淳，無事鞭蒲。昔之拱翼斯城者，今果不至於難析乎？觀於田野，則三農奮力，百穀盈阿，穰穰千倉，稅無負逋，雞豚粳糈，喜饜妻孥。昔之充溢斯城者，今果不至於匱乏乎？觀於武備，則犀革七屬，膠弓五和，危樓巨櫓，長矛短戈。壺橐鏦鏦，清角烏烏。肆皇靈之昭赫，將妖沴之潛磨。昔之壯固斯城者，今果不至弛斥乎？何以使人民之咸賴，何以使德政之弘敷，何以復承平之善治，何以起康衢之謠歌，蓋既不忽乎地利，自當究意於人和。吾時登城之南堡兮，俯鴛湖之在袖。為檇李之巨浸兮，迺鍾靈而毓秀。菱蒲魚鱉之繁植（殖）兮，菽米舳艫之雜驟。忽薰風之可迎兮，信慍解而財阜。且危亭之當面兮，煙雨霏霏以交溜。思撫景以布惠兮，保治安之長久。吾時登城之西譙兮，盼雄藩於武林。龍飛鳳舞之為勝兮，錢碑宋殿之何尋。三秋桂子兮，十里荷芬；君臣宴逸兮，社稷分崩。嗟往事之可鑒兮，奈奢麗之猶存。茲風土之相接兮，矧習俗之移人。矯枉歸正兮，戒彼荒淫。思明德弘勳之努力兮，媲吳山越嶺以嶙峋。吾時登城之東碟兮，望溟渤之洋洋。彼旭日之飛升兮，噓下土以太陽。噉金烏之閃鑠兮，消氛侵之毫芒。鯨鯢遠遁兮，魑魅潛藏，海宇澄清兮，戎隸來王。思內順以外威兮，是用惕夫蠻方。吾時登城之北樓兮，瞻縹縹之五雲。唯仁聖之端居兮，司黜幽而陟明。矧醜倭之跳梁兮，每廑慮以焦神。睠賢能之翰垣兮，奏治最於彤廷。什南顧之殷憂兮，當殊擢以示旌。思實大以聲宏兮，膺天寵之惟殷。環顧重城之四表，願言駿惠之旁流。匪直茲邦之受福，亦卜鳳曆之鞏悠。聊綴翰以紀盛，俟彤管以羅搜。比獮狁之于襄，庶南仲之作求。』亂曰：『惟城之高，千層霄兮。皇猷軒朗，亦峻極兮。惟城之厚，盤下土兮。聖化汪濊，亦何垠兮。鬼神呵護，禁不祥兮。海不揚波，刁斗靜兮。群黎百姓，寧幹止兮。騑騑四牡，觀厥成兮。採採民風，獻儆戒兮。佐天子於有道，俾四夷以為守兮。』』

按別書載：杭州指揮陳善道，舉武進士。多謀略。癸丑四月，流倭百餘犯赭山，赭乃杭海關隘也。善道率民兵三百，徒走七十里，遇賊，手射殺六人，梟首一級。賊大驚，進迫之。民兵皆烏合之眾，一時瓦解。善道獨戰于濘鹵中，韉滑蹶仆，遂被洞脇而絕。壯士潘賓、王貴赴鬪，俱死。奏聞，勅建祠，祭如典。祠在杭西湖之上。又，歐陽深，南安人，以太學生例授衛指揮。倭犯泉州，逼城而陣。深督藥弩手射却之。復逼同安城。深率弩兵破賊，追出苧溪而還。壬戌，中丞游震得，檄授深兵，會賊發冢質贖，且及深先塋。深緝知賊可夜劫，潛師冒雨破賊于洋頭山。賊復屯八尺嶺，謀絕郡城餉道。深率師擒斬其酋，連拔七砦，餉道以通，兵威大振，招降數萬人。復執江一峰、李五觀等，戮之於市。奏績，上嘉其功，欽授都指揮僉事，專職泉、漳地方。永春賊酋呂尚等，皆窘乞降。是年冬，倭奴陷興化郡城。時倭新至，銳甚。游中丞檄深進兵復城，乃進屯瀨溪，時兵僅千餘人耳。與賊對壘，賊數夜劫，以營堅，輒不利而去。由是不得南下，無何棄城遁，保崎頭堡。深入城，視府庫，撫餘民，越日移劄東甯，逼賊巢十五里。賊日以數十賊挑戰，深堅壁以伺其便。月餘，援且至。賊聞，悉眾來攻，乃身率親兵迎戰，數合，勝之。至晚，賊四合來攻，我兵寡疲，深以死自誓，身被二鎗，猶手刃二賊，力戰不支，遂被殺。裨將薛天申、周岳鎮，及麾下數人同赴敵，死之。深死不旬日，援兵至，遂滅賊。中丞以聞。賜立祠祭，給棺殮費，蔭子孫世襲指揮僉事。又，王德，字汝脩。溫州人。少英異，有大志。舉丁酉鄉試，戊戌進士。庚子授東昌推官。嘗署高塘，民病汲，開北門便之。鑿土得石，石文有曰：「北門開，王德來。」人以為神。後棄廣東兵備僉事東歸。丙辰，倭擾入溫，官府熟視不知計。德主族議，練鄉兵待之。倭度（渡）南溪，入蒲州。殲之於上金，斬首十有六，擒十四人，拔其脇虜八十人還之鄉。明年，復殲于梅嶺，斬七首。自是倭畏永嘉場，不敢犯。永嘉場，王子之所居也。戊午四月，倭酋數千方圍樂清，兵備袁祖庚來告急，遂移袁寧村，以便策應。其日，參將張欽來附。是時倭圍郡甚急，袁請授以欽，並進德，許之。凌晨，簡輕銳，從間道往。日晏，伏起金嶴，遂遇害。當變作時，手猶射殺數人。張欽兵相視甚邇，無一捄者。總督胡宗憲上于朝，詔贈太僕寺少卿，立祠郡城，蔭子世襲百戶。嗚呼！當王子為兵科，為兵憲，以兵死。死職也，今死溫，何哉？觀此二傳，則當時死事于倭者，多不能悉，而倭之展轉地方，亦因可見，故附記之。

自王直倡亂，被禍莫甚于浙江，次而福建，次則廣東。三鎮大臣自當協心同力，肘臂相應。浙江巡撫趙炳然，上浙江邊防事宜八事，疏略曰：「臣惟成可大之業者，固在於用人，立可久之規者，尤在於以法。蓋有人非法無據，有法非人不行；以人行法，事之所以永濟也。臣竊見東南自有倭犯，十年於茲矣，禍始於浙之東西，後延於江之南北。仰荷皇上徵兵命將，議餉出貲，神略斷自淵衷，玄威震諸海表，以致醜逆就殄，兩江已寧。雖浙江時有發作，臣防禦是慎。惟福建去歲寇變非常，而浙境實相唇齒也。蓋出此入彼，海之港口皆通，避實擊虛，賊之姦謀叵測。法曰：『勿恃其不來，而恃吾有以待之。』正今日之急務也。臣自抵任以來，咨詢既竭，寢食靡遑，恐無以仰副皇上任使之重。除汰冗兵，減糜費，見議題請外，謹將防海事宜條爲八事，上請聖明採擇焉。此皆衆口之常談，諸臣之屢疏，與本兵節有議行者。但人情玩於故常，而功效沮於虛應，終成畫餅，未見敷功，此臣之所大懼也，不敢不有言也。伏望皇上勅下兵部再加查議，如果可行，懇惟申飭令臣督責司道、將領、軍衛、有司文武等官，著實舉行，有不用命者，聽臣參劾，此可以奏目前之安，而爲有備之算，亦一策也。若夫求安攘之大計，立永久之弘規，則揀任守令，而責以民兵保甲之法；整頓衛、所，而責以軍兵戰守之宜。敬修祖宗，內而沿海鱗次之兵，外而出洋戰船之制，江之南北，浙與閩、廣，各選一大將，以統其權；擇數偏裨，以專其地。隱然常山之蛇勢，仍行各省撫、按等官，因邊以計兵，因兵以計食，允矣。戰守之鴻圖，先治己而後勝人，急內安而求外順。伏惟皇上神明，下之兵部，再加酌量，擇義而行，天下幸甚！東南幸甚！臣愚幸甚！一曰定兵額。臣惟將貴專謀，兵尚服習，欲觀號令之有紀，必須綱紀之素明。浙江之兵，原係募用土人，並非衛、所尺籍；所用頭目，或名把總，或名千總，或名哨官隊長；所部各兵，或六七百名，或四五百名，或一二三百名；把總不必同於千總，千總不必多於哨官，權齊心異，似無體統。臣督同三司各道及總參等官會議，兵額除水兵因船之大小，布港之衝僻，祇應出哨，按伏打截，不在營伍之例外，其餘陸兵倣古什伍之制，五人爲伍，二伍爲什，外立什長一名；三什爲隊，外立隊長一名；三隊爲哨，哨官一員；五哨爲總，外立把總一員；五總爲迎，俱屬主將一員，與高標旗纛、哨探、健步書醫、家丁等役俱領之。舉一營而各營無不同也，舉一總，一哨，一隊而各總哨隊無弗同也。非但虛數難容，錢糧有紀，如是而以上臨下，以卑承尊，名分定而號令行，心力齊而氣勢壯。居常則合營操練，遇警則分布戰守，庶幾乎心之使臂，臂之使指之意矣。二曰振軍伍。臣惟民出賦以養軍，軍出力以衛民。今之軍皆食民者也，然寇變之來，不惟不能衛民，每借民以爲城守之助。是養軍者民也，保軍者又民也，禦賊者民也，保民者又民也，積弊已久，殊失設軍之意矣。臣督行二司清軍及都司操捕等官，通將所屬衛、所，選委廉幹府佐官員，親詣調查卷冊，備將實在軍丁，除屯運外，不分正餘，清出挑選正軍，老弱者，就以本戶壯丁頂替，逃亡絕戶者，即撥鄰近餘丁抵補，編成行伍，造冊在官。仍選任智謀掌印、操捕等官，加意撫恤，不時操練。一面將各逃軍行原籍勾解屯糧，行所司追給。至於買閑占役，差遣跟官等弊，通行嚴革。目前雖未敢遽謂可用，而從此練成，與招募客兵表裏戰守，則主兵日充，主威日振，將來客兵可以漸減，三年之艾，及今蓄之，尤之可也，衛、所有所賴耶？三曰練民兵。臣惟民壯弓兵之設，本爲防捕盜賊，盤詰奸細，而無軍州縣尤籍以備禦者也。近雖半追工食，以資募兵之餉，然存留者不少。各該官司或以之跟用役使，或以迎送勾攝，至於編僉，聽憑棍徒包當，曾無選練實用，徒爲衙門市棍淵藪矣。茲者盜賊橫生，不止外寇，合將民壯弓兵務選勇健應役，責成該掌印巡捕等官，以時操練，習熟武藝，遇警協助軍兵，並力戰守。有功之日，各該官司並行獎勸各役，重加犒賞。如有縱盜殃民，通行懲戒。及不許跟官役使勾攝，迎送市棍包當等弊。果能練成，非但擒捕盜賊，即使大寇突來，而捍禦有具。一役之練，一役之利也，郡邑不有所賴耶？

四曰立保甲。臣惟浙江地方，在邊海則有倭寇，在內地則有盜賊，在河港則有鹽徒，在山僻則有礦徒，中間外作嚮導姦細，內爲接濟窩家，往往有之，若非申嚴保甲之法，以謹譏察，以相救援，恐無以弭盜而塞源耳。合行守巡兵海等道，通查各府州縣城市鄉村，每十家編爲一甲，選一甲長；每十甲編爲一保，選一保長。平居則令互相譏察，不許出外非爲，及容留歹人。倂有窩隱不舉者，一家犯罪，九家連坐，甲長犯罪，保長連坐。仍令各甲置辦隨便器械，一家有警，甲長鳴鑼，九家齊應。如賊勢重大，保長鳴鑼，九甲齊應，一保鳴鑼，各保齊應。有不出救應者，許被盜之家告官，或訪出通行治罪。其山海之間，大族巨姓，自相連合，力能拒寇，各保身家者，仍立族長。平居有警，亦照保甲之法。有功者各與官兵同賞，不救者亦與失事同罰，俱不許令其出官打卯迭迎勾追勞費等事。如此非但足以譏察內姦，亦可以防禦外盜。一方之行，一方之利也，村落不有所賴耶？

五曰明職掌。臣惟浙江一省，設六把總以分領水兵，四參將以分領陸兵，又設一總兵以兼統水陸，練兵防禦，各有專責。曩因海洋有警，總參等官統駕兵船下海，恐難分兵應陸，即以陸兵付諸海兵各道管理，固一時權宜之處也。然各道之在地方，勢權爲重，而選練譏察與夫錢糧尤爲至要事，固不可不假於各道耳。臣恐遇警之時，衝鋒破敵，又將官之事，各有定分也。今後總參官員，各照原分信地，用心防守。各道則選兵稽弊，調度錢糧外，其居常將官操練，該道閱視。遇敵，將官攻剿，該道監督，不俱（拘）水陸，悉照遵行。其臨敵功罪，則以將官為重，平時修舉，則以該道為重，使文武共濟，不得互諉。及照省城防守管操都司等官，於水利道設兵一營，一例而行，庶職掌分明，而常變有託，戎務賴以振揚矣。六曰分統轄。臣惟任將所以專事，分地所以責成，貴在隨宜而酌處之耳。今原設鎮守總兵官一員，住劄於浙江定海，以統浙、直水兵；協守副總兵一員，住劄於直隸金山，以統浙、直陸兵。平時責任雖有水、陸之分，臨敵征剿則無水、陸之限。南北並峙，控扼海防，俱任兼浙、直，處亦善矣。但此總督節制時事也，今總督已奉明旨革去，則浙、直為二鎮矣。臣以巡撫浙江，是金山副總兵，不得用之於陸，而巡撫直隸者於定海總兵，不得用之於海矣。況浙、直遼闊，水陸艱劇，若使照前均統而兼任之，恐有不便。伏望皇上勅下該部議擬，合無將總兵、副總兵官各照信地，在定海者止屬浙江，在金者止屬直隸，各總理水、陸兵務，如浙、直鄰界。水、陸有警，亦照巡撫事例俱有互相策應，勿分彼此。如有推諉觀望者，聽臣等與該巡按御史參究，庶乎事有專責，兵有專統，既不失共濟之意，又可免牽制之虞矣。七曰嚴哨應。臣惟浙江海防，分布水、陸，兵已有定矣，然哨探者三軍之耳目，而策應者一身之手足也。但各該將領、官員，平時而不先哨報，遇警而不相策應，誠恐外寇突來，何以猝應？合行令海兵等道、監督參總等官，要陸兵守險，水兵出洋，嚴行哨探，互相傳報，必使水兵在洋遇賊邀擊，不令近岸。縱有近岸，陸兵堵截，不令輒登。即若登犯，併力夾擊，不令流突。又或奔遁下海，水兵仍行截殺，不得搶船脫去。如追餓犬，不令休暇，以收一鼓成擒之功。

斯易爲力，此水、陸戰守之大機也。若或賊登岸而水兵不知，賊燒刼而陸兵纔覺，以致賊合勢甚，用我嚮導，得我地形，而又逞彼技勇，滅益難矣。是哨探之不明，傳報之不速，防剿之不力，策應之不前，罪將何辭？失事官兵，先拏處治，將領嚴行參究。八曰公賞罰。臣惟賞以當功，則人以勸，罰以當罪，則人以懲，古今之通道也。東南自倭患以來，刑賞之間，屢經諸臣之所建白，本兵之所議覆，賞申五等，罰重臨陣，可謂明且備矣。臣尤有說者，蓋運籌決勝，主將之能也，衝鋒破敵，偏裨之任也。今之將領，退縮逗遛，厥罰獨重矣，而戰勝攻取，厥賞可不獨優也耶？以此較彼，分自有間，而功罪自不能以相同。夫惟不同，則公論能明，而趨避莫售矣。今之論賞，其在督、撫諸臣，會計兵糧，預謀戰守，責固惟均，而率三軍蹈白刃，履危冒險，所不與也。以督、撫與主帥同是，故有希功而揑報者矣；今之議罰，督、撫與主帥同是，故有掩罪而扶同者矣。又或功成於部下，而主帥不以明；罪始於頭領，而主帥不能正，皆非利害相關，而指臂與心氣之所以不貫也。今後如有僨事敗軍，將領之責，視文臣固專，而論功錄勞，文臣之賞，視將領貴薄，其在部下，尤當賞不遺賤，罰必自始，庶法典至明而至當，人心可勸而可懲。宋臣鶴飛曰：『文官不要錢，武官不怕死，天下太平矣。』⑥此言最核，蓋各有分也。」疏上，下本兵議。尙書楊博題謂：「臣博總督宣、大之時，已嘗具題本部，覆奉欽依，查與本官所奏，更爲詳密。南北事體，大略相同，合無備行本官，以後遇有斬獲功，則以親臨戰陣爲主。首敍總兵之功，督、撫止於加賞。如偏裨有功，總兵不在戰陣，亦止議賞本兵，與巡按御史通不許論功。失事有罪，亦以將領爲首，其部下之人但有功級，俱當從重論敍，不宜輕遺微賤，以失士心。」上悉嘉納。詔江北、江南、浙江及福建、廣東等處，一體遵行。

然倭亂已十餘年，皆中國奸黨勾引指使，其國王源（足利）氏初不之知也。督府曩嘗遣使（即陳可願、蔣洲）移文國王，令其禁戢屬島。國王勢弱，號令不行，各島俱無受命者焉。

按：鄭端簡公吾學編云：「嘉靖元年，倭使爭貢仇殺。給事中夏言上言，禍起于市舶。禮部遂請罷市舶，而不知所當罷者市舶太監，非市舶也。罷市舶而利孔在下，奸豪外交內詷，海上無寧日矣。番貨至，輒賒奸商，久之，奸商欺負，多者萬金，少不下千金，轉展不肯償，乃投貴官家，久之，貴官家欺負，不肯償，貪戾于奸商。番人乏食，出沒海上為盜。貴官家欲其亟去，輒以危言撼官府云：『番人據近島，殺掠人，奈何不出一兵？』及官府出兵，輒齎糧漏師，好語啗番人，蓋利他日貨至，且復賒我也。番人知其情，大恨諸貴官家，言我貨本倭王物，爾價不我償，我何以復倭王？盤據海洋，不肯去。近年寵賂公行，上下相蒙。小民迫於貪酷，困於饑寒，相率入海從之。兇徒、逸囚、罷吏、黠僧，反（及）衣冠失職、書生不得志群、不逞者，皆為之奸細，為之嚮道。弱者圖飽煖旦夕，強者忿臂，欲洩其怒，于是王忤瘋（五峰）、徐必欺（碧溪）毛醯（海峰）之徒，皆我華人，金冠龍袍，稱王海島，攻城掠邑，刼庫縱囚。遇文武官發憤斫殺，即伏地叩頭，乞餘生。不聽，浙東大壞。二十五年，以朱紈為浙江巡撫，兼領興、福、漳、泉，治兵捕賊。紈清諒方勁，任勞任怨，嚴戢閩、浙諸貴官家。嘗言：『去外夷之盜易，去中國之盜難；

去中國之盜易，去中國衣冠之盜難。』上章鐫暴貴官通番二三渠魁。于是聲勢相倚者大譁，切齒詆誣，惑亂視聽，改紈為巡視。未幾，言官論劾，又遣言官即訊，甘心煅煉，必欲殺紈。紈憤悶卒。（或云服毒）紈所任福建海道副使柯喬，都指揮盧鏜，殺賊有功，皆論死，繫按察司獄。于是華夷群盜唾手四起，益無忌憚。三十一年，殘黃岩，掠定海，浙東騷動。遣都御史王忬巡視兩浙，兼領漳、泉、興、福四郡，以都指揮俞大猷、湯克寬為浙、閩參將。剿賊雇兵，政久弛，將士耗鈍，水寨戰艦，所在廢壞。忬經略未幾，群盜總至，柵寨列港，外約諸島，內招亡命，勢益猖獗。三十二年，大猷冒險出洋，焚蕩巢穴，首賊逸去，群偷流散，乘風奔突，倏忽千里，溫、台、寧、紹、杭、嘉、誅（蘇）、松、楊、淮十郡，並受其害。克寬統領步兵，往來海堧，護城捕賊，斬獲亦多。忬不肯隱敗冒功。擒治奸豪，破解支黨。大猷、克寬兩參將，皆知勇可任。徒以江南人素柔軟，賊未登岸，望風奔潰。文武大吏未能以軍法繩下，而有司往往以軍法脅持富人，巧索橫斂，指一科百；師行城守，餉犒百物，類多乾沒，十不給一。廉謹之士，又謂南人善謗，低頭束手，不敢動一錢。於是公私坐困，戰守無策，始釋柯喬，起盧鏜，而賊舡聯翩滿海，破諸州縣，焚刼，殺戰，污辱，慘於正統時矣。而通番艱豪又言：『忬、大猷搗巢非計。』且搖動忬。忬薦鏜，起為閩參將，代克寬。克寬以副總兵，將屯金山。閩人故忌鏜，劾鏜凶險不可用。南京言官又復薦鏜。三十三年，賊犯江北，海門、如皋、通州皆被殺掠。是時復用盧鏜為參將，而以俞大猷為浙、直總兵。未幾，工部〔右〕侍郎趙文華以海賊猖獗，請禱海神，遂遣文華行禱，公私勞費不貲。

北忭改大同巡撫，以徐州兵備李天寵代忭；南兵部尚書張經，提督浙、閩、江南北軍務，有王江涇之捷。文華素忌經、天寵，遂奏經、天寵，逮詔獄，論死西市，而以浙江巡按胡宗憲代天寵，南戶部侍郎楊宜代經。自後賊益熾，縱橫出入二十六郡。文華還朝。未幾，又出監督諸軍，雖有沈莊、梁莊之戰，竟莫救荼毒之慘。兩浙、江、淮、閩、廣，所在徵兵集餉，提編均徭，加派稅糧，截留漕粟，加除京帑，請給鹺課，迫脅富民，釋脫凶惡，濫授官職，浪費無經。其為軍旅之用，纔十之一，所謂漢土官兵，川、湖、貴、廣、山東西、河南北，靡不受害。臨賊驅之不前，賊退遣之不去，散為盜賊，行者，居者，咸受其害。於是外寇未寧，而內憂益甚矣。宗憲計擒賊首王直，浙西、江東稍得安靖。浙東溫、台，江北淮、揚，閩中、嶺表，尤被其毒。已而俞大猷被中傷，盧鏜代之。賴朝廷聖明，大猷得不死。江北巡撫李燧　有廟灣之捷，入南兵部為侍郎，唐順之代燧。福建巡撫王詢數有功，畏讒引疾去，代者劉燾。宗憲以擒直功，陞右都御史加太子太保，敘子錦衣千戶。先是，文華陞工部尚書，以論吏部尚書李默，即加太子太保，又以征倭功，加少保，子廕錦衣千戶。不數月，文華削籍，千戶謫戍榆林。自壬子倭奴入黃岩迄今十年，閩、浙、江南北、廣東人皆從倭奴。大抵賊中皆華人，倭奴直十之一二。久之，奸玩者嗜利，貧窘者避徭賦，往往喜賊至，而貪殘之吏又從而驅之。封疆之臣輒請添官，當事者不敢阻，於是添設都御史三人，總兵一人，副總兵二人，參將十三人，兵備副使十一人，諸將校近百人。田賦倍於常科，徵徭溢於甲式矣。」此紀致寇始末，弊病頗為詳悉，故錄之。

又按董礽湖碧里集曰：「賈誼上治安策，史氏譏其欲施三表五餌以係單于，其術固已踈矣。我朝西僧朶顏，皆縻以爵賞，厚往薄來，歲費不可勝計，皆表餌之遺意。邇者叛人徐海等誘倭夷為患，大臣力不能制，卒以柔道勝之，如擒猩猩之法，耗費無限，乃知暗合誼言。蓋勢所必至，非有武侯、武穆之才，誼言未可輕也。愚謂春秋之法，功過當不相掩。方胡宗憲在浙，有羅龍文者，其鄉人也。謁宗憲于軍門。常令龍文隨陳可願等與賊議和，奏功給銀，納為中書。龍文乃與宗憲通賂于嚴嵩之子世藩，宗憲因得宮保廕子。後世藩敗，抄沒追贓，世藩稱寄頓于龍文，龍文稱寄頓于宗憲。時宗憲已故，削去官爵，革子廕職，子逮獄追贓，幾至破家。夫宗憲濫費之罪固不可逃，而當時寇勢方張，人無固志。使宗憲隨常謹手出納之吝，何以使陳可願等拼死行間，餌制徐海、王直輩哉？古云：『財者君之所輕，死者士之所重，君不能委其所輕，而責士以捨其所重，不亦難乎？』漢高祖以黃金四十萬聽陳平所行，終致勝楚，亦如此術耳。然則宗憲之度量亦豈易及哉，此其功之不可掩者也。況世藩誅求百出，稍不如意，宗憲又將繼張經、李天寵而肆諸市朝矣。所謂權臣在內，而大將豈能立功于外者？其語不誣。宗憲之獲保首領，蓋能以餌王直者，餌世藩耳，亦可悲夫！今宗憲已覆其官，功過亦有辨云。」

吳指揮萬民望言：「其祖在寧波衛，弘治間聞倭登岸。乘舟哨海，夜半見二紅燈漾空而來，以為倭舡也，遂彎弓射中其燈，不知乃龍睛也。頃刻波濤凶湧，出海軍舟俱沒焉。至今逢此日，則海中惡風大作，紅燈止見其一。土人因知此龍記時，厄之所至也。」

成化辛丑，蘇衛軍士以禦倭泛海，維大風飄至一島，山麓曠異。一人從林中出，長可三四丈，深目黑面，獰惡不可喻。見數人，悉以藤貫掌心，繫於樹下，已而復入。眾極力斷之而竄。始放舟，前者偕數輩來水滸，以手攀舷，。舟中一勇士急掣刀斷其指，始捨舟而去。試觀所斷，乃指中一節耳，長尺有四寸，貯嘉定庫。

都憲唐順之日本刀歌曰：「有客贈我日本刀，魚鬚作靶青絲緶。重重碧海浮渡來，身上龍文雜藻荇。悵然提刀起四顧，白日高高天冏冏。毛髮凜冽生雞皮，坐失炎蒸日方永。聞道倭夷初鑄成，幾歲埋藏擲深井。日淘月煉火氣盡，一片凝冰鬪清冷。持此月中斫桂樹，顧兔應知避光景。倭夷塗刀用人血，至今斑點誰能整？精靈長與短相隨，清宵恍見夷鬼影。邇來韃靼頗驕黠，昨夜三關又聞警。誰能將此向龍沙，奔騰一斬單于頸。古來人物用有時，且向囊中試韜穎。」

其貢：馬、盔、鎧、劍、腰刀、鎗、塗金裝彩屏風、洒金廚子、洒金文臺、洒金手箱、描金粉金匣、描金筆匣、抹金提銅銚、洒金木銚、角盥、貼金扇、瑪瑙、水精（晶）、數珠、硫黃、蘇木、牛皮。其來十年一期。四際皆海，違遼東遠，閩、浙近。其貢道由浙寧波達於京師。

註：

①「峽」，明史地理志作「硤」。

②「王直又遣養子曰毛海峰者」，按：毛海峰又稱毛烈，即王滶。

③王直被誅後，其餘黨並未被殲滅。明世宗實錄，卷四六五，嘉靖三十七年十月甲辰朔辛亥條云，「浙江岑港倭，徙巢柯梅，總督侍郎胡宗憲，屢督兵討之，不能克。于是南京御史李瑚，追劾宗憲私誘王直啟釁。……」同書卷四六六，同年十一月甲戌朔丙戌條則云：「浙江柯梅倭，駕舟出海。總兵俞大猷等，自沈家門引舟師橫擊之，沉其末艘，稍有斬獲。各賊舟趨洋南去，由是福與湖廣間紛紛以倭警聞矣。」

④「霏衢」，明史，卷四四，定海條作「霏衢」，籌海圖編，卷五，浙江倭變紀則作「郭衢」，以下同此。

⑤「直既就戮海賊徐惟學等據島分眾往來于福建省界」，徐惟學即徐銓，如據鄭若曾，籌海圖編，卷八，寇踪分合始末圖譜的記載，銓已於嘉靖三十三年流突潮州之際，為指揮黑孟陽所滅。又如據籌海圖編、明世宗實錄、明史胡宗憲傳、俞大猷傳、日本傳等的記載，王直就戮後，據島分眾往來於福建省界寇掠者為直之養子毛海峰即王滶之一夥。

⑥「鶴飛」，應為「岳飛」之誤。宋史岳飛傳云：「飛曰：『文官不要錢，武官不怕死，天下太平矣。』」可證。

⑦「元」，應為「二」之誤。此言倭使爭貢仇殺事件，應是指寧波事件。發生此一事件的年分，籌海圖編、日本一鑑、明世宗實錄、明史、嘉靖以來注略、國榷等俱書為二年。參看鄭樑生，寧波事件始末，收錄於鄭著中日關係史研究論集，十二集（臺北，文史哲出版社，民國九十二年四月），頁

九～七〇。

⑧「五」，應為「六」之誤。朱紈任浙江巡撫的時間，甓餘雜集、明世宗實錄及明史朱紈傳、日本傳俱繫於嘉靖二十六年。

⑨「燧」，明世宗實錄作「遂」。

明紀編年

明鍾惺撰，王汝南續補，清順治間刊本

卷二

○（洪武）十三年庚申，丞相胡惟庸等謀逆，誑言所居井湧澧泉，邀上往觀。乘輿將出，內史雲奇知其謀，走衝蹕道，勒馬銜言狀。氣方勃，舌駃不能達意。上怒其不敬。左右撾捶亂下，奇垂斃，右臂將折，尙指賊臣第，弗爲痛縮。上方悟，登城瞰察，見惟庸第內兵甲伏屏帷間數匝。上亟反，遣兵圍其第，罪人一一就縛，誅之。上召雲奇，死矣。深悼之，追封右少監，賜葬鍾山。胡惟庸辭連李善長，群臣請罪之。上曰：「此吾初起時股肱心腹，吾不忍罪之，其勿問。」

卷六

○（嘉靖三十二年癸丑）海賊汪（王）直，糾漳、廣群盜大舉入寇，連艦百餘艘，蔽海而南，自台、寧、嘉、湖，至蘇、松，迄淮北，濱海數千里，同時告警。既而太倉、上海、松江、紹興等處，皆遭荼毒。

○三十四年乙卯，工部〔右〕侍郎趙文華，奉命祭告海神，并察視江南賊情。文華爲〔嚴〕嵩私人，既出，憑寵自恣，百司震懼，財賂兢進，比倭寇焚掠尤烈。

○趙文華至松江，會狼兵方應調至，稍有所獲，文華因厚犒之，激使進剿。至漕涇，遇倭，數百人戰敗。文華因急督戰，冀掩敗爲功。總督張經，謂宜待保靖兵至，合力夾攻，庶保萬全。文華強經，經不聽，文華遂啣經，因論經玩寇殃民之罪。既而倭寇四千餘，自柘林犯嘉興。總督經分遣參將盧鏜等，水陸攻之，大敗之。賊奔王江涇，永順兵出泖湖攻其前，鏜及保靖兵躡其後，共斬擒一千八百餘人，溺死者不可勝計，餘賊奔歸柘林。自有倭來用兵，未有如此之大捷者。然文華論經玩寇殃民之疏則已上矣，冤哉！未幾，遣官校逮張經，以失機論死。經上疏自辯，不報。

○都御史曹邦輔，圍賊於滸墅關，賊殊死格鬪。時僉事董邦政，督兵守陶宅，邦輔檄之助剿，一戰斬首十九級。賊奔吳舍，追盡殲之。文華欲攘其功，至則邦輔已奏捷矣，啣甚。已而欲□剪殘孽，自將四千人，約邦輔會剿。賊盡銳衝文華所統兵，死者千餘人，師大潰。文華益慚憤，乃疏邦輔、邦政避難趨易，僥倖成功，乞加重究。詔：「下邦政於總督逮問。」

○胡宗憲誘汪（王）直等投降。汪（王）直與宗憲皆徽人，相信因以十萬兩餽嚴嵩父子，冀得授以指揮職銜。嵩父子受賄，欲擬投降宥死。會三法司持議甚堅，嵩不得已，竟票旨汪（王）直梟示，其葉宗滿、王汝賢，矯稱歸順，發邊衛充軍。

○讞京城大辟囚，詔決張經、李天寵，以失機律不宥。

○三十五年丙辰，倭寇萬餘，趨浙江皂林。游擊宗禮，帥兵九百人禦之，三戰三捷，斬首三百餘。賊首徐海等駭懼，稱爲神兵。

○復遣趙文華視師江南。先是，文華既歸，上疑其言不稱，每以問嵩，文華懼。時浙中倭報甚緊，巡按請遣才望大臣一員督師，而嵩爲文華保全計，言於上，遂遣文華。文華至而東南之民愈困矣。

○胡宗憲以計誘徐海，居沈庄，欲議和，而文華力主剿，以書遺宗憲，責其逗兵自老，遂集諸路兵圍之數重，縱焚其廬，死者甚眾。後從溺死中識徐海屍，浙郡遂寧。

○獻倭俘，加文華少保，胡宗憲右都御史加太子太保，各蔭一子錦衣千戶。

○三十六年丁巳，工部尚書趙文華罷。時三殿事屬工部，文華言疾，屢疏乞歸。上方以脩玄禁疏章，而言疾尤諱。文華興工在即，即不得已具疏，觸上怒，罷之。

○（四十一年壬戌）倭陷興化府。

○四十二年癸亥，副總兵戚繼光，督浙兵至福建，大破倭賊於平海衛，海寇悉平。是戰也，繼光前一日至，賊與總兵劉顯、俞大猷對壘日久頗懈弛，謂繼光遠來疲困，不爲備。繼光即以是夜部勒諸士卒，雞鳴蓐食，晨壓賊壘，急攻之。賊倉卒大亂，自相蹂踐，遂薙捕之無遺類。

○（四十三年甲子）以言官劾，逮胡宗憲至京。仰藥死。

○(萬曆二十二年甲午)朝鮮與遼接壤，輿地六千里，饒庶有華風。其王李昖湎於酒，而倭酋關白平(豐臣)秀吉起人奴，簒立，以梟雄據六十六州。聞朝鮮弛備，遂攻陷之。李昖奔義州，遣使請援。上以其備貢謹，遣總兵①祖承訓，帥兵渡鴨綠援之。既而援兵攻平壤失利，復遣侍郎宋應昌爲經略，李如松爲大將軍援之，遂大敗倭酋於平壤。李如松乘勝追至碧蹄館，與倭大戰，倭雖潰而我師精銳亦多喪於是。②群議急圖休息。先是，本兵石星，摩(募)游客沈惟敬入倭(營)關說。至是，惟敬同倭酋小西飛(小西飛驒守，即內藤忠俊)來，請封貢，石星主之。廷議許封不許貢，遂撤兵還。

○二十三年乙未，廷議封關白爲日本王。禮部議：日本原有王，未知存亡，當另擬二字，或即以所居島封之，上竟准日本王，命臨淮侯裔李宗城充正使，指揮楊方亨爲副，同沈惟敬往。

○二十四年丙申，正使李宗城逃歸。宗城，故紈袴子，經行之營，在在索貨。次對馬島，太守(宗)義智，飾美女更番納行幃中，宗城安之。倭酋數請渡海，不允。宗城聞義智妻美，必欲淫之。義智大怒，不許。會有詛其左右者曰：「倭將有變。」宗城懼，遂棄璽書夜逃。事聞，下宗城獄，遣戍。乃改方亨爲正使，惟敬副之，立限渡海。光(先)是封議成，倭酋已撤歸。已而倭酋復攻陷朝鮮，方亨、惟敬徒手歸，無所報命，詭云倭已就封，因責朝鮮不往謝，故復□耳。及安驗表文，潦草無人臣禮，方亨始吐寔，委罪惟敬，及本兵彌縫之罪。上以爲辱國，詔斬惟敬，餘勘如律。於是復命邢玠爲經略，楊鎬爲經理，麻貴、劉綎爲將軍討之。

○二十六年戊戌，麻貴、劉綎等，分道進兵，逼倭營，各有斬獲。會報平（豐臣）秀吉死，各倭酋陸續遁歸，因追破之，擒獲平秀政、平（寺澤）正成　等。有旨：梟示九邊，南海遂平。

註：

①「總兵」，明神宗實錄、明史朝鮮傳俱作「副總兵」。

②「李如松乘勝追至碧蹄館，……我師精銳亦多喪於是」，如據夏燮，明通鑑，卷六九，紀六九，神宗二十年冬十月任寅條的記載，李如松之所以敗於碧蹄館，肇因於他輕敵貪功，不帶南兵而僅率家丁千餘騎，遂為倭所乘。參看茗上愚公，萬曆三大征考，倭上。

③「擒獲平秀政平正成」，此平秀政應指豐臣秀吉之養子秀次而言。如據日本史乘的記載，秀次已於萬曆二十一年為秀吉所逼死。平正成應是秀吉部將寺澤正成。日本史書未言正成被俘事，故此秀政、正成疑另有其人。

昭代典則

明黃光昇編輯，陸翀之訂正，明萬曆二十八年金陵周日校刊本

卷七

○（洪武辛四年十月）辛未，諭省府臺臣謹備胡戎：上御奉天門，諭省府臺臣曰：「海外蠻夷之國，有爲患於中國者，不可輒自興兵。古人有言：『地廣非久安之計，民勞乃易亂之源。』如隋煬帝妄興師旅，征討琉球，殺害夷人，焚其宮室，俘虜男女數千人。得其地不足以供給，得其民不足以使令。徒慕虛名，自敝中土。載諸史冊，爲後世譏。朕以諸蠻夷小國，阻山越海，僻在一隅，彼不爲中國患者，朕決不伐之，惟西北胡戎，世爲中國患，不可無謹備之耳。卿等當記所言，知朕此意。」

○癸巳，日本國王良懷①，遣其臣祖來進表箋，貢方物。先是，遣趙秩等往日本國宣諭。秩泛海至析木崖，入其境，關者拒勿納。秩以書達其王，王乃延秩入。秩諭以中國威德，而詔旨有責讓其不臣中國語。王曰：「吾國雖夷狄，僻在扶桑，未嘗不慕中國之化而通貢奉。惟蒙古以戎

狄沍華夏，而以小國視我。我先王曰：『我夷，彼亦夷也，乃欲臣妾我，』而使其趙姓者，訹我以好語，初不知其覘國也。既而使者所領水犀數十艘，已環列於海崖。賴天地之靈，一時雷霆風波，漂覆幾無遺類。自是不與通者數十年。今新天子帝華夏，天使亦姓趙，豈昔蒙古使者之雲仍乎？亦將訹我以好語而襲我也？」命左右將刃之。秩不爲動，徐曰：「今聖天子，神聖文武，明燭八表，生于華夏而帝華夏，非蒙古比。我爲使者，非蒙古使者後。爾若悖逆不吾信，即先殺我，則爾之禍，亦不旋踵矣。我朝之兵，天兵也，無不一當百；我朝之戰艦，雖蒙古戈船，百不當其一。況天命所在，人孰能違，豈我朝之以禮懷爾者，與蒙古之襲爾國者比耶？」於是其王氣沮，下堂延秩，禮遇有加。至是，奉表稱臣，遣祖來隨秩入貢。詔賜祖來等文綺、帛，仍賜良懷大統曆，及文綺、紗、羅。

○癸丑六年春正月，德慶侯廖永忠，請令廣洋、江陰、橫海、水軍四衛造多櫓快船備倭，從之。永忠上言曰：「臣聞禦寇莫先於振威武，威武莫先於利器用。今陛下神聖文武，定四海之亂，君主萬國，臣庶安樂，臻於太平。而北虜遺孽，遠遁萬里之外，獨東南倭夷，負其禽獸之性，時出剽竊，以擾瀕海之民。陛下命造海舟，剪捕此寇，以奠生民，德至盛也。然臣竊觀倭夷，竄伏海島，因風之便，以肆侵掠。其來若奔狼，其去若驚鳥，來或莫知，去不易捕。臣請令廣洋、江陰、橫海、水軍四衛，添造多櫓快船，命將領之，無事則沿海巡徼，以備不虞。若倭夷之來，則大船薄之，快船逐之，彼欲爲寇，不可得也。」上善其言，從之。

○（甲寅七年五月）日本國遣使來朝，貢馬及方物，卻（却）之。時日本國持明與良懷爭立，②使者齎其國臣之書達中書省，而無表文。上命卻（却）其貢。

卷八

○（乙卯八年九月）己卯，靖海侯吳禎率備倭舟師，自海道還京。

○（丙辰九年）夏四月甲申，日本國王良懷（懷良），遣使奉表貢方物謝罪。先是，倭人屢寇瀕海州縣，上命中書省移文責之。至是，遣使來謝。上以良懷所上表詞不誠，復命諭之。

卷九

○庚申十三年春正月戊戌，誅左丞相胡惟庸，御史大夫陳寧，中丞涂節。自楊憲誅，而惟庸總中書之政，專肆威福，生殺黜陟，有不奏而行者。內外諸司，封事入奏，惟庸先取視之，有病己者，輒匿不聞。私擢奏差胡懋爲巡檢，營其家事。由是四方奔競之徒，趨其門下；及諸武臣諛佞者多附之，金帛、名馬、玩好，不可勝數。魏國公徐達深嫉其奸邪，常從容言於上，惟庸忌之。達有閽者福壽，惟庸陰誘致爲己用，冀得其力以圖達，爲福壽所發。誠意伯劉基，亦嘗爲上言惟庸奸恣不可用。惟庸知之，由是怨恨基。及基病，詔惟庸視之，往以毒中之，基竟死，時八年正月也。上以基病久，不疑基死。惟庸益無所憚，與李善長等相結，以兄女妻善長從子祐。貪賄弄權，無所畏忌。一日，其定遠舊宅井中，忽生竹筍，出水高數尺，諛者爭言爲丞相瑞應；又言其祖父三世塚上，皆夜有火光燭天，於是惟庸益自負，有邪謀矣。當是時，吉安侯陸仲亨，自陝西歸，擅乘驛傳，上怒責之曰：「中原兵燹之餘，民始復業，籍戶買馬，艱苦甚矣，使皆效爾所爲，民雖盡鬻子女，買馬走遞，不能給也。」責捕盜於代縣。平涼侯費聚，常命往蘇州，撫綏軍民，聚不任事，唯嗜酒色。召還，責往西北招降達達無功，上亦責之。二人懼，惟庸陰以權利脅誘之。二人素戇勇，又見惟庸當朝，用事強盛，因與往來，久之益密。嘗過惟庸家飲酒，酒酣，屏去左右，因言：「吾等所爲多不法，一旦事覺如何？」二人惶懼，計無所出。惟庸迺告以己意，且令其在外，收輯軍馬以俟，二人從之。又與陳寧坐省中，閱天下軍馬籍，令都督毛驤，取衛士劉遇寶，及亡命魏文進等爲心膂曰：「吾有用爾也。」太僕寺丞李存義，善長之弟，惟庸之壻父也。以親，故往來惟庸家。惟庸令存義陰說善長同起。善長驚悸曰：「爾言何爲者，若爾，九族皆滅。」存義懼而去。往告惟庸，知善長素貪，可以利動。後十日，又令存義以告善長，且言事若成，當以淮西地封公爲王。善長雖有才能，然本文吏，計深巧，雖佯驚不許，然心頗以爲然；又見以淮西之地王巳（已），終不失富貴，且欲居中觀望，爲子孫後計，迺嘆息曰：「吾老矣，由爾等所爲。」存義還告，惟庸喜，因過善長。善長延入，惟庸西面坐，屏去左右，款語良久，人不得聞，但遙見頷首而已。惟庸欣然就辭出，使指揮林賢下海招倭軍，約期來會。又遣元臣封績致書稱臣於元，請兵爲外應，事皆未發。惟庸子乘馬馳驟于市，馬奔，入輓輅中傷死焉，惟庸即殺輓輅者。上怒，命償其死，惟庸乃請以金帛給其家。上不許。惟庸乃與李善長及涂節、陳寧等謀起事，便遣人陰告四方，及武臣之從巳

（己）者。上一日朝，覺惟庸等舉措有異，恡之。涂節恐事覺，迺上變告。時啇暠降中書省吏，亦以惟庸陰事來告。上曰：「朕不負惟庸輩，何得至是？」命群臣更訊，惟庸辭窮不能隱，於是賜惟庸、陳寧死。又言涂節本爲惟庸謀主，見事不成，始上變告，不知何以戒人臣之奸宄者，迺并誅節，餘黨皆連坐。群臣又請誅善長、陸仲亨等。上曰：「初起兵時，李善長來謁軍門曰：『有天有日矣。』是時朕年二十七，善長年四十一，所言多合吾意，遂命掌簿書。贊功成，爵以上公，以女與其子。陸仲亨年十七，父母兄弟俱亡，恐爲亂兵所掠，持一升麥，藏於草間。朕見之，呼曰：『來！』遂從朕，長育成就，以功封侯。此皆吾初起時腹心股肱，不忍罪之，其勿問！」

○（辛酉十四年）秋七月戊戌，日本國王良懷（懷），遣僧如瑤等貢方物及馬，却之。仍命禮部責其國王曰：「大明禮部尚書致意日本國王，王居滄溟之中，輔世長民。今不奉上帝之命，不守己分，但知環海爲險，限山爲固，妄自尊大，肆侮鄰邦，縱民爲盜，帝將假手於人，禍有日矣。吾奉至尊之命，移文與王，王若不審巨微，效井底蛙，仰觀鏡天，自以爲大，毋乃搆隙之源乎？王涉獵古書，不能細詳，始號曰倭，後惡其名，遂改日本。自漢歷魏、晉、宋、梁、隋、唐、宋之朝，皆遣使奉表，貢方物、生口。當時帝王，或授以職，或爵以王，或睦以親，由歸慕意誠，故報禮厚也。若叛服不常，搆隙中國，則必受禍如吳大帝，晉慕容瘣（廆）、元世組，皆遣兵征伐，俘獲男女以歸，千數百年間往事可鑒也，王其慎之！」

○甲子十七年春正月，命魏國公徐達出鎮北平，信國公湯和巡視海道，築山東、江南北、浙東西海上諸城。

○（丁卯二十年）夏四月戊子，命江夏侯周德興置福建緣海防倭衛所。

○命德興往福建，以福、興、泉、漳四府，民戶三丁取一，爲沿海衛所戍兵，以防倭寇。其原置軍衛，非要害之所，即移置之。德興至福建，按籍抽兵，相視要害，可爲城守對處，具圖以進。凡選精壯萬五千餘人，築城一十六，增置巡司四十有五，分隸諸衛，以爲防禦。

註：

①「良懷」，「良懷」之為「懷良」之誤，參看本書頁二二五七，註③。以下同此。

②「時日本國持明與良懷爭立」，如據日本史乘的記載，日本在其鎌倉時代（一一八五～一三三三）末期，曾因皇位繼承與領土繼承問題導致朝廷分裂成為「持明院統」與「大覺寺統」兩派。前者系出後深草天皇（一二四六～一二五九在位）而以持明院為上皇所居之處（仙洞），故有是名。後者則系出後深草天皇之弟龜山天皇（一二五九～一二七四在位）之皇統，兩者為繼承皇位問題互爭不已。此一皇室內訌與鎌倉幕府之政策結合在一起，成立兩統迭立的協議，但也成為南北朝（一三三六～一三九二）內亂的因素之一。其獲室町幕府之支持的持明院統繼承北朝，大覺寺統為南朝，至一三九二年兩朝合一，由持明院統的後小松即皇位。懷良即後醍醐天皇之子，他於一三三六年被南

朝政府命為征西府將軍，前往九州。故此一記事不符史實。

○（永樂癸未元年）夏四月，命僉都御史俞士吉冊封日本國王，賜印誥，詔名其國之鎮山曰壽安鎮國山。

○九月，命設海外諸番朝貢館驛。

○（丁酉十五年冬十月）遣禮部員外郎呂淵使日本

○（戊午十六年）秋八月，遼東總兵劉江①請築金線島墩堡，從之。劉江言：「近因巡視各島，至金州衛金線島西北望海堝上，其地特高聳，可駐劄千餘兵守備。詢諸土人云：『洪武初，都督耿忠，亦嘗於此築堡備倭，離金州城七十餘里。□有寇至，必先過此，實爲濱海噤喉之地，乞用□□□。』」

○（己未十七年）夏六月，遼東總兵都督劉江（榮），大破倭奴於望海堝。封江（榮）爲廣寧伯。

註：

①「江」，劉江，本名劉榮，其所以冒名江的原委，明史本傳有相關記載，可參閱。

卷一四

○（宣德癸丑八年）是年，日本國王源道義卒，遣使吊（弔）祭。①

註：

①如據日本史乘的記載，室町幕府第三任將軍源道義（足利義滿）逝世於成祖永樂六年（一四〇八）五月六日，年五十一。同年十二月，世子義持遣使赴華告父喪。同月二十一日，成祖命中官周全往祭，賜謚恭獻，且賜賻絹五百匹，麻五百匹。明廷致日本的國書及祭足利義滿文俱見於日僧瑞溪周鳳所輯善鄰國寶記應永十五年（一四〇八）條，國書所署日期為永樂六年十二月二十一日。

卷二六

○（嘉靖壬午元年三月壬申）日本諸道爭貢。時日本王源義植①無道，國人不服，諸道爭貢。大內藝興遣僧宗設（謙道），細川高（國）遣僧（鸞岡）瑞佐及宋素卿，先後至寧波。故事：凡番貢至者，閱貨，宴席，並以先後為序。時瑞佐後至，素卿奸狡，通市舶太監，饋寶賄萬計。太監令先閱瑞佐貨，宴又令坐宗設上。宗設席間與瑞佐忿爭，相讎殺。太監又以素卿，故陰助佐，授之兵器，殺備倭都指揮劉錦，大掠寧波旁海鄉鎮。素卿坐叛論死，宗設、瑞佐皆釋還。

○其後兵部侍郎掌都察院事，張璁嘗論勘處倭寇罪狀曰：「臣竊惟明王所以馭天，在嚴夷夏之限，朝廷所以厲世，必昭刑賞之公。若遠方小夷，敢決大防，稱兵中土，讎殺族類。爲守臣者，輯和無策，禦變乖方，馴致將卒虧衄，疆場侵駭。乃蒙寬條，僅抵罰金，甚非所以昭示遠人，警勵臣工也。先任浙江按察司副使，今陞右布政使張芹，職專海道，兼理分巡地方之責匪輕，綿薄之才莫克。當二夷入港之時，巳（已）有交讎搆難之語，既不能譯審，以辨其真僞，又不能輯柔，以解其釁端。無早見豫待之智，乏臨機應變之圖，遂成厲階，莫遏亂略。抄略我民庶，燔毀我公署，戕殺夷伴瑞佐等，而莫之能捄，賊害將官劉錦等而莫之能禦。雖調兵督捕，假稱平討之功，而喪師辱國，終莫逭失機之罪。今廢祖宗之法，乃僅行薄罰，通銓曹之私，旋得遷崇秩，宴然爲一方之伯，將何以謝兩浙之民？布政司右參政朱鳴陽，承委盤驗夷貨，倉卒聞亂，調度莫支，既乏外攘之才，坐受中域之變，罪雖有間，罰亦太輕。先任大學士費宏，叨執國柄，懷卯翼之私，遂曲成夫二天之庇。先任戶科左給事中，今陞太常寺少卿劉穆，叨任勘官，懷顧望推避之嫌，竟莫伸夫三尺之法，俱合有罪。伏望聖明，俯賜乾斷，將張芹即行罷黜，以謝地方。朱鳴陽量加降調，劉穆量行罰治，以符公論。庶國典不致於蔑視，邊警可至于潛消矣。

○給事中夏言請罷市舶。給事中夏言上言：倭禍起於市舶，禮部遂請罷市舶，而不知所當罷者市舶太監，非市舶也。夷中百貨，皆中國不可缺者，夷必欲售，中國必欲得之。以故祖宗雖絕日本，而三市舶司不廢。市舶初設太倉黃渡，尋以近京師改設於福建、浙江、廣東。七年罷，未幾復設，蓋東夷有馬市，西夷有茶市，江南海夷有市舶，所以通華夷之情，遷有無之貨，收徵稅之利，減戍守之費。又以禁海賈抑奸商，使利權在上，罷市舶而利孔在下。奸豪外交內詗，海上無寧日矣。

註：

①「植」，日本史乘俱作「稙」，足利義稙為室町幕府第十任將軍。

②「藝」，日本史乘俱作「義」。

③宗設謙道、鸞岡瑞佐、宋素卿等至寧波的時間，甓餘雜集、明世宗實錄、明史、籌海圖編、日本一鑑及日本史乘均紀為嘉靖二年四月，故此元年應為二年之誤。

卷二八

○（丙午二十五年）倭寇浙東。以朱紈爲浙江巡撫都御史，兼領福、興、漳、泉，治兵捕賊。自罷市舶，凡番貨至，輒賒與奸商。久之，奸商欺負，多者萬金，少不下千金。轉展不肯償，乃投貴官家。久之，貴官家又欺負不肯償，貪戾甚於奸商。番人舶近島，遣人坐索，久之竟不肯償。番人乏食，出沒海上爲盜。貴官家欲其亟去，輒以危言撼官府云：「番人據近島殺掠人，奈何不出一兵，備倭當如是耶？」及官府出兵，輒齎糧漏師，好語啗番人，利他日貨至，且復賒我。如是者久之，番人大恨諸貴官家，言我貨本倭王物，爾價不我償，何以復倭王？不掠爾金寶，殺爾，倭王必殺我；盤據海洋不肯去。近年賄賂公行，上下相蒙，官邪政亂，小民迫於貪酷，苦於徭賦，困於饑寒，相率入海從倭，凶徒、逸囚、罷吏、黠僧，及衣冠失職、書生不得志、群不逞者，皆爲倭奸細，爲之鄉導。人情忿恨，不可堪忍。弱者圖飽煖旦夕，強者奮臂欲洩其怒，於是王午瘋（五峰）徐必欺（碧溪）、毛醢峰（海峰）之徒，皆我華人，金冠龍袍，稱王海島，攻城掠邑，刼庫縱囚。遇文武官發憤斫殺，即伏地叩頭，乞餘生。不聽。而其妻子、宗族、田廬、金穀，公然富厚，莫敢誰何，浙東大壞。至是，以朱紈爲浙江巡撫都御史，兼領福、興、泉、漳，治兵捕賊。紈任怨任勞，嚴禁閩、浙諸通番者。時浙人通番，皆自寧波定海出洋，閩人通番，皆自漳州月巷①出洋，往往諸達官家爲之，強截良賈貨物，驅令入舟。紈嘗言：「去外夷之盜易，去中國之盜難；去中國之盜易，去中國衣冠之盜難。」於是福建海道副使柯喬，都司盧鏜，捕獲通番九十餘人，都御史紈欲禁止令行，遣旗牌督決于演武場，一時通番稍息。而諸不便者，大譁詆誣，惑亂視聽，遂改紈爲巡視。未幾，言官論劾，又遣言官即訊，甘心煅煉，必欲殺紈。紈憤悶卒。海道副使柯喬，都指揮盧鏜，皆論死，繫按察司獄。自是華夷群盜，唾手四起，益無忌憚。

○（壬子三十一年春三月）倭賊破浙江黃巖，掠定海。遣都御史王忬巡視兩浙，兼領福、興、泉、漳四郡。

○（癸丑三十二年）是春倭賊乘風奔突溫、台、寧、紹、杭、嘉、蘇、松、楊（揚）、淮十郡，海堧並受其害。

〇始釋柯喬、盧鏜。

〇倭賊彌滿海洋，歷破昌國、臨山、霩衢、乍浦、青村、南匯、吳松江諸衛所，焚刼定海、餘姚、海寧、海鹽、平湖、大倉、嘉定、上海、華亭諸州縣。

〇甲寅三十三年春，倭賊犯江北，殺掠海門、如皐、通州。

〇工部〔右〕侍郎趙文華請禱海神退賊，遂遣文華如浙行禱。時公私勞費不貲，皆歸文華囊橐。

〇改王忬爲大同巡撫，以徐州兵備李天寵爲浙江巡撫都御史。

〇以南京兵部尙書張經，提督浙江、福建、江南北軍務。

〇趙文華還京，誣下張經、李天寵獄，論死西市。文華以天寵轉巡撫，張經爲提督，於巳（已）有力，陰望厚報。而經、寵以地方孔亟，不遑私謝；且經有王江涇之捷，文華忌之，遂誣奏。俱逮獄，竟死西市。

〇以浙江巡按胡宗憲爲巡撫都御史。

〇以南京戶部侍郎楊宜，提督閩、浙、江南北軍務。

〇復遣趙文華監督浙直諸軍。文華假借監督之權，威凌督、撫、三司，府、州、縣官，搜括官庫，及世家大戶金寶、書畫，數百萬計。交通蒙蔽，以敗爲功，以功爲罪。雖有沈庄、梁庄之戰，竟莫救荼毒之慘。兩浙、江淮、閩廣，所在徵兵集餉，提編均徭，加派稅糧，截留漕粟，扣除京帑，請給醝課，迫脅富民，釋脫凶惡，濫授官職，浪費無經，其爲軍旅之用，纔十之一。征發漢、土官兵，川、湖、貴、廣、山東西、河南北，靡不受害。臨賊驅之不前，賊退遣之不去，散爲盜賊，行者，居者，咸受其害。於是外寇未寧，而內憂益甚矣。

○乙卯三十四年，胡宗憲遣羅龍文，賄誘賊首王直、葉宗滿等來降。胡宗憲欲乘時邀功，乃遣羅龍文以銀十萬兩買王直等投降，許爲奏請，優以官爵。王直與龍文、宗憲，皆徽人，相信。直因以銀十萬兩托龍文饋嚴氏父子，冀得授以指揮職銜。時浙中三司與巡按御史周斯盛，議得王直等罪不容誅，乃擬王直、葉宗滿謀叛斬罪，王汝賢緣邊關塞出境，仍徇宗憲意，稱宗滿、汝賢歸順報効，俱從末減，定擬充軍，直妻免其爲奴，止行流置，宗滿妻子，令其隨住。會題，命下，兵部會同三法司，詳議得王直、葉宗滿，背華勾夷，謀叛之罪，已不容誅；王汝賢越關出境，作逆之狀，亦自難掩，通應解獻闕庭，顯戮市曹，以彰國典。但其作孽貽禍，原在海上，似宜就彼典刑，以快人心。合候命下，移咨都察院，轉行巡按御史，將王直、葉宗滿定罪，即時處決，梟示海上；王汝賢一併處絞。各犯妻妾及子，俱押解來京，給付功臣之家爲奴。初，嚴氏父子受賄，欲通將各犯，作投降宥死，且言聖意欲如此。三法司等執稱：王直等率眾攻破城池，殺傷文武將吏、軍民百萬，明是謀反，今作謀叛，巳（已）非正律，豈可又輕？內閣嵩曰：「旨下再議。」三法司曰：「再議，則用反律，豈可又減叛律乎？」嵩曰：「原著兵部會法司，法司只從兵部議可也。」皆曰：「兵部即議末減，法司亦不敢僉名。」嚴氏父子咈然不應，竟票旨云：「王直背華勾夷，罪逆深重，著就彼處決梟示！葉宗滿、王汝賢，既稱歸順報效，饒死，發邊衛充軍！」

○江北巡撫李遂，陞南京兵部侍郎，起唐順之爲江北巡撫僉都御史。

○逮浙直總兵俞大猷下錦衣獄，尋發沿海立功。以盧鏜爲浙直總兵。浙直總督胡宗憲參稱：「總兵俞大猷、黎鵬舉失事。」有旨：「逮送鎭撫司，問送刑部，轉送兵部詳議。」該兵部查報俞大猷、黎鵬舉，獲功數多，屢經督撫科道官保薦，議將俞大猷、黎鵬舉轉發沿海軍門，從宜委用殺賊，候有戰功，另議題請。如或不能自奮，徑自參奏，從重擬罪。」奉聖旨：「是。」

○大猷自以老成持重，性沉默，不善滑刺。嚴世蕃怒其不阿巳(已)也。授順之意，指大猷爲奸臣，復逮赴京。時有文武大臣以大猷忠勇，爲國惜才，講解不獲，乃□銀千五百兩，大猷復自假貸，合爲三千兩以饋世蕃，遂得不死；惟罷職革冠帶，發大同立功。

○論浙直功，胡宗憲陞右都御史加太子太保，敍其子錦衣千戶。

○(丙辰三十五年春三月)趙文華還京，陞工部尙書。

○加趙文華太子太保，尋加少保，敍其子錦衣千戶。

○倭奴自福建福清海口入寇，泉州衛指揮童乾震，率兵禦戰，死之。

○(戊午三十七年)夏四月，倭寇陷福建福清縣，遂寇惠安鴨山，知縣林咸死之。復陷南安縣，犯泉州府城、永寧衛城。

○庚申三十九年，自正月至四月，福建倭寇復掠晉江潯尾、車橋等處，遂陷崇武千戶所。

○（癸亥四十二年）二月，倭陷福建永寧衛城，大掠數日而去。三月，復攻永寧城，陷之，大殺城中軍民，焚燬房屋幾盡。

○福建叛民江一峰等，盡發泉州諸山民塚。

○福建守備泉州指揮歐陽深，率兵進討倭奴、叛民，大破走之，生擒江一峰等，伏誅，泉地始寧。

○癸亥四十二年春，倭奴圍福建興化府城，至于十一月陷之。兵部請調南京都督劉顯，率兵福建應援。時新倭又自福清海口入寇，遂圍興化府城。劉顯去府城三十里，隔一江，按兵不進。至十一月，欲掩逗留之罪，始遣五卒，齎文詣府，約欲率兵赴城禦敵。賊獲五卒，殺之，用其職銜，僞爲顯文，約某日某時分，率兵潛入應援，城中勿舉火作聲，恐賊驚覺。擇奸細五人，詐爲劉卒齎入。時參將畢高，參政翁時器在城，信之。至期，賊冒劉兵入城，人莫之疑。賊既大入，忽爾殺人，城中驚亂。畢高、翁時器，及衛掌印指揮徐將等皆倉皇縋城走，城遂陷。賊據城中三閱月，殺擄，刼掠，焚燬，慘毒備極。劉顯乘亂，擄執城中逃出婦女。時有閑住參政王鳳靈，繼妻年少，竟爲劉顯擄去。賊既飽其所欲，始如平海衛，欲擄船泛海去。

○十二月，福建泉州守備指揮歐陽深，率兵討興化倭賊，戰于東蕭，力屈死之。

○廣東總兵俞大猷，率兵截平海港，賊不得去；福建總兵戚繼光，遂擣賊于平海衛，盡殪之。

○倭賊別黨圍仙遊城，福建巡撫譚綸，總兵戚繼光，合擊走之。戚繼光復追至泉州安平鎭，又破之。賊出閩境，至廣東潮州，俞大猷又截殺之。

註：

①「巷」，甓餘雜集、日本一鑑、籌海圖編、明實錄、明史、福建通志、漳州府志等，俱作「港」。

昭代武功編

明范景文撰，明崇禎戊寅（十一年）刋本

卷七

紀事本末類

胡襄懋平倭寇

嘉靖丙辰，徐海之擁諸倭而寇也，一枝繇海門入，略維揚，東控京口；一枝繇松江入，掠上海；一枝繇定海關入，略慈谿等縣。衆各數千，而海自擁部下萬餘人，直逼乍浦，而岸破諸舟悉焚之。又導故窟柘林者陳東所部下數千人與俱，併兵攻乍浦城。先是，巡撫李天寵，提督張經，以失尙書趙文華懽，誣奏逮獄，以胡宗憲爲巡撫都御史。甫八日，問幕府麾下募卒僅三千人，故總督所徵四川、湖廣、山東、河南諸兵俱罷去，所爲緩急者，特容美土兵千人，及參將宗禮所籍河朔之兵八百人耳。諜者聲言：他酋分掠江淮，於越諸州郡間以扼援兵。而海等當窟乍浦，下杭州席卷蘇湖，以脅金陵，氣恣甚。宗憲方召諸司畫計，無何故提學阮鶚代爲提督。檄未至，夜聞乍浦圍，宗憲乃遣兵澉浦、海鹽之間爲聲援。而自引兵壁塘西①相犄角。海頗聞新總督即故御史，所嘗提兵督戰于鶯湖、王涇②之間而覆之者，氣少沮，尋罷乍浦圍。聞兩公方擁兵壁近郊，不復敢窺杭。於是徑路峽③石，越皂林，出烏鎭以北。烏鎭者，即海故所犯蘇湖舊路也。當是時，宗憲獲諜度蘇湖之間，唯鶯湖爲四戰地。于是檄河朔兵，自嘉興入，駐勝墩陣而待，因以吳江水兵遮其前，湖州水兵尾其後，而自引麾下募兵、容美土兵擊之。提督阮鶚，自崇德聞賊且出烏鎭也，即道挾河朔之兵騎而馳，及之，於皂林令善射者且躡且射，賊稍稍引去；賊總數百人嘗之，輒又敗去。賊怒甚，鼓噪而前。鶚勢皇急，于是走輕舸，入桐鄉城。而參將宗禮與裨將霍貫道等，乃自張左右翼，厚集其陣以待。戰數合，擊殺數千人。會日暮，賊且引去。時賊氣頗窘，而宗禮、霍貫道等，亦已絕嚮道，不得擇善地，便水草以自休止。明日，餓而戰，且失援，貫道與宗禮力戰而死。賊遂乘勝圍桐鄉。時宗憲已引兵躡崇德，以河朔之兵既敗，我兵氣奪，莫敢戰。于是還省城，檄諸路兵爲戰守計。先是，宗憲始爲提督時，嘗與文華謀曰：「國家困海上之寇，數年于茲，諸酋奴乘潮出沒，將士所不得斥堠而戍者，人言王直以威信雄海上，無他罪狀，苟得誘而使之，或可陰攜其黨也。」按部題亦嘗有用間爲策者，于是遣辨（辯）士蔣洲、陳可願，及故嘗與王直友善者數輩入海諭直。直果感悅，願如約，遣其養子毛海峰款定海關。謝過，間以諭海。海已散他島勾島人又刼，故不相及。公策曰：「直與海，雖順逆不同，其勢固唇齒也。直既悔悟，海獨不可以大義說之乎？且彼貪人也，誘之以利，或可狃其心，聞桐鄉城小而堅，緩之數十日，則永保戍兵至，固可破之矣。」于是疾走諭海峰，因厚遺諜者陰過海所曰：「直已遣子款定海關，朝廷固且赦之矣，若獨無意乎？新總督威名非曩時比，且仰體朝廷德意，推心置人腹，若不乘此時解甲自謝，他日必爲虜矣。」海頗然其計，于是亦遣酋自謝，約罷圍去，因以要宗憲稍出中國貨物遺他酋，而疏釋其罪。佯諾之，輒以銀牌綺弊（幣）厚遺來謝酋，而陰令營中盛兵容私諜者，故縱酋瞰之以報于海。凡數往復，海于是始歸心願爲死矣。然陳東心竊疑海私我遺，猶鞅鞅未之從也。海間遣酋次桐鄉城下，私語城上兵曰：「某已聽總督胡公約，解去矣。」城東門故柘林賊陳東黨也，鷙悍不吾從，若謹備之！」是夕，海果道崇德而西，且乞他兵以夾擊東。宗憲猶心訝未之許，而東獨盛爲樓櫓撞竿以撞城。而桐鄉令金燕者，彊幹吏也，城中一切兵仗火藥，諸已繕備。鶚復躬厲矢石徇城上人，令散千金募敢死之士，督戰益亟，所殺傷賊亦數十人。方撞竿自樓櫓中躍而撞城，城幾壞。一男子爲緡索圜撞竿所擊故窟處，竿至即緡挽以上斬之。又募冶者煮鐵汁灌城下酋，城下不敢逼。東既無何聞海等解去，道遠勢且孤，亦相與稍稍引去，圍始解。方鶚困桐鄉時，固日夜望總督援兵至，宗憲亦已遣劉兵備督同留守王倫等勒兵，自嘉興入壁斗門；汪分守督同知縣張冕勒兵，自湖州入壁烏鎮；參將丁瑾④勒兵，自海鹽入壁王家店，指揮樂塤督同千戶羅天與勒兵，自崇德入壁石門。又令崇德令崔敬思收河朔之散卒入城爲聲援。兵四面環賊二三十里而陣。然各以狃皂林之敗，逡巡惶怖不敢逼。鶚見援兵不至，圍中望急，頗兩相猜。是時朝廷聞東南急，遣趙文華督山東、河朔諸兵來援。至揚州，則鶚已出桐鄉圍，東渡錢塘，徇會稽諸下邑，擊他賊矣。宗憲念海爲巨孽，間雖狃而內附，中固不可測。上海之賊萬餘人，繇吳淞江西引方急，乃日遣諜者啗海以金帛而說之，東出海上，擊他賊。海亦果收諸酋，出乍浦道平湖。時諜報吳淞江之賊，已鼓行涉嘉善界，欲西合海。宗憲慮海萬一卒他變，兩相合奈何，因策海始以焚舟爲深入，今不得舟，必急。于是遣諜詗海，謂海既內附，何不如故約，勒兵擊吳淞江賊，且篡奪其輜，掠舟以歸？海果然其計，即日引諸酋逆之朱涇道上，斬首若干級，餘賊遂夜走。以故海不及篡奪其舟而還。及他酋脫而出海也，宗憲又別遣總兵俞大猷，伏飛艦海上遮擊之，溺且盡。于是海既德宗憲不敢背，又聞吳淞江賊之出，爲海兵所遮擊，益內怖，且輸款于宗憲，遂輦故所戴飛魚冠，及他堅甲、名劍數十種，並以輸獻；且遣其弟洪入質，公佯納之。又諜聞海麾下獨書記葉麻⑤爲長酋，其爲人頗黠而悍，近與海爭一女子有微郤（卻），非用間急縛之，則無以死彼內附之心。于是遣諜就海帳中諷海縛葉麻以出。葉麻出而諸酋中故逮葉麻部曲者，稍稍怨且懼矣。又以他罪縛幾百餘人。宗憲又策陳東於諸部曲中與葉麻聲相依，頃以桐鄉之役，兩睚眥者也。數遣諜持簪、珥璣遺海兩侍女，日夜說海，并縛東，海既諾。而陳東者，薩摩王弟故帳下書記，酋，海固未之能也。于是出葉麻酋中，令其詐爲書于東，及兵賊殺海。其書故不以遺東，陰洩之於海，激怒之，使并縛東。海讀其書，涕雙下，益德宗憲，日夜謀縛東以報。當是時，宗憲已知海之甘心于東，不忍疾擊之，二人迫而深相繼，則東南之事未易圖。而文華之至也，私要宗憲，共部署兵擊海日急，且召宗憲所遣諜面詰之曰：「若我爲諭海，海連兵以來，罪不容死，非縛陳東及斬千餘級以獻，恐無以謝朝廷。若能則吾當同督府諸公疏釋之，不然，若且虀粉矣。」于是海益怖，出所故掠中國貨物千餘金賂王弟，詐請東代書記。海因夜得東，即縛以踐約，復于宗憲。葉麻與陳東相繼縛，而諸酋長洶洶內亂矣。是時諸酋長既疑且怨，海無鬪心，故其氣日窘。海亦自度，縱令反故島，當亦必爲諸酋長所賊殺，故爲內附日固。而宗憲薄責海益急，因欲掠舟出海，恐爲海上兵所刼，欲列壘拒官兵；又業已內附不忍背，且陳東黨固日夜襲殺之也。宗憲曰：「彼既亂，吾可乘之矣。」因遣諜私海曰：「我固欲寬若，趙尚書以若罪孽大，何不聽我艤數十艘海上，若且誘之逐海上艘，令俘斬千餘級以謝趙公，若因得以自完。」海不得已，且疑且諾，因約兵備副使劉引兵伏乍浦城中，而某日時，某當引衆出海岸，去乍浦城半里而陣，佯令衆酋逐海上艘，某手旗麾之，城中官兵即舉燧爲號，從城中出，亟擊勿失。諸官卒如約乘之，諸倭酋逐海上艘如蟻，不及還兵鬪。于是諸官兵得乘勝蹂而前，不傷一卒，所俘斬數千百人，沒海者無算。于是海以數有功于朝廷，願與部下諸酋長入款，具庭謁，許之。諜往復，期以八月初二日。然海猶恐陰設甲士刼之，先期一日，卒擁酋數百人，冑而陣平湖城外，自帥酋長百餘，冑而入平湖城中，求款。宗憲恐生他變，遂許海，與諸酋長北嚮面，按次稽首，呼：「天星爺！死罪！死罪！」海欲再爲款宗憲而未之識，因顧諜。諜目示之。海復面宗憲，稽首，呼：「天星爺！死罪！死罪！」胡亦下堂手摩海頂謂之曰：「若苦東南久矣，今既內附，朝廷且赦若，勿再爲孽！」于是厚犒遺之而出。

是日，城中人無不灑然色變者。海既出，宗憲等固已忿恚海之列款，猶冑而入，屬彊脇無禮，又不及如諜故所期月日而先日卒至也，其習行黠若此。于是闔謀，不勒兵誅之，他日必為患。計部下尙千餘人，猛鷙難即破，永保兵猶迤邐遠未至也，于是佯令海自擇便地居之。海果自擇沈家庄，即儆沈家庄與居之，是為八月八日。當是時眾復諠然，何不撲滅海，顧豢虎以自禍也？宗憲意固有待，于是日夜遣使趨永保兵來會；日遣諜詗海，且啗海如曩時。因謀以請于趙曰：「吾聞善兵者乖其所之，海與陳東黨業已深相仇，今合而兩附者，破迫故耳。聞沈家庄故東西兩處，而中縆河為塹，何不說海以西沈家庄居陳東黨，而自擇東沈家庄以居部下酋乎？」諜以諭海，海果如其言。頃之，永保兵至。會海輸二百金來市酒米，宗憲復謀以藥毒其中而歸之。又令陳東詐為書，夜遺其黨曰：「海已約官兵夾剿汝輩矣。」陳東黨果疑，而夜伏邏卒東沈家庄道上瞯之。適海皇急，因令酋竊兩侍女出道上，間道走幕府以自託。邏卒瞰知之，歸以報于陳東黨。陳東黨聞之大驚，即勒兵篡兩侍女過海所，罵曰：「吾死，若俱死耳！」遂私相矟而鬪。海中矟，眾大亂。明日，官兵四面合牆立而進，保靖兵先嘗之，稍郤（却），河朔兵乘之，又郄（却）。俄而宗憲環（擐）甲厲聲，叱永保兵左右列，大呼而入，瞰壘下擊。會風烈，麾眾束千餘炬，人各持炬，縱火焚之。海窘甚，遂沉河死。甫食頃，人人鷙而攖，千餘酋，蒐斬殆盡矣。中所故飲毒首虜黑色者凡三百餘人。于是永保兵俘兩侍女而前，問海何在？兩侍女泣而指海所自沉河處，永保兵遂蹈河斬海級以歸。論浙直功，胡宗憲陞右都御史，加太子太保，敘其子錦衣千戶，餘各有差。

贊曰：「吳越吻海，易絓倭患。民不知兵，毒肆蹂躪。襄懋臨戎，設策定變。水陸徵師，如江如漢。兵道尚陰，妙在用間。九地九天，風雲變幻。卒以翦覆，夷眾自亂。懋賞允宜，東南永奠。」

註：

①「西」，明世宗實錄，卷四二〇，嘉靖三十四年三月丙申朔丁未條作「搪棲」，廣方言館本、抱經樓藏本，及嘉業堂舊藏明紅絲欄鈔本同卷同年同月同日條作「塘棲」。

②「鶯湖、王涇」，籌海圖編、明世宗實錄、明史俱作「鶯洹湖、王江涇」。

③「峽」，倭變事略、籌海圖編、明世宗實錄、明史等俱作「硤」。

④「瑾」，倭變事略作「僅」。

⑤「葉麻」，明史日本傳作「麻葉」。

憲章錄

明薛應旂撰，明萬曆二年平湖陸光宅刊本

卷一

○（洪武二年正月）倭寇山東並海郡縣，又寇淮安。

○（夏四月）倭寇出沒海島，侵掠崇明沿海諸處。太倉衛指揮戴德①，率兵出海捕之，獲倭寇九十二人，及其兵器、海舟。奏聞，陞德爲都指揮。遣使祭東海之神。

註：

①「指揮戴德」，明太祖實錄，卷四一，洪武二年四月乙丑朔戊子條作「指揮僉事翁德」。

卷四

○（洪武四年）冬十月，日本國王良懷①，遣其臣僧祖來率僧徒九人進表，貢方物，因送至明州、台州被虜男女七十餘口。

○（洪武六年春正月）廖永忠上言曰：「陛下定四海，君萬國，臻於太平。北虜遺孽亦遠遁萬里之外。獨東南倭夷鼠伏海島，時因風便以肆侵掠。來如奔狼，去若驚鳥，似不易捕。臣請令沿海軍衛添造多櫓快船，命將領之，沿海巡徼，若倭夷一來，則大船薄之，快船逐之，彼欲為寇，不可得也。」上善其言，從之。

註：

①「良懷」，有關良懷之名字問題，請參看本書頁二二五七，註③。

卷七

○（洪武）十三年春正月癸巳朔，御史中丞涂節告胡惟庸與陳寧等謀反，及前藥殺劉基事。命廷臣審錄。上親鞫之。初，楊憲誅，惟庸總中書，政專生殺黜陟以恣威福，內外諸司封事有病已（己）者，輒匿不聞。四方奔競者趨其門，諸武臣多附之。徐達嘗言於上，惟庸忌之。達有閽者福壽，惟庸陰誘為已（己）用，冀以圖達，乃為伏壽所發。劉基亦嘗為上言惟庸不可用。惟庸知之，恨基。及基病，詔惟庸挾醫往視，基飲藥，逾月死，事在八年正月。惟庸兄女妻李善長從子佑，相結擅權。吉安侯陸仲亨、平涼侯費聚，見惟庸專政，往來益密，惟庸令掌管軍馬。又與陳寧在省中閱天下軍馬籍，令都督毛驤取衛士劉遇寶，及亡命魏文進等為心膂。太僕寺丞

李存義，善長之弟，惟庸之婿父也。以親，故往來惟庸家。惟庸令存義陰說善長以邪謀，事皆未發。……①

○十二月，遣使詔諭日本國王不得縱民侵擾。

○（洪武十四年）秋七月，日本國王良懷（懷良）遣僧如瑤等貢方物，上郤（卻）其貢，仍命以書責之曰：「大明禮部上書致意日本國王：王居滄溟之中，不奉上帝之命，不守巳（己）分，但知環海爲險，限山爲固，肆侮鄰邦，縱民爲盜，上帝將假手於人，禍有日矣。吾奉至尊之命，移文與王，王若不審其微，井觀蠡測，自以爲大，無乃搆隙之源乎。王之國號始曰倭，後惡其名，遂改日本，自漢、魏、晉、宋、梁、隋、唐、宋之朝皆遣使奉表，貢方物。當時帝王或授以職，或爵以王，由歸慕意誠，故復禮厚也。若叛服不常，搆隙中國，則必受禍如吳大帝、晉慕容廆、元世祖，皆遣兵征伐，俘獲男女以歸。千數百年間往事可鑑也，王其審之！」

註：

①胡惟庸及其同黨謀反被誅的經過，已見於本書第七輯，頁二三九二～二三九三，故不重錄。

○（洪武）十七年春正月巳（己）亥朔，信國公湯和巡視海道，築山東、江南北、浙東西海上諸城。

○（洪武二十一年）六月，勅賜信國公湯和還鄉。先是，和以年高乞歸，上念之，俾建第于鳳陽，且謂和曰：「日本小夷，屢擾瀕海之民，卿雖老，強爲朕一行，視地要害，築城增兵，以固守備。」和歷閩、越沿海之地，築城數十而歸。至是，新第成，故有是賜。　卷一〇

○（洪武二十四年二月）命種桐、棕、漆樹於朝陽門鍾山之陽。時以海運及防倭戰船所用油漆、棕纜，悉出於民，爲費浩繁，故有是命。凡種桐、棕、漆樹五十餘萬株，歲收以資工用，以省民輸。　卷一六

○（永樂二年春正月）禁民下海。福建、浙江瀕海居民私置海船，交通外國，因而爲寇。郡縣以聞。遂下令禁民間海船，所在有司防其出入。

○（三月）命趙居任使日本，令十年一貢。①

註：

①「命趙居任使日本令十年一貢」，趙居任雖於是年使日本，但當時並無令十年後貢之實。限該國貢期，係在宣德年間東洋允澎使華之後。參看鄭樑生，明代中日關係研究，第三章，明日交通。

卷一七

○（永樂三年）九月，上以海外諸番朝貢之使益多，命福建、浙江、廣東市舶提舉司各設驛以館之。福建曰：「來遠」，浙江曰：「安遠」，廣東曰：「懷遠」，各置驛丞二員。

○（永樂四年正月）遣使賫書褒諭日本國王源道義。先是，對馬、臺（壹）岐等島海寇刼掠居民，勅道義捕之，獲渠魁以獻，而盡殲其類。上嘉其勤誠，故有是命。仍賜道義白金千兩，綵幣、綺繡、銀壺（壺）諸物并海舟二艘。又封其國之山曰「壽安鎭國之山」，立碑其地。

卷一八

○（永樂）十五年正月朔，倭寇浙東。

○五月，倭寇浙東。

○（十月）遣禮部員外郎呂淵等使日本。時捕倭將士擒寇數十人獻京師，賊首皆日本人。群臣言：「日本數年不修職貢，今首賊乃其國人，宜誅之以正其罪。」上乃遣淵，賜勅切責之。

○（永樂十六年）八月，遼東總兵劉江①言：「近因巡視各島，至金州衛金線島西北望海堝，其地特高，旁可住劄千餘兵，守備詢諸土人云：『洪武初，都督耿忠亦嘗於此築堡備倭。離金州城七十餘里，凡有寇至，必先過此，實爲濱海襟喉之地，乞用石壘堡，築置煙墩瞭望。』從之。

①劉「江」，有關劉江的本名問題，請參看本書頁二三〇九，註①。

註：

卷三二

○（成化五年二月）日本國使臣回還，揑稱海上遭風，喪失方物，乞給價回國。禮部執奏不與，且欲治其通事閻宗達教誘之罪。宗達浙江奉化人，先年逃入海島，今隨使來朝。上曰：「宗達且不究治，若再反覆，族其原籍親屬。」

○山東濟寧州老人李瓛奏：「外夷朝貢，經過者擾害有司、驛遞，乞勅該部遣官伴送。」事下禮部，覆奏謂：「不必遣官，宜令原來伴送人管束，并行沿途官司嚴禁，違者治罪如律。」

○（五月）浙江定海衛副千戶王鎧言：「倭夷奸譎，時掠海邊，見官軍追捕，乃陽爲入貢，伺虛則掩襲邊境。往者大嵩嘗被其毒，近見使臣（天與）清啓入貢，臣恐使回有異謀，或爲掩護之計。乞勅鎮守總督、巡海等官設策防禦之。」兵部因言：「邇者倭使清啓凌轢館僕，殘殺市人，迹實桀驁，鎧言誠當，宜移文備倭巡海等官，令督緣邊官軍振軍容，嚴斥堠，以防其姦。」

卷四四

○（正德四年）秋七月，日本南海酋遣使來貢。

憲章類編

明勞堪撰，烏絲闌鈔本

諸司勘合

〇洪武十五年正月，始創諸司勘合。

卷一七

海防

〇永樂十年秋七月，遣將練兵海上防倭。

卷二七

勳臣提督軍務

〇洪武十七年春正月，信國公湯和巡視海道，築山東、江南北、浙東西海上諸城。

卷二八

卷四一

日本國

○洪武二年正月，遣使以即位詔諭日本、占城、爪哇、西洋諸國，賜以璽書。

○洪武二年正月，倭寇山東並海郡縣，又寇淮安。

○洪武二年四月，倭寇出沒海島，侵掠崇明沿海諸處。太倉指揮戴德①出海捕之，獲倭寇九十二人，及其兵器、海舟。奏聞，陞德爲都指揮。遣使祭東海之神。

○洪武四年冬十月，日本國王良懷②，遣其臣僧祖來率僧徒九人進貢方物，因送至明州、台州被虜男女七十餘口。

○洪武六年正月，廖永忠上言曰：「陛下定四海，君萬國，臻於太平，而北虜遺孽，亦遠遁萬里之外。獨東南倭夷，鼠伏海島，時因風便，以肆侵掠，來如奔狼，去若驚鳥，似不易捕。臣請令沿海軍衛添造多櫓快船，命將領之，沿海巡徼。若倭夷一來，則大船薄之，快船逐之，彼欲爲寇，不可得也。」上善其言，從之。

○洪武十三年十二月，遣使詔諭日本國王不得縱民侵擾。

○洪武十四年七月，日本國王良懷（懷良），遣僧如瑤等貢方物。上郄（却）其貢，仍命禮部尙書致意日本國王：「王居滄溟之中，不奉上帝之命，……③

○建文三年九月，倭寇浙東。

○永樂二年三月，命（左）通政趙居任使日本，令十年一貢。

○永樂四年正月，遣使齎璽書褒諭日本國王源道義。先是，對馬、臺（壹）岐等島海寇刼掠居民，勑道義捕之，獲渠魁以獻，而盡殲其類。上嘉其勤誠，故有是命。仍賜道義白金千兩、綵幣、綺繡、銀壺諸物，并海舟二艘。又封其國之山曰「壽安鎭國之山」，立碑其地。

○永樂九年五月，倭寇盤石。

○永樂十五年正月，倭寇浙東。

○五月，倭寇浙東。

○十月，遣禮部員外郎呂淵使日本。時捕倭將士擒寇數十人獻京師，賊首皆日本人。群臣言：「日本數年不修職貢，今賊首乃其國人，宜誅之以正其罪。」上乃遣淵，賜勑切責之。

○永樂十六年四月，行人呂淵自日本還，其國王源道義特遣使奉表謝罪。④

○正統四年夏四月，倭寇浙東。

○正統五年五月，倭寇浙東。

○正統八年九月，倭寇浙東，按察僉事陶成，整飭海道，率兵平之。

○正統十一年四月，倭寇浙西。

○成化四年六月，日本國通事治若再反，覆族其原籍親江、寧波等府衛人，幼被倭賊掠賣與日本爲通事，今隨本國使臣入貢。將還，乞容便道省祭。從之，仍禁其勿同使臣至家，及私引中國人通番。如違，聽有司治罪。

○成化五年二月，日本國使臣還，捏稱海上遭風，喪失方物，乞給價回國。禮部執奏不與，且欲治其通事閻宗達教誘之罪。宗達本浙江奉化人，先年逃入海島，今隨使來朝。上曰：「宗達且不究治，若再反覆，族其原籍親屬。」

○成化五年五月，浙江定海衛副千戶王鎧言：「倭夷姦譎，……⑤

○正德四年七月，日本南海酋遣使來貢。

○正德六年六月，日本遣寧波叛民宋素卿⑥來貢。

按：海寇舊乘信風，易於為備，歲凡仲春東南風始迅（汛），番舶乃西北行，至秋而歸。今任其何風可轉帆借發。往者由新羅、百濟至遼陽南下本朝，初由大小琉球迂繞福建至浙，近乃發五島，由八山、霍山直對寧波，不五日夜必至浙，發則無時。

按：國初吳淵穎論倭書，說盡事情，乃引辛毗，對魏文帝之言曰：「罷我互市，任被（彼）貿易，中國免徼（繳）利之名，外夷知効順之實，莫便於此。為其商（商）道不通，而利之所在，人必趨之，不免巧生計較。商（商）轉而為寇。商（商）道既通，則寇復轉而為商（商）。彼其既犯國禁，思圖苟安，因陷引勢家，同作勾當。行之既久，不免惹起奸圖，大生覬覦。時則不因商（商）道不通而實成寇心矣。伏按：國初禁海之例，始因遣諭不來，繼恨林賢巨燭之變，欲與閉絕之，故非以通商（商）」之不便耳。惟其不通商（商）而止通貢，所以正德年間各道爭貢以規利市。在彼國則強請勘合，倭王遂不能制，在中國則有宗設〔謙道〕、宋素卿之禍，而漳、寧惡少則甘蹈負固，而肆橫行。然以前狡偽，未備華夷兩家，行之既久，併力合作，乃有不可支者。惟厥所原，各為行商（商）之意，而終貽地方之害，能無慮乎？

註：

①「戴」，戴，明太祖實錄，卷四一，洪武二年四月乙丑朔戊子條作「翁」。

②「良懷」，良懷之為懷良之誤，請參看本書頁二二五七，註③。

③禮部尚書致「日本國王」咨，已見於本書第六輯，頁二三三五，故不再錄。

④如據日本史乘的記載，源道義（足利義滿）歿於永樂六年（應永十五年，一四〇八），故此「國王」應是道義之子義持。

⑤王鎧之奏言已見於本書頁二八三〇，故不再錄。

⑥「卿」，明實錄、明史、鄭舜功，日本一鑑、鄭若曾，籌海圖編、談遷，國榷等俱作「卿」。

嘉靖以來注略（憲章外史續編）

明許崇熙撰，明崇禎六年刊本

卷一

○（嘉靖二年五月）鄞人宋素卿奔日本，正德初，國人源永壽偕來貢，其族人識之，告素卿附夷。守臣以聞，置不問。至是，其主源義植①幼，政在強臣，左右京兆（大）內藝興②、細川高（國）。（大）藝興遣僧宗設（謙道），（細）川高（國）遣僧（鸞岡）瑞佐及（宋）素卿各來貢，先後至寧波。而市舶司閱貨、宴坐，向以至先後爲次。素卿賄太監（賴恩），佐後至而先閱，又坐設上。設怒，遂相殺。太監陰助佐，授之兵。設愈怒，遂燬嘉賓堂，刼東庫。佐奔紹興，設追至城下，逼令綁佐獻出乃去。設眾至霍山洋，殺都指揮劉錦、千戶張鏜。又自育王嶺逃至小山浦，殺百戶胡源。巡按歐珠奏聞。

○（嘉靖四年二月）初，宗設肆掠後，匿入海嶴，素卿、瑞佐就執下獄。朝鮮兵徼海者，得設黨仲林③、望古多羅，及倭首三十三。國王李懌獻之，乃發林、望等至浙驗實，與素卿俱斬④，瑞佐釋還本國。

范守已（己？）曰：「鄭曉有云：『夏言謂倭禍起於市舶，遂請罷之。』不知當罷者內臣，非市舶也。祖訓雖絕日本而市舶不廢，蓋以通華夷之情，使利權在上也。市舶罷而利孔在下，姦豪外交內訌，海上無寧日矣。」噫！曉言不為無見。然使番舶不至，則姦豪何從詎取其貨以階厲耶？夷貨非衣食所急，何謂中國不可缺耶？朱紈嚴其禁令而言者紛紛，則衣冠之盜甚於夷狄也。

註：

①「植」，植，日本史乘俱作「稙」。

②「藝」，藝，日本史乘俱作「義」。

③「仲」林，仲，明世宗實錄，卷五〇，嘉靖四年四月庚寅朔癸卯條、明史，日本傳、朝鮮中宗實錄俱作「中」。

④「乃發林望至浙驗實與素卿俱斬」，明史日本傳云：「素卿及中林、望古多羅並論死，繫獄。久之，皆瘐死。」

〇（嘉靖八年七月）溫州逃卒縛永嘉主簿，海寇數十艘入掠寧、紹，浙東大震。江陰賊侯仲金拒殺官兵，執其主簿支解之。給事中夏言請設都御史巡視浙江，及江淮總兵官。從之。以王堯封巡視浙江軍務，崔文總兵瓜、儀。

卷三

○（嘉靖二十六年六月）命朱紈巡撫浙江，兼攝福建。紈未至，而倭船百餘，久泊寧波、台州，有眾數千登岸殺掠。巡按裴紳以聞。勅紈嚴泛海通番。

○朱紈至浙，微知沿海大姓皆利番舶，勾連主藏，貴家尤甚。凡夷舶至，爭致其家，虛值轉鬻其貨，牟利潤己，久不歸值。夷眾怒，時時搆難，有所殺傷。紈下令嚴海禁，凡雙檣餘艎，一切毀之。因奏言：「去外夷盜易，去中國盜難；去中國群盜易，去中國衣冠之盜難。」列貴官家渠魁姓名，請戒諭。不報。

卷四

○（嘉靖二十七年秋七月）改浙福巡撫朱紈爲巡視。時沿海通番大姓皆不便紈，賂科道葉鏜、周亮，請改紈銜以輕其權。

○（九月）朱紈破海賊於溫州。

○（嘉靖二十八年）夏四月，朱紈俘斬海寇九十六人。紈嚴於任事，海道爲之肅清。奏曰「今不依臣區處，十年後，中國皆倭賊矣。」一時通番皆宦家子姓，而林希元以講學竊名，其家尤甚。厚賂閣臣，必欲敗紈。御史陳九德劾紈擅殺。遣給事中杜汝禎往勘。

○秋七月，朱紈請緝捕閩、浙通倭豪猾林參等。署兵侍郎詹榮覆奏紈所論坐，俱關重刑，未知果否通番，御史周亮劾之。有旨，命紈還籍聽覈。已而杜汝禎及御史陳宗夔勘上，前賊乃滿剌加國人，私招沿海無賴，販鬻番貨，未嘗流刼；并論副使柯喬，指揮盧鏜擅殺罪。紈嘆曰：「權臣在內，未有能立功於外者，吾不爲曾銑市曹也。」因飲藥自殺。

○（嘉靖二十九年）二月，川御史董威言：「罷海禁時，閩、粤濱海宦家，惟誘番貨爲利。番人肆掠出沒，不逞之徒，爲之內導。王直、徐海、毛潡據近島，擬於王者。朱紈明晰其情，特嚴海禁，鐫暴勾引，諸豪欲遂除之，於是譁者四起。比威巡按閩、浙，豪貴爭賂之，以弛禁爲便。內閣主之，盡反紈令，卒釀大亂。」

○（嘉靖三十年夏四月）浙江巡按宿應參請寬海禁。

○（嘉靖三十一年）夏四月，倭寇起。初，朱紈論死，浙江巡撫不復設；又以宿應參之請盡寬海禁，舶主、土豪連結倭賈，大肆無忌。徽人王直爲舶主渠魁，倭奴愛服之，與其黨徐（惟）學、毛勳、徐海、彭老數千人，列兵近洋，登岸犯台，破黃巖，掠定海、象山，浙東騷動。

○秋七月，倭寇猖獗，復設浙、閩巡視重臣，改山東巡撫王忬任之。忬請假事權，誅賞得便宜。以俞大猷、湯克寬爲參將，徵狼、土兵，募溫、台黠徒，分隸諸將，布列瀕海。

○（嘉靖三十二年三月）王忬督浙、閩，知參將俞大猷、湯克寬材勇，虛己任之。起廢將盧鏜、尹鳳於纍囚，使之自效。倭盜汪（王）直，結砦普陀諸山，大猷銳兵先發，克寬繼之，擣其砦，縱火焚之。賊盡登舟，與戰於海，斬首一百五十，生擒一百四十三人。忽颶風發，兵亂，直得逸。復邀擊於北茭，斬首百餘，生擒二百人。

○夏四月，海賊汪（王）直等，四散刧掠海上，參將湯克寬往來護救，斬獲相當。有蕭顯者尤桀，率勁倭居上海之南匯，逼松江而軍，圍嘉定、太倉；焚燒公私廬舍。汪（王）直、徐海出入畿浙，破昌國、平湖、寧海、乍浦，官兵遇之，輒敗，凡殺一把總，四指揮，及千、百戶、縣丞等。王忬遣盧鏜掩擊，擒顯。賊破臨山，犯松陽，知縣羅拱辰禦刧（却）之。俞大猷以舟師邀擊，斬首六十九級。賊復破福寧州。

○五月，倭眾圍湯克寬於海鹽，焚城樓不能入，復犯上海。知縣俞顯①科逊，指揮（武）尚文，與戰不勝。及縣丞宋鰲俱死。倭據城七日，焚燒一空。又陷乍浦，羅拱辰將兵逐之。流刧奉化，湯克寬破之於獨山。

○秋八月，覆浙、直諸臣功罪，參將湯克寬、俞大猷，副使李文進，以功贖罪；都指揮韓璽、解明道，州判金汝楫，有功賞錄，餘各降罰。

○（冬十月）湯克寬圍倭於南沙，敗績，喪卒四百餘人。

○倭舟泊寶山，克寬擊之，斬首七十三級。犯上海、太倉，僉事任環擊破之。指揮張棟敗倭於泉州之石圳澳，擒四十餘人。

○（嘉靖三十三年）三月，倭自南沙登岸，湯克寬敗之於採淘港，斬首百八十級。倭寇入海趨江北，焚掠通、泰各鹽場。

○俞大猷剿普陀山倭寇，軍半登，賊伏突起，殺將士三百餘人。

○夏四月，屠大山巡撫應天，始加提督。

○倭自海鹽趨嘉興，盧鏜禦之，戰於孟家堰，敗績，都司周應禎等皆沒。賊據石墩爲巢，陷嘉善，復攻嘉興。副使陳宗夔郄（却）之。

○賊破崇明，知縣唐一岑死。

○五月，命尚書張經總督直、浙、福、廣、山東軍務。

○倭犯通州，千戶洪岱、文昌齡、王烈赴援，戰於三里河，參將解明道擁兵不應，岱、烈、昌齡戰沒。

○兵部議招汪（王）直，兵科王國禎②諫阻，令張經一意征剿，降者不死，賊首不赦。

○（六月）改王忬巡撫大同，以李天寵代撫江浙。

○秋七月，倭自蘇州掠嘉興，轉趨松江出海。俞大猷邀敗之於吳淞，又敗之於長礁。

○從張經言，調廣、貴土司兵征倭。

○（八月）倭自嘉興還屯柘林，進薄嘉定。張經自駐常州，而遣參將李逢時、許國剿倭。爭功好殺，每日率長鎗手出城揚兵，則斬民報捷。知縣楊旦訴之，參政翁大立謂贊畫主事譚綸曰：「爲民剿賊，乃殺民當功耶？」綸不能從，大立怒，乃促之出兵。行至羅店，遇大雨，兩參將促之前，至採淘港，見倭船數隻泊港，皆以被絮蒙上，兵亂射之不動。比過午，海潮已上，諸港皆漫。倭十六人忽於蘆中躍出，滚刀入陣。軍士亂，盡棄鎗走。臨港不得渡，則自相殺或溺死，死者三千人。

○應天〔巡〕撫屠大山回籍，以周珫代。

○九月，詔停蘇、松、常、鎭租一年。

○倭寇海門，副使張景③賢敗之。

○十月，倭由金山突出，分掠沿江海諸縣，僉事任環往來禦郄（却）之。初，環爲同知，訓練民兵，東西策應，徧身書姓名，曰：「死，綏職也，爲先人記此髮膚耳。」聞者壯而悲之。嘗戰敗幾死，庖人徐珮獨身蔽後脫之。倭犯太倉，環疽發背，裹瘡出海，怒濤山立。環手劍力戰，大敗之，俘斬百餘。屢敗之於陰沙、保山，擢兵備僉事。或單騎，或扁舟，微服往來調度，州縣民咸仰戴之。寇之所至，環即奔至，與士卒同寢食。倭望環，輒曰：「瘦官來矣！」即遁。三歲間，大小百餘戰。已，母喪，以兵事強留。晝則治兵，夜則孺慕泣，忠孝蓋天性也。

○十一月，副使陳宗虁，與倭戰於烏程之羔墩，失利。倭歛入柘林。

○十二月，調永順、保靖二土司勦倭。

○（嘉靖）三十四年春正月，命萬表督漕運。表入京，道經蘇州，謂巡撫周珫曰：「賊據內地久，民不得耕。催科敦迫，相率從賊耳。宜亟請蠲逋，兼下募兵令，土著之餉與客兵等，則人樂歸。

如得士千人，則減賊千人也。」

○二月，命〔工部右〕侍郎趙文華祭告海神兼督察軍情。初，文華以主事降判官，嵩留之，以郎中改通政參議，尋爲使，出鄖陽。巡撫給事朱伯辰，劾其貪鄙無恥。文華辯訐曰：「此萬鏜所使也。」遂罷鏜，留文華，改侍郎。〔嚴〕嵩請禱祀東海，以禳倭魄，乃使之。

○三月，聶豹閑住，以楊博代〔兵部尚書〕。時南北多事，責成本兵甚切。豹事多推諉，惟秋末類舉捷疏，請謝玄祐而已。上厭薄黜之。豹南歸，倭阻吳門，守臣問退倭策。豹舉孟子壯者以暇日修其孝、弟、忠、信對，聞者揜口。後豹卒，得謚貞襄。

○蘇松兵備任環，破倭於南沙，斬首一百八級。

○倭燒通州南門。

○夏四月，浙江巡按胡宗憲，請移檄日本王，問以島夷入寇之故。

○田州女土官瓦氏將狼兵至，趙文華趣張經亟檄之戰。經曰：「狼兵勇進易潰，萬一失利，即駭遠近，俟永順、保靖兵合力，方保萬全。」瓦氏憤曰：「我自備軍需，不效尺寸，何以歸見宗黨？」文華怒，遂劾經養寇靡財。經懼，乃集大兵，以保靖彭藎臣兵屬盧鏜，永順彭翼南兵屬俞大猷，而狼兵、僧兵屬湯克寬、任環。會倭柘林突出犯嘉興，保靖兵先合，敗之於石塘。倭走平望，大猷又扼之。乃奔王江涇。克寬迎其前，保靖尾其後，斬手一千九百八十④。

○文華劾疏至，上以問嵩。嵩言：「經不可留。」遂逮之，以周珫代經總督。尋捷疏至，兵科給事中李用敬請免逮。上怒，杖用敬五十。

徐學謨曰：「經為文華所訐，故實錄輕文華而軒經。當經駐江南，受有司供億僭侈，所至騷然。自採淘港一敗，按兵不舉，實為文華所促，乃有王江涇之捷。徐階、李本親受桑梓荼毒，傳聞異詞，不可不戮也。戮經而用宗憲，卒收全績，不可以文華故，一概抹殺。

○五月，倭犯蘇之婁門，殺鎮撫孫憲臣，又躪常熟境。知縣王鈇、鄉官錢泮敗死。鈇，清愛得民，勇略自負。縣無城，鈇集民築之。未畢而寇至，鈇且禦且築，卒以完固。無何，有探倭九人至虞山麓，縣簿義子李安猝遇之，獨力與鬪，斃其二人，安亦死，倭遂不敢犯。已復假道出海，鈇統兵邀之。倭善伏，突起叢莽。鈇手刃格鬪，立死泥沼中。

○任環敗倭於常熟，斬首一百五十。

○倭五十人自上虞爵谿登岸，據高埠民房，知府劉錫圍之。賊縛筏潛由東渡，殺鄉官錢黥。流刼杭州以西，歷於潛，至浦江。浦江初無城，知縣許河城之，民皆不樂。河，自築數丈，丞、簿、尉、鄉官、士民以次計丈築完。比倭至，村落屠戮一空，縣以城得全。

○江陰知縣錢錞，擊倭於九里山，遇雨伏起，錞死之。

○倭侵吳江，任環、俞大猷迎擊於鷹脰⑤湖，斬首七十九級。

○大猷追倭於三板沙，斬首九十三級。倭集嘉定民舍，環率耆民攻之，不克，傷者三百人。復進圍爇之，賊盡死。

○黜周琉、李天寵，命楊宜總督浙、直，胡宗憲撫浙，曹邦輔撫應天。

○七月，高埠逃倭自嚴越嶺至徽，破南凌、蕪湖，殺縣丞陳一道。又自太平轉犯南京，趨秣陵關。

○倭衆由白茅趨海，大猷追敗於茶山，焚其舟。

○八月，指揮徐承宗潰於秣陵，倭遂破溧水，流刼溧陽，趨宜興；自太湖取道抵無錫，官兵追及于望亭，賊奔滸墅。

○柘林倭載舟出海，俞大猷擊之，斬首七十。僉事董邦政邀擊於寶山，斬首九十八級。倭復據陶宅。

○巡撫曹邦輔督副使王崇古兵，四路蹙倭。倭自滸墅走楊林橋，一鄉民紿之，導至絕地，盡殪。

○九月，文華大集兵會攻陶宅倭，簡浙兵四千，文華與宗憲自將之，管（營）於松之磚橋，約邦輔以直隸兵夾擊。倭悉銳來迎，浙兵潰，擠水死者千餘人，倭勢益熾。

○盧鏜圍倭於天陳山，生擒倭八十四人。

○兵備劉燾，以兵逼陶翟，大潰，劉燾僅以身免。

○十月，殺張經、李天寵及直諫員外（郎）楊繼盛。繼盛妻張氏請代夫死，不報。

○曹邦輔攻倭於周浦，兵潰。

○御史周如斗言：「蘇、松流寇，可及時剪滅，曩者柘林斬獲，悉鄉兵之功，狼、苗二兵，一無所用，苗兵尤有前王江涇妻門之捷，狼兵則徒擾地方耳。宿將何卿、沈希儀督川、廣調至之卒，近日功捷，一無所與，請罷之。」一命卿、希儀閑住。

○倭自樂清流刼黃巖，將官劉隆、閔溶戰沒。至慈谿，殺主簿畢清，遂由上虞犯會稽，知事何常明，監生謝志望等皆戰死。倭屢戰亦疲，退屯宋樓，典史吳成器擒斬三十人。

○倭二百犯莆田，千戶張鑾等戰死。

○有倭二千駕舟入〔川〕沙窪，與舊倭合。

○（十一月）盧鏜殄倭於海鹽。

○倭犯興化、汀、泉，殺將童乾震、楊應茂。

○閏十一月，周浦倭突圍東奔，遊擊曹克新追斬一百三十。〔川〕沙窪賊焚巢，載舟出海，大猷、〔王〕崇古合兵擊之，斬一百七十。克新追倭於嘉定之高橋，鏖戰，自辰及未；酉陽兵先潰，軍遂亂，爲賊所乘，千戶李燦等皆死。

○趙文華乞還京。

范行己曰：「十羊九牧，自古患之。倭禍方萌，一紈足剪。及其既熾，一忓足遏，而何庸總督，矧督察耶？紈死而藩籬大撤，忓去而鷙猛頓解。經來而天寵之任不專，文華至而經禍立見，尚何寇之易平乎。」

○十二月，任環領兵剿新場倭，保靖土舍彭翅、永順土目田菑、田豐年陷伏皆死。御史邵惟中以聞。時徵兵雲集，楊宜闇淺無策，故敗。

○（嘉靖三十五年春正月）倭寇流入浙江，土司田九霄扼之於曹娥江。賊還走，官軍與戰，斬首二百。

○松江新場倭敗官軍於四橋，參將尙允詔⑥死，亡卒四百。

○罷總督楊宜，以胡宗憲代。

○（二月）張景賢代邦輔撫應天，阮鶚代宗憲撫浙。

○夏四月，總督胡宗憲，奏遣寧波生員蔣洲、陳可願傳諭日本王，爲颶風飄至汪直島⑦，言日本國亂，無主，直等坐通番禁嚴，以窮自絕，誠令貰其前罪，得通貢市，願殺賊自效，遂留蔣洲傳諭，宗憲以聞。部議：「使者未及見王，及爲汪（王）直等游說。且直等本我編民，既稱效順，自當釋兵歸正，第求開市，隱若夷酋，俟蔣洲回日，保無他變，然後議之。」

○倭破慈谿，殺鄉官王鎔、錢渙。

○南直（隸）續至倭三千，犯鎭江、瓜、儀。

○江北倭流刼至圌山，無爲州同（知）齊恩迎戰，斬首百餘級。次子嵩，年十八，梟（驍）勇善射，獨前追賊至安港，恩眾隨之。伏發四圍，恩及長子伷，并家丁二十一人皆力戰死，惟嵩得脫。倭乘勝至金山，殺千戶沈宗玉、王世臣於江。俞大猷、董邦政敗倭於陶山。

○倭萬餘趨浙西皂林，佐擊宗孔禦之於崇德北石橋，三戰俱勝，斬首三百餘級。會橋敗眾潰，孔及其裨侯槐等俱死，賊亦奪氣。

○（五月）復命趙文華提督南畿、浙、福軍務。時倭勢日滋，文華言漸不可信，恐上誅之。嵩爲言：「江南引領俟文華，仍遣督察，則寇滅可期。」賜勅遣之。

○宗憲招賊毛敖⑧聽撫。敖襲倭於魚山，擒斬百八十人。

○賊徐海、陳東圍桐鄉，宗憲遣陳可願、夏正說之。海聽命解圍，歸我俘二百人。東留攻一日，亦退屯乍浦。

○六月，倭寇廣、潮州。

○俞大猷剿倭於七鴉浦，斬首三百。

○倭陷仙居，趨台州，盧鏜及艾升擊之，斬首二百。

○七月，賊徐海與陳東貳，遂誘東執之，并其黨葉庥⑨等百人以獻；帥所部五百人，別營梁莊。官軍圍乍浦巢，連戰，斬首三百，奪所略男女七百餘，焚溺盡死。初，宗憲遣華老人檄海降，海怒，縛而將斬之，其所幸婦王翹兒力勸，親自解縛縱歸。宗憲乃更遣羅龍文說海，而陰以金珠賂翹兒。翹兒日夜泣言：「海中作賊無休計，不如降而得官。」海心動，遂約降，因殺東自效。及乍浦平，官軍萃而薄之，海勢孤，因自沉死。翹兒來歸，宗憲以賜永順酋長，亦自沉。

○（冬十一月）錄平徐海功，加趙文華少保，賚內閣本兵，及在軍大小將吏銀幣。

○浙直敗倭飄船至朝鮮，爲其國人所殲。王李峘以所獲叛人來獻。

○十二月，雪夜，俞大猷集兵擣舟山賊巢，土司莫翁送前死，盡焚其柵。賊奔潰，斬首一百四十級。

註：

①「俞顯」，明世宗實錄，卷三九八，嘉靖三十二年五月丙午朔癸丑條作「喻題」。

②「禎」，談遷，國榷作「貞」。

③「景」，明世宗實錄，卷四一四，嘉靖三十三年九月己亥朔乙卯條作「普」。

④「一千九百八十」，史語所影印本明世宗實錄，卷四二二，嘉靖三十四年五月甲午朔條作「一千九百八十人有奇」，廣方言館本、內閣大庫舊藏朱絲欄鈔本明世宗實錄，同卷同年同月同日條作「一千九百有奇」。

⑤「鷹脰」，或作「鷹洹」。

⑥「詔」，明世宗實錄，卷四二九，嘉靖三十四年閏十一月壬戌朔癸酉條，夏燮，明通鑑，卷六一，紀六一，同年同月同日條，俱作「紹」。

⑦「汪直島」，日本無汪直島，疑為「五島」之誤。

⑧「敖」，即王直義子毛海峰，即毛烈，即王激。「敖」，明世宗實錄，卷四五三，嘉靖三十六年十一月庚戌朔乙卯條作「激」。

⑨「葉麻」，明史日本傳、談遷，國榷，卷六一，同年同月戊寅條俱作「麻葉」。

○（嘉靖三十六年夏四月），倭寇流刼如皐、泰興、海門、通州。

○五月，官兵潰於楊（揚）州，倭遂流刼淮、泗，軍官沃田、丘君寵皆敗沒。倭入天長，又入盱眙，其衆半繇廟灣開洋東逸。

○六月，參將劉顯鏖倭於安東，令三百人陣於原，甲士四十人塞隘巷，六十人分四部伏岡下，三巨艦積葦上流。倭自巷出者悉斬之，其渠怒，麾衆盡登。顯單騎橫貫其陣，兩刃騰躍，矯捷若飛。倭悉衆圍之。三百人陣而前，斬前隊二人，倭衆披靡。伏四起，夾擊大破之。賊潰奔舟，舟已焚，遂殲之。

○九月，趙文華罷免。文華憑籍（藉）嵩資，要結上寵。進方士王金所製仙酒，謂可延年，且言嵩所常服。上以問嵩，嵩不敢承。上惡其無實，寖疎之。一夕，遣中使至其第，賜之衣，文華醉，拜不成禮，上不懌。會言官謝江等，各言其在江南黷貨狀。上屢問嵩，嵩憚。上嚴明。不敢掩護。文華疏請暫假。上即令回籍。其子懌思請假送親，以晦日具疏。上大怒，黜文華爲民，懌思戍邊。文華尋患蠱，腹裂死。

○十一月，汪（王）直就擒。直與宗憲俱徽人，曾相識。比直爲海寇，號汪五峰，招誘群倭爲江南大患。直居島中，擬王者。毛激、葉宗滿、謝和諸不逞皆屬。宗憲既秉鉞密迎直母子置軍中，厚撫之。而遣蔣洲持其子書通意，許以不死。直大喜，傳文洲徧諭各島，如山右豊（豐）後島①主源（大內）義鎮亦大喜，乃遣僧善妙等四十人，隨直來貢。直潛行詣督府，與宗憲面定約，宗憲厚遇之歸。直遂遣毛潡助官兵擊倭所最桀驁者。宗憲得以其間定徐海、陳東。巡按王本固奏直等意未可測。朝議洶洶。直久不得報，復遣潡見宗憲，且要中國一官爲質。宗憲反覆諭以無他，命指揮夏正同潡往。召直入見，直遂與葉宗滿、王清溪入。宗憲令直自繫按察司獄，爲之奏請，曲貸其死以繫番夷心。巡按王本固以爲不可，且言宗憲入直金錢數十萬，爲求免死。宗憲大懼，追疏盡易其辭，言直自送死，寔藉玄庇，惟廟朝處分之。於是嚴旨責宗憲剿捕餘黨。而毛潡、謝和在舟，謂督府詒我，出怨懟語，將夏正寸斬之，撫之不復來矣。散掠閩、越、淮、揚間。然既失直，群賊亦不振。

○（嘉靖三十七年三月）徐海就平之歲，趙文華疏請宗憲兼浙撫，而阮鶚移撫福。及倭犯福州，鶚不能制，則取布政司庫銀、段（緞）疋賂之，遺以新舟載去。給事中劉佑劾之，逮歸京師，尋黜爲民，以王詢代。

○夏四月，倭犯溫、台，參將戚繼光赴救，與倭戰於寧海城下，壯士朱珏斬其渠，驅之瓜陵江，盡殺之。

○倭破福清，執知縣葉宗文。又破惠安，知縣林咸死之。

○（五月）參將尹鳳，敗倭於七礁。

○浙倭退至大田，會雨甚，由間道走仙居，出白水洋。戚繼光引兵伏上峰山，待賊過半，起而覆之。賊匍匐登山據險，壯士斬關上，賊殊死鬬。官兵圍之數重，四面舉火，盡焚死。而舟中之倭據長沙，沙外隘頑孤懸，繼光令騎將李成守隘頑，而自浮海登沙薄之，以正兵先進，奇兵出賊後，焚其舟，舟盡焚。賊半伏誅，半陷海死。

○（十一月）御史王本固、李瑚各參劾胡宗憲岑港養寇，溫、台失事之罪；追論宗憲私誘汪（王）直啓釁。上批曰：「逆直罪浮於賊，宗憲用計誘獲，人皆知之。小人嫉功，不明功罪。」宗憲上疏自理曰：「汪（王）直爲東南大患，節經部題，先有購求之文，後有許降之議。臣不惜身家，百計以困之。茲幸擒獲，言者誣臣爲啓釁，是嫁無窮之禍於任事者之身耳。昔歲徐海、陳東、葉麻②結巢柘林，攻城破邑者四年，是誰啓釁耶？況直久雄海上，往年住泊海表，俞大猷以福船五十艘，攻圍數月，竟爾逸去，中外驚詫，以爲猛虎。幸而獲之，復以爲么麼也，不爲功足矣，何至爲罪？」上報曰：「卿計擒妖賊，人皆所曉，且竭誠展布，以平餘氛。」

○柯梅倭駕舟出海，俞大猷擊之，群倭赴南洋去。

○（嘉靖三十八年三月）譚綸敗倭於浙之象山。

○倭刼崇明三沙，掠楊（揚）州海門。

○有倭二千餘，突犯饒州。

○夏四月，倭攻福寧州，破福安縣，往來漳、泉。

○江北倭侵通州，總兵鄧城敗績，指揮張谷死之。

○盧鏜敗倭於三片沙，黎鵬舉敗倭於福之七星山。

○發倭僧清授於四川安置。

○江北副使劉景韶，遊擊丘陞，與倭戰於丁堰、如皐、海安，三勝之。倭悉攻楊（揚）州，陞又敗之。景韶蹙倭於潘莊，剿絕。

○參將曹克新，大敗倭衆於姚家蕩，斬首四百七十八級。餘衆退保廟灣，再戰於印莊、新洲，斬首二百餘。

○唐順之爲右通政，仍同宗憲經畫倭事。

○五月，唐順之自將攻倭於廟灣，屢挑戰，倭終不出。順之怒，督兵入險，我兵死傷甚衆。順之知未易猝破，駕言經略三沙南去。

○倭衆圍福州城一月始解。

○汪（王）直餘黨毛澈，移衆南澳，建屋而居。

○劉景韶圍廟灣日久，賊終不出，乃令水兵截葦焚其舟。賊爭救舟力鬪，殺傷甚衆。乘夜雨潛遁入舟，我兵進據其巢。餘倭無幾，乘風開洋而去，江北悉平。

○參將尹鳳，追破倭舟師於梅花洋。

○秋七月，三沙倭突至江北，犯楊（揚）州，劉景韶、丘陞大敗之於鄧莊。倭走鍋團，陞輕兵徑進，馬蹶，死之。

○八月，景韶兵圍倭於劉莊，胡宗憲遣劉顯以千人赴援。巡撫李遂檄江北兵盡屬顯，以一軍心。顯率所部先登，自辰至酉，賊巢始破。賊奔白駒場，又追敗之，賊衆盡殄。

○（冬十月）廣東賊張璉、林朝晞③，嘯聚千人，流刼潮陽諸郡。

○（嘉靖三十九年）五月，進胡宗憲兵（部）尙書，仍督沿海。贈死事指揮夏正、生員林田等官。

○（嘉靖四十年）閏五月，查盤科道羅嘉賓、龐尙鵬言：「浙、直軍興以來，督、撫侵盜，無慮數千萬，張灼可數者，趙文華十萬四千，周琓二萬七千，胡宗憲三萬三千，阮鶚五萬八千，史褒善萬一千，趙忻四千七百，乞通行追究。宗憲上疏自訟曰：「臣爲國除兇，用間用餌，不有小費，不可以就大謀。而忌者遂緣此生奸指爲侵剋，臣誠不能以危疑之迹，自理於讒謗之口。」上優詔慰留之。時倭難稍息，而羅、龐疏至。嚴嵩謂人曰：「昔王守仁侵濠帑，議者以有大功，誚讓不及。」嵩言雖爲宗憲護短，而事體應亦如是。

○（十一月）劉顯、戚繼光連破賊於林墩，閩之宿寇盡平。繼光引兵還浙，遇倭自福清東營登岸，麾兵擊之，斬首一百八十。既行而倭至日衆，圍興化府城匝月。守卒疲勞，賊夜以布梯傳城入之。參政翁時器遁，同知奚世亮被殺。劉顯在會城，聞興化危，提兵往援，至則賊已在城。又所將不滿七百，且疲於屢戰，畏敵銳不敢膺，乃逼城而陣。

○（嘉靖四十一年）十一月，南科臣陸鳳儀劾奏胡宗憲十大罪，大略言：宗憲與汪（王）直同鄉，所任蔣洲、陳可願皆賊中奸細。賊眾無幾而宗憲按兵養寇，與為誓約。督府積銀如山，聚奸如蝟。茅坤、田汝成輩，皆游舌握塹，又且宣淫無度，納部民之女，干紀亂常，乞加顯斥。疏奏命逮宗憲，罷浙、直、福、廣總督，及宗憲逮至具獄。上曰：「宗憲非嵩黨，自御史至今官，皆朕陞用。數載無言伊過，鄒應龍朋邪縱害，大臣罷斥不少矣。當汪（王）直原議獲者五等封官，今却（却）加罪，後來誰與我任事？其釋令閑住。」一時咸頌上神明云。宗憲得放歸半歲，輔臣（徐）階必欲殺之。科道群言未盡法，復逮之至京，仰藥死。

高儀曰：「宗憲之立功，專倚嵩父子為內援，故徐階最恨之。前後劾疏，階皆授指也。第汪（王）直之雄桀，跳梁數年，莫敢誰何。不以擒者為功，而以為罪，勞臣所由短氣耳。」

按：王忬失機而致辟，宗憲功成而受戮，後世以忬為嵩罪，而不以宗憲為階罪，其下流難居，而黨可觀過歟？

〇（嘉靖四十二年）夏四月，倭自長樂登岸，流刼福清，總兵官劉顯、俞大猷合擊於遮浪，殲之。把總許朝光，輕舟略之於海，倭盡焚其舟，還屯平海。戚繼光以浙兵至，大戰於平海，斬首、焚溺一空，福州以南悉平。

〇（嘉靖四十三年）六月，俞大猷、湯克寬殲倭於廣東之海豊（豐），擒斬二千餘人。

〇（嘉靖四十五年夏四月）參將湯克寬，破賊吳平於海嶴。

〇（六月）湯克寬滅海寇林道乾。

註：

①「豐後島」，豐後位於九州北部，並非島嶼。

②「葉麻」，明史，日本傳、談遷，國榷，卷六一，世宗嘉靖三十五年七月丁巳朔甲戌條俱作「麻葉」。

③「晞」，鄭舜功，日本一鑑，窮河話海，卷七流逋作「曦」。

○（隆慶二年春正月）浙江撫臣趙孔昭奏革水、陸兵八千，省寧波、紹興兵備。

○（三月）廣東盜曾一本作亂，命總兵俞大猷討之。

○（六月）曾一本寇廣州，殺知縣劉師顏。

○（隆慶三年三月）海賊曾一本勾引倭寇犯廣東，破碣石，官軍禦之無功。參將耿宗元御下素嚴，聲言欲斬敗將周雲翔等。雲翔懼，謀亂。宗元方閱兵，雲翔鼓眾躍起，手刃宗元，執通判潘槐，叛附于賊。槐自賊中誘其黨廖鳳，致之巡撫熊桴。桴擒鳳具聞。科臣張鹵劾桴解紛無略，總兵郭成逗遛潮陽。有旨：「戴罪剿賊。」雲翔屯兵平山，入掠海豊（豐）縣，成及參將蔡汝蘭，入平山夾攻之，凡月餘，擒斬一千三百七十五，生擒倭酋一人；奪歸潘槐。雲翔潰圍出走，成卒擒之。

卷七

○（隆慶六年）五月，海賊李茂破廣東樂會縣。

○（萬曆三年）二月，倭寇廣東，總兵張勳破之於電白。

○（萬曆五年）六月，倭犯韭山、浪岡，定海軍將擊之，斬首七十三級。

卷九

○（萬曆二十年五月）議出師朝鮮。朝鮮雖爲中朝屬國，故亦臣附日本。日本酋平（豐臣）秀吉，起自人奴，累以雄傑善兵，致位關白，將謀篡國。命（小西）行長、平秀嘉、（加藤）清正某（衍）等，率舟師直逼釜山，陷慶尙，掠開城，分陷豊（豐）德諸郡。朝鮮人望風奔潰，王李昖棄王京，走平壤，復走義州，願內屬，乞援。日本清正出平壤西，獲朝鮮王二子，駐兵咸鏡。督撫以聞。本兵石星，議遣人探之，用嘉興人沈惟敬。奉帖諭朝鮮王；別令副將祖承訓、史儒將兵渡鴨綠，抵平壤援之。

○倭酋平（豐臣）秀吉，廢山城君自號大閤王①，改天正二十年爲文祿元年。②

○（七月）祖承訓兵至平壤，爲倭兵所殲，史儒死之。

○石星募能入倭關說者，沈惟敬請往宣諭，遂抵平壤。（小西）行長令牙將以肩輿迎之，執禮甚卑。稱秀吉曰大閤（閤），願入朝與朝鮮並爲外藩。惟敬歸報，石星以聞。加惟敬游擊，往諭倭撤兵歸島。以侍郎宋應昌爲經略，郎官劉黃裳、袁黃爲贊畫。

○十二月，以李如松爲東征提督。時趙志皐當國，張位新參。志皐虛己馮之，位引楊一清、翟鑾故事，欲經略東陲，志皐固留之。石星乃推宋應昌，位頗不悅。及宋請薊、遼兵將，星希位意用如松。應昌已遣惟敬入平壤歸。如松至軍，大會文武將吏，叱惟敬憸邪當斬。參軍李應試請間，曰：「籍惟敬，紿倭封而陰襲之，奇計也。」應昌、如松以爲然，遂誓師東渡。

○逮楊應龍詣重慶府對簿，法當斬，應龍請征倭自效，乃舍之。

○增蘇、松四府兵餉銀十二萬七千兩有奇。

○（萬曆二十一年正月）沈惟敬三入平壤，約以新正七日，李提督齎封典過肅寧館，行長命牙將二十人來迎，李如栢易倭寡擒之。倭驚潰，逸去，僅殺三人，以首捷報。倭將還告行長。行長問惟敬，惟敬曰：「必通事達情兩誤耳。」行長令親信小西飛禪守藤（小西飛驒守，即內藤忠俊）隨惟敬謁如松。如松加撫遣歸。平旦，行長竚風月樓，候瞻龍節。倭俱花衣夾道迎候。如松布將士整營入城。諸將畏倭，逡巡莫入，形遂露。倭急登陴拒守。如松麾兵攻之，諭諸將無割級。南將吳惟忠奮勇登城，倭退保風月樓。夜半，行長履冰渡大同江，還龍山。旦日如松入城，遼人竊級上首功，南人、西人皆無級，一時譁然。贊畫袁黃面折如松以三不可。經略乃令遼人均功與南、西軍，并以一級敍惟敬名下，以大捷聞。遼人之竊級也，多朝鮮人腐首，朝鮮人恨之，以倭棄王京遁告。如松信之，輕騎驅碧蹄館。馳至大石橋，馬蹶，傷額幾死。倭人圍之，僕夫③李友昇力戰，援如松出。遼兵過橋者盡死，友昇亦戰死，仍以猝遇倭鬬殺捷報。大兵退守開城。

○（二月）東師自碧蹄之敗，軍氣大索。有諜言（加藤）清正截鴨綠江遮我歸路，經略宋應昌茫然無措。劉黃裳議還遼避之。袁黃幕客有馮仲纓者，請使清正說之，因請同事金相爲副。應昌付諭帖以往。至咸鏡，留相外觀形勢，單騎突入倭營，清正盛張軍威迎之。仲纓立馬大言，清正懾服，率諸酋跪拜受諭，亦以秀吉受封爲請。仲纓約先還朝鮮王子、陪臣，清正唯唯，隨令王子、陪臣見仲纓與訂盟，交割王京，傳示拔寨東還。仲纓詆之：「恐朝鮮人有邀之者，愼防之。」清正既行，金相領健卒百人，俟倭盡，邀其星落者殺之。黃裳忌黃收功，責其通結好。仲纓示以所殺，乃愧服。分級十之三與劉門下。應昌敘功具奏，如松怒，揭仲纓賣倭胥遁，論以軍法，并揭袁黃罪，袁遂削籍去。如松欲乘倭惰歸擊之，而倭步步爲營，用分番休迭法以退去。別將劉綎、查大受、祖承訓等各進屯險，倭大驚，前移釜山屯糧爲久戍計。兵科侯慶遠謂全師而歸，所獲實多，上乃諭朝鮮王還都王京。我兵以次撤歸，經略疏請四倭盡歸，量留防戍。

○（三月）提督李如松駐師平壤，餽餉不給。參軍李應試曰：「師老糧盡，坐待何爲？沈惟敬、馮仲纓不足使乎？」如松乃詣定州與應昌謀。適查大受得倭文一角，辭意甚謹。先是，倭以天正紀年，至是稱萬曆，稱陪臣云云。如松乃召惟敬私語定計，以親信守備胡澤副之，佳舟直趨龍山。行長曰：「往事不必言，大閤（太閤）托我大事，今日天朝如何？」惟敬曰「經略、提督殊惆惜，第無降表，難以據奏耳。」行長曰：「須天使至南戈（名護屋）會大閤（太閤）裁之。」惟敬還報。應昌以謝周④梓、徐一貫爲正、副使，齎諭帖往。惟敬先馳報行長，行長即集平（德川）秀忠、平（寺澤）正成諸酋於玉（王）京，迓徐、謝二使入。二酋曰：「必責我眾退還海島，沈大人當送至釜山。」

○四月十七日，倭眾出王京，如松令諸軍次第進發。（寺澤）正成、（小西）行長狀上經略、提督，獻米五萬石，諸將各分市於其下，兵士大賴以安。黃應暘勸如松躡倭可得利，遂馳度鳥嶺逐之。倭人還兵復仇，遂攻下晉州。

○戶科王德完言：「總計弘、正間，各邊年例大約四十三萬而止，在嘉靖則百七十萬，至今則三百八十餘萬，且十倍矣。」

○六月，沈惟敬及二使至南戈崖（名護屋），平（豐臣）秀吉貌禮甚恭，付還王子臨海、光海⑤二君及將相三人，三都八道悉還朝鮮王，使小西禪守藤（小西飛驒守內藤忠俊）齎乞封表，隨二使入境。

○東師歸，上諭本兵許封不許貢。宋應昌再遣惟敬入倭營趨謝表。

○十二月，以侍郎顧養謙代爲經略，宋應昌及李如松等取回。

○（萬曆二十二年）七月，議日本封貢。時顧養謙受代於寧遠，宋應昌待罪都門，予告歸，劉黃裳亦論去。南北將領吳惟忠等先已西還，倭使小西飛（驒守）留廣寧，秀吉表文且至。養謙具奏身任封倭，千年可保無虞。下廷議。詔小西飛（驒守）入朝。群臣或言不便，已而定議封之。

〇九月，改顧養謙總河，以侍郎孫鑛爲東征總督。

〇（萬曆二十三年正月）倭使小西飛禪守藤原如安（小西飛驒守內藤忠俊）奉表入京。有旨：「從厚禮待，以體懷柔遠人之意。」

〇二月，封平（豐臣）秀吉爲日本國王，命臨淮侯李宗城，都指揮楊方亨充使，齎封勅，同沈惟敬往倭國。

〇（八月）勳衛李宗城奉使往日本，所經行之營，在在索貨無厭。次對馬島，太守義智夜飾美女二三人，更番納行帷中，宗城安之。倭酋數請渡海，不允。義智妻，行長女也，宗城聞其美，必欲淫之。智怒，不許。適謝周（用）梓姪隆，與宗城爭道，宗城欲殺之。龍誑其左右曰：「倭奴三三兩兩，躡足附耳，似有變。」宗城懼，棄璽書夜逃⑥。比明，失道，縊於樹。追者解之，遂奔慶州。副使楊方亨檄聞於朝，臣工鬨然。督撫直指皆言倭情未常有變，正使自爲奸人誤耳。乃改方亨爲正使，惟敬爲副，立限渡海。

〇（萬曆二十四年）九月，楊方亨、沈惟敬，奉冊如日本烏撤蓋（大阪）。平（豐臣）秀吉齋沐三日，郊迎節使受封。行五拜三叩頭山呼禮。禮畢，款使者備至。朝鮮王議遣光海君致賀，已而聽嬖臣李德馨言，使州判奉白土紬爲賀。秀吉怒，告惟敬曰：「若不思二子、三大臣、三都八道，悉遵天朝約付還，今以卑官、微物來賀，辱小邦耶？辱天朝耶？」惟敬慰諭之，秀吉曰：「今留石曼子兵於彼，候奏聞天子處分，然後撤還。」翌日具貨物數百種奉貢，遣使齎表文二通，隨冊使渡海。至朝鮮。廷議留使於朝鮮，取表文進驗，其一通謝恩，其一通乞天子處分日本、朝鮮兩國是非。⑦眾皆謂真僞未可知，而異議紛然矣。

○（萬曆二十五年正月）石星請自往朝鮮，諭兩國就盟退兵，不許。

○（二月）再議東征。先是，總督孫鑛別令其下葉靖國致禮（加藤）清正，約殺（小西）行長，付封典於清正成功，爲清正所拒。孫懏阻，乃欲破壞封事，與石星相訐。刑（部）尚書蕭大亨欲代星位，撓其功。張位在內閣，必欲以武功表異，於是科道爭論星辱國就逮，而孫鑛亦罷。遂以邢玠爲總制，麻貴爲備倭大將軍，楊鎬爲經理，楊汝南、丁應泰爲贊畫。

○（三月）冊封正使楊方亨直陳封事始末云：「向憑沈惟敬主張，於六月渡海，九月至大板（阪）。秀吉受封之時，委行五拜三叩頭禮，呼萬歲。次日至寓，稱感戴天恩。翼日向惟敬責備朝鮮禮文，欲候上命處分。惟敬即叱其非。臣語惟敬，封日本原爲朝鮮，得隴望蜀，豈在責備朝鮮禮文而已哉，封事恐終無成。」因奏呈石星私書數函，見星始終期封事之成也。九卿科道錄犯人慎懋龍口詞，言孫總督遣人偵探，清正並無求封意，犯官李宗城誣稱惟敬已娶倭女，表文皆惟敬僞撰。有旨：「命逮惟敬、石星」。

○五月，麻貴抵遼陽，請濟師。邢玠疏請募土、漢、川、浙兵、并調薊、遼、宣、大、川民兵，及福建、吳松水兵，劉綎督川兵聽剿。貴密報候宣、大兵至，先取釜山，則行長禽，清正走。玠以爲奇計，乃檄楊元屯南原，吳惟忠屯忠州。

○七月，麻貴至碧蹄，以〔小西〕行長營釜山，〔加藤〕清正營西生浦，梁山當東西扼險，再請益兵。大學士張位請屯田於開城、平壤。朝鮮王以嶢峋爲辭，議寢。

○玠令楊元執沈惟敬，以絕倭和議。元就惟敬營執之，縛至〔麻〕貴營。玠遂薦元運用如神，生禽（擒）逆奸。

○倭聞惟敬被執，盛兵西下，清正圍南原，破之。遣人衛楊元西奔。玠時在遼陽，大驚，麻貴請於玠，欲棄王京退守鴨綠江。海防使蕭應宮以爲不可，自平壤兼程趍玉（王）京，叱貴止之。玠召參軍李應試問計，應試請廟廷主畫云何？玠曰：「陽戰陰和，陽剿陰撫，政府八字，密畫無泄也。」應試曰：「然則易耳，倭叛以處分絕望，其不敢殺元，猶望處分也。直使人諭之曰：『沈惟敬在即退矣！』因請使李大諫於行長，馮仲纓於清正。」玠從之。玠請李如梅充禦倭副總兵，赴朝鮮。

○九月，倭至漢江。楊鎬遣張貞明持惟敬手書，往責其動兵有乖靜候處分之實。行長、〔寺澤〕正成尤清正輕舉，不進玉（王）京而退。貞明返至中途，爲人所刺死。〔麻〕貴報青山、稷山大捷。應宮揭曰：「倭以惟敬手書而退，青山、稷山並無接戰，何得言功？」玠、鎬怒，遂劾應宮恇怯，不親押解惟敬。兵科何侯慶遠參之，遂並逮，同石星下詔獄。已而星與惟敬俱坐大辟，應宮謫戍。天津副使許承恩揭稱天津不必防，海運必不可行，船必不可運，與邢玠意忤。楊鎬劾其阻撓，逮之。

○以御史陳效爲監軍，兼按遼，刑（邢）玠疏請發臨清、德州倉米，堆放天津，募船運入軍中。
○十一月，以御史陳効爲監軍按遼，邢玠疏請發臨清、德州倉米堆放天津，募船運入軍中。
○（萬曆二十六年二月）經略邢玠使李大諫通（小西）行長，約勿援（加藤）清正，麻貴遣黃應揚（暘）賂清正，約和，而率大兵奄至其營，令陳寅攻山寨。寅身先士卒，冒彈矢勇呼而上，斫柵兩重。清正白袍躍馬，督倭拒守其第三重柵，垂拔。楊鎬密令茅國器竊割倭級。國器以李如梅未至，不便首功，遂鳴金罷戰，詰朝如梅至，攻之不拔。盧繼忠獨破太和江寨，如梅忌之，調之南關。翌日，倭以女子誘戰，伏兵衝解生兵，解生大敗。又二日，朝鮮臣李德馨訛報海上倭船揚帆而來。鎬不及下令，策馬西奔，諸軍遂潰，此新正初三事也。清正從衆逐北，我兵死者萬餘，遊擊盧繼忠三千人馬殲焉。鎬、貴奔星州，撤兵還京。會同玠露布，言蔚山大捷，諸營上簿書，士卒亡者二萬餘。鎬大怒，駁改，止稱百十人。丁應泰聞蔚山之敗，慚惋詣鎬問後計，鎬示以內閣張位、沈一貫手書，並所票未下旨，揚揚功伐。應泰怒，驗進退實情，并取鎬所駁陣亡兵馬冊封進。
○邢玠奏稱蔚山之役，取城破寨，擒斬焚溺，賊首不知碎首何所；楊鎬親臨行陣，冒矢石而不顧，尤人所難。詔奬美之。
○（四月）兵部題征倭之兵，水陸共九萬，限五日抵朝鮮。陸將麻貴、劉綎、陳璘，水將周于德、鄭之龍。

○六月，贊畫主事丁應泰奏：「貪猾楊鎬，喪師釀亂；權奸張位、沈一貫，結黨欺君，蔚山之敗，隱漏不以實聞。鎬于倭至，則棄軍而潛逊，兵敗則議屯守以掩罪。李如梅凌虐將官，淫掠屬國，既已僨事，乃復冒功。輔臣答鎬書，位有利害禍福，與君共之。一貫有後來疏，須先投揭而後上，以便措手。并錄御史汪先岸論鎬擬票留中之旨，密緘示鎬。自有東事以來，陣亡已逾二萬，前後費餉六七萬。鎬有媚倭將清正私通書，鎬當罪二十八事，可羞者十事。如梅當斬者六，當罪者八。」上覽奏大怒，下部院議。內閣趙志皐請行勘；科臣趙完璧、徐觀瀾交章論位。位乞矜察處分。上曰：「楊鎬乃卿密揭屢薦，奪情委用。今朋欺僨事，忠義何在？姑准閑住！」尋削籍。

○部推侯慶遠勘東征軍事，上不允，特旨用徐觀瀾。

○改萬世德經略朝鮮，監軍陳效專駐朝鮮，紀察功罪。

○贊畫丁應泰獲朝鮮臣申叔舟海東紀略一冊，見其紀年，大書日本僞朔，而書永樂、宣德正朔於僞朔之下，應泰上其書。又聞朝鮮求地於（邢）玠，玠許之，具題以寬奠夾江洲地畀予。應泰上疏摘發李昖奸狀。有旨：「并勘。」勘臣將至，玠急令麻貴趍（加藤）清正，董一元趍（寺澤）正成，劉綎趍（小西）行長，陳璘水陸趍海。

○七月，邢玠請免東事行勘，不許。

○（九月）劉綎兵逼行長營，使吳宗道約行長爲好會，行長許以五十人往。綎大喜，分布諸將四面設伏，令健卒詐爲綎，而綎詐爲卒，執壺（壺）觴侍。令軍中曰：「視吾出帳，即放砲，圍倭眾亂斫。」翌晨，行長果從五十騎來。僞綎磬折迎於帳外。及席，行長顧執壺（壺）觴者曰：「此人到有福氣。」綎驚愕，置壺（壺）觴而出。司旗鼓者驟傳砲，伏兵盡起。行長騰躍上馬，從騎一字雁列，風剪電掣，旋轉格殺。遊擊王之翰，率黔苗兵來援，倭始奪路而去。明日，行長遣人謝宴，綎亦遣官謝，謂：「昨登席放砲，敬容禮也，誤生疑心。」行長唯唯，遣使遺綎巾幗。綎進攻城，行長潛出千餘騎扼之，綎敗北，喪士卒千餘。陳璘亦棄軍遁，覆舟溺死者萬餘。綎、璘互相訐揭，玠概不以聞。麻貴至蔚山，望之空壘，及趍而至，忽然旗幟蔽空。貴策馬而逃，喪兵七千。董一元使茅國器約正成完封局。正成陽（佯？）聽之，奄殺我兵殆盡，僵屍四十里。勘科徐觀瀾聞報，大罵諸奸，參奏四路喪敗。旨下部再勘，詔斬馬呈文、郝三聘以徇；一元等各戴罪立功。初，上見丁應泰疏，謂御極二十六年，未見忠直如此人者，書其名於御屏。一貫懼，賄玉熙官。宦官知文溪，演東征戲文，熒惑聖覽，上乃霽威，復召一貫入閣，而臺省急攻志皐，註籍不出。

○（十月）邢玠奏報劉綎焚倭巢六十餘。

○十一月，倭將各統兵歸國。時平（豐臣）秀吉已於七月九日⑧死，諸酋久有歸志。玠斂軍中金賄諸酋，隨之渡海，求秀吉之子永結和好。諸酋欣然揚帆，同日南去。經理萬世德自六月受命，遷延不敢前。比聞倭退，兼程馳至王京，會同邢玠奏捷。遣三百人分送三酋渡海。而三酋亦遣百人送玠渡鴨綠江，玠即縛之以獻俘云。

○（十二月）主事丁應泰再疏玠等遣茅國科假官齎賄，隨倭渡海，並無戰功，僞奏膚捷一切奸狀；給事劉餘澤、陳如吉劾應泰妬功。有旨：「應泰回籍聽勘。」

○勘科徐觀瀾亦抗疏參一貫、大亨、玠、世德四兇黨和賣國。疏至長安，戶（部）侍郎張養蒙尼之不得上。觀瀾復疏言：「師中積蠹，閫外虛文，弊端種種，臣未勘者尚十五營，抱病未歷。臣不敢遠避嫌怨，以妨軍政。」時觀瀾方駐遼造冊，俟冊完復命。身歷釜山、蔚山、忠州、星州、南原、稷山，查核各處敗狀，據實入冊。大亨危之，一貫遂簡觀瀾前疏中有抱病語，票准回籍調理，改差給事楊應文代完勘事。應文盛稱玠鴻代，而中外遂莫敢言。

○（萬曆二十七年二月）吏科陳維春奏主事丁應泰，神奸黨賣國。薊遼總督邢玠奏稱監軍御史陳效為丁應泰所逼，身死異域。初，效同徐給事會勘，自誓曰：「效若庇同年楊鎬，則不生還。」後竟食言。及應泰疏出，乃曰：「吾爲群醜所誤，官何足論，奈不諱於名簡何。」至南原與萬世德對坐，舉茶遽仆，頃刻死。

董其昌云：「倭以平（豐臣）秀吉之死，因而惰歸，非戰之功也。應泰以玠為賂倭，科臣即以應泰為黨倭，豈為篤論？而應泰以此永廢，可惜矣。玠謂效之死為應泰所逼，不勝忿懣以激皇怒可耳，夫御史氣呑郎署，豈受應泰凌蹀且死哉。即言觀理，是非自見。」

○七月，給事中楊應文，勘報東征功次，四路禽（擒）斬如刑（邢）玠所奏。玠蔭錦衣世官，世德蔭子入監，綎、璘、貴各升級，一元復職，鎬以原官敍用，陳效亦蔭子錦衣，沈惟敬棄市。

○（十一月）始撤朝鮮戍（戍）兵。先是，玠、世德與朝鮮王李昖議留兵善後，昖固拒不從，曰：「不戰而去，何必善後？小邦無糧，不敢留兵。」監軍陳效怒曰：「不留兵，豈成戰局？」因強留兵萬五千。朝鮮不肯給餉。戶〔部〕尚書陳渠謂：「七八年來，所費本色百萬，折色四百萬，必朝鮮辦餉方可議戍。」署兵〔部〕尚書蕭大亨心知朝鮮苦，遂議撤之。

註：

①「廢山城君自號大閣王」，日本史乘既無山城君這號人物，亦無山城君之相關記載。大閣係建築物，非秀吉之所自稱。大閣（通常寫作太閤）則係日本平安時代（七九四—一一八五）對攝政、太政大臣的尊稱。後來則將已辭關白職位而仍處理關白所負責之職務者，或將關白之職讓與己子者，也稱之為太閤。豐臣秀吉係於統一天下（一五八五）後，由其正親町天皇任命為關白。六年後將此一職位讓與養子秀次，而自稱太閤，所以此一記錄有違史實。又，太閤之出家者則稱為「禪閤」。

②「改天正二十年為文祿元年」，日本之將天正元年（一五九二）改為文祿元年，係在本年十二月八日，故文祿元年係從改元之日開始，十二月七日以前仍屬天正二十年。日本之改元文祿，係豐臣秀吉讓位後第二年事。

③「僕夫李友昇」，僕夫，谷應泰，明史紀事本末，卷六二，援朝鮮作「裨將」，明史，李如松傳作「指

揮」。谷應泰，明史紀事本末，卷六二作「李有昇」，明史，李如松傳作「李有聲」。

④「周」，如據日本「法學會雜誌」第十五卷所載「帝國大學編年史料」徐、謝二使與日方談判的「日明和平談判筆記」（文祿二年六月廿一日，南禪舊記玄圃和尚筆）所者為「用」。

⑤付還王子臨海君「光海君」：如據日、韓兩國史乘的記載，當豐臣秀吉發動大兵入侵朝鮮時，朝鮮宣祖以其第二子光海君為世子，設分朝。被加藤清正所俘者為分別前往江原道、咸鏡道募兵之臨海君及順和君，故此光海君應為順和君之誤。請參看拙著「明代中日關係研究」（臺北，文史哲出版社，民國七十四年三月），頁五八一～五八二。

⑥如據李光濤、黑田省三、都申玄卿、中村榮孝等學者的研究，及朝鮮宣祖實錄等的記載，李宗城係於同年四月三日，在釜山等待赴日時，為流言所惑，以為豐臣秀吉將拘囚封使，又因見渡鮮更戍之日軍，以為戰火重燃，竟惴惴不安而拋棄國書，微服逃走。

⑦日本文獻無秀吉「具貨物數百種奉貢，遣使齎表文二通，隨冊使渡海」之相關記載。

⑧「秀吉已於七月九日死」，日本史乘紀秀吉病歿於八月十八日。

明史紀事本末

清谷應泰編，四庫全書本

卷五五

沿海倭亂

太祖洪武二年夏四月，時倭寇出沒海島中，數侵掠蘇州、崇明，殺略居民，刼奪貨財，沿海之地皆患之。太倉衛指揮僉事翁德，帥官軍出海捕之，遇於海門之上幫。及其未陣，麾兵衝擊之，斬獲不可勝計，生擒數百人，得其兵器、海艘。命擢德指揮副使，其官校賞綺幣、白金，有差，仍命德領兵往捕未盡倭寇。

三年三月，遣萊州知府趙秩，持詔諭日本國王良懷①，令革心歸化。日本古倭奴國，在東海中，綰波而宅。自玄菟、樂浪底於徐聞、東莞，所通中國處，無慮萬餘里。國君居山城，所統五畿、七道、三島，爲郡五百七十有三②。然皆依水附嶼，大者不過中國一村落而已。戶可七萬，課丁八十八萬三千有奇。自元師討日本者沒於水，不得志，日本亦不復來貢。至是，帝遣使諭降之。

四年冬十月癸巳，日本國王良懷（懷良）遣其僧祖朝來③進表箋，貢馬、方物，並僧九人來朝，又送至明州、台州被擄男子七十餘人④，詔賜文綺答之。

十二月，詔靖海侯吳禎籍方國珍所部溫、台、慶元三府軍士，及蘭秀山無田糧之民嘗充船戶者，凡十一萬一千七百餘人，隸各衛爲軍。仍禁濱海民不得私出海，時國珍餘黨多入海剽掠故也。禎既至，三郡每挾私意，多引平民爲兵，瀕海大擾。寧海知縣王士弘曰：「吾寧獲死罪，不可誣良民爲兵。」即上封事，詞甚切，上立罷之。

六年春正月，德慶侯廖永忠上言：「今北邊遺孽，遠遁萬里之外，獨東南倭寇負禽獸之性，時出剽掠，擾瀕海之民。陛下命造海舟，翦捕此寇，以奠生民，德至盛也。然臣竊觀倭夷竄伏海島，因風之便，以肆侵略，來若奔狼，去若鷙鳥。臣請令廣洋、江陰、橫海、水軍四衛，添造多櫓快船，令將領之。無事則沿海巡徼，以備不虞。倭來則大船薄之，快船逐之，彼欲爲內寇，不可得也。」上從之。

七年夏六月⑤，倭寇膠海，靖海侯吳禎率沿海各衛兵，捕至琉球大洋，獲倭寇人船，俘送京師。

十三年春正月，胡惟庸謀叛，約日本，令伏兵貢艘中。會事覺，悉誅其卒，而發僧使於陝西、四川各寺中，示後世不與通。

十七年春正月，倭瀕寇浙東，命信國公湯和巡視海上。築山東，江南、北，浙東、西海上五十九城，咸置行都司，以備倭爲名。

二十年二月，置兩浙防倭衛、所。

夏四月戊子，命江夏侯周德興往福建福、興、漳、泉四郡視要害，築海上十六城，籍民爲兵，以防倭寇。增巡檢司四十有五，分隸諸衛。

二十二年冬十二月，倭寇寧海，尋犯廣東。

二十七年春二月，倭寇浙東，命都督楊文、劉德、商暠巡視兩浙。復命魏國公徐輝祖，安陸侯吳傑往浙，訓練海上軍士，同楊文等防倭。

秋八月，命吳傑同永定侯張全往廣東，訓練海上軍士防倭。

冬十月，倭寇金州。

三十一年春二月，倭寇山東、浙東。

成祖永樂元年，日本王源道義⑥遣使入貢，賜冠服、文綺，給金印。

四年冬十月，平江伯陳瑄督海運至遼東。舟還，值倭於沙門，追擊至朝鮮境上，焚其舟，殺、溺死者甚衆。

九年春正月丙戌，命豐城侯李彬，平江伯陳萱等，率浙江、福建舟師勦捕海寇。

三月，中軍都督劉江⑦守遼東，不謹斥堠，海寇入寨，殺邊軍。上怒，遣人斬江首；既而宥之，使圖後效。

夏五月，倭寇浙東。

十四年夏五月，勅遼東總兵都督劉江，及緣海衛、所備倭寇，相機勦捕。

命都督同知蔡福等率兵萬人，於山東沿海巡捕倭寇。六月，倭舟三十二艘泊靖海衛楊村島，命福等合山東都司兵擊之。

十二月，置遼東金州旅順口望海堝、左眼、右眼、三手山、西沙洲、山頭、爪牙山敵臺七所。

十五年春正月，倭寇浙江松門、金鄉、平陽。

冬十月，遣禮部員外郎呂淵等使日本。先是，帝命太監鄭和等齎賞諭諸海國，日本首先歸附，詔厚賚之。封其鎮山，賜勘合百道，與之期，期十年一貢⑧。無何，捕倭將士俘數十寇獻京師，俱日本人，群臣請誅之，以正其罪。上乃遣淵賜勅切責之。

十七年夏六月，遼東總兵都督劉江，大破倭寇於望海堝。先是，江巡視各島，至金州衛金線島西北望海堝上，其地特高廣，可駐兵千餘。詢諸土人，云：「洪武初，都督耿忠亦嘗於此築堡備倭，離金州七十餘里。凡寇至，必先經此，實濱海咽喉之地。」上疏請「用石壘堡，置烟墩瞭望。」上從之。一日，瞭者言：「東南夜舉火有光。」江計寇將至，亟遣馬、步官軍赴堝上堡備之。翼日，倭寇二千餘，乘海艏直逼堝下，登岸魚貫行。一賊貌醜惡，揮兵率眾，勢銳甚。江令犒師秣馬，略不為意。以都指揮徐剛伏兵於山下，百戶江隆帥壯士潛繞賊船，截其歸路。乃與之約曰：「旗舉，伏起，鳴礮，奮擊，不用命者，以軍法從事。」既而賊至堝下，江披髮，舉旗，鳴礮，伏盡起。繼以兩翼並進。賊眾大敗，死者橫仆草莽，餘眾奔櫻桃園空堡。官軍追圍之，將士奮勇，請入堡剿殺。江不許，特開西壁以待其奔，分兩翼夾擊之。生擒數百，斬首千餘。間有脫走艄者，又為隆等所縛，無一人逸者。凱還，將士請曰：「將軍見敵，意思安閑，惟飽士馬。及臨陣，作真武披髮狀。迨賊入堡，不殺而縱之，何也？」江曰：「窮寇遠來，必勞且饑。我以逸飽待饑勞，固治敵之道。賊始魚貫而來為蛇陣，故披髮作此狀以鎮服之，所以愚士卒之耳目，作士卒之銳氣。賊既入堡，有死而已。我師攻之，彼必致死，未必無傷。寇出，縱其生路，即『圍師必缺』之意。此固兵法，顧諸君未察耳。」事聞，上賜勅褒進，封江廣寧伯，子孫世襲，將士賞賚，有差。先是，元末瀕海盜起，張士誠、方國珍餘黨導倭寇出沒海上，焚民居，掠貨財，北自遼東、山東，南抵閩、浙、東粵，濱海之區，無歲不被其害。至是，為江所挫，斂跡不敢大為寇。然沿海稍稍侵盜，亦不能竟絕。

英宗正統四年夏四月，倭寇浙東。先是，倭得我勘合，方物，戎器，滿載而東。遇官兵，矯云入貢。我無備，即肆殺掠，貢即不如期。守臣幸無事，輒請俯順倭情。已而備禦漸疎。至是，倭大嵩入桃渚，官庾民舍焚刼，驅掠少壯，發掘塚墓。束嬰孩竿上，沃以沸湯，視其啼號，拍手笑樂。得孕婦，卜度男女，刳視中否為勝負飲酒，積骸如陵。於是朝廷下詔備倭，命重師守要地，增城堡，謹斥堠，合兵分番屯海上，寇盜稍息。

世宗嘉靖二年五⑨月，日本諸道爭貢，大掠寧波沿海諸郡邑。鄞人宋素卿者，初奔日本。正德六年，與其國人源永壽來貢。其從父澄識之，告素卿附倭狀。守臣以聞，置不問。至是，其主源義植⑩，幼闇不能制命，群臣爭貢，各強給符驗。左京兆大夫內藝興⑪遣僧宗設（謙道），右京兆大夫高貢⑫遣僧（鸞岡）瑞佐及宋素卿先後至寧波，爭長不相下。故事：番貨至，市舶司閱貨及宴坐，並以先後為序。時瑞佐後，而素卿狡，賄市舶太監，先閱瑞佐貨，宴又坐宗設上。宗設不平，遂與瑞佐相讎殺。太監又以素卿，故陰助瑞佐，授之兵器。而宗設眾強，拒殺不已，遂燬嘉賓堂，刼東庫，逐瑞佐及餘姚江，瑞佐奔紹興。宗設追之城下，令縛瑞佐出，不許，乃去。沿途殺掠至西霍山洋，殺備倭都指揮劉錦，千戶張鏜。執指揮袁璡，百戶劉恩。又自育王嶺奔至小山浦，殺百戶胡源，浙中大震。宗設負固據海嶴，巡按御史歐珠，鎮守太監梁瑤奏聞，逮素卿下獄待訊。倭自是有輕中國心矣。

給事中夏言上言：「倭患起於市舶。」遂罷之。初，太祖時雖絕日本，而三市舶司不廢。市舶故設太倉黃渡。尋以近京師，改設福建、浙江、廣東。七年罷，未幾復設。蓋以遷有無之貨，省戍守之費，禁海賈，抑奸商，使利權在上也。自市舶內臣出，稍稍苦之。然所當罷者市舶內臣，非市舶也。至是，因言奏，悉罷之。市舶罷，而利權在下。奸豪內外交詗，海上無寧日矣。

四年二月，素卿伏誅。⑬初，宗設遁海島不獲，獨素卿及瑞佐下獄。會朝鮮兵徼海者，得其魁仲⑭林、望古多羅等三十三人，國王李憚奏獻闕下。於是發仲林等至浙，責與素卿對簿，備鞫遣貢先後及符驗真僞。既悉，有司爰書上請，乃論素卿死，釋瑞佐還本國。

十八年，國王源義植（稙）復以修貢請，⑮許之。期以十年，人無過百，船無過三。然諸夷嗜中國貨物，人數恆不如約，至者率遷延不去，每失利云。

二十五年，倭寇寧、台。

自罷市舶後，凡番貨至，輒主商家。商率爲奸利，負其責（值），多者萬金，少不下數千，索急，則避去。已而主貴官家，而貴官家之負甚於商。番人近島坐索其負，久之不得，乏食，乃出沒海上爲盜。輒搆難，有所殺傷，貴官家患之。欲其急去，乃出言撼當事者，謂：「番人泊近島，殺掠人，而不出一兵驅之，備倭固當如是耶？」當事者果出師，而先陰洩之，以爲得利。他日貨至，且復然。如是者久之，倭大恨，言：「挾國主貲而來，不得直，曷歸報？必償取爾金寶以歸。」因盤據島中不去。並海民生計困迫者糾引之，失職衣冠士，及不得志生儒亦皆與通，爲之鄉導，時時寇沿海諸郡縣。如汪五峰、徐碧溪、毛海峰之徒，皆華人，僭稱王號。而其宗族、妻子、田廬，皆在籍無恙，莫敢誰何。

巡按浙江御史陳九德請「置大臣，兼巡浙、福海道。開軍門治兵捕討，聽以軍法從事。」從之。乃以朱紈爲副都御史，巡撫浙江兼攝福、興、泉、漳。未至，而泊寧波、台州諸近島者已登岸，攻略諸郡邑無算，官民廨舍焚燬至數百千區。巡按御史裴紳劾防海副使沈瀚，守土參議鄭世威，因乞「勅紈嚴禁泛海通番，勾連主藏之徒。」從之。紈乃下令禁海，凡雙檣艅艎，一切毀之，違者斬。乃日夜練兵甲，嚴糾察，數尋舶盜淵藪，破誅之。因上言：「去外盜易，去中國盜難；去中國群盜易，去中國衣冠盜難。」遂鐫暴貴官家渠魁數人姓名，請戒諭之。不報。於是福建海道副使柯喬，都司盧鏜，捕獲通番九十餘人以上，紈立決之於演武場，一時諸不便者大譁。蓋是時通番，浙自寧波、定海，閩自漳州月港，大率屬諸貴官家，咸惴惴重足立，相與詆誣不休。諷御史周亮，給事中葉鏜，奏改紈巡視。

未幾，紈復上言：「長嶼諸處大俠林參等，號稱『刺達總管』，勾連倭舟，入港作亂。更有巨奸，擅造艅艎，走賊島爲鄉導，躪海濱。鞫論明確，宜正典刑。」章下兵部，侍郎詹榮覆奏：「中國待外裔，不以向背責之，以昭天地之量。紈所論坐，俱關重刑。乞下都察院覆覈。」從之。於是周亮等劾紈「舉措乖方，專殺啓釁。」因及福建防海副使柯喬，都指揮使盧鏜「黨紈擅殺，宜置於理。」帝遂奪紈官，命還籍聽理。遣給事中杜汝禎往福建，會巡按御史陳宗夔訊喬等，併覈紈事。汝禎、宗夔勘紈「聽信姦回，柯喬、盧鏜擅殺無罪，皆當死。」奏下兵部，尙書丁汝夔如其議上。帝從之，命喬、鏜繫福建按察司待決。紈恚自殺，士論惜之。遂罷巡撫御史，不復設。

三十年夏四月，浙江巡按御史董威、宿應參，前後請寬海禁。下兵部尙書趙錦覆議，從之。自是舶主土豪益自喜，爲奸日甚，官司莫敢禁。

三十一年夏四月，倭寇犯台州，破黃巖，大掠象山、定海諸邑。汪（王）直者，徽人也。以事亡命走海上，爲舶主渠魁，倭人愛服之。倭勇而戇，不甚別死生。每戰輒赤體，提三尺刀舞而前，無能捍者。其魁則皆浙、閩人，善設伏，能以寡擊眾。大群數千人，小群數百人，而推直爲最，徐海次之。又有毛海峰、彭老生不下十餘帥，列近洋爲民害。至是，登岸犯台州，破黃巖，四散，象山、定海諸處，猖獗日甚。知事武偉⑯敗死，浙東騷動。

秋七月，廷議復設巡視重臣。以都御史王忬提督軍務，巡視浙江海道及興、漳、泉地方。⑰忬巡撫山東，聞命即日至浙。度所治軍府皆草創，而浙人柔脆不任戰。所受簡書輕，不足督率吏士。乃上疏請假事權，誅賞得便宜。且欲嚴內應之律，寬損傷之條。剿撫勿拘。從之。改巡視爲巡撫。忬乃任參將俞大猷、湯克寬心膂，徵狼、土諸兵，及募溫、台諸下邑桀黠少年，分隸諸將，布列瀕海各鎭堡，嚴督防禦。浙人恃以無恐云。

三十二年春三月，王忬破倭於普陀諸山。初，忬廉知俞大猷、湯克寬材勇，既虛己任之，而都指揮盧鏜坐前都御史朱紈事，尹鳳坐贓累，俱繫獄。忬知其能，奏釋之，以爲別將，亦募兵分帥之，日犒撫激勵，欲得其死力。倭魁汪（王）直等結砦海中普陀諸山，時出近洋襲官軍。忬偵知之，乃夜遣俞大猷帥銳兵先發，而湯克寬以巨艘佐之，徑趨其砦，縱火焚之。倭倉皇覓艅艎走，官軍隨擊，大破之，斬首一百五十餘級，生獲一百四十三人，焚溺死者無算。値颶風發，兵亂，汪（王）直等乘間率眾逸去。都指揮尹鳳，復以閩兵邀擊於表頭、北茭諸洋，斬首百餘級，生獲二百餘人。先後以捷聞，賜白金、文綺，有差。

夏四月，汪（王）直、毛海峰既潰散，剽忽往來不可測，溫、台、寧、紹俱罹其患。參將湯克寬，率兵循海堧，護城堡，捕奔軼，斬獲亦相當。於是賊移舟而北，犯蘇、松郡。二郡素沃饒，賊至捆載而去。有蕭顯者，又桀狡，率勁倭四百餘，屠上海之南匯、川沙，逼松江而軍。餘衆圍嘉定、太倉，所過殘掠不可言。王忬遣都指揮盧鏜倍道掩擊，斬蕭顯。餘衆復奔入浙，俞大猷等邀殺殆盡。先是，吳、浙間人習選愞，而文武大吏復不能以軍法繩下，遂至破昌國，臨山、霩䨟、乍浦、青村、柘林、吳淞江諸衛所，圍海鹽、平湖、餘姚、海寧、上海、太倉、嘉定諸州縣。忬不欲冒功，有所隱沒，隨擊走之。計倭所得亦不償失，前後俘斬共三千餘級，東南賴之。

五月，給事中賀涇奏：「留都根本重地，海洋密邇；鎮江、京口乃江、淮咽喉；瓜步、儀真又漕運門戶，請設總兵駐鎮江。」從之。

秋七月，太平府同知陳璋，敗倭於獨山，斬首千餘，餘衆浮海東遁。

冬十月，倭寇太倉州，攻城不克，分掠鄰境。有失舟倭三百人，突至平湖、海寧等縣。自獨山之敗，倭東遁，江南稍寧。惟崇明南泊失風者，幾三百人，不能去。總兵湯克寬及僉事任環留兵守之。環屬兵三百，皆新募，勵以必死。不入與家人訣，爲書赴之而去。親介冑臨陣，士無敢不用命者。環敝衣芒履，與士卒雜行伍，依草舍間，嚙糒飲水同甘苦。至是，相守不下，賊潛出沒，環常夜追之，出其前後。宰夫佩恐有失，衣環衣，介馬而馳，故賊不知所取。環嘗匿溝中，賊過之不知。匿至明，士始得之。又遇矢石，士以死捍環。環被傷，舁之至水濱，梁已徹丈餘，超而過。追急，宰夫留禦之，死焉。環求其首，爲流涕，親酎之。相拒數月，不克。克寬復督邳、漳等兵擊之，敗績，失亡四百人。官軍疫，不能攻，乃開壁東南陬，倭遂潰圍出，掠蘇、松各州縣。百餘人由華亭漴缺登岸，流劫至木涇、金山衛，移舟泊寶山。克寬引舟師迎擊，及於高家嘴，毀其舟，斬七十三級，生擒十四人。倭別隊失風至興化，殺千戶葉巨卿。知府黃⑱士弘，指揮張棟擊殲之。時沿海諸奸民乘勢流刼，真倭不過十之二三。

三十三年三月，倭自太倉潰圍出，乃掠民舟入海，趨江北，大掠通州、如皋、海門諸州縣，復焚掠鹽場。有漂入青、徐界者，山東大震。

改王忬爲右副都御史，巡撫大同，以徐州兵備副使李天寵代之。忬在浙江，薦盧鏜，釋柯喬，激勵諸將。鄧城、劉堂、孫敖等爭奮逐北，以死綏著節。復廣爲偵刺，凡沿海大猾爲倭內主者，悉縶之，按覆其家。自是倭不復知中國虛實與所從向往。而艅艎在海中者，亦無以菽粟火藥通，往往食盡自遁。又行視諸郡邑未城者，計寇緩急，次第城之，凡三十餘所。杭州官吏以烽火不時發，日集坊民登陴守，多怨苦。忬曰：「吾斥堠明，無慮勿及，奈何先敵受困耶？」令罷之，一郡皆歡。至是去，以徐州兵備副使李天寵爲僉都御史代忬。忬去，而浙復不寧矣。初，忬薦盧鏜爲參將鎮閩，閩人故忌鏜，劾鏜「兇險不可用」。罷之。而浙海大猾且言：「忬令大猷擣巢非計。」欲搖動忬，忬不爲動。已而南京各官復薦鏜，乃用鏜爲參將，而以俞大猷爲浙直總兵。

以南京兵部尚書張經總督浙、福、南畿軍務。時朝議方徵狼、土兵勦倭，以經嘗總督兩廣有威惠，為狼、土兵所戴服，故用之。勅令節制天下之半，便宜從事，開府置幕，自辟參佐。經亦慷慨自負，中外忻然，謂倭寇不足平。

夏四月〔乙亥〕，倭寇自海鹽趨嘉興，參將盧鏜禦之，稍卻。次日，復戰於孟宗堰。伏發，殺官軍四百人，溺死無算，都司周應禎等死之。賊乘勝入據石墩山，分兵四掠。攻嘉興城，副使陳宗夔，帥兵禦卻之，焚其舟。賊遯入乍浦，與長沙灣寇合犯海寧諸縣。既而東掠入海至崇明，夜襲破其城，知縣唐一岑死之。倭自崇明進薄蘇州，大掠。

六月，倭自吳江掠嘉興，都指揮夏光禦之，背王江涇而陣。倭鼓譟而前，我兵大潰。光急入舟，中流矢溺死。

蘇州倭寇至嘉善，轉掠松江出海，總兵俞大猷，擊敗之於吳淞所，擒七人，斬二十三級。

八月，倭寇自嘉興還屯採淘港、柘林諸處，進薄嘉定。會募兵參將李逢時、許國以山東民鎗手六千人至，與賊遇於新涇橋。逢時率麾下先進，敗之。賊退據羅店⑲，官軍追及之，斬八十餘人。許國恨逢時與同事，不約己，乃別從間道擊賊，欲分逢時功。追至採淘港，乘勝深入。伏起，大潰，溺水死者千人，指揮劉勇等死之。

工部〔右〕侍郎趙文華上言：「倭寇猖獗，請禱祀東海以鎮之。」帝命往祀，兼督察沿海軍務。文華至浙，凌轢官吏，公私告擾，益無寧日。

三十四年，柘林倭奪舟犯乍浦、海寧，攻陷崇德，轉掠塘西⑳、新市、横塘、雙林、烏鎮、菱湖諸鎭，杭城數十里外，流血成川。巡撫李天寵束手無策，惟募人縋城，自燒附郭民居而已。張經駐嘉興，援兵亦不時至。副使阮鶚，僉事王詢，竭力禦之，僅免失陷。致仕僉都御史張濂，目擊時事，痛之，乃上言：「臣本杭人，頃復家居五載，頗知海寇始末。始以海禁乍嚴，遂致猖獗。而督、撫因循玩愒，養成賊勢。夫堂堂會城，閉門旬日，已有垂破之勢。徒以意得志滿而去，更無一兵一旅阻其去來。賊寇野心，欲如谿壑，能保其不復至哉？臣恐賊退之後，又復收拾殘傷首級，虛張功次，以欺陛下。仍有從而庇之者，則罰罪之典，又移而為賞功之命矣。臣寓父母之邦，同舟共濟，志惟切於報君，嫌何避於出位，敢以三策為陛下陳之：一曰重軍法以作積弱之氣。士惟力戰而後克敵，亦惟畏法而後力戰。今江南非無義勇也，迎敵九死，退走十生，何怪其有退而無進哉。軍法之行，不在行陣而在平時，誠得必死之士萬夫，海寇百萬不足平矣。一曰選民兵以收必勝之功。夫江南衛、所，已成虛設，地方有急，輒假外兵。餬口而來，原非義勇；掉臂而去，莫可勾查。臣愚以為莫若盡散調募之兵，專責州縣立保伍，更番較閱，期以不擾。一遇有警，按籍而呼，共保身家。寇小至，則率眾以攻之；大至，則堅壁以守之。一曰復海市以散從賊之黨。夫海市舊制，原非創設。向使瀕海之軍衛如故，則市舶未為害也。惟武備日弛，不能制變。而後海禁漸嚴，倭寇乏食，海寇由之以起。惟軍民既練，寇掠則懼遭斬獲，交易則可保首領。彼雖至愚，必不以彼易此。然後相機稍復海市之舊，不惟散已聚之黨，而瀕海窮民假此為生，又足以收未潰之人心。」

夏四月，廣西田州土官婦瓦氏，引狼、土兵至蘇州，總督張經分隸總兵俞大猷等殺賊。時倭據川沙窪、柘林爲巢，經冬涉春，新倭日至，地方甚恐。聞狼兵至，人心稍安。賊分衆三千過金山衛，俞大猷遣游擊白泫及瓦氏兵邀之，稍有斬獲。趙文華至松江，因謂狼兵可用，厚犒之。使擊賊至漕涇，遇倭數百人，戰不勝，頭目鍾富、黃維等十四人俱死，失亡甚衆。於是賊知狼兵不足畏，復縱掠如故。

倭犯江北淮、揚諸處，前後由通州之餘東場，海門之東夾港登岸，流刼狼山、利河諸鎮，呂四、餘西諸場。復突入通州南門，燒民屋二十餘間而去。三丈浦倭賊分掠常熟、江陰村鎮，兵備任環督保靖土兵，及知縣王秩㉑統兵三千攻其巢，破之。賊奔江陰川沙窪，駕舟出海。官兵縱火焚其巢。賊舟一至戚家墩，游擊白泫、劉恩邀獲之，江陰賊亦出江東遁。

五月，張經破倭於王江涇。逮經及巡撫都御史李天寵，俱下詔獄，論死。初，經至浙中，用將佐何卿、沈希儀輩，名位已抗，驕不爲用。而新拔士又慓猾不任兵，所徵田州兵瓦氏，山東鎗手俱不受律，連戰敗衄，望大損。〔工部右〕侍郎趙文華出視師，頤指凌經。經自以大臣位出文華上，文華恚，則連疏劾經，謂「其才足辦賊，特以閩人避賊讎，故縱賊耳。」帝大怒，會臺諫亦有言者，趣官校逮捕經。時倭寇自柘林犯嘉興，經遣參將盧鏜督狼、土兵水陸攻之，大敗賊於石塘灣。賊北走平望，俞大猷邀擊，奔平望至王江涇。永順宣慰使彭翼南攻其前，保靖宣慰使彭藎臣躡其後，遂大敗之。斬首二千級，溺死者稱是。㉒餘衆奔柘林，縱火焚其巢，駕舟二百餘艘出海遁。自有倭患以來，此爲戰功第一。而文華論經之疏已上矣。捷聞，兵科言：「宜留經平倭以自贖。」不聽，並李天寵、湯克寬俱逮至京，以縱寇論死。文華既疏劾經，奏以巡按御史胡宗憲爲僉都御史，代天寵巡撫；而以周珫代經。未幾，復罷珫，以南京戶部侍郎楊宜爲總督。

倭寇自海洋突犯蘇州，南京都督周于德來援，一戰而敗，鎮撫蘇憲臣被殺。賊中分其衆，一由胥門、木瀆而南，轉掠吳縣、橫鎮，蔓由齊門、撞馬頭而北，轉掠滸墅關、長洲、五都地；一由胥門、木瀆而南，轉掠吳縣、橫鎮，蔓延常熟、江陰、無錫之境。出入太湖，莫能禦者。

御史屠仲律上言：「宜守平陽港，拒黃花澳，據海門之險，則不得犯溫、台。塞寧海關，絕湖口灣，遏三江之口，則不得窺寧、紹。扼鼈子門，則不得近杭州。防吳淞江，備劉家河，則不得掩蘇、松、嘉興。責江南守令，以訓練土兵，保全境內爲殿最。沿海沙民、鹽徒及打生手，宜收錄，併力禦賊。」詔從之。

川沙窪倭賊犯閘港、周浦，僉事董邦政，遊擊周藩擊之，遇賊驚潰，藩被創死。賊屯石塘橋，流劫崑山、石浦。

六月，倭寇蘇、常諸縣，常熟知縣王鈇，江陰知縣錢錞，及居鄉參政錢泮，各督士民出禦，力屈死之。旋復寇蘇州，民爭入城。門不啓，號呼震野，乘陴者望之而歎。攀援上者，又縋絕而下。任環還自儀真，曰：「奈何坐視之？縱有覘諜，我在無患也。」乃出闢門，令男女以列進，所活蓋數萬人。復率解明道兵，出城力戰，賊退入太湖。遣舟師邀之，乃棄所獲逸去。環以功進副使。環復擊賊馬蹟山，圍逃倭嘉定民家，投火爇之，盡死。既而環有親喪，詔留之，任事如故。

八月，倭賊百餘自上虞爵谿所登岸，犯會稽高埠，奪民居據之。知府劉錫，千戶徐子懿，圍之。賊潛縛木筏，由東河夜渡，潰圍而出。居鄉御史錢鯨，遭於蟶浦見殺。賊自杭州西掠於潛、昌化，至嚴州淳安。以浙兵追急，突入歙縣，流刼至南陵，趨太平，操江兵扼之。賊引而東，犯江寧鎮，指揮朱襄率勇士數百人禦之。是時賊已至板橋，襄等不知，方袒裼縱酒。突遇，盡爲所殲。遂由安德、鳳臺、夾岡沿鄉搶掠，趨秣陵關。時應天巡撫籠節卿，指揮徐程宗，率兵千人守關，望風奔潰。賊過關而去，自南京出秣陵，流刼溧水、溧陽，趨宜興、無錫，一晝夜奔一百八十餘里，至滸墅關。南直巡撫曹邦輔，慮與柘林賊合，且爲大患。乃親督兵備王崇古，會集各部兵，扼其東路，四面蹙之，隨地與戰。親召僉事董邦政，指揮樓宇，以沙兵助剿，一戰斬首十九級。賊始卻，奔吳舍，欲走太湖。覺之，追及於楊家橋，盡殲其衆。賊自紹興高埠流刼杭、嚴、徽、寧、太平，犯南都，六七十人經行數千里，殺傷無慮四五千人，歷八十餘日始滅。邦輔以捷聞，歸功僉事邦政。時趙文華聞寇且滅，欲攘功，急趨赴之。比奏，則邦輔已先之。文華怒，會柘林賊進據陶家港，文華乃悉簡浙兵，得四千人。文華及胡宗憲親將之，營於松江之磚橋。約邦輔以直兵會剿。浙兵分四道，直兵分三道，東西並進。賊悉銳衝浙兵，諸營皆潰，損失軍士千餘人。直兵亦陷賊伏中，死者二百餘人，賊勢大張。華恨邦輔。至是，乃以罪委之，及僉事邦政。詔下邦政總督逮問。既而刑科給事中孫濬言：「後期之罪，不在直兵。今蘇、松士民交稱邦輔實心任事。而流刼留都之倭，又爲邦輔所滅，功績顯然。遽請罪斥，文華非是。」兵科給事中夏栻亦言之。上乃申飭文華「秉公視師，以圖大效。」已而邦政及指揮樓宇，賞竟不及，文華惡之也。邦輔旋亦謫戍邊，巡按直隸御史張雲路爲論奏，不報。

十一月，止徵狼、土諸兵。土兵瓦氏等至浙，驕悍不受約束，所過殘掠，百姓苦之。於是總督楊宜力請止徵，從之。命兩廣督臣隨路掣止。

閏十一月，給事中孫濬上言：「防倭諸臣既有巡撫、總兵，又有總督及都察院重臣，事權不一，牽掣靡定，迄無成功。」兵部複奏：「諸臣職守：督察主竭忠討寇，實覈布聞；總督主徵集官兵，指受方略；巡撫主督理軍務，措置糧餉；總兵主設法教練，身親戰陣。至於有司，責在保安地方，固守城隍。」帝然之，命行諸臣，各遵勅諭施行。

十二月，趙文華疏乞還京，許之。文華初奉命至浙，適狼兵瓦氏等至，知倭厚蓄，銳意請戰。文華惑之，亟趨張經進戰，不得，則上書痛詆。經被逮，代經者周珫、楊宜，皆無遠略，賊勢益熾。及瓦氏戰敗，攻陶宅餘倭，復大衂。始知賊未易圖，有歸志。至是，川兵破周浦賊，俞大猷復有海洋之捷。文華遽言：「水陸成功，請還。」然是時海洋回倭泊浦東、川沙窪舊巢，及嘉定、高橋皆倭據如故。

副使任環率永順、保靖土兵剿新塲倭寇。時賊眾二千人，皆伏不出，而詐令人舉火於數里外，若將引去者。土舍彭翅先入嘗之，不見一人。於是頭目田葘、田豐等爭入，伏發，皆死之。賊冢突去。未幾，復攻上海，環以輕兵三百及之，擊敗於五里橋、習家墳。又以兵崑山，而身間行抵太倉、毛家、葛隆諸屯。賊方會集治攻具，衝梯隊道，肉薄而登。環率死士飛刃砍之，連碎其首，矢石交下，相殺傷甚眾。又縋兵下突而前，賊漸氣奪，遂棄委走。環既居憂哀毀，又積苦兵間，疾作卒。

三十五年春正月，巡按御史周如斗參總督楊宜，提督曹邦輔「輕率寡謀，致川兵敗於東溝，苗兵敗於新場，東兵敗於四橋，乞罷黜。」時上深以南寇為憂，疑趙文華言「餘寇將滅」為不實。屢問大學士(嚴)嵩。嵩曲為解，上意終不釋。文華懼，因言：「餘寇指日可滅，督、撫非人，一敗塗地，皆因吏部尚書李默恨臣前歲劾其同鄉張經，思為報復。臣繼論曹邦輔，則嗾給事夏栻、孫濬媒孽臣及胡宗憲，黨留邦輔浙直總督，又不用宗憲而用王誥。然則東南塗炭何時可解？陛下宵旰何時可釋也？」默因得罪，宜削籍為民，邦輔亦被逮。罷王誥，以宗憲為兵部侍郎兼僉都御史。

夏四月，倭薄溫州，同知黃釗馳檄出迎擊，被執，索千金為贖。釗罵之不置，倭怒，磔殺之。江北倭流刼至圌山、山北等港，無為州同知齊恩，帥舟師迎戰，敗之，斬首百餘級。恩長子尚文，次子嵩，叔仲實，弟寶榮，姪慎、寅、友良、大卿，孫童，俱在行間。嵩年十八，驍勇射，獨前追賊至安港，恩等從之。伏發，恩及其家丁錢鳳等二十一人力戰，皆死之，獨嵩、慎、寅三人得脫。賊遂乘勝至金山，殺鎮江千戶沈宗玉、王世良於江中。

倭率衆數千自乍浦入，欲犯杭州。遊擊㉓將軍宗禮，率兵九百禦之，逆戰於皂角林㉔，分左右翼夾擊，三戰三捷，獲首功七十餘級。賊首徐海等皆辟易，稱爲神兵。會橋陷，軍潰，禮與鎭撫侯槐、何衡，義官霍貫道力戰，俱陷陣死之。禮驍勇敢戰，所部箭手三千人皆壯士。事聞，贈卹，有差。

總督胡宗憲奏「遣生員蔣洲、胡㉕可願使倭酋，傳諭渠魁，令無犯順。」從之。已而可願等還，言「倭渠欲通貢市。」宗憲以聞。下兵部集議，不可，乃止。

倭圍巡撫阮鶚於桐鄉。初，鶚督學浙江，開武林門納難民，全活數萬人，超擢巡撫。方倭之寇嘉興也，鶚議主剿，而胡宗憲議主撫，不相能。倭自嘉興轉寇桐鄉，氛益銳，去來實徐海、麻葉領之，陳東附焉。東，薩摩王弟書記也。宗憲謀間之，遣辯士說。海心動，私語桐鄉守兵曰：「吾已款督府矣，城東門陳黨，善備之。」是夕，海道崇德而西，東方急攻桐鄉。宗憲說海縛麻葉，因僞爲麻葉書致東，令圖海，故達海所。東、海中自疑，始解圍去。

五月，御史邵惟忠上言：「倭薄通州，圍未解。餘衆自狼山轉掠瀕江諸郡縣。而瓜、儀爲留都門戶，鎭、常乃漕運咽喉，不可視爲緩圖。宜大集兵，敕諸臣戮力靖亂。」下兵部議，「請調河南睢、陳及山東八衛，陝西延綏兵及徐、沛募兵，敕才望大臣一人總督，以爲掎角，保障留都。」帝然之。已，命兵部侍郎沈良才矣，嚴嵩揣知上覺趙文華欺罔，且見譴，乃令文華自以其意請復視師。嵩爲言：「良才不勝任，江南人引領俟文華至。」上乃止良才，命文華以工部尚書兼右副都御史，總督浙、福、直隸軍務。文華既至浙，假監督權凌脅百官，搜括庫藏百萬計。兩浙、江、淮、閩、廣，所在徵兵，集餉，留漕粟，除京帑，給鹺課，迫富民脫兇惡，浪授官職。於是外寇未寧，而內憂益甚。

六月，倭入慈谿縣，知縣柳東伯亡。初，王忬在浙，計城各邑未城者，慈谿士人獨持不可。至是，倭衆大至，知縣不知所禦，攜印組亡去。殘殺民人無算，而搢紳尤甚，始悔失計。東伯失守，當坐死，以無城可憑，削籍爲民。省祭官杜槐與其父文明，率兵追敗倭於王家團。海道劉起宗委防㉖餘姚、慈谿、定海。未幾，與賊遇於白沙，一日三戰，殺賊三十餘人，斬其一帥，槐被創，墜馬死。文明別將兵擊倭於演武場，斬白眉倭帥一，從七，生擒二。倭驚遁，呼其「杜將軍」。已而追至奉化楓樹嶺，以兵少不繼，陷陣死。

倭薄海鹽，指揮徐行健、程祿，百戶方存仁，逆戰死之。

八月，海寇徐海伏誅。初，胡宗憲以簪珥遺徐海侍女翠翹、綠珠，令日夜說海，縛陳東以報朝廷。海且感，而文華方治兵擊海，宗憲佯曰：「彼且縛陳東，何戰爲？」海果賂薩摩王弟縛東以獻。於是海勢日孤。海自念數有功，又信羅龍文誘，約八月入謁督府於平湖。海先期以數百人胄而入，宗憲、文華、鶚坐堂上，海等叩罪，復謝宗憲。宗憲下堂摩其頂，曰：「朝廷且赦若，愼勿再虞。」厚犒遣之。海既出，知官兵大集，自疑。宗憲使使諭之曰：「官兵防東黨，爾毋恐。」海請居東沈莊，陳東居西沈莊。又令東詐爲書遺其黨，曰：「海約官兵夾剿汝矣。」東黨果疑相攻。海令裨將辛五郎歸島，宗憲密遣盧鏜計擒之。文華調兵六千既集，移營薄沈莊。督之急，宗憲猶心憐海，不欲遽戰。文華迫之，宗憲乃下令與總兵俞大猷整師前進。海知事變，掘深塹自守，柵數重，官兵望之，不敢入。阮鶚檄趨之，大猷乃從海鹽進攻東沈莊，破之；又追擊於梁莊。會大風，縱火，諸軍鼓譟乘之，賊大潰，斬獲一千六百餘級，海倉皇溺水死。引出，斬其首。浙直海寇平。海，故杭之虎跑寺僧，雄海上，稱「天差平海大將軍」。至是，捷書上，文華皆襲爲己有。帝命械繫首惡至京正法。時浙東仙居，浙西桐鄉二寇略平。其分掠海門者，把總張成敗之。江北流寇入常、鎭者，總兵徐珏敗之。蘇、松、寧、紹相繼告捷。兵部奏文華功，帝從之，降敕令文華還京。論平倭功，加文華少保，宗憲右都御史，各任一子錦衣千戶，餘陞賞，有差。倭俘麻葉、陳東等械繫至京，禮、兵部請獻俘。從之。群臣俱賀。

時倭略平，惟舟山賊據險結巢未下，官兵環守之不能克。諸狼、土兵已遣歸，而川、貴兵六千人始至。胡宗憲方留防春汛，隸俞大猷經營舟山之賊。會夜大雪，大猷乃督兵四面攻之。賊悉銳出敵，官軍競進。賊敗歸，乃以樓簑捲火擲之。賊四散潰出，斬首一百四十餘級，餘悉焚死。

三十六年冬十一月，海寇汪（王）直伏誅。㉗徐海等既死，汪（王）直復糾眾三千餘入寧波岑港，大掠四境。汪（王）直，徽人也。宗憲亦徽人，乃以金帛厚賂誘之，云：「若降，吾以若爲都督。」置海上通互市，乃迎直母與其子入杭厚撫之。而奏遣生員蔣洲往諭，與之盟。直信之，遂自奮言：「能肅清海波，贖死命。」與其黨毛海峰、葉碧川等從蔣洲來杭州。洲至而直未至，人疑其詐。巡按周斯盛請罷貢罪洲，於是逮洲獄，洲乃陳諭倭始末，及言：「直以誠來，其未至，必風阻耳。」已而直果乘巨舟，遣頭目數十人隨來，泊舟定海。蓋初舟實爲颶風所損也。宗憲使人招直，直願見洲，洲方對理。疑其觖望不遣，遣千戶夏正質其舟。直素與正善，不疑。遂詣軍門請罪，具言自效狀。宗憲待以賓禮，使指揮爲其館主，給輿夫出入，復出蔬、米、酒、肉，供饋其舟人，日費數百金，且交質爲信。因具狀聞，請赦之。科臣王國禎㉘，力持不可。疏入，上謂：「直，元兇，不可赦。」宗憲乃密檄按察司收直等斬之。論平功，加宗憲太子太保，餘皆遷賞。然直雖就誅，而三千人皆直死士，無所歸，益恚恨，復大亂。

三十七年春二月，倭犯潮州之鮀浦，攻蓬州千戶所。僉事萬仲，分部水陸兵馬，東西哨攻之。臨敵而哨兵皆潰，領哨千戶魏岳、高洪俱死。尋犯福州，巡撫阮鶚不能禦，取庫銀數萬兩賂之；以新造大舟六艘，俾載而去。

夏四月，倭掠台州臨海之三石鎭，約數千人，總督胡宗憲擊走之。

倭攻福清，破之，執知縣葉宗文。舉人陳見率家僮禦賊，不克，與訓導鄔中函俱罵賊死。五月，自海口出港，參將尹鳳，引舟師擊之，沈其舟七，斬首六十餘級，生擒七人，餘衆遁去。鳳追擊東洛外洋，復敗之，銃傷及溺水死者甚衆，福、興患少熄。

倭攻惠安，知縣林咸乘城禦之，攻五晝夜不克，丁壯死者數百人，倭亦失亡相當，乃引去。咸率兵擊倭鴨山，乘勝追奔，陷伏中死之。倭分犯同安、長樂、漳、泉諸處。

秋七月，以浙江岑港寇未平，詔奪總兵俞大猷，參將戚繼光職，期一月蕩平，命胡宗憲督之。初，宗憲遣毛海峰誘降汪（王）直，直至，下獄，海峰遂與倭目善妙等五百餘人燒船登岸，列柵舟山，阻岑港而守。官軍四面圍之，屢斬獲。然海中數苦毒霧，賊憑高死鬬，先登者多陷沒，新倭復大至。冬十月，岑港倭移巢柯梅，胡宗憲屢督兵討之，不能克。

兵備副使谷嶠，捍禦海上，屢破倭。制府以捷聞，進山東參政。

三十八年春三月，倭寇自象山河金、纜井諸處焚舟登岸，海道副使譚綸，與賊戰於馬岡，敗之，斬首七十級。

總督胡宗憲上言：「舟山殘孽，移住柯梅，即其焚巢夜徙，力已窮蹙，易於成擒。而總兵俞大猷，參將黎鵬舉，邀擊不力，縱之南奔，播害閩、廣，宜加重治。」上命逮大猷、鵬舉至京訊治。時人言籍籍，謂倭之開洋也，宗憲實陰縱之。倭南行泊浯嶼，焚掠居民。由是福建人大譟，謂宗憲嫁禍。御史李瑚，數其三大罪。瑚與大猷俱福建人。宗憲疑大猷漏言，故委罪以自掩。而大猷不善滑刺，素不爲嚴世蕃所喜，故有是逮。廷臣惜大猷才，共假貸得三千金，餽世蕃，不死，罷職，發大同立功。

夏四月，江北倭趨通州，總兵鄧成㉙禦之不利，指揮張容㉚被殺。倭進據白浦㉛鎭，兵備副使劉景韶，以遊擊丘陞擊白浦（倭）於丁堰、如皋、海門㉜，三戰三捷。賊謀犯揚州，景韶復督陞等，以火攻其老營，擊敗之，焚死二百人。賊逸入潘家莊，盡銳攻之，先後斬首三百餘級。初，賊自南沙登岸犯通州，至是剿絕。

廟灣倭合衆攻淮安，參將曹克新禦之，戰於姚家蕩。自寅至申，大敗之，斬首四百七十㉝級。賊遁入姚莊，縱火焚莊，死者二百七十餘，賊退入廟灣拒守。劉景韶督兵擊倭於印莊，斬首四十級。賊西走，次日復戰於新洲，賊遁入民莊㉞，我兵以火攻之，凡再戰，斬首二百六十級，賊悉焚死，無一人脫者。時江北流倭悉殄，惟廟灣倭據險固守不出。

五月，江北兵攻倭於廟灣，衝其巢，斬首四千㉟。我兵死傷過當，復退守之。時賊營甚固，巡撫李遂，以我軍鼓戰而疲，宜圍守之。賊乏食，且水陸斷其行道，可收全勝。通政唐順之以爲玩寇，乃自擐甲持矛，麾兵以進。屢挑戰，賊終不出。遂督兵入險，賊盡銳東西衝，殺傷相當。自是復稍稍出掠，覓舟爲走計矣。順之知失計，乃駕言經略三沙，倭南去。踰月，倭困廟灣既久，劉景韶督卒填壕塹，逼壘而陣。令水兵載葦焚其舟，復水陸進擊。倭潛遁入舟，官兵進據其巢，追奔至蝦子港，斬獲頗多。餘倭無幾，不復能戰，乘風開洋而去。

福建新倭大至，多齎攻具。先攻福寧、連江、羅源，流刼各鄉。進攻福州不克，移攻福安，破之。參將黎鵬舉，以舟師擊倭於海中七星山、屛風嶼，斬首六十七級，生擒六十八人。時沿海長樂、福清等境皆有倭舟，廣東流倭往來詔安、漳浦間。浙江舟山倭移舟南來者，尙屯浯嶼。福州、漳、泉無地非倭矣。舟山倭屯浯嶼經年，至是乃開洋去。其毛海峰者，復移衆南嶴㊱，建屋而居。永福倭移舟出梅花洋，參將尹鳳擊敗之。巡按樊獻科，請趨胡宗憲應援，未及行，巡撫阮鶚往剿之，倭稍創。

六月，倭眾別部二十餘艘屯崇明三沙，總督胡宗憲，總兵盧鏜帥師攻破之。前後斬首百餘，遁去。宗憲以捷聞，兼言唐順之贊畫功，擢僉都御史。

秋七月，三沙倭突犯江北，由海門縣七星港登岸，流刼過金沙、西亭，將犯揚州。參將丘陞禦之，戰於鄧家莊。賊敗走仲家園，復追至鍋團。陞輕騎先進，賊覘無後繼，盡銳來衝，陞馬蹶被殺。已而官軍大至，賊遁。

八月，倭自鄧家莊敗後，沿岸覓舟不得，官軍尾之於劉家橋、白駒場諸處。倭餒甚，奔莊㊲，我兵圍之。時劉顯兵至，先登，各營繼進，縱火衝擊，破其巢，斬首二百餘。賊奔白駒場，追擊，又敗之於七灶莊、花墩，共斬首四百餘，賊盡殄焉。顯，驍勇敢戰，江北軍悉屬顯節制，故有功。

三十九年春二月，倭六千餘人流刼潮州等處。時浙、直倭患稍息，而閩、廣警報踵至。

五月，加胡宗憲兵部尚書兼右副都御史。

四十一年春三月，泉州指揮歐陽深率兵擊倭，破之，生擒江一峰，泉寇稍寧。

倭陷永寧衛，大掠數日而去。復攻永寧城，破之，大殺城中軍民，焚燬殆盡。

冬十一月，逮總督、兵部尚書胡宗憲，削籍，從給事中陸鳳儀之言也。獄具，罷浙閩總督大臣，設右僉都御史巡撫其地。

四十二年五月，復逮胡宗憲詣京，宗憲自殺。是時大計京官，復有言宗憲未盡法者。有旨逮至，宗憲至京，自殺。宗憲在浙中與趙文華同事，文華選懦不敢前，宗憲輒自臨陣，戎服立矢石間督戰。方倭圍杭時，宗憲親登城臨視，俯身堞外，三司皆股慄，懼爲流矢所加，宗憲恬然視之。殲徐海、汪（王）直皆有功。然稍稍事文華，又握權太重，勳臣總兵者，由掖門通謁庭拜，巡撫悉聽節制，如三邊例。宗憲才得展，而禍機亦萌此矣。上好玄修，宗憲進白鹿稱賀，大學士（嚴）嵩比之。會嵩敗被逮時，歸安茅坤上書頌其冤。

冬十月，倭犯福建。其自浙之溫州來者，合福建連江賊登岸，攻陷壽寧、政和、寧德等縣；自廣之南嶴來者，合福清、長樂賊攻陷玄鍾所，蔓延及於龍巖、松溪、大田、古田之境，無非賊者。初，浙江參將戚繼光，既連破賊於林墩等處，閩之宿寇盡平。繼光引兵還浙，遇倭自福清東營嶴登岸。麾兵擊之，斬首百八十級，遂行。而倭至者日衆，始犯邵武，殺指揮齊天祥。轉掠羅源、連江，殺遊擊倪祿。遂攻玄鍾所城及寧德縣，入之。乘勝直抵興化府城，不克，乃合兵薄城下，圍之且匝月。巡撫游震得以狀聞，請「調義烏兵，以繼光統之。起丁優參政譚綸，與都督劉顯，總兵俞大猷，協力共濟。」上從之。

十一月，劉顯率兵援興化。顯大兵留江西剿廣寇，所提入閩卒，不及七百人，且疲屢戰。倭新至，氛甚銳。顯知不敵，乃去府城三十里，隔一江按兵不進。欲掩逗遛之罪，遣五卒齎文詣府，約欲率兵赴城禦敵。賊獲五卒，殺之，用其職銜僞爲顯文，剋期入城。約城中「勿舉火作聲，恐賊驚覺。」詐以五人爲劉卒齎入。至期，賊陽稱顯兵入城，人莫之疑。賊既大入，猝起格殺，城中驚亂。參政翁時器，參將畢高，倉皇縋城走；同知吳時亮被殺。賊遂據城中三閱月，殺掠焚燬。顯卒乘亂攫之，參政王鳳靈妻，竟爲顯掠去。賊既飽欲，始如平海衛，欲奪舟泛海去。

十二月，倭結巢崎頭城，與都指揮歐陽深相拒，久之不出。深，望見兵少，輕之，直前挑戰。伏發，深與其下數百人皆戰死，賊乘勝陷平海衛。事聞，罷巡撫游震得，逮參政翁時器，參將畢高。劉顯坐觀望不救，立功自贖。倭引兵出海，把總許潮㊳光，以輕舟抄之，賊還屯平海衛。副總兵戚繼光，督浙兵至福建，以劉顯、俞大猷合擊倭於平海衛，大破之，斬首二千二百級，墜崖、溺水死者無算，福州以南諸寇悉平。

四十三年春二月，舊倭萬餘攻仙遊，圍之。三月，戚繼光引兵馳赴之，大戰城下，賊敗，趨同安。繼光麾兵追至王倉平，斬首數百，餘眾奔漳浦。繼光督各哨兵入賊巢，擒斬略盡，閩寇悉平。其得出者逸出境，至廣東潮州，俞大猷又截殺之，幾無遺類。

初，倭既自浙創歸，嘗一犯淮、揚、吳、越，皆不利，遂巢閩中，首尾七八載。所破城十餘，掠子女、財物數百萬，官軍、吏民，戰及俘死者不下十餘萬。雖時有勝負，而轉漕軍食，天下騷動。至是，倭患始息。

谷應泰曰：島夷卉服，首見禹貢。秦、漢以來，罕被倭患。蓋以其俗愛鮮華，地多饒沃。五州㊴、七道、三島，五百七十三郡㊵，率皆樂土。環以大海，君臣自保，不愛慕中國也。若乃海王充牣，居民仰食，雲帆所指，有無懋遷，則又彼此咸賴。高帝時，士誠、友定遺孽竄伏，北遼南粵，歲被創殘。已而通謀逆臣，伏兵市舶。帝乃閉關謝貢，示弗復通。然而創設市舶，互市不絕，計深遠也。

後世識慮迂拘，放失舊典。初開橫海，旋棄珠崖，民競刀錐，吏鮮保障。秦關夜拆，楚吏晨韁，勇士蹈險，貪夫忘生。於是內地奸民，勾引潛深，海邦貴倖，藏匿不可勝計矣。貧民、勢家，贖貨負直。窮夷困頓，進退次且。逃生水國，求食波臣。邊吏戒心，搜捕始急。於是沿海不逞之徒，陳涉力耕，怨家日眾，黃巢下第，憤恚思兵，稍稍收聚，倭裔窺竊上國矣。

朱紈下車，不畏彊禦。窮治黨與，少所報聞。夫廣漢索酤，先求魏相；李膺破柱，不避黃門。政求亂本，雖得河源，禍發朝堂，竟悲虎尾。紈死而朝貢與海通交相賀也。代臣畏禍，海禁復弛。浙東再亂，王忬出督。拔大猷於偏裨，出盧鏜於獄中。普陀一戰，幾殲渠帥。游魂四潰，旋掠江南。而忬隨處邀擊，頗多斬獲。括乃代頗，騎還易轂。大功不終，自古悲歌。此閫外有遙制之憂，中樞失內贊之力也。

嗣是天寵握兵，乃棘門之兒戲；文華祀海，實天雄之誦經。倭患愈劇，張經再出。經以功在銅柱，因而偃蹇凌轢，度亦自大匹夫耳。然視事一月，指揮群帥。王江涇之捷，賊兵宵遁。史稱其兵驕將悍，或亦讒人之蜚語，獄吏之深文也。文華行譖，檻軍入國。蓋左豐求賂，盧植徵還；張讓交通，王允下獄。自古未有小人同事，而得剬制成功者。

胡宗憲曲意主撫，因剿成功。賄斬徐海，誘擒汪（王）直。武安誘殺，李廣誅降。長致恨於封侯，空悲冤於賜劍。憲雖引刃，應無顏見二賊於地下也。憲才望頗隆，氣節小貶。側身嚴、趙，卵翼成功。耿秉因竇憲勒勳，杜預事朝貴甚謹。封疆之吏，固應折節乃爾耶？

倭寇披猖，禍延三省。任環效命留都，俞大猷經營兩浙，戚繼光驅馳閩海。類皆大國干城，足以滅此朝食。而乃大戮亟行，更張不一，事權牽制，流毒生民。九閽無金城之任，分宜少裴度之忠。群賢殞喪，國事陵夷，固其宜也。中丞張濂，居家省會，身與圍城。訟言時事，涕淚交頤。觀其疏中所稱：「殘難民之首，以償縱寇之功，而督撫可知；移罰罪之典，為賞功之命，而筦樞可知。軍法不重，人無死志。客兵掉臂，士無鬬心，而卒伍可知。」嗚呼！鄭監陳圖，莫救當時之充耳，然睢陽劍在，已成今日之爰書矣。

註：

①「良懷」，良懷之為「懷良」之誤，請看本書頁二二五七，註③。以下同此。

②「為郡五百七十有三」，明史，日本傳書為「五百八十七」，然如據延喜式，卷二二，民部所紀國名，則其總數為「五百九十五郡」，故五百七十三與五百八十七，應為五百九十五之誤。參看鄭樑生，明史日本傳正補，頁三八〜四七。

③「祖朝來」，明史日本傳作「祖來」。

④「被擄男子七十餘人」，明史日本傳作「被掠人口七十餘」。

⑤「七年夏六月」，吳禎捕倭於琉球大洋之役，明太祖實錄繫於同年七月甲子朔壬申。由時間觀之，此處所紀者當係戰役發生的時間，實錄所紀者則為明廷獲此消息的日期。

⑥「日本王源道義」，如據日本史乘的記載，此源道義應是室町幕府第三任將軍足利義滿，道義係義滿皈依佛教以後之法號。

⑦「江」，應為「榮」之誤，其原委請看明史劉榮傳。以下同此。

⑧「十年一貢」，明廷之限制日本十年一貢，應係在景泰四年（一四五三）以後而非永樂初。參看鄭樑生，明代中日關係研究，頁七五～七九。

⑨「五」，籌海圖編，卷二作「四」，明世宗實錄作「六」。

⑩「源義植」，日本史乘皆作「足利義稙」，義稙即室町幕府第十任將軍。以下同此。

⑪「內藝興」，日本戰國大名，周防、長門、安藝、石見、豐前、筑前六「國」守護大內義興。

⑫「高貢」，參諸中、日兩國史乘，此高貢應是指日本室町末期武將細川高國而言。

⑬「素卿伏誅」，如據明史日本傳所紀，素卿非伏誅，係瘐死獄中。

⑭「仲」，明史日本傳及朝鮮中宗實錄俱作「中」。以下同此。

⑮如據日本史乘的記載，嘉靖十八年（一五三九）當時的室町幕府將軍為第十二任的足利義晴（一五二一～一五四六在位）而非義稙。

⑯「偉」，嘉靖東南平倭通錄，嘉靖三十一年四月條作「緯」，明世宗實錄，卷四六〇，嘉靖三十七

年六月丁丑朔條則作「暐」。

⑰「巡視浙江海道及興漳泉地方」，明世宗實錄，卷三八七，嘉靖三十一年七月辛巳朔己亥條言：「設巡視浙江兼官福、興、漳、泉提督軍務大臣一員，駐劄邊海地方，庶文武各有專職，緩急無患。」明史，卷二〇四，王忬傳則言：「巡視浙江兼管福、興、漳、泉四府。」

⑱「黃」，嘉靖東南平倭通錄，嘉靖三十二年十月條，明世宗實錄，卷四〇三，同年年同月甲戌朔壬寅條，俱作「董」。

⑲「羅店」，嘉靖東南平倭通錄，嘉靖三十三年八月條，及明世宗實錄，卷四一三，同年同月己巳朔癸未條俱作「羅店鎮」。

⑳「塘西」，史語所影印本明世宗實錄，卷四二〇，嘉靖三十四年三月丙申朔丁未條作「搪棲」，廣方言館本、抱經樓藏本，及嘉業堂舊藏明紅絲欄鈔本同卷同年同月同日條作「塘棲」。

㉑「秩」，歷史語言研究所影印本明世宗實錄，卷四二一，嘉靖三十四年四月乙丑朔戊子條作「鐵」；談遷，國榷，卷六一，同年同月同日條作「鈇」。

㉒「斬首二千級溺死者稱是」，明世宗實錄，卷四二二，嘉靖三十四年五月甲午朔條作「諸軍共擒斬首功凡一千九百八十人有奇，溺水及走死者甚眾」。

㉓「遊擊」，談遷，國榷，卷六一，嘉靖三十五年四月己丑朔辛亥條作「佐擊。」

㉔「皂角林」，前註所舉書同卷同年同月同日條作「三里橋」。

㉕「胡」，明世宗實錄，卷四三四，嘉靖三十五年四月己丑朔條及明史，日本傳俱作「陳」。
㉖「委防」，明史，卷二九〇，杜槐傳作「委槐防」。
㉗「三十六年冬十一月海寇汪直伏誅」，汪直即王直，采九德，倭變事略，卷四附錄謂直死於三十八年冬，云：「三十八年己未，冬十二月二十五日，詔斬王直於〔浙江〕省城官巷口。」
㉘「禎」，談遷，國榷作「貞」。
㉙「成」，明世宗實錄，卷四七一，嘉靖三十八年四月壬寅朔丙午條，及談遷，國榷，卷六二，同年同月同日條俱作「城」。
㉚「谷」，前註所舉明世宗實錄同卷同年同月同日條，徐學聚，嘉靖東南平倭通錄，同年同月條，及談遷，國榷，卷六二，同年同月同日條，俱作「容」。
㉛「浦」，明世宗實錄，卷四七一，嘉靖三十八年四月壬寅朔丙午條作「浦」，同月丁巳條，及談遷，國榷，卷六二，嘉靖三十八年四月壬寅朔丙午條則作「蒲」。
㉜「門」，明世宗實錄，卷四七一，嘉靖三十八年四月壬寅朔丁巳條，及談遷，卷六二，同年同月同日條俱作「安」。
㉝「四百七十」，談遷，國榷，卷六二，嘉靖三十八年四月壬寅朔庚申條作「四百七十八」。
㉞「莊」，前註所舉書同卷同年同月同日條作「家」。
㉟「四千」，明世宗實錄，卷四七二，嘉靖三十八年五月壬申朔條，及談遷，國榷，卷六二，同年同

月同日條俱作「四十餘級」。

㊱「嶴」，鄭若曾，籌海圖編，卷三，福建倭變紀作「澳」。以下同此。

㊲「奔莊」，談遷，國榷，卷六二，嘉靖三十八年八月庚子朔己未條作「奔劉家莊」。

㊳「潮」，明世宗實錄，卷五二〇，嘉靖四十年四月霧申朔庚申條，及明史劉顯傳俱作「朝」。

㊴「五州」，日本文獻俱作「五畿」。所謂五畿，即日本古代的五個行政區域，以近首都的大和、山城、河內、攝津、和泉五國（國係行政區域的單位，如州、縣等。）為畿內，稱「五畿內」。

㊵「五百七十三郡」，明史日本傳作「五百八十七郡」，日本延喜式，卷二二，民部所紀郡數則為五百九十五郡。

卷六二

援朝鮮

神宗萬曆二十年五月，倭酋平（豐臣）秀吉寇朝鮮。平（豐臣）秀吉者，薩摩州人僕也。①始以魚販臥樹下，有山城州倭渠名信長，居關白職位。②出獵遇吉，欲殺之。吉善辨（辯），信長收令養馬，名曰木下人。信長賜與田地，於是爲信長畫策，遂奪二十餘州。會信長爲其參謀阿奇支刺殺，吉乃統信長兵，誅阿奇支，遂居關白之位。因號關白，以誘刼降六十六州。③朝鮮釜山與日本對馬島相望，時有倭戶往來互市，通婚姻。時朝鮮王李昖湎於酒，弛備，吉乃分遣其渠〔小西〕行長、〔加藤〕清正等，率舟師數百艘，逼釜山鎭。五月，潛渡臨津，分陷豐、德諸郡。時朝鮮承平久，怯不諳戰，皆望風潰。朝鮮王倉卒棄王京，令次子琿攝國事，奔平壤。已，復走義州，願內屬。倭遂渡大同江，繞出平壤界。是時倭已入王京，毀墳墓，刧王子、陪臣，剽府庫，蕩然一空，八道幾盡沒，旦暮且渡鴨綠。請援之使，絡繹於路。廷議以朝鮮屬國，爲我藩籬，必爭之地，遣行人薛潘諭其王以匡復大義，揚言大兵十萬，已擐甲至。賊抵平壤，朝鮮君臣勢益急，出避愛州。

七月，遊擊史儒等師至平壤，不諳地利，且霖雨，馬奔逸不止，儒戰死。副總兵祖承訓，統兵三千餘④，渡鴨綠江援之，僅以身免。報至，朝議震動，以宋應昌爲經略，員外〔郎〕劉黃裳，主事袁黃贊畫軍前。

八月，倭入豐、德等郡，我兵稍集。而行長等頗習兵，詐謂不敢與中國抗，以緩我師。兵部尚書石星，亦謂諸將未得利，計無所出，議遣人探之。嘉興人沈惟敬應募。惟敬者，市中無賴也。是時，平（豐臣）秀吉次對馬島，⑤據王京，分其將行長等各發兵守要害，爲聲援。惟敬至平壤，行長令牙將以肩與迎之。時平（豐臣）秀吉廢山城君，自號大閤王。⑥惟敬至，執禮甚卑。行長跪曰：「天朝幸按兵不動，我亦不久當還。當以大同江爲界，平壤以西，盡歸朝鮮耳。」惟敬既還奏，廷議以倭多變詐，未可信。我師利速戰，乃趨應昌等統兵進擊。而石星頗惑之，以惟敬緩急可任，題假遊擊赴軍前，且請金行間。

八月，布衣程鵬舉請發暹羅兵，自海道擣其巢穴，時以爲奇策。又，朝議調播州楊應龍援朝鮮。

十二月，以李如松爲東征提督。上憫東征將士寒苦，特發帑金十萬犒慰，且重懸賞格。先是，宋應昌抵山海關，士馬芻糧，徵調未集，而大將軍李如松甫平西夏，亦未至軍，因謬借惟敬縻倭西向。前所羽檄徵兵七萬餘，至者半，乃置三軍：以副將李如柏將左，張世爵將右，楊元將中軍，趨遼陽。至是，如松始至軍。而惟敬歸自倭，稱行長願退平壤迤西，以大同江爲界。如松大會將吏，斥惟敬憸邪當斬。參軍李應試請間曰：「藉惟敬紿倭封而陰襲之，奇計也。」應昌、如松以爲然，乃置惟敬標營。二十五日，誓師東渡。如松將諸鎮士馬四萬餘，東由石門度鳳凰山，馬皆汗血。臨鴨綠江，望朝鮮萬峰，出沒雲海。監軍劉黃裳慷慨誓曰：「此汝曹封侯地也。」

二十一年正月，平壤大捷。初，沈惟敬三入平壤，約以正月七日，李提督齎封典，過肅寧館。至是，初四日，我師抵肅寧。行長遣牙將二十人來迎，如松檄遊擊李寧生縛之。倭猝起格鬭，僅獲三人，餘走還，告行長。行長問惟敬曰：「此必通事兩誤耳。」行長令親信小西飛禪守籐（小西飛驒守內藤忠俊）隨惟敬謁如松，如松加撫遣歸。六日，抵平壤，行長竚風月樓瞻龍節，倭俱花衣，夾道迎候。如松分布將士，整營入城。諸將逡巡未入，形已露，倭悉登陴拒守。如松度地形，東、南並臨江，西枕山陡立，惟迤北牡丹臺高聳，最要。三倭列拒馬地礮以待。遣南兵試其鋒，佯退。是夜，倭襲李如柏營，擊卻之。如松因部勒諸將，諭無割級，攻圍止缺東面。屬遊擊吳惟忠攻牡丹峰，陰取西南。以倭易麗兵，令祖承訓等詭麗裝，潛伏。八日黎明，鼓行抵城下，攻其東南。倭礮矢如雨，軍稍卻。如松手斬先退者以徇。募死士援梯鉤而上，殺數人不退，倭悉力拒守。倭方輕南面爲麗兵，承訓等乃卸裝露明甲。倭擊分兵拒堵，如松已督楊元等從小西門先登，李如柏等亦從大西門入。火藥並發，毒烟蔽空。方戰時，吳惟忠中鉛洞胸，猶奮呼督戰。而如松坐騎斃於礮，易馬馳，墮塹，鼻出火，麾兵愈進。我師無不一當百。前隊貿首，後勁已踵，突舞於堞，倭退保風月樓。夜半，行長提兵渡大同江，遁還龍山。是役凡得級千二百八十五，餘死於火，及從城東跳溺無算。裨將李寧、查大受等率精兵三千，潛伏江東僻路，獲級三百六十二，生擒三倭，乘勝追襲。十九日，李如柏進復開城，得倭級百六十五。朝鮮郡縣，如黃海、平安、京畿、江源⑦四道並復平，歸平壤。惟咸鏡道爲清正拒守，聞開城破，亦奔王京。王京爲朝鮮都會，咸鏡、忠清爲之犄角，頗據天險。而援師既連勝，有輕敵心。二十七日，走王京七十里，朝鮮人以倭棄王京遁告。如松信之，將輕騎趨碧蹄館，去王京三十里。馳至大石橋，馬蹶傷額，幾斃。倭猝至，圍之數重。將士殊死戰，自巳至午，弁中矢且盡。金甲酋前搏李將軍甚急，裨將李有昇以身蔽如松，刃數倭，竟中鉤墜，爲倭支解。李如柏、李寧乃益遮夾擊，李如梅箭中金甲倭墜馬。會楊元兵至，砍重圍入，遂潰。而我精銳亦多喪失，過橋者盡死。天且雨，近王京平地俱陷⑧畦，冰解泥深，騎不得騁。倭背山面水，連珠布營，城中廣樹飛樓，鳥銃自穴中出，應時斃。我師乃退駐開城。

三月，經略宋應昌檄劉綎、陳璘水陸濟師，上益發帑金二十萬佐軍興。時諜者言：「王京倭二十萬，且聲言關白揚帆入犯。」李如松分留李寧等駐開城，楊元等軍平壤，扼大同江接餉道。李如柏等軍寶山諸處，爲聲援。查大受等軍臨津，而將銳卒東西策應。聞倭將平秀嘉（宇喜多秀家）據龍山，倉粟數十萬，從間道縱火盡焚之，倭乏食。

東師議款。初，我師捷平壤，鋒甚銳。轉戰開城，勢如破竹。及碧蹏（蹄）之敗，久頓師絕域，氣益索。經略宋應昌急圖成功，於是惟敬之款始用。而倭芻糧並燼，行長亦懲平壤之敗，有歸志。因而封貢之議起。經略既得請於朝，赦不窮追。且得倭報惟敬書，乃益令遊擊周弘謨同惟敬往諭倭，獻王京，返王子，如約縱歸。倭果於四月十八日棄王京遁。如松及應昌整眾入城。所餘米四萬餘，芻豆稱是。如松以兵臨漢江尾倭後，欲乘惰歸擊之。而倭步步爲營，用分番迭休法以退。別將劉綎帥兵五千，趨尙州鳥嶺。鳥嶺廣亙七十餘里，懸崖鑱削，中通一道如線，灌木叢雜，騎不得成列。倭尙拒險，而別將查大受、祖承訓等，由間道踰槐山，出鳥嶺後。倭大驚，前移釜山浦，築居屯種，爲久戍計。如松乃張疑兵，分遣劉綎、祖承訓等屯大丘⑨、忠州。檄調全羅水兵龜船，分布釜山海口。時倭已棄王京以南千有餘里，朝鮮故土奄然還定。兵科給事中侯慶遠謂：「我與倭何讎，爲屬國勤數道之師，力爭平壤，收王京，挈兩都授之，存亡興滅，義聲振海外矣。全師而歸，所獲實多。」上乃諭：「朝鮮王還京，整兵自守。我各鎭兵久疲海外，以次撤歸。」應昌復疏稱：「釜山雖瀕南海，猶朝鮮境。有如倭覘我罷兵，突入再犯，朝鮮不支，前功盡棄。考輿圖，朝鮮幅員東西二千里，南北四千里。從西北長白山發脈，南跨全羅界，向西南，止日本對馬島，偏在東南，與釜山對。倭船止抵釜山鎮，不能越全羅至西海。蓋全羅地界，直吐正南迤西，與中國對峙。而東保薊、遼，與日本隔絕，不通海道者，以有朝鮮也。關白之圖朝鮮，意實在中國；我救朝鮮，非止爲屬國也。朝鮮固，則東保薊、遼，京師鞏於泰山矣。今撥兵協守，爲第一策。即議撤，宜少需時日，俟倭盡歸，量留防戍。」部覆：「南兵暫留，分布朝鮮。量簡精兵三千善後。餘盡撤，如前議。」

六月，沈惟敬歸自釜山，同倭使小西飛禪守籐（小西飛驒守內藤忠俊）來請款。而倭隨犯咸安、晉州，逼全羅，聲復江、漢以南，以王京漢江爲界。李如松計全羅沃饒，南原府尤其咽喉，乃命李平胡、查大受鎮南原，祖承訓、李寧移南陽，劉綎移陝川。已，倭果分犯，我師並有斬獲。兵科給事中張輔之謂：「倭聚釜山，原佯退，誘我撤兵，圖漸逞。無故請貢，非人情。今猝犯晉州，情形已露，宜節制征剿。」遼東都御史趙燿，亦報款貢不可輕受。

七月，倭從釜山移西生浦，送回王子、陪臣。時我師久暴露，聞撤，勢難久羈。宋應昌乃請戍全羅、慶尚。議留劉綎川兵五千，吳惟忠、駱尙志南兵二千六百，合薊、遼共萬六千人，聽劉綎分布慶尙之大丘。而兵部尙書石星一意主款，謂留兵轉餉非策。應昌師老無成功，亦願弛責。然策倭多詐，恐兵撤變生。已而命沈惟敬復入倭營，促謝表。急圖竣役，乃并撤吳惟忠等兵，止留綎兵防守。

諭朝鮮世子臨海君　居全慶督師，以顧養謙總督遼左。

九月，兵部主事曾偉芳言：「倭款亦去，不款亦去；款亦來，不款亦來。蓋關白大衆已還，行長留待。知我兵未撤，不能以一矢相加也。欲歸報關白，捲土重來，則風帆不利，正苦冬寒。故曰款亦去，不款亦去。沈惟敬前倭營講購（媾），咸安、晉州隨陷，而欲恃款，冀來年不攻，則速之款者，速之來耳。故曰款亦來，不款亦來。爲今日計，宜令朝鮮自爲守，弔死問孤，練兵積粟，以圖自強。」章下部。

十月，總督顧養謙力主撤兵，許之。因疏請封貢，上命九卿科、道會議。時御史楊紹程奏：「臣考之太祖時，屢卻屢貢，慮至深遠。永樂間，或一朝貢，漸不如約。自是稔窺內地，頻入寇掠。至嘉靖晚年，而東土受禍更烈。豈非封貢爲厲階耶？今關白謬爲恭謹，奉表請封之後，我能閉關拒絕乎？中國之釁，必自此始矣。且關白弒主簒國，⑩正天討之所必加。彼國之人，方欲食其肉而寢處其皮，特刼於威，而未敢動耳。我中國以禮義統馭百蠻，而顧令此簒逆之輩叨天朝之名號耶？宜急止封議，勅朝鮮練兵以守之，我兵撤還境上以待之，關白可計日而敗也。」是時，廷臣禮部郎中何喬遠，科道趙完璧、王德完、逯中立、徐觀瀾、顧龍、陳維芝、唐一鵬等，交章止封。而薊遼都御史韓取善亦疏：「倭情未定，請罷封貢。」兵部尚書石星，恐不能羈縻關白，甚張皇，終主封貢不已。

二十二年八月，總督顧養謙奏封貢之說。貢道宜定寧波，關白宜封爲日本王。請擇才力武臣爲使，諭行長部倭盡歸，與封貢如約。

九月，朝鮮國王李昖，疏請許貢保國。上乃切責群臣阻撓封貢，追褫御史郭實等，詔小西飛（驛守內藤忠俊）入朝。時改總督侍郎孫鑛新受事，倭使抵京，石星優遇如王公。小西飛（驛守）等殊揚揚，過闕不下。既集多官面譯，要以三事：一、勒倭盡歸巢；一、既封不與貢；一、誓無犯朝鮮。倭俱聽從，以聞。上復諭於左闕，語加周複，大略如樞部意。

十二月，封議定，命臨淮侯李宗城充正使，以都指揮楊方亨副之，同沈惟敬往日本。時禮部議：「日本舊有王，未知存亡。關白或另擬二字，或即以所居島封之。行長以下，量授指揮銜。」上竟准日本王號，給金印。行長授督都僉事。適諜報熊川島倭船三十六號，業起行歸，石星遂謂封事必可成矣。

二十三年春正月，遼東都御使李化龍疏倭六可疑，五可慮，謂：「倭不識漢字，恐中間兩相欺紿，請從禮部量封秀吉順化王。罷遣沈惟敬，增募水兵。而清正素不服關白，與行長不相能，可用魯連諭燕將計間之。」時封使已發，竟不從。

二十四年春正月，先是，東封之使，久懷觀望。至是，始抵釜山。而沈惟敬詭云演禮，同行長先渡海，私奉秀吉蟒玉、翼善冠及地圖、武經。又驅壯馬三百南戈崖（名護屋），騎從陰獻秀吉，取阿里馬（有馬）女，與倭合。李宗城紈袴子，經行之營，所在索貨無厭。次對馬島，太守儀智⑪，夜飾美女二三人，更番納行帷中，宗城安之。倭酋數請渡海，不允。儀（義）智妻，行長女也⑫。宗城聞其美，併欲淫之。智怒，不許。適謝周⑬梓姪隆，與宗城爭道，宗城欲殺之。隆誅其左右，以倭將行刺，宗城懼，棄璽書夜遁。⑭比明失路，自縊於樹，追者解之，遂奔慶州。復使楊方亨聞於朝。上震怒，逮問宗城，議戰守。會方亨揭倭情無變，正使自爲奸人誤耳。上以方亨充使，加惟敬神機營銜副之。廷臣交章請罷封。上切責，下御史曹學程於理，立限渡海。於是惟敬益舞智揣摩，玩大司馬股掌矣。

三月，工部郎中岳元聲參石星，力主封事有三辱、五恨、五難。疏入，謫爲民。

九月，楊方亨、沈惟敬，奉冊如日本。平（豐臣）秀吉齋沐三日，郊迎節使，受封，行五拜、三叩頭、山呼禮。禮畢，款使者備至。朝鮮王議遣光海君致賀。已而聽嬖臣李德馨言，使州判奉白土紬爲賀。秀吉怒，語惟敬曰：「若不思二子、三大臣、三都、八道，悉遵天朝付還，今以卑官、微物來賀，辱小邦耶？」惟敬慰諭之。秀吉曰：「今留石曼子兵於彼，候天子處分，然後撤退。」翼日，具貨物數百種，奉貢遣使，齎表文二通，隨冊使渡海。至朝鮮，廷議遣使於朝鮮取表文進驗。其一謝恩，其一乞天子處分朝鮮。廷議以爲飾說云。

二十五年春正月，石星請自往朝鮮諭兩國就盟罷兵。不許。

二月，再議東征。時封事已壞，而楊方亨詭報「去年從釜山渡海，倭於大阪受封，即回和泉州。」然倭責朝鮮王子不往，謝禮又微，仍留釜山如故。謝表後時不發，方亨徒手歸。至是，沈惟敬始投表文，案驗潦草，前折用豐臣圖書，不奉正朔，無人臣禮。而寬奠副總兵馬棟報「清正等擁二百艘，屯機張營」，方亨始直吐本末，委罪惟敬，并石星前後手書，進呈御覽。上大怒，命逮石星、惟敬按問。以兵部尚書邢玠總督薊遼。改麻貴爲備倭大將軍，經理朝鮮。命都御史楊鎬駐天津，申警備。楊汝南、丁應泰贊畫軍前。

五月，邢玠至遼。行長建樓，清正布種，島倭窖水，索朝鮮地圖，玠遂決意用兵。麻貴望鴨綠東發，所統兵僅萬七千人，請濟師。玠以朝鮮兵惟嫺水戰，乃疏請募兵川、浙，併調薊、遼、宣、大、山、陝兵及福建、吳淞水兵，劉綎督川、漢兵六千七百聽剿。貴密報候宣、大兵到，乘倭未備，竟掩釜山，則行長擒，清正走。玠以爲奇計，乃檄楊元屯南原，吳維忠屯忠州。大學士張位請屯田開城、平壤，以資軍興。朝鮮恐中國吞併，以磽确爲辭，議遂寢。

六月，倭數千艘先後渡海，分泊釜山、加德、安骨、安窟，放丸如雨，殲朝鮮郡守安弘國。已，復往來竹島，漸逼梁山、熊川。沈惟敬率營兵二百，出入釜山。經略邢玠陽爲慰藉，檄楊元襲執之，縛至貴營。惟敬執而倭嚮導始絕。

七月，倭奪梁山、三浪，遂入慶州，侵閑山。夜襲恭山島，統制元均風靡，遂失閑山要害。閑山島在朝鮮西海口，右障南原，爲全羅外藩。一失守則沿海無備，天津、登萊皆可揚帆而至。而我水兵三千，甫抵旅順。閑山破，經略檄守王京西之漢江、大同江，扼倭西下，兼防運道。

八月，清正圍南原，乘夜猝攻。守將楊元聞倭至，驚起帳中，乘城跣足而遁。遼人衛楊元西奔。時全州有陳愚衷，忠州有吳惟忠各扼要。而全州去南原僅百里，相犄角。南原告急，愚衷懦不發兵。聞已破，州民爭棄城走。麻貴急遣遊擊牛伯英赴援，與愚衷合兵屯公州。倭遂犯全羅，逼王京。王京爲朝鮮八道之中，東隘爲鳥嶺、忠州，西隘爲南原、全州，道相通。自二城失，東西皆倭，我兵單弱，因退守王京，依險漢江。麻貴請於玠，欲棄王京，退守鴨綠江。海防使蕭應宮以爲不可，自平壤兼程趨王京止之。麻貴發兵守稷山，朝鮮亦調都體察使李元翼，由鳥嶺出忠清道，遮賊鋒。玠既身赴王京，人心始定。玠召參軍李應試問計，應試請問朝廷主畫云何？玠曰：「陽戰陰和，陽剿陰撫。政府八字密畫，無泄也。」應試曰：「然則易耳。倭叛，以處分絕望，其不敢殺楊元，猶望處分也。直使人諭之曰：『沈惟敬不死』，則退矣。」因請使李大諫，馮仲纓於清正，玠從之。

下石星於法司，併沈惟敬俱坐大辟。

九月，倭至漢江，楊鎬遣張貞明持惟敬手書，往責其動兵，有乖靜候處分之實。行長、正成亦尤清正輕舉，乃退屯井邑，離王京六百里。清正亦屯退慶尚，離王京四百里。貞明返至中途，爲人所刺死。麻貴遂報青山、稷山大捷。蕭應宮具揭上曰：「倭以惟敬手書而退，青山、稷山並未接戰，何得言功？」玠、鎬怒，遂劾應宮恇怯，不親解惟敬，並逮。

十一月，總督邢玠徵兵大集。上發帑金犒軍，併賜玠尚方劍，而以御史陳效監其軍。玠大會諸將，分三協，左李如梅，右李芳春，中高策，並以副總兵分將。經理楊鎬同麻貴率左右協，自忠州鳥嶺向東安趨慶州，專攻清正。使李大諫通行長，約勿往援。復遣中協屯宜城，東援慶州，西扼全羅。以餘兵會朝鮮，合營由天安、全州、南原而下，大張旗幟，詐攻順天等處，以牽制行長東援。

十二月，會慶州。麻貴遣黃應暘賄清正約和，而率大兵掩至其營。時倭屯尉山，尉山之南島山俱不甚高，而城皆依山險，中一江通釜寨，其陸路由彥陽通釜山。貴欲專攻尉山，恐釜倭由彥陽來援，令中協高重、吳惟忠等扼梁山；左協董正誼等赴南原，張疑兵；又遣右協盧繼忠兵二千，屯西江口防水路援。二十三日，乃進攻尉山，遊擊擺寨⑮以輕騎誘倭入伏，獲級四百餘。倭盡奔島山，於前連築三寨。翼日，遊擊茅國器統浙兵先登，連破之，獲級六百六十一。倭堅壁不出。至方力攻山寨時，裨將陳寅身先士卒，冒彈矢勇呼而上，砍柵兩重。清正白袍躍馬，督倭拒守。至其第三柵垂拔，楊鎬遽令國器竊割倭級，戰稍懈。國器復以李如梅未至，不便首功，遂鳴金收兵。詰朝如梅至，攻之不拔。島山視尉山高，石城新築，堅甚，我師仰攻多損傷。諸將乃議曰：「倭艱水道，餉難繼。第坐困之，清正可不戰俘也。」鎬等以爲然，分兵圍十日夜。倭用礮者，從隙發，多命中，彈皆碎鐵爲之，中多疊傷。然倭亦饑甚，瞰我師稍怠，僞約降緩攻，而冀行長來援。行長亦慮我襲釜營，不敢輕進。乃選銳卒三千，虛張幟蔽江上。朝鮮將李德馨謁報海上倭船揚帆而來，鎬不及下令，策馬西奔。諸軍無統御，皆潰。清正縱兵逐北，軍士死者萬餘，遊急盧繼忠三千人殲焉。鎬、貴奔星州，撤兵還王京，會同邢玠露布，言尉山大捷。諸營上簿書，士卒亡者二萬。鎬大怒，駁正，止稱百餘人。贊畫丁應泰聞尉山之敗，慚惋詣鎬問後計。鎬示以內閣張位、沈一貫手書，并所票未下旨，揚揚功伐。應泰怒，騐進退行實，首論位、一貫交結邊臣，扶同欺蔽，鎬附勢煽禍，飾罪張功，及麻貴、李如梅按律悉當斬。并鎬駁改陣亡兵馬卷冊封進。上覽之，震怒，欲付法。輔臣趙志皐力救，乃罷鎬聽勘。因遣給事中徐觀瀾查勘東征軍務。上怒，張位以其密揭薦鎬，削籍爲民。以天津巡撫萬世德代鎬經理遼左。

二十六年春正月，總督邢玠以前役乏水兵無功，乃益募江南水兵，精講海運，爲持久計。

二月，都督陳璘以廣兵，劉綎以川兵，鄧子龍以浙、直兵先後至。邢玠分兵三協爲水陸四路，路置大將。中路李如梅，東路麻貴，西路劉綎，水路陳璘，各守信地，相機行剿。時倭盤據朝鮮七年，沿海千餘里，亦分三窟。東路則清正據尉山，自去冬攻圍，益增築西生、機張，在在屯兵，而恃釜山爲根本。西路則行長據粟林、曳橋，建砦數重，憑順天城，與南海營相望，負山襟水，最據扼塞。中路則石曼子據泗州，北恃晉江，南通大海，爲東西聲援。薩摩州兵剽悍稱勁敵，而行長水師番休濟餉，往來如駛，尤倭繫重。玠懲島山之失，特於三路外，置水兵一路，約日並進。尋報遼陽警，李如松敗沒，詔李如梅還赴之。中路以董一元代。

九月，東征將士分道進兵。劉綎進逼行長營，使吳宗道約行長爲好會，行長許以五十人往。綎喜，分布諸將，四面設伏。令部將詐爲綎，而綎詐爲卒，執壺觴侍。令軍中曰：「視吾出帳，即放礮圍倭，盡殲之。」翼日，行長果率五十騎來。僞綎磬折，迎於帳外。及席，行長顧執觴者曰：「此人殊有福。」綎驚愕，置壺觴出。司鼓者遽傳礮。行長騰躍上馬，從騎一字雁列，風翦電掣，旋轉格殺。遊擊王之翰急率黔、苗兵來援，倭已奪路而去。明日，行長遣人謝宴，綎亦遣官謝，謂昨登席放礮，敬客禮也，誤生疑心。行長唯唯，遣使遺綎以巾幗。綎進攻城，奪其橋，斬首九十二。陳璘舟師協堵，擊毀倭船百餘。行長潛出千騎扼之，綎不利退，璘亦棄舟走。麻貴至尉山，據險割其糧稻，頗有斬獲。倭僞退誘之，貴入其空壘。伏兵起，旗幟蔽空，遂敗。董一元進取晉州，乘勝渡江南，連燬永春、昆陽二寨。倭退保泗州老營，鏖戰下之，遊擊盧得功沒於陣。前逼新寨，寨三面臨江，一面通陸，引海爲濠，海艘泊寨下千計；築金海、固城爲左右翼，中通東陽倉。十月，董一元遣步兵遊擊茅國器、彭信古、葉邦榮前攻城，騎兵遊擊郝三聘、馬呈文、師道立、柴登科繼之。遊擊藍方威攻其東北水門，自辰至未，彭信古用火橫擊寨門，碎城垛數處，步兵競前拔柵。忽營中横破，火藥發，烟漲天。倭乘勢衝殺，固城援倭亦至，郝三聘、馬呈文率騎兵先走，遂大潰，奔還晉州。勘科徐觀瀾奏四路喪敗，旨下部，斬馬呈文、郝三聘以徇；一元等各戴罪立功。初，上見丁應泰疏，謂：「御極二十六年，未見忠直如此人者。」書其名於御屏。沈一貫懼。會玉熙宮宦侍演東征劇，熒惑聖聽。上爲之霽顏，復召一貫入閣。

福建都御史金學曾，報平（豐臣）秀吉七月九日死⑯，各倭俱有歸意。十一月十七夜，清正發舟先走，麻貴遂入島山、西浦；劉綎攻奪曳橋，獲級百六十。石曼子引舟師救行長，陳璘統蒼唬船邀擊之，得級二百二十四。副將鄧子龍，朝鮮統制李舜（臣）衝鋒，沒於陣。子龍，驍將也。諸倭揚帆盡歸。經略萬世德自六月受命，不敢前。比聞倭退，兼程馳至，會同邢玠奏捷。督學御史李堯民知之，因告廟獻俘，上言諸臣欺誤狀。上艴然抵疏於几而罷。丁應泰亦再疏賂倭賣國。上念將士久勞苦，仍發帑金十萬兩犒師，特諭優敘。勘科徐觀瀾抗疏論徐一貫、蕭大亨、邢玠、萬世德黨和賣國。疏至京，戶部侍郎張養蒙尼之，不得上。時觀瀾方駐遼造冊，身歷釜山、尉山、忠州、星州、南原、稷山，查獲各處敗狀，據實入冊。大亨危之。一貫檢觀瀾前疏有抱病語，票準（准）回籍調理，改命給事中楊應文代完勘事。

二十七年四月，征倭告捷，上御門受俘，梟磔平秀政⑰、平正成⑱，傳首九邊。

總督邢玠，劾贊畫主事丁應泰，落職。

七月，給事中楊應文勘報東征功次，四路擒斬，首陳璘，次劉綎，又次麻貴。而董一元始破三寨，終埽諸巢，功亦難泯。晉邢玠太子太保，廕一子錦衣世襲。萬世德陞右副都御史，廕一子入監。陳璘、劉綎各加都督同知；麻貴右都督，董一元復職。再敘稷、尉功，賜茅國器、陳寅、彭友德等金。楊鎬以原官敘用。御史陳效病死，廕一子錦衣。棄師楊元，通倭沈惟敬，先後棄市。

谷應泰曰：「關白本薩摩州人，倭部之稍黠者耳，非有奇才異能，武勇絕藝。特以李昖縱酒，朝鮮備弛，遂狡焉啟疆，思有吞噬之舉。方其陷王京，刼世子⑲，剽府庫，毀墳墓，八道盡沒，進窺鴨綠，勢岌岌矣。而請援之使，絡繹於路。救邢救衛，春秋之義也。況乎世拱神京，地牽關海，薊、遼之外藩，東江之咽嗌，一或失守，重險撤焉。非如應龍之反播州，倮儸之陷西川，荒徼弄兵，有傷國體而已。然予以援之法有三：命武健之將，選精銳之師，出其不意，急擊勿失，如陳湯、甘延壽之於康居，策之上也。其或因糧於敵，分兵斷道，坐而困之，窮蹙自斃，如趙充國之於金城，策之次也。又或始則震以兵威，繼則結於恩義，開誠布信，堅明約束，如諸葛武侯之於孟獲，策之又次也。乃剿既不足以樹威，而撫又不能以著信，臨事周張，首尾衡決，不可謂非行間之乏謀，而中樞之失算矣。

方李如松平壤大捷，李如柏進拓開城，四道復平，三倭生禁，廓清之功，可旦夕竣。而乃碧蹄輕進，兵氣破傷，功虧一簣，良足悼也。又若麻貴尉山之捷，三協度師，勢相犄角，砍柵拔寨，鋒銳莫當。而割級之令，解散軍威，僉都之肉，豈足食乎？況以沈惟敬以市井而銜皇命，李宗城以淫貪而充正使，以至風月候節之紿，壺殤好會之詐，邢玠飛捷之書，楊鎬冒功之舉，罔上行私，損威失重。煌煌天朝，舉凍如此，毋怪荒裔之不賓也。向非關白貫惡病亡，諸倭揚帆解散，則七年之間，喪師十餘萬，糜金數千鎰，善後之策，茫無津涯，律之國憲，其何以辭？而乃貪天之功，倖邀爵賞，衣緋橫玉，任子贈官，不亦恧乎！乃馬棟、丁應泰之疏能直伸於關白未死之前，而李堯民之章反見抵於關白已死之後者，蓋以用兵之初，神宗怒白甚銳。怒則望其速濟，故必欲核其真。用兵之久，神宗憂白漸深，憂則望其成功，故不欲明其偽。卒之忠言者落職，欺君者封爵，而所遭逢異矣。

註：

①「薩摩州人僕也」，如據德川幕府麾下的「旗本」土屋知貞所著太閤素性記的記載，秀吉係尾張「國」（今愛知縣）中村人，織田信長之父信秀之「足輕」木下彌右衛門之子。初名木下藤吉郎，青少年時代仕於久能城主松下嘉兵衛之綱，二十歲前後為織田信長僕役。故所謂「薩摩州人僕也」云云，乃有悖事實之記載。秀吉後來改姓羽柴。萬曆十三年，由正親町天皇賜新姓，改稱豐臣秀吉。

②「山城州倭渠名信長居關白職位」，如據日本史乘的記載，織田信長係尾張人。戰國大名。他未曾擔任關白之職，故此言有違史實。

③「會信長為其參謀阿奇支刺殺……以誘刼降六十六州」，如就信長為其部將所襲殺之史實觀之，此阿奇支似指明智光秀而言。秀吉於討伐光秀，為信長報仇後，即繼承信長志業，繼續南征北討，完成統一日本全國之大業，於萬曆十三年由正親町天皇命為關白。故他之居關白職位，並非因消滅光秀而獲得。

④「三千餘」，諸葛元聲，兩朝平攘錄，卷四，日本作「五千」。

⑤「秀吉次對馬島」，日本史乘未紀秀吉於其部隊侵略朝鮮期間前往對馬事，僅言其坐鎮於肥前（佐賀縣）之名護屋，故此言不符史實。

⑥「秀吉廢山城君自號大閣王」，此山城應係止京都而言。當時在京都者除天皇外，居於最高地位者

為關白豐臣秀次（秀吉之養子）。秀吉將自己職位讓與秀次後，其側室淀君舉一子捨（即豐臣秀賴）。因此，秀吉後悔自己將職位與家產讓與秀次的時間過早，終於把秀次放逐，使其自殺，連秀次之妻妾幼子等三十餘人也全部予以斬首。秀吉退位後稱「太閤」，一般稱之為「豐太閤」。谷應泰似不知太閤為官職，而照文面將它釋為大宮殿。此一誤解，與明史日本傳相同。

⑦「源」，韓國各書俱作「原」。

⑧「陷」，苕上愚公，萬曆三大征考，倭上，作「稻」。

⑨「丘」，韓國各書俱作「邱」。以下同此。

⑩「關白弒主篡國」，考之日本史乘，關白豐臣秀吉並無弒主篡國之實。參看鄭樑生，明代中日關係研究，第五章，明朝與豐臣秀吉的關係，第一節，明史所見之豐臣秀吉。

⑪「太守儀智」，此應係指對馬島主而言。如據日本史乘的記載，對馬島主姓「宗」，名「義智」，非「儀智」。以下同此。

⑫「儀智妻行長女也」，宗義智妻之是否為小西行長之女，猶待考證。

⑬「周」，朝鮮柳成龍，西厓集云：「提督（李如松）又使沈惟敬往誘倭，令渡海。又使徐一貫、謝用梓入那古耶（名護屋）見關白。」日本法學會雜誌，第十五卷「帝國編年史料」所載「日明和平談判筆記」，亦書為謝用梓。」故此「周」應為「用」之誤。

⑭「以倭將行刺宗城懼棄璽書夜遁」，如據李光濤，萬曆二十三年封日本豐臣秀吉考，及朝鮮宣祖實

錄；苕上愚公，萬曆三大征考；中村榮孝，豐臣秀吉　日本國王冊封に關する誥命・勅諭と金印について（日本歷史，第三〇〇號）等的記載，當時在釜山等候的正使李宗城為流言所惑，以為秀吉將拘囚使節，更因見渡朝鮮更戍的日軍，以為戰火重燃，竟惴惴不安而棄國書、金印，微服逃走，而非如谷應泰之所言。

⑮「寨」，李舜臣，亂中雜錄，卷三作「賽」。

⑯「七月九日死」，日本史乘紀錄秀吉病沒的日期為八月十八日。

⑰「平秀政」，此應指豐臣秀吉之養子豐臣秀次，秀次已於萬曆二十三年為秀吉所逼死。

⑱「平正成」，此當係指寺澤正成而言，日本史乘未言他被處死於中國。

⑲「刼世子」，如據朝鮮宣祖實錄的記載，秀吉入侵朝鮮之際，世子光海君琿，曾設分朝分擔國事，未曾被俘，故此一記載有違史實。

靖海紀略

明鄭茂撰，臺北，廣文書局，民國五十六年，排印本，附於倭變事略

嘉靖甲寅夏四月五日乙亥，夜漏下三刻，堠卒報二海船自乍浦而來，昏黑不辨誰何。余即登城遠望，召居民分垛以守。越六日丙子黎明，二船抵龍王塘，吹法螺，眾乃知爲賊云。先數人泅水登岸，餘皆躡其後，各衣青白，執弓矢利器，合五百餘徒，真（直）趨東門。箭之入也，雹飛雨驟，軍民莫敢俯視。乃張佛狼機一條，鞭鼙擊賊，稍引退，因自焚其舟，並小東關及居民二十餘家，遂沿塘而南，渡興福橋葉家以至西門，委蛇曲折，若熟路然。先是，兵憲陳公在縣旬餘，因廣陳告急，乃以兵五百往，而是晚賊至矣。衛縣宮（官）奉委而出，惟余與簿陳子鍊，及揮使方君泰、彭君端在。時丁把總、劉大仲諸兵皆隨盧參戎往征。廣陳城中，股慄無敢攖其鋒者。余乃急塞四門，諭居民以城賊不兩立，須效死。眾皆惟命。余恐賊多譎，固謀方揮使募勇夫出偵焉。果有二賊伏塘下，斬首級一，並取船中鐵佛狼機三架以歸。噫！幸其無藥可試耳。不然，虎而翼之，害又當若何。巳時，遂攻西門，燬民房三百餘。自天寧寺而止，皆鞠爲煨燼，煙塵蔽空，矢

鏃交集，城中火器響應，屹立不少動。擊斃一賊，餘遂退屯鍾、孫諸家，及天寧左右。晚復分擾城下，群情洶洶，乃與諸君分守各門，方東彭北，後改指揮劉君潮，南西則余與陳，余仍左右督焉。

邑博士鄭君、歐陽君、許君，暨諸縉紳先生賓造秀士，咸徒步鼓勇，爲士卒先。每垜軍民各一，合十有五垜，胥史一人攝之。益以敵臺驍兵勇壯，老人攝之。人各米二升，燭五枝。夜及子，賊以長竿掠北城探虛實。守垜者以亂石擊退。是夜馬不停鞭，火不滅燼，梆鉦矢石之聲，更相屬。繞城六匝，天始辨曙。賊乃解圍，即王家晨炊而去。遂侵錢家店半邏橋。未時，抵嘉興郡，郡備亦虛，不虞其猝然至也。幸兵憲公自平湖提兵來擾吾鹽，中途聞報而疾趨抵郡。甫八關，而賊先鋒白旗至矣。燬東關外數家，其沿城一帶，則府中業已撤而去之。是日，兵憲暨郡守劉公，親督杭、湖等兵，出戰於鹽倉橋，斬獲廿餘，賊披靡，却還吾邑，至半邏橋宿焉。

自賊之來也，請兵告急，無慮數十次，而莫有至者，乍浦戰艦亦寂然無聞，平日豢餌胡爲耶？日已酉矣，盧、丁始提二千餘兵來，聞賊已長驅，遂兼程前進。戊寅，與賊遇於本縣之孟家堰，倉卒阻河於陣，不知賊已先伏舟中，預作奇兵。初一陣，劉大仲先鋒少捷，再一陣，賊鼓噪而前，伏從中出，我兵大潰，自相蹂藉。鎗死，箭死，刃死者二百餘，溺死者至千以上。海寧衛指揮李元律，旗牌千戶薛拱、宋應瀾死之。義士劉大仲，與其部下殲者過半。餘皆漳、廣、龍泉、泰和諸兵。橫屍蔽野，疊血成川。茸茸麥隴，轉作戰場；淅淅風聲，盡皆鬼泣。自用兵以來，未有若此之酷且多也。報至，兵憲公、郡守公，痛惋垂涕，即命官櫸殯。鄉諫議大夫錢公，復市地幕（募）眾，諭耆民張亭董其事。亭不辭臭腐，朝夕掩瘞，自是道無遺骼。余前後亦遣人督之，然諫議之力居多，余守土者愧焉，乃飯僧修懺文以吊之。

初，軍門之遣劉大仲也，專為吾鹽計，自八月以來，盧參戎召之無虛日。淞（松）江、海沙二捷，實為先鋒胡反蔽而抑之，眾憤恨有後言。比三月終，諸兵乃復以故土，盧又日召之。余已逆知其必有今日，乃貽書往止之，謂金山以北，原非浙轄，舍己急人，義實不然，蓋休養之，以為鹽百萬生靈計，疇昔之事，不足以鑒乎？渠固執弗允，乃請諸當道，亦不能得。蓋其急于成功，以贖己罪，故他不遑惜焉。至是，鑄錯無鐵，噬臍無及，可恨哉！方其追寇金山，還師乍浦，百里而趨，蓬頭繭足，萬糧日不飽焉。乃復窮其力以逞老馬，而不顧其後，亦安能無竭蹶之虞哉？比次孟家堰也，崎嶇凸凹，陣不能成列，兵不能轉刃，突如而來，地利已失，如之何其不北？是日，盧兵奔澉浦，賊午復至吾鹽城下，知不可犯，乃去。是晚，丞林子士儀歸自乍浦，丞朱子光裕，尉李子茂，歸自郡城，揮使劉子岱，松歸自平湖，乃協力並守，巡督益嚴。嗣後惟開西門出入，諸水關皆瓦塞，軍民守垛如初。夜給以燭，即施升米之惠。置竹牌以避矢石，建蓬廠以禦風雨，修鞭銃、火藥、弓、矢以壯軍實，皆先後就緒，可裨實用。旦則詣縣治兵事，夜則宿西城樓，視公廨若浮萍。鄉之民多襁負而來，城中亦無復謀他徙者。己卯，賊犯宋亭村，宰牛而食。庚辰，登秦駐山。辛巳，越澉浦，踰黃灣，至石墩巡司及天妃宮駐焉。是日，又三百餘賊自淞（松）江突入嘉善縣治，火民居，漕舸真（直）奔郡城。又火六里街。値新募狼兵四百人至，遂合戰，敗之，斬首二十有奇。唯陳、劉二公，郡以外其墟乎？壬午，餘黨從新豐太平橋出海鹽塘，望金山以去。而石墩諸賊，遂盤據不動。中丞王公乃檄僉憲領兵羅公，盧、張二參將，及周都閫應禎，督兵下屯海寧邑。庚寅，公單騎直抵邑中，懸賞罰，飭部伍，戒諸將以無忘此仇恥，經三晝夜乃歸。辛卯，戰石墩，狼兵傷者數人。壬辰，賊掠黃灣，至天仙府高家橋。癸巳，轉掠談家嶺裴家村，燬民居且盡。乙未，盧、周部水陸諸兵屯園（袁）花鎮崇教寺，賊掠黃灣西寺而去。又明日，轉掠紫雲村，一踪出西旱橋，一踪出黃山嶺，伏菩薩寺，與周兵戰。誘至寺中，伏兵四起，周馬陷泥淖中，死之，並殺其部下二千餘人。自是賊益鴟張猖噬，晝則分黨四出，夜則復歸巢穴，據險乘高，立棚自固，攘金帛，污子女，薄室廬。萬姓怨恨，無所控訴。請（諸？）官兵依違觀望，以得脫爲幸。雖狼兵號稱悍鷙，亦莫敢彎弧爭死敵。每鄉氓自擄歸者云：「倭人禿頭鳥音，不滿二三百，餘皆寧、紹、漳、廣諸不逞之徒，潛勾鬼蜮，竊據門庭，至莫可救藥。」

越五月庚子朔，賊復掠黃崗麥墩。端午甲辰，復報二百餘賊泊秦駐山鮮魚嘴，入姜家村焚刼。不移時，登舟，爲水兵所逼至西，復乘舟從談家嶺西鹽倉，南投硤石，不與石墩合，蓋又一黨類也。乙巳，石墩賊薄海寧，盧兵出戰于二十里亭，不利而退。丁未秋，石賊犯崇德，轉至石門。石墩賊掠袁花山，由復裏至麥莊橋。戊申，掠九都大康橋。鄉有曹、曹禎者，預集鄉兵，揚幟鳴金，若將迎敵，賊不敢渡河。余隨遣人賚旗匾往獎焉。匾曰：「保獲（護？）鄉閭」，將以風來者。

庚戌，復犯澉浦。初，欲奪兵船，不能得，即進攻南門。午，轉而東，三十人將弓矢板牕薄城下，餘劄立河畔。城上軍民奮勇協擊，銃砲、矢石無虛發，傷二十餘，移時乃去。遂火總寨道院及民居，一望赭然。晚，復歸黃灣，男婦奔逃，殺死者無紀。澉浦、海鹽右臂，孤危尤甚。火具、戎器，朽乏不堪用。郡守公日遣人賚致，城之不爲狐窟鼠穴者，公力也。又有總兵揮使徐君行健，丞黃君鶴，尉李子在。徐勇略嚴明，能出死力，部下畏之。李屢隨征剿，氣壯而弗懾，亦薄書中之甲兵者，故保獲無虞，然其勢亦孔棘矣。自辰至于申，沿塘闃靜，偵諜之卒不敢前。邑中皇皇，至于旦乃休。辛亥，石門賊轉掠王江涇，嘉興子弟兵敗績，傷二百餘。乍、後二所又報有賊，自金山而南，僅十有八人。壬子，侵平湖。嚴州守禦百戶未（朱？）其追擊於新豐，死之。蔓延四五日乃成擒。是日，大步山又有賊四十餘登岸，至城外朱家橋，至清風墟淡井廟，過河宿三里橋。眾皆謂賊少兵多，剿之宜。余私計日且暮，兵又非夙戒，出奚難，難於入，乃止之。越次日癸丑，乃邀丁總兵及李尉，督杭、湖衛卒勇壯千餘人出追之，即天寧寺禡祭，余與方揮使諸君舉酒誓祝，兵皆踴躍有生氣。余隨治糗糧，命小舟賚送。甲寅，追至嘉興郡，賊已先屯石塘灣。張參戎二千餘兵出拒塘左右，瀠水灰徑不可入，麻又蓊鬱，賊從中突出，張兵駭散，死溝壑百餘。時我兵猶未至。比至，則賊已東奔入嘉善界矣，乃全師而歸。邑人猶恨不與決一戰，角生死。丙辰，石墩賊復出談家嶺，故爲復攻澉浦狀，遺竹梯、灰石于道以懼我。十八日丁巳，遂移輜重入舟中，揚帆宵遁。水兵四面縈繞，用發熕、大佛狼機迎擊。丙辰，震撼之聲，轟然海上，波濤爲之變色。詰朝戊午，獲巨艦一，斬首者二百有奇，溺死無算。惟遺一舟。臣（巨）寇大憝一朝殄滅，千軍萬姓，無不鼓舞更生，思磔其肉而飲其血云。是捷也，統領兵船揮使劉君隆，潘君鼎，實綱紀之。千戶晏君繼芳，相左右焉。奮翼桑榆，過緣功準，不亦負肇創之初心焉。先是，都、臺兩院，守巡兵憲諸司道，憤蜂蠆之流殃，悼虎旅之無烈，乃廑思遠略，廣墓（募）驍銳，命諸將分路夾攻，剋期並舉。又召戰艦悉集澉浦，預扼其歸路。至是，果奸此奇勳，爲東南樹保障，猗與休哉！嗚呼！劇寇方殲，別黨猶熾；吳淞之鼓鼙未息，平湖之屻羽屢聞。極目關廂，風煙慘淡；顧瞻村落，鬼火熒煌。雖赤壁焚舟，幸假周郎之便，而殽函雪恥，猶切孟明之心。藉市井干戈行，未免驅羊以角猛虎；空陸營于北郭，尤恐藉寇兵而賚盜糧。民固若禾黍之望甘雨，臣將挽銀河以洗甲兵。杜釁懷來，尙有資于群策；竭力死守，敢自負其平生。謹敍顛末，用告僕夫。告捷後二日庚申，武原傲吏壺陽鄭茂撰。

按：公守禦全我城社，為功最鉅。家藏有此述，每詢長老及諸世家，即此亦未有能知者，可慨也。余嘗欲白當道，特建祠祀公，不果。至有謂舉名官為便，余甚不然，當自有說。適閱此述，命兒手錄示同志，而固藏原本，亦以存公之文學、政事云。辛亥八日，朱元弼識。

附：全城志

明　朱士遷

朱士遷曰：「余爲兒時，聞諸父老談鄭君侯禦倭事，未嘗不涕泗交頤也。瘡痍初起，固宜感人爾矣。及長而覩邑志，往往牴牾，史失求諸野人，言可廢邪？百年承平，倭難陡發，鹽邑之被圍也，與郡城之突犯也，勢益岌。君侯與劉公稱守令哉。人謂微二公，必繼黃象，諸邑不守矣。郡人知祀劉公，而邑於鄭公闕焉。假令公功不然，安得詒人口而一之，豈顓蒙其心，猶未離古邪？乃今則否矣。余竊感焉。故不論鄭侯撫字他績，而稍詮倭亂終始，述爲全城志。」

倭奴自勝國時，負其桀驁，招之不賓。國初既降張士誠，滅方國珍，其餘燼亡入海者，每誘島倭入掠。以故洪武中，並海郡邑數中倭。高皇特遣重臣視要地築城，嚴防戍，至著訓誡後世，絕弗與通。永樂初歸附，許之貢，已而復大舉犯遼左。都督劉榮設伏擊之，殄滅無遺。論功，封榮廣寧伯。自是戢斂不敢爲寇海上。熙、宣而後，遞貢遞掠，反覆無常。然所謂掠者，小有抄盜，不爲害也。自宋素卿、宗設〔謙道〕稱貢爭長，相讎殺於嘉靖間，而寧波首塗炭矣。繼以舶盜弄兵，勾倭內向，浙中騷動。朝廷後先爲特設撫視中臺臣（浙有巡撫，始朱公紈，王公忬繼爲巡視。）開軍府，雖時有斬獲，終莫能戢。壬子，遂犯台州，破黃巖、象山諸邑。明年，又破昌國、臨山、霩衢，至青村、南匯、吳淞，躪諸衛所，焚刼慘毒，視曩昔尤甚。夏四月，移舟犯海鹽，直抵演武場。我軍稍有擒斬。而邑中最號驍勇若毛堂、崔渭者，竟死于敵。未旬，他倭四十二人自金山登陸，過梁莊，殺指揮滿朝及千百戶王繼隆、楊臣、康綬等。突至海鹽，指揮朵煉、馬呈圖，百戶王相、姚岑禦之，又死。乃乘勝長驅，由澉浦入海寧，遶會城，又戕陳指揮，而西搗新安，所向披靡。遇之，男子膏白刃，婦女辱淫污，慓悍倏忽，朱殷千里。至陪京守臣選改官，用大師，董以魏公邀擊之，亦弗利。賊由丹陽取徑而南，奄至姑蘇野外，迷失道，獲一田父，謬引入黎里。三面阻水，官兵因合殲之，乃殲焉。田父亦糜，土人祀之至今。又旬有一日，有五巨艦，艦可倭百，泊海鹽龍王塘下，四出剽掠。五月之四日，復有艆艡三十五，裝倭千餘至。與前倭合進，圍邑城。時濱海雖有倭警，殺將吏，然慓疾風雨，未嘗攻城，城圮弗繕。且未見大敵，上下惴恐。巡撫王公忬，檄參將湯公克寬，防守海鹽（爾時未有專設），而參藩潘公恩，僉憲姜公廷頤，又適在圍城中。湯公與之籌諮計畫，軍民和協，悉力拒守；所攜驍勇絕倫。邳兵劉黑虎等，分門睥睨，賊有緣城蟻附而登者，湯公手劍擊却。會風雨，北城驟壞尋丈，鄭端簡公家撤屋瓦塞之，甫竣而賊獲鄉導引至城壞處，得不陷。晝夜刁斗，凡五日而解。城外焚廬舍，伐林翳，係虜男婦，殺溺死者無算。金帛財物捆載，百里而內，村落爲墟。賊知海鹽不可卒破，乃悉眾北攻乍浦，不崇朝破之。邑之南，又有澉浦，其于邑城則二輔也。於是海鹽益危，浙大震。事聞，寘守禦指揮王應麟于理，而褒恤死事千戶王鏜。是時，倭雖棄去不守，猶出沒海上，烽燧時嚴，環海而聚落者，若唐家灣、長水灣、清水墓，皆去邑甚邇，荐被殘掠。湯公又以調出，城無大帥，人心皇皇，爭欲避之深山，廛市幾空。其冬，莆田壺陽鄭公茂，釋褐海鹽。令始至，即締閱城瑕隙，葺使加堅，俾無虞雨浥；又濬壕加深，而以其淤，增築女牆於外衛；又倣北邊制，於要地請高建敵臺，募勇健戍守，瞭望其中，令牽制賊不敢專逼城邑，人心恃以安。邑有倉，故在郭西，以儲漕粟。公謂：「寇一日猝至，困糧城外，不易支也。敖倉牟駝，遂爲秦宋遺恨，矧蕞爾邑耶？」於是亟徙粟城中。亡何，鄰倉民舍鬱攸，公徒步督救，遣屬僚城守，以防奸細。倉得全，賊亦不得間。然後請之臺使者，並徙倉廨入城。

明春，賊大至，自燬其舟，勢張甚。男女耄倪幾數千人，襁褓爭避趨城。諸衛官恇怯懾賊，素請公疾守城，拒弗內便。公慷慨應曰：「皆吾赤子也，何忍棄之？飽刃吾自任之，毋恐！」乃戒令掩東、南、北三門，獨啓西門，危坐，悉縱諸避賊者入。入且盡，門者請公曰：「可已。」甫扃鑰畢，而賊至西門。見我有備，氣阻，佯引去。公曰：「是未可幸也。」簡丁壯登陴，每堞軍一民二，編籍爲定。比屋更番，郎勢家無所徇，賊至則守，去則休，人爭效死。戒嚴月餘，公日夕乘城，臨機應變，百方悍禦，無事墨守。或時微服巡行，獎勞扶惰；一衛弁小懈，必以軍法參治，不少假借。又衣寒者，而食餒者。攬涕呴哺，士益感奮。賊鷙悍無所施，倦而解圍，引其眾北向，將趨嘉興。參將盧公州，自川沙破賊班師，得偵堠，捲甲疾驅迎之。遇於孟家堰，兵疲，中伏，敗績，盧公僅以身免。從征本州指揮李元律，杭州指揮薛綱①，括蒼義勇劉大仲等並戰歿。然而賊亦無意海鹽，轉掠入吳矣。

乙卯元春二日，倭賊登白沙灣，屯柘林，亦自燬其舟。有沙賊千餘，由金山南來，適與之合，將入境，羽書旁午。故閩師王國賢時在家，謂公曰：「賊勢乃爾，如此孤城何？郎請援幕府，宜張倭聲，牒逾萬，庶得濟也。」公笑曰：「不然，夫倭僅僅數十，猶橫行江南，無能當者。若至萬，則省會爲急，豈遑及我？軍機何事，其可欺乎？必以實報。」而公密飭健士三百，伏海塘蘆葦中，須其過炮，石齊發，鉦鼓聲動天地。倭賊大驚，亦有負傷者，遂奔突而南，逸出海鹽。由澉浦硤石抵省城北關，所過荼毒，一望煨燼。而撫鎮得海鹽驚，遣都指揮王某率兵來救，遇賊於澉之黃巢衖，戰衂而死。當是時，江淮以南，瀕海無地非倭，而柘林賊最劇。五月，復沿海南掠至硤石而還。道出鹽境，公第令堅壁清野，而整眾以俟。賊微知，往來去城不一舍，終不敢近。其冬十月，又有倭舟東來，泊秦駐塢。公與指揮徐行健密計，乘賊不意，即日撲滅之無遺，得首虜八十。督府特疏奇功，公與徐並蒙殊錫云。

丙辰三月，柘林賊以乍浦新破易襲，又趨圍其城。行健愈自勵，率兵往救。賊亦釋乍，鼓而前，六戰於北王橋。徐殊死鬭，賊爲小却。眾寡不敵，身被數十大創，竟死陣中。公得報慟哭，以忠義獎吏士，期必剪倭而後朝食，人靡不奮激爭先者，賊聞之宵遁。質明，官軍出，不見倭而還，其爲賊所畏如此。自是不敢復窺海鹽矣，去之硤石巢焉。分其眾犯嘉興，虔劉慘烈。松門指揮程祿以調至，逆戰死。嘉興地稍居中，民尤不習禦倭，郡守劉公慤，竭力固守，城亦得全。又圍巡撫阮公鶚②于桐鄉，逾二旬始解。賊首徐海、陳東、葉麻③等，盤據柘林、川沙窪、青村、陸涇壩諸處，勢甚猖獗。督撫計調狼、土兵將征討，絡繹過海鹽，而公糗糒供億，皆如挾纊無憂。

庚癸，調度有方，又不至疲民，卒成王江涇京觀之捷，公有力焉。天子嘉異，徵拜兵科給事中。行之日，合邑男女耄倪，號哭攀轅三日，乃得發。邑志宦績，稱公：「値倭寇擾境，盡力守禦，克完民社。」又稱：「與太守劉公鼓舞協應士民，結心奮氣。」董穀撰去思碑，稱公：「却狂寇，全危城，而民以無恐；築戰壘，足兵餉，而守日以固。」稍得其槪云。明年，總督胡公宗憲，合兵縱火掩襲巨寇徐海、陳東、葉麻於平湖之沈莊，俱死。④又明年，計獲王直，兩浙始寧。餘黨流竄，禍在閩、廣矣。

註：

①「杭州指揮薛綱」，明世宗實錄，卷四〇九，嘉靖三十三年四月辛未朔乙亥條，及許重熙，嘉靖以來注略，卷四，同年夏四月條俱作「千戶薛絅」。

②「鄂」，明史，阮鶚傳、曹邦輔傳、日本傳；許重熙，嘉靖以來注略，卷四，嘉靖三十五年春正月條；夏燮，明通鑑，卷六一，同年二月己亥條；明世宗實錄，卷四五七。嘉靖三十七年三月己酉朔甲子條，俱作「鶚」。

③「葉麻」，徐學聚，嘉靖東南平倭通錄，及明史，日本傳作「麻葉」，鄭若曾，籌海圖編，卷八，寇踪分合始末圖譜作「葉明」。

④「總督胡公……俱死」，徐學聚，嘉靖東南平倭通錄，嘉靖三十五年十二月條云：「倭俘麻葉、陳

東等俱械繫至」京，未言被焚死於沈莊。

明史論

清谷應泰撰，清光緒五年江氏、裴氏刊本

卷三

沿海倭亂

島夷卉服，首見禹貢，秦漢以來，罕被倭患，蓋以其俗愛鮮華，地多饒沃。五州①、七道、三島，五百七十三郡②，率皆樂土，環以大海，君臣自保，不愛慕中國也。若乃海王充牣，居民仰食，雲帆所指，有無懋遷，則又彼此咸賴。高帝時，士誠、友定遺孽，竄伏北遼、南粵，歲被創殘。已而通謀逆臣，伏兵市舶，帝乃閉關謝貢，示弗復通。然而創設市舶，互市不絕，計深遠也。後世識慮迂拘，放失舊典，初開橫海，旋棄珠崖，民競刀錐，吏鮮保障。秦關夜柝，楚吏晨韁，勇士蹈險，貪夫忘生。於是內地奸民勾引，潛深海邦，貴倖藏匿，不可勝計矣。貧民勢家，黷貨負直，窮夷困頓，進退次且，逃生水國，求食波臣。邊吏戒心，搜捕始急。於是沿海不逞之徒，陳涉力耕，怨家日眾。黃巢下第，憤恚思兵，稍稍收聚，倭裔窺竊上國矣。

朱紈下車，不畏彊禦，窮治黨與，少所報聞。夫廣漢索酤，先求魏相；李膺破柱，不避黃門。政求亂本，雖得河源，禍發朝堂，意悲虎尾。紈死而朝貢與海逋交相賀也。代臣畏禍，海禁復弛，浙東再亂。王忬出督，拔大猷於偏裨，出盧鏜於獄中。普陀一戰，幾殲渠帥。游魂四潰，旋掠江南，而忬隨處邀擊，頗多斬獲。括乃代頗，騎還易敎，大功不終，自古悲歎。此閫外有遙制之憂，中樞失內贊之力也。嗣是天寵握兵，乃棘門之兒戲；文華祀海，實天雄之誦經。倭患愈劇，張經再出。經以功在銅柱，因而偃蹇凌轢，度亦自大匹夫耳。然視事一月，指揮群帥，王江經之捷，賊兵宵遁，史稱其兵驕將悍，或亦讒人之蜚語，獄吏之深文也。

文華行譖，檻車入國，蓋左豐求賂，盧植徵還，張讓交通，王允下獄，自古未有小人同事，而得剬制成功者。胡宗憲曲意主撫，因剿成功。賄斬徐海，誘擒汪（王）直。武安誘殺李廣，誅降長致。恨於封侯空悲，冤於賜劍憲。雖引刃，應無顏見二賊於地下也。憲，才望頗隆，氣節小貶，側身嚴、趙，卵翼成功。耿秉因竇憲勒勳，杜預事朝貴甚謹，封疆之吏，固應折節乃爾耶？倭寇披猖，禍延三省。任環效命留都，俞大猷經營兩浙，戚繼光驅馳閩海，類皆大國于（干）城，足以滅此朝食，而乃大戮亟行，更張不一，事權牽制，流毒生民，九閽無金城之任。分宜少裴度之忠，群賢隕喪國事，陵夷固其宜也。中丞張濂，家居省會，身與圍城，訟言時事，涕淚交頤。觀其疏中所稱殘難民之首，以償縱寇之功，而督撫可知。移罰罪之典，爲賞功之命，而筦樞可知。

軍法不重，人無死志，客兵掉臂，士無鬪心，而卒伍可知。嗚呼！鄭監陳圖，莫救當時之充耳。然而睢陽劍在，已成今日之爰書矣。

註：

①「五州」，日本文獻史料俱書為「五畿」，即：大和、山城、和泉、河內、攝津五「國」，稱五畿內。「國」為行政區域。

②「五百七十三郡」，明史日本傳書為「五百八十七郡」，然日本延喜式，卷二二，民部所載郡數為五百九十五郡，故應以延喜式之紀錄為是。參看鄭樑生，明史日本傳正補（臺北，文史哲出版社，民國七十年十二月），頁三八～四七。

援朝鮮

關白木薩摩州人，①倭部之稍黠者耳，非有奇才異能，武勇絕藝，特以李昖縱酒，朝鮮備弛，遂狡焉啓疆思，有吞噬之舉。方其陷王京，刼世子，②剽府庫，毀墳墓，八道盡沒，進窺鴨綠，勢岌岌矣。而請援之使，絡繹於路。救邢救衛，春秋之義也。況乎勢拱神京，地牽關海，薊、遼之外藩，東江之咽噎，一或失守，重險撤焉。非如應龍之反播州，猓玀之陷西川。荒徼弄兵，有傷國體，而已然予以援之之法有三：命武健之將，選精銳之師，出其不意，急擊勿失，如陳湯、甘延壽之於康居，策之上也。其或因糧於敵，分兵斷道，坐而困之，窮蹙自斃，如趙充國之於金城，策之次也。又或始則震以兵威，繼則結以恩義，開誠布信，堅明約束，如諸葛武侯之於孟獲，策之又次也。乃剿既不能以樹戍，而撫又不能以著信，臨事周張，首尾衡決，不可謂非行間之乏謀，而中樞之失算矣。方李如松平壤大捷，李如柏進拓開城，四道復平，三倭生縶，廓清之功，可旦夕竢，而乃碧蹄輕進，兵氣破傷，功虧一簣，良足悼也。又若麻貴尉③山之捷，三協度師，勢相掎角，砍柵拔寨，鋒銳莫當。而割級之令，解散軍威，僉都之肉，豈足食乎？況於沈惟敬，以市井而銜皇命，李宗城以淫貪而充正使，以至風月侯節之紿壺場，好會之詐邢玠飛捷之書；楊鎬冒功之舉，罔上行私，損威失重。煌煌天朝，舉動如此，毋怪荒裔之不賓也。向非關白貫惡病亡，諸倭揚帆解散，則七年之間喪師十餘萬，糜金數千鎰，善後之策，茫無津涯，律之國憲，其何以辭？而乃貪天之功，倖邀爵賞，衣緋橫玉，任子贈官，不亦恧乎？乃馬棟、丁應泰之疏，能直伸於關白未死之前，而李堯民之章，反見抵於關白已死之後者，蓋以用兵之初，神宗怒白甚銳。怒則望其速濟，故必欲核其真用兵之久。神宗憂白漸深，憂則辛（幸？）其成功，故不欲明其僞。卒之忠言者落職，欺君者封爵，而所遭逢異矣。

註：

①「關白木薩摩州人」，此關白應是指關白豐臣秀吉而言，木，疑為「本」之誤。有關豐臣秀吉的來

歷問題，請參看鄭樑生，明代中日關係研究（臺北，文史哲出版社，民國七十四年三月），第五章第一節，明史所見之秀吉。

②「刼世子」，如據朝鮮宣祖實錄及韓國其他史乘的記載，世子光海君琿在壬辰倭亂當時，曾設分朝分擔國事，未為日軍所俘，被俘者係世子之兄臨海君珒，與宣祖第六子順和君玒。參看鄭樑生，明代中日關係研究，頁五七九～五八〇。

③「尉」，韓國文獻史料俱作「蔚」。

皇明泳化類編

卷一一四

明鄧球撰，明隆慶間刊影鈔補本

兵制

嘉靖中，兵部郎中唐順之上疏云：「虜所最畏于中國者，火器也。國初止有神機火鎗一種，天助聖明除兇滅虜，而佛郎機子母砲、快鎗、鳥嘴銃皆出嘉靖間。鳥嘴銃最後出而最猛，利以銅鐵，爲管木橐承之，中貯鉛彈，所擊人馬洞穿。其點放之法，一如弩牙發機，兩手握管，手不動而藥線燃其管背，施雌雄二臬，以目對臬，以臬對所欲擊之人，三相直而後發。擬人眉鼻無不著者，捷于神鎗，而準于快鎗。火技至此而佳，是倭夷用以肆機，巧於中國，而中國習之者也。往年京師亦嘗造數百管，其錬鑄既苦，而又無所用之者，是以遂以爲虛器。請令東南軍門取其精者數十管，而善點放者數人至京師，陛下令大臣閱視之，使知有此器而不用，以保全虜人之腰領，其亦可惜也。」

卷一一九

籌邊

嘉靖癸亥冬十月，倭衆入寇仙遊等處，未幾散去。初，漳、全（泉）二府賊徒嘗私下海，勾引生倭，衆至二萬七千餘人。造海舟，大者可容五百餘人，小亦載一百二十餘人。是月從舟師抵長樂縣之大祉，福清縣之連盤，經平海衛青山巡檢司海羊（洋？）、大竿海洋等處登岸，掠仙遊等處。時興化府先被倭殘，而惠安、仙遊最爲賊衝。聞警，人皆無固志。又本兵不及萬，而軍餉且屈，巡撫福建都御史譚綸，亟請發太僕寺馬價銀七萬兩，及催浙、直未完銀十萬兩以供軍。又請于溫、台等地方便宜募兵，以備戰守。會大（太）僕寺馬價已給薊鎮募兵，及宣、大等處買馬。

明年甲子春正月，得旨，南京兵部將舡料、水夫等銀七萬，兩運濟福建及義烏下班兵，許綸調用。綸督部下分兵，各由水路擊賊，破之，奏擒斬賊千四百級，然賊尙聚。綸請自備錢糧，許委官于金、台、溫等處，隨宜精選，可得兵六千餘赴閩備倭。從之。夫綸統非有可練之兵，釁非有大倉之儲，一時幸倭歛息，得脫重譴，未可獨責非將才，亦兵食之計未預也。倘猖獗連月，閩其困哉。

卷一二〇

貢獻

諸夷貢物

日本

馬　盔　鎧劍　腰刀　鎗

塗金裝彩　屏風　牛皮　洒金廚子　蘇木

洒金文臺　洒金手箱　描金粉匣　描金筆匣　瑪瑙

扶金提銅銚　洒金木銚角盥　水晶數珠　貼金扇　硫黃

洪武年間，太祖以海外諸國進貢，信使往來，真僞難辨，遂命禮部置勘合文簿發諸國，俾往來俱有憑信稽考，以杜奸詐之弊。但遇入貢咨文，俱于所經各布政司比對勘合相同，然後發遣。於是暹羅、占城、琉球①等五十九國，俱給勘合文冊。

註：

①「於是暹羅、占城、琉球等五十九國俱勘合」，如據大明會典，禮部，及皇明外夷朝貢考等的記載，琉球、朝鮮兩國未給勘合，理由在於該兩國文移相通，且對明的態度恭謹。

內寇

平海寇汪直

嘉靖丁巳冬十一月，總制浙、直等處都御史胡宗憲，誘執海寇汪（王）直聞于朝。己未冬十二月，詔斬於杭州市，仍梟示海濱；妻子給功臣爲奴；其黨王汝賢、葉宗滿，俱邊遠充軍；餘眾盡潰。直，徽州人。號五峰。自少落魄，有任俠氣。母娠將就寢，一夕，夢犬星入懷，傍有峨冠者。詫曰：「此狐矢星也。」既旦，大雪，草木皆冰，遂生。既壯，饒智略，性喜施，以故一時惡少若葉宗滿、徐惟學、謝和、方廷助等，皆與之遊。直因懷異志，謂其黨曰：「中國法度森嚴，動輒觸禁，孰與海外乎逍遙哉！」退而詢其母，生兒時有異兆否？母告之夢，直喜曰：「天將命我以武勝乎？」遂萌邪謀。國初海禁少解，有一二家從廣東、福建地方買賣，陸往舡回，潛泊關外；或賄把關官，及投托鄉官，得以小舡寅夜進貨。屬承平之日，封守弗慎，奸人遂緣爲利，各結䑸推禑。強者一人爲舡頭，或五十隻，或一百隻，成群分黨，占泊各港，紛然往來海上，入日本、暹邏諸國行貨，遂哄帶日本各島貧倭，藉其強悍爲羽翼，亦有糾合富實倭奴出本，附搭買賣，公爲雄長。先是，徽人許二住雙嶼，號海寇，最強。又有陳思盼住橫港，與二相倚。直投二部下管櫃。直沉機有勇略，人服之。未幾，福建朱副都御史，遣都司盧鏜領兵擊許二，破其巢穴，焚其舟艦，擒斬殆盡，將雙嶼港築截，許二遁去。餘黨因推直爲主，住瀝港。時陳思盼聲勢壓直，直心恚之。適一王舡卒領番舡二十隻，思盼邀爲一夥。思盼因而謀殺王舡主，遂奪其舡。其黨不平，潛與直通，欲害思盼。直乘機潛約慈谿貫通番柴德美，發家丁數百人助己。又佯報寧波府及海道衙門，發官兵若干，乃伺思盼生日爲酒不設備，遂內外夾擊，殺思盼，擒其姪陳四并賊數十人赴官，餘黨悉歸直。又有一二新發番舡，俱請直旗號。是時朱都御史差義官吳美幹取福清舡，亦一半從直，勢益張，海上遂無二賊矣。或曰：「特因其隙而用賊攻賊，亦兵家之常，未爲失策。」一然養成直之孽者，此舉也。直以所部舡多，乃令毛海峰（鄞縣人）、徐碧溪、徐元亮、葉宗滿等分領之，裝載硝黃、絲綿違禁等物，抵日本、暹邏、西洋諸國，往來互市。又四散海上刼掠番舡，出入關無盤阻，公然紛錯蘇、杭之境，凡五六年間，致富不貲，夷人信服，皆稱爲五峰舡主。直又招致亡命徐海、陳東、葉明等爲之牧領，傾貲勾引倭門多郎、次郎、四助、四郎等爲之部落，又有從子汪（王）汝賢，義子汪（王）滶爲之腹心，威望湧然，人共奔走之。或饋時鮮，或餽酒米，或獻子女，甚至邊衛官有投以紅袍、玉帶者。是時有把總張四維，因與柴得美交厚，得達直，遂拜伏叩頭，甘爲臣僕，法禁蕩然無餘矣。直欲示威諸夷，會五島夷爲亂，直素憾之，欲藉以報，遂請于海防將官，出兵剿滅之，且宣言我有功朝廷，希重賞。時將官與之米百石，直詬曰：「我何以此爲哉！」一投海中而去。且怨之，遂瀕侵盜內地。嘗以扁舟泊列表岸，參將俞大猷率舟師數千圍之。直以火箭迎戰，大猷敗績。直益驕，遂眇官軍易與，乃更造巨艦，聯舫方一百二十步，容二千人；以木爲城，爲樓櫓，四門其上，可馳馬往來。遂據薩摩洲之松蒲①津，僭號曰京，自稱徽王。部署官屬，控制要害，凡三十六島之夷，俱從指揮，時遣夷、漢兵十餘道，流刼海濱。

嘉靖壬子春，遂破黃巖府知事及指揮、百戶等官，焚殺居民甚慘，官軍莫之誰何。直乃緋袍、玉帶、金頂、五簷、黃傘，其頭目人等，俱大帽、袍帶、銀頂、青傘；侍衛五十人俱金甲、銀盔，出鞘明刀，坐定海操江亭，稱淨海王。居數日，如履無人境。然是時直隱身坐遣諸寇，每殘破處必詭云：「某島夷所為也。」以故諸司奏亂，止云倭寇，未云首惡汪（王）直。直勢日猖獗，歷癸丑、甲寅、乙卯數歲間，不時攻掠餘姚、觀海、樂清、瑞安等處，塗毒不可言。識者曰：「東南雖知汪（王）直之叛，而不知受禍之慘，皆由直者。」

初，浙江未有開府，至是朝廷擢御史胡宗憲為都御史，總督杭州討賊。時直黨葉宗滿、汪（王）激等十餘人，俱在軍門用。先是，我兵破倭，其殘眾有百餘人，遂據舟山為亂。宗憲遣宗滿等協官軍往剿，遂殲焉。宗憲上其功次，賞犒有差。汪（王）激笑曰：「此何足賞，若吾父至，當取金印如斗大。」然諸司統兵海上，俱未得其要領。宗憲前按浙江，見賊進退縱橫，皆按兵法，知必有坐遣者。且賊酋來者，皆直部落也，而不聞直來。宗憲曰：「其為直坐遣無疑。」

先是，徽州府收直母、妻及子，繫金華獄，至是出之，日待之厚，史直聞知其無它。宗憲又疏請：以移諭日夷，禁戢部夷為名，其實伺直也。朝廷從之。宗憲遣生員蔣洲、陳可願充正、副使往，密授洲意曰：「汪（王）直越在海外，難與角勝於舟楫之間，要須誘而出之，使虎失負嵎之勢，乃可成擒耳。」又曰：「汪（王）直南面稱孤，身不履戰陣，而時遣偏裨雜種侵軼我邊圉，是直常操其逸矣。」洲等往直巢。直謂宗憲誠朴可欺，且欲遘會以脫親屬，遂決意渡海。

丙辰春三月，遣黨徐海等，擁眾十萬餘寇松江、嘉興諸郡甚急，破城池，殺縣官，聲言欲下杭城，取金陵，震於遠邇。宗憲謀之汪（王）激等，以觀其意。初，激等欲小試慇懃，故甘心于舟山之寇，若海等正其所倚以圖大事者。且欲速直來，乃辭曰：「非吾所能辨（辦），須吾父來乃可耳。」遂留夏正、童華、邵岳輔、王汝賢在軍門，自以招直為名，遂及葉宗滿等開洋去。未幾，海為官軍所敗，就擒。宗憲恐驚直黨，乃撫摩夏正等如子。然葉宗滿等待之倍平日，嘗對將吏等曰：「直非反賊，顧倔強不一，見我，我當有處也。」直時未知海等敗，沒意來與之應援可得志，遂先遣蔣洲等還，次遣汪（王）激、葉宗滿等，率銳卒千餘，執無印表文，詐稱豐洲王入貢。泊岑港，據形勝。分兵已定，直乃督謝和等，慷慨就舟，釃酒誓眾。且曰：「俞大猷吾嘗破之，須謹備之。」先宗憲已度其有隙，歲以總兵盧鏜代大猷。鏜，舊與汪（王）激等從事舟山，同領兵撫循倭夷備至，以故直不疑，惟日聚倭礪兵刃，伐竹木為開市計。且索母、妻、子，弟（第）求官封。宗憲亦漫為之，列狀上請，以安其志。有旨：「汪（王）直既稱投順，却（却）挾惡同來，以市買為詞，胡宗憲可相機設謀擒剿，不許疎虞，致墮賊計。」宗憲秘詔不宣，遂往寧波府盡方略。密調參將戚繼先（光）、張四維等，分領精兵伏諸要害處。乃以夏正等為死間諭直曰：「汝欲保全家屬，開市于官，可以不降而得之乎？帶甲陳兵而稱降，又誰汝信？汝有大兵於此，即往軍門，敢留汝邪？」直猶豫。宗憲又飲其所遣最親信汪（王）激、葉宗滿等盡歡，遂與對榻，因佯露諸將請戰書于几案。激等窺視，大驚。宗憲又作醉夢語云：「吾欲話汝，故今不進兵，汝不來，休怨我也。」明日，激等因洩之直，直頗疑之。宗憲又開心與其子澄，澄亦嚙指血寓書父書云：「軍門數年因養我輩，惟願汝一見，使軍門有辭於朝廷，即許眷屬相聚。汝來軍門，決不留汝。籍令不來，能保必勝乎？空害一家人耳。」又使邵岳、童華等往來遊說直不次。宗憲曰：「此賊執戀岑港踰五旬，察其心神，終屬觀望。」遂令諸將開關揚帆，示欲進兵狀。直度不可脫，因嘆曰：「昔漢高祖見項羽鴻門，當王者不死，縱胡公誘我，其奈我何？」且曰：「部兵無統，欲得王激攝之。」宗憲曰：「諸賊惟直多智，且習兵，餘皆鼠子輩，今請激，是以犬易虎，不可失也。」遂遣之。

丁巳冬十一月，直詣軍門。比至，宗憲命其下將直付按察司獄，遂列直狀：「始以射利之心，違明禁而下海，繼以中華之義，入番國以爲奸，勾引倭夷，比年攻刼，今悔罪以來歸，仍挾倭以求市，上干國禁，下毒生靈。」疏入，得旨：「論如法。」其王激統餘衆出洋，爲颶風所覆，賊盡潰，沿海諸郡始寧。蓋自己未以復，再不聞有倭信矣。明年庚申春二月論功，宗憲加太子太保、都察院右都御史、兼兵部左侍郎，蔭一子錦衣衛副千戶，餘陞賞有差。

論曰：「東南海中多島夷，奸人易負為亂，如國初方谷 珍者，不可不備也。祖宗時海防衛所市番律禁，內無應而外無慮，海寇蕭然。第歲久法煙（湮），始有壬子數年之慘耳。范表嘗言：『昔年太倉秦璠、王良之亂，未嘗攻城殺一官，而撫按奏聞請將出師，束手就擒。今此賊屠城掠邑，差官戕吏，一至於此，而猶混言倭寇，不實上聞，果何待耶？今既曰倭奴，酋長為誰？是烏可隱也。其所刼掠地方，凡通番之家，皆不相犯，蓋以立信，故人皆兢（競？）信之。是可見在官者不知除亂本矣。』表文又言：有欲變祖宗成法，倡為海市以息亂者，全無後慮，且不知致亂之源，蓋在於弛法，而非有嚴法以致之，吾恐市一開而全浙危矣。先年夷齋沈公為海道，正當群盜縱橫之時，訪究盡得其情，按法治罪，豪右亦不少貸，人始知惧，無敢窺海者，如巨猾柴得美亦逃之。福建、廣東生理，若遲以一、二年，海氛其肅清矣，衆惜其去之速，是知禁市之不可不厲也明矣。汪（王）直亦伏海小寇也，胡功誘而殺之，雖不能奉明威以正其罪，然了東南數年生民之瘡痍，亦其功也。吁！不以火滅而復積薪，不以虎去而遂毀穽，無事時申明法禁，有事時深求亂源，顯致天討，以安社稷，是在握政柄者。」

註：

①「薩摩州之松蒲」，松蒲，日本文獻史料俱作「松浦」。松浦屬肥前，非薩摩州。松浦在現今九州西北部，即佐賀縣、長崎縣一帶，薩摩州則在九州南端，即今鹿兒島縣。

②「谷」，明史，日本傳作「國」。

四夷

日本

日本，古倭奴國①也，在正東之極，俗信巫，好戲，知書，信佛，人稍習華音，無盜，少訟，不娶同姓。其產金、銀、虎（琥）珀、水晶、硫黃、水銀、銅、鐵、丹土、白珠、青王冬青木、多羅木、杉木、水牛、驢、羊、里雉、細絹、花布、硯、螺鈿、扇、漆。自後漢始通中朝。唐咸亨初，惡倭名，遂自名其國爲日本，以國在日邊也。②蓋自謂太伯之後，男子皆鯨面文身云。國主世以王爲姓，③群臣亦世官。中國沿海，在浙則溫、台、寧、紹諸府，在閩則漳、泉、福、興諸府，南直隸則松江府，皆倭出沒之境。

倭性兇，喜殺，且狡而無信。洪武戊申春，寇我山東及南直隸並海郡縣，上遣行人楊載奉勅往諭，④不遵義。明年四月，又寇蘇州、崇明等處，殺掠人畜。時太倉指揮⑤翁德，擊之海門之上⑥，遂及其未陣，襲破之，擒斬無筭，并獲兵器、海舟等。捷聞，上褒賞德。

庚戌夏六月，寇登、萊，轉掠浙、閩。太祖遣萊州府同知趙秩往諭。秩至析木崖，將入境，關者拒不納。秩以勅書達王，乃得入。秩諭以中國威德。詔書內有責其不臣中國等語，王良懷⑦恚曰：「吾國未嘗不慕中國，昔蒙古戎狄，蒞華小國我，使其臣趙良弼怵我以好語，初不知其覘國也。既而使者以舟數千襲我，盡爲風溺無遺，自是不與中國通者數十年。今新天子帝華夷，天使亦姓趙，豈非昔日蒙古使者之雲仍乎？亦將怵我以好語而襲我耶？」命左右刃之。秩不爲動，徐曰：「新天子神聖文武，明燭八表，生乎華夏，而帝華夏，非蒙古比。我非蒙古使者，況天命孰能違之？」王氣沮，下堂延秩，受詔。秩還，遂遣僧祖⑧并僧九人入朝，奉表，稱臣，且貢馬，使來至。又掠溫州。壬申，遣明州天寧僧（仲猷）祖闡，南京瓦官僧無逸（克勤）往諭。王良懷（懷良）即遣使隨入貢。甲寅，遣僧人入貢，無表文，郄（却）之。其臣亦遣僧貢馬、茶、刀、布、扇等，皆郄（却）之，斥私交也。令中書省移文切責之。九年，遣僧歸廷用等，奉表，貢馬及方物謝罪。已而上覽表曰：「良懷（懷良）不誠，詔責之！」己未、庚申入貢，皆拒之，遂安置僧使于陝西、四川番寺，惡無表也，且令禮部移書責王數入寇。辛酉，遣僧入貢，乞還安置諸僧使。上曰：「日本既謝罪，還其使。」召至京，宴賞遣之。

是時，倭狡譎，旋貢旋掠我邊地。甲子，上召（信國公）湯和，諭之曰：「日本小夷，屢擾東海上，鄉（卿）雖老，強爲朕行，視要地築城防此賊。」和至，築登、萊至浙沿海五十九城；民丁四調一爲戌（戍）兵。丁卯，置浙東西防倭衛所。已而遣江夏侯周德⑨築福建海上十六城，設衛、所，遂垛福建漳、泉人爲兵，戍並海衛、所，自是倭有窺伺。⑩上遣都督僉事劉德、高嵩巡視兩浙，又勅都督楊文及魏國公徐輝祖，安陸侯吳傑，練兵浙江，以謹備之。辛酉，國王遣使入貢，仍郄（却）之，其僧人俱發陝西、四川安住。乙亥，寇金州。

永樂初，遣人來貢，并械犯邊賊二千餘人赴京，⑪斬之。甲申，使還，遣通政趙居任，賜王冠服、⑫文綺、金銀、古器、書畫，又給勘合百道，令十年一貢，每貢正、副使等毋過二百人。

⑬若貢非期，人舡踰數，夾帶刀鎗者，並以寇論。遣僉都御史俞士吉賜王印誥，冊封爲日本國王。⑭久之，嗣王道義卒，子源道義嗣⑮，益奸狡，時時令各島人掠我沿海居民。辛卯，寇盤石。十五年，寇松門、金鄉、平陽。是年，遣禮部員外郎呂淵諭王，還所掠海上人。戊戌，遣使謝罪。是時數入金州，蓋州都督劉江⑯先設伏、布瞭。己亥夏，倭入王家山島，江出擊，大捷，自是倭不敢窺遼東。壬寅，又寇象山。

宣德元年，遣人來貢，⑰人、舡、刀劍，不奉我約束。上諭：「使臣自後貢無過三舟，使人毋過三百，刀劍毋過三千，否即拒之。」壬子，遣人來貢，入約束，受之。八年，源道義卒。⑱十年，遣使貢謝。是時，海防益備，賊不得間，以之備禦漸疎，渠且生心。

正統四年，寇大嵩，入桃渚，官庾民舍，焚刼一空。驅掠少壯，發掘冢墓，束嬰孩竿柱上，沃以沸湯，視其啼號，拍手笑樂。捕得孕婦，忖度男女，刳視中否爲勝負飲酒，荒淫穢惡，至不可言者。積骸如陵，流血成川，城野蕭條，過者隕涕。於時朝廷下詔備倭，命重帥守要地；增城堡，謹斥堠，脩戰艦，以兵分番駐海上，寇稍息。成化初，忽入寧波，知我有備，矯稱進貢。守臣爲請于朝，且欲遣入京。時楊守陳貽書主客司，張郎中言于上沮之。甲辰，遣〔子璞〕周瑋來貢。弘治乙卯，〔堯夫〕壽蓂來貢。正德辛未，宋素卿、源永壽來貢。素卿，鄞人也。父朱澄言：「素卿本澄從子，叛附夷人。」守臣以聞。主客司請于上，以素卿正使，釋之。

嘉靖元年，⑲王源義植⑳無道，國人不服，諸道爭貢。大內藝㉑興遣僧宗設〔謙道〕，細川高

〔國〕遣僧〔鸞岡〕瑞佐及宋素卿入貢，先後至寧波。故事：凡番貢至者，閱貨、宴席，並以先後爲序。時瑞佐後至，素卿奸狡，通市舶太監〔賴恩〕，餽寶賄萬計。太監令先閱瑞佐貨，宴又令坐宗設上。宗設憤憤欲發，太監又以素卿，故陰助。以故宗設怨，遂以部下百餘人，從餘姚江殺入，直抵紹興城下。殺總督備倭指揮劉錦，軍民驚潰。大肆焚掠，守臣莫能禦，僅得宗設、素卿二人，餘皆奪港乘風去。於是巡按浙江御史歐珠，鎭守太監梁瑤以聞。紹〔詔〕宗設等擊〔繫〕獄。已而朝鮮國王李懌，遣刑曹參判成洗昌等入奏稱：「倭奴打攪上國，至殺官，不伏天誅偷生。仰仗皇威，剿殺幾盡。今將賊倭林㉒一、望古多羅二俘，首級三十三顆，長箭舡⿰月悤等物，及搶回人口王漾等八名來獻。」是時，素卿遂論死。禮部請罷市舶不果。詳後。

壬子，倭衆破黃岩，掠定海，浙東騷動。遣都御史王忬巡視兩浙，兼領漳、泉、興、福四郡，以都指揮俞大猷、湯克寬爲浙、閩參將剿賊。是時倭外約諸島，內招亡命，柵寨列港，勢甚猖獗。癸丑，大猷冒險出洋，焚蕩巢穴，首惡遁去。已而克寬領部兵，往來海埂，護城捕賊，斬獲亦多。二人皆智勇可任。未幾，賊破昌國、臨山、霩衢、乍浦、青村、南匯、吳松〔淞〕江諸衛、所，圍海鹽、太倉、嘉定，入上海，掠華亭、海寧、平湖、餘姚諸州、縣，焚刼污辱，視正統時又慘矣。忬經略，又爲通番奸豪以他故搖動忬〔衍〕。甲寅，倭犯江北海門、如皐、通州。是時，以盧鏜爲參將，改俞大猷爲浙直總兵。未幾，改忬大同巡撫，以徐州兵備李天寵代忬，南兵部尚書張經提督浙閩江南北軍務，遂有王江涇之捷。經素不閑兵略。已而工部〔右〕侍郎趙文華以海賊爲患，請禱海神，詔文華往禱。文華奸貪尤甚，致公私勞費不貲，傾入囊橐。文華素不喜經及天寵，訐奏二人，詔獄論死。時嚴世番（蕃）在位，右文華也。以浙江巡按胡宗憲代天寵，提督直隸、閩、浙軍務，文華遂還朝。居無何，又出監軍，遂搜括官庫、富豪金寶書畫數百萬計，交通蒙蔽，以敗爲功，以功爲敗，聞者切齒。未幾，文華亦以罪自死。己未，憲宗（宗憲）擒賊首汪（王）直等，斬之。自後沿海生靈帖席。

嘗考日本國王，先朝奉中國，表文有云：「東征毛人五十五國，西服衆夷六十六國，渡平海北九十五國。」益自侈其封疆之盛川。顧兇狡之習既成，湯火之沸時起。我太祖著在祖訓者，凡十有五國，而其謂日本也，則曰：「日本雖朝貢，然暗通奸臣，謀爲不軌，故絕之。」又觀先朝吏部侍郎楊守陳，亦著議惓惓，以倭夷變詐兇嚚，時以刀、扇小物褻瀆天朝，規牟大利，不當與之通好，然則醜虜亦何取其朝貢若此哉！國初沿海地面置衛所，設都指揮等官統兵，以備倭爲名操習戰舡，時出海上，嚴加提備；近又增海道副使一員專督，可謂防範周且密矣。嘉靖初，給事中夏言疏云：「邇來事久而弊，法玩而弛，備倭衙門官員徒擁虛名，略無實效。寧波係倭夷常年入貢之路，法制尙存，猶且敗事，其諸沿海去處，因襲日久，廢弛尤甚。乞差官領勅前去，由山東循淮、楊（揚），歷浙達閩，以極於廣，會同巡撫官按部備倭衙門，親歷海道地方查點原設官軍，閱視舊額墩堡，盤驗見在兵器，官軍缺乏者，即與撥補，墩堡地壞者，即與修築，兵器朽鋭（鈍？）者，即與換給，官員之不才者，即時易置，法制之未備者，即時區畫。庶使海防嚴謹，中土奠安，可以防埂不測之虞，可以壯國家全盛之勢。」善哉言之言也。蓋毋恃其倭之不來，恃吾有以備之者而已。又，鄭端簡公日本考謂：「倭自得勘合，方物、戎器滿載而來，遇官軍矯云：『入貢』，貢即不如期。守臣幸無事，輒請俯順夷情。主客者爲畫可條奏，即復許貢，云不爲例。後再至，亦復如之。我無備，即出殺掠，滿載而還。若此，豈非驕其醜而養之乎？嘉靖初，以宗設之禍起于市舶，有議罷之者，而夏言又云：『所當罷者市舶太監，非市舶也。夷中百貨，皆中國不可或缺者，夷必欲售，中國必欲得之，以故祖訓雖絕日本，而三事（市）舶同不廢，蓋東夷有馬市，西夷有茶市，江南海夷有市舶，所以通華夷之情，遷有無之貨，收徵稅之利，減戍（戍）守之費。又以禁海賈，抑奸商，使利權在上，罷市舶則利孔在下，觀此則市舶不可已也。』」端簡又云：「番貨至，奸商輒賒久不償值，乃投貴官家；又至，以勢挾負，竟不償。以故番人大恨諸貴官家，言：『我貨本倭王物，爾價不我償，我何以復倭王？不掠爾金寶，殺爾，倭王必殺我。』遂盤據海洋不肯去。近年官邪政亂，小民迫于貪酷，苦于饑寒，相率入海從之。兇徒、逸囚、黠僧，及衣冠失職、書生不得志群、不逞者，皆爲之奸細，爲之嚮道，而寇勢熾焉不可撲滅，而沿海之地殘矣。」又云：「丙午，朱紈巡撫浙江。紈清諒方勁，任怨任勞，嚴戢閩、浙諸貴官家。嘗言：『去外夷之盜易，去中國之盜難；去中國之盜易，去中國衣冠之盜難。』遂上章暴貴官通番二三渠魁，於是聲勢相倚者大譁，攻紈詆誣，欲致紈而甘心焉。紈發憤卒，其海道副使柯喬，都指揮盧鏜，殺賊有功，皆論死，係（繫）按察司獄。於是華夷群盜唾手肆起，益無忌憚。」吁！

端簡之意，蓋深怕夫海寇之横，由法禁之不嚴；而典刑之壞，唯執法者不行其志耳。不爲積薪之憂，而倉卒議兵食，議將材，議何及焚眉之禍哉？廟堂之上，必有成畫矣。

註：

①「日本古倭奴國」，日本古稱「倭國」，不叫「倭奴國」，參看鄭樑生，明史日本傳正補（臺北，文史哲出版社，民國七十年十二月），頁一～一〇。

②「唐咸亨初惡倭名遂自名其國為日本以國在日邊也」，日本人之將其國號「倭」改為「日本」，係在唐長安年間而非咸亨初，參看鄭樑生，明史日本傳正補，頁一八～三四。

③「國主世以王為姓」，編者按：日本天皇家僅有名，無姓，「世以王為姓」云云，當係承宋史日本傳，及明史日本傳之說而來。

④「洪武戊申春寇我山東及南直隸並海郡縣上遣行人往諭之」，洪武戊春即洪武元年，實錄與明史俱未言倭人於本年寇邊及太祖遣使往諭日本事。明太祖實錄，卷三八，洪武二年正月是月條云：「倭人入寇山東濱海郡縣，掠民男女而去。」卷三九，同年二月丙子朔辛未：「遣吳用、顏宗魯、楊載等使占城、爪哇、日本等國。」故此洪武戊申云云，應為己酉之誤。

⑤「太倉指揮」，明太祖實錄，卷四一，洪武二年四月乙丑朔戊子條作「太倉衛指揮僉事」。

⑥「上」，新刊校正皇明資治通紀，卷五，洪武二年四月條作「上幫」。

⑦「良懷」，良懷之為「懷良」之誤，參看本書頁二二五七，註③。

⑧「僧祖」，明史日本傳作「僧祖來」。

⑨「周德」，明太祖實錄，卷一八一，洪武二十年四月辛巳朔戊子條，及明史日本傳俱作「周德興」。

⑩「自是倭有窺伺」，此六字之下疑有闕文，因它們與下文不相聯貫。

⑪「并械犯邊賊二千餘人赴京」，實錄與明史俱無械繫二千餘人赴京之相關記載，明史日本傳雖言：「繫其魁二十人，（永樂）三年十一月獻於朝。」但明太宗實錄，卷四八，同年同月條則僅言：「並獻所獲倭寇嘗為邊害者」，而未紀其人數。而此「二千餘人赴京」云云，數目眾多，亦不甚合常理，不足採信。

⑫「甲申遣通政趙居任賜王冠服」，永樂甲申為永樂二年。如據明史日本傳的記載，左通政趙居任奉成祖之命使日，賜日本國王冠服、龜紐金章及錦綺、紗羅的時間在永樂元年癸未，而非日本獻所獲渠魁之後。故本書作者將此兩件事發生的前後弄錯了。

⑬「又給勘合百道令十年一貢每貢正副使等毋過二百人」，明實錄及明史俱未言明廷於永樂二年趙居任使日之際令日本十年一貢事，從永樂年間中、日兩國往來未曾間斷的事實觀之，此一說法不符史實。竊以為明廷之規定日本十年一貢，船不過三，人員三百，係在代宗景泰以後。參看鄭樑生，明史日本傳正補，頁四〇七～四一四。

⑭「遣僉都御史俞士吉賜王印誥冊封為日本國王」，如據明史日本傳的記載，俞士吉之使日，在永樂

三年正月，即在日本獻渠魁之後，而明廷之賜日本國王金印與誥命，則在永樂元年趙居任使日之際。因居任所齎詔勅裏有「用錫印漳，世守爾服」之語，所以在次年遣使時，方纔於其表文自稱「日本國王臣源」的。可見此一記事的時間亦與事實不符。

⑮「嗣王道義卒子源道義嗣益奸狡時時令各島人掠我沿海居民」，日本之朝貢於明，始於惠帝建文三年，即室町幕府第三任將軍足利義滿（源道義）之時。在此所言「嗣王道義卒子源道義嗣」云云，顯然將足利義滿（道義係義滿皈依佛教以後的法號）視為兩個不同的人物。竊以為後一個道義，應係第四任將軍足利義持之誤。成祖曾誇奬義滿說：「王之尊敬朕命，雖身在海外，而心實在朝廷，海東之國，從古賢達，未如王者，朕心喜慰，深用褒嘉。」（善鄰國寶記所錄永樂四年大明書）又說：「故日本源道義，慈惠恭和，聰明特達，持身有禮，處事有義。好善惡惡，始終一志。敬天事上，表裏一誠。負弘偉之度，懷卓犖之才。仁厚洽於國人，賢德彰于遠邇。自朕御極以來，忠敬之心愈隆，職貢之禮有加無替。遵奉朝命，斯須不稽。竭力殫心，惟恐不及。殄寇盜於海島，安黎庶於邊隅。並海之地，雞犬得寧；烽警不作，皆王之功也。蓋王忠順之誠，皓若金石。……今特賜謚曰恭獻。」（善鄰國寶記所錄永樂六年十二月大明書）兩件國書內容既如此，本書作者所言之虛實，自可明瞭。

⑯「江」，「江」之為「榮」之誤，參看明史劉榮傳。以下同此。

⑰「宣德元年遣人來貢」，明實錄、明史，及日本史乘俱無本年來貢之相關記載。

⑱「八年源道義卒」，如據日本史乘的記載，源道義（足利義滿）卒於永樂六年（一四〇八），嗣王義持卒於宣德三年（一四二八），此時之幕府將軍為足利義教，故此一記載有違史實。

⑲「嘉靖元年」，鄭舜功日本一鑑、鄭若曾籌海圖編、嚴從簡殊域周咨錄、明世宗實錄、明史日本傳、談遷國榷等，俱作「嘉靖二年」。

⑳「植」，日本文獻史料俱作「稙」。

㉑「藝」，日本文獻史料俱作「義」。

㉒「林」，明史日本傳、朝鮮中宗實錄俱作「中林」。

金山倭變小誌

著者不詳，臺北廣文書局排印本，附於倭變事略

金山被倭寇之擾，起於永樂十六年戊戌，迫乎嘉靖三十二年癸丑，而禍尤烈。先是，是年二月二十七日，倭賊三十五人，泊舡五團，刼掠，殺金山衛所百戶王忠，遂沿海趨杭州。

四月十一日，倭八百人，泊大船於小橫潦涇分刦，追趕男婦，溺死大橫潦涇者六百餘人。柳東西如張莊、楊扇、高漈、呂巷等鎭，無一免者。時董宗伯傳策攜妻妾輩避朱涇，遇倭至，不能行；適郡中徵僧兵初到，與倭列陣，未及鬪，傳策舟隔倭僅兩田岸，擬挈妻赴水葬魚腹矣。乃倭竚立熟視之，竟遁去，遂得脫。已而有鄉民爲倭掠入陣者，歸，衆問其故，曰：「此時弟（第）見旌旄兵杖列其地甚整，故倭不敢近。」

五月壬申，倭寇上海，鎭撫吳賢戰於黃泥濱。自是浦東沿海二百里，賊往來無虛日。詔湯克寬充海防副總兵，駐金山。

三十三年甲寅，春三月二十七日，賊九十餘人自崇闕①登岸，焚舟內攻，直抵郡南門，焚燒

海艘、倉糧。千戶童元，巡檢李叢祿，戰死。賊從千巷轉浦南去。

四月庚午，官兵從海口追賊百餘至府北門，賊皆饑敝。至黃耳祠，始得食，無要擊者。詰旦，竟渡浦趨張堰，轉掠至曹涇。己卯，賊八百餘人，自閔行抵西倉，燒殘殆盡。泊小橫潦涇，分刼海濱，東自尤墩至呂巷，西自章練塘至楊扇。五月辛丑，復掠橫潦涇，住平原村。

六月乙酉，浙地賊千餘，大小舟五十七，自嘉興入朱涇，抵斜塘。丁亥，出橫潦涇，焚掠閔行沙岡，丙申始入海。

十一月，賊屯呂巷，湯克寬駐師朱涇。丙午，克寬至府謁御史。兵不立營，散處民家。是日天晦黑，賊乘間襲殺，邳兵死者千人。

十二月，倭寇焚呂巷鎮，自七月盤踞柘林。柘地南濱海，西通嘉、浙，北據金山橫涇之會，出沒多水道，官兵無能扼禦，四出擄掠。是冬，賊屬意西嚮，由胥浦呂巷而西至浙。浙人據石莊築大堰以斷其路。於是賊蹤（縱）火焚呂巷鎮民居，五晝夜不熄，存者百無一二。賊遂取道歸涇，由大茫塘入寇嘉興。詔以浙江參將俞大猷爲南直隸副總兵，鎮金山衛。是日，柘林賊犯出新帶。備倭都指揮劉恩至，威令不行；百戶賴榮華，乘勝深入，戰死。

三十四年乙卯，三月辛丑，總督張經，以田州瓦氏兵屬俞大猷，守金山。

四月癸未，柘林賊攻金山衛，俞大猷發矢石禦之，賊中傷者甚眾。稍解去。繼至，大猷又敗之，俘斬二百餘人。十九日，賊分兵二千餘，突出金山獨山，往嘉興。俞大猷率瓦氏兵尾擊，賊反攻匝圍，殺傷官兵甚衆。總督〔張經〕乃會同浙撫胡宗憲追賊王江涇，先調永順兵從泖河遏其前路，賊不得進，乃退入墓亭，三面阻水。永順兵先逐斬賊首千餘級，敗賊僅五百人奔巢，而金山守兵不敢邀擊，賊以此多易之。

五月庚戌，盧鏜帥上江保靖及四川指揮陳正元兵攻之，挑其出戰，因焚其巢，賊遁去。追至後港，還拒戰，諸軍皆潰。是月，以都指揮僉事婁宇爲金山備倭。

八月，胡宗憲策柘林賊必走，使王沛等設伏伺之。果乘潮去，追及金山海洋，盡犂其舟，逸脫者定海兵要之。

三十五年丙辰四月，倭寇掃柘林巢，移屯呂巷，溪偏西陲，去浙一水。至是徐海率其衆散處，自以巨艦泊巷口。時呂巷之延燒殆盡，四野荒涼，徐酋居之，實西伺以覘汪五峰動靜也。總制（督）胡宗憲知其意，使人爲汪（王）直致書，復遣中書羅文龍爲假繒幣以示款於虜。徐酋聽命，納其貨，許以拔寨赴款，而平湖之議成矣。

五月丁丑，倭自斜塘趨蘇州，爲吳江水師所遏，轉掠府西門，火七日夜不絕。甲辰解去，把總劉堂追敗之於泖湖。壬寅，倭掃呂巷之巢，移屯平湖獨山。

六月甲午，賊自桐鄉駕舟千餘，泊呂巷，分掠四保、五保、七保、八保、張堰、干巷、松隱、朱涇等處，村落一空。丙申，自黃浦出海，總兵俞大猷大敗之，斬首三百餘級。是月，總制（督）胡宗憲，計收賊首汪五峰、徐明山、毛海峰等，患遂息。

十一月，天火見。時兵火之後，百姓流移，死者未葬，流者未復。蓬蒿塞路，風雨晦明，神號鬼泣，終夜不輟。是冬，夜中昏黑，每見戰艦游行水上，以船建燈，高者下者，比次以進，火中鉦鉦，遙見人影動躍。遇雨則出，大雨如注，燈竟不滅，識者知冤氣未殄云。

註：

①「崇闕」，明世宗實錄，卷四〇二，嘉靖三十二年九月甲辰朔己巳條作「滐缺」。

皇明卓異記

明羅弘運撰，明啓禎間刊本

卷四

自古止封中國山川，獨其時封日本山曰壽安鎭國山，浡泥山曰長寧鎭國山，餘析枝國、滿剌加國俱曰鎭國，各立御碑。凡北討及四鑾所至，如靈顯、翠秀等山，神應等十二泉，立馬等五峰，諸壑谷、坡甸、岡巘、川圃、磧戍之類，皆錫以嘉名，立石垂永。

各國貢物，自金、銀、犀、象、香藥、珊瑚、玳瑁、鶴頂、龜、筒諸器皿外，鳥則有孔雀、火雞、紅白鸚鵡、倒掛駝鳥，獸則有麒麟、白鹿、白象、紅猴、黑熊、黑猿、白麂、福祿、馬哈剌、六足龜、白獺，而中國亦自兩進騶虞。人則有金衣、銀衣人，黑小廝，香則有各色龍腦、奇楠、蘇合、油，布則有兜羅錦、紅撒哈剌八者藍、覘木黑蕪蔓、番沙、紅綾節智杜、花頭乍、蓮花織、人象之類，珍珠、寶石、奇怪之物，充牣天府。

姚廣孝，蘇州長洲人。名天僖。祝法爲相城妙智庵僧，名道衍，字斯道。時相城靈隱觀道士席應真者，讀書學道法，兼通兵機。道衍師事之，盡得其術。然深自晦藏，人無知者。已而至京口，賦覽古詩曰：「譙虜年來戰血乾，烟花猶自半凋殘。五州山近朝雲亂，萬歲樓空夜月寒。江水無潮通鐵甕，野田有路到金壇。蕭梁事業今何在？北顧青青眼倦看。」〔季譚〕宗泐見其搖頭長吟，笑之曰：「此豈釋子語耶？斯道斯道，子薄南朝矣。」既而宗泐薦斯道於太祖。時封秦、晉、燕等十五王，文皇封燕，將之北平。道衍乘間請於文皇曰：「大王骨相非常，英武冠世，今皇圖草昧，東宮仁柔，願自厚愛。試乞臣府中，當奉一白帽子與王戴。」蓋王上加白，其文皇也。已而名在燕府籍中，大喜。至北平，居壽慶寺。

卷三

嘉靖己丑，唐公順之，武進人。中禮部試第一。及廷試，楊邃庵內閣使鄉人索試策，欲首擢之，而公以年少筮仕，守己當嚴，竟不與通。置二甲首，而廷試第一人，則吉水羅公洪先也。上親閱對策，所進呈六人卷，皆有御批：於羅曰：「學正有見，言讜而意必忠，宜擢之首者。」於唐曰：「條論精詳殆盡，授翰林脩撰。」唐授武選主事，二公遂定爲石交。後羅峰相公改各部屬爲翰林，部中首推唐公拜編脩，以羅峰愛己，欲遠其嫌，遂告歸。久之，皇太子立，妙選宮僚，起爲春坊司諫。時羅公以艱服闋，召改左春坊。贊善二公皆以疏請預定東宮朝儀，忤旨，罷爲民。羅公一蹶，即絕意仕進，而唐公後因島夷亂起，公視師浙、直。公約羅公偕出，羅公曰：「天下事，爲之，非甲則乙，某欲爲未能者，得兄爲之，即此自效可也，奚必我出？」已而唐公陞僉都御史，與胡總制梅林公共事，每與胡公論國家事，輒泣下沾襟，誓以死殉國。嘗曰：「胡公計事，先我一着，至於忠義一念，則相符合耳。」竟以勞瘁卒。羅公謝客屏居止，止所製半榻，默坐榻間，不出戶者三年。事能前知，或訝之。答曰：「是偶然。」比唐公訃至，哭，始下榻。二公文章、道學，皆爲世所宗師。羅有念庵文集，唐有荊川文集行於世。

（嘉靖）三十二年，海賊王直糾漳、廣群盜大舉入寇，連艦百餘艘，蔽海而南，①台、寧、嘉、湖、蘇、松及淮北，濱海數千里，同時告警。當是時，竭天下之力以禦北虜，及南方急，所輸於北，不絲毫減。中間悉力拮据，終得蕩平者，胡襄懋公宗憲力也。事平之後，公中讒死。生平受卵翼喣沫者皆避匿，而薦紳先生襟口不敢談公功，遂使公十年出生入死，辛苦萬狀，以成半壁之功，幾至煙（湮）沒不傳，今錄數款于左：

倭之魁有二，曰王直，曰徐海。其擒直則用生員蔣洲、陳可願往招；其擒海②則用羅龍文往諭。三人雖皆受計於公，然能出生入死，深探虎穴，掉三寸舌餌二酋如餌嬰兒，使二酋自離其黨，自解其群，歸命於公，一焚死，一就僇，三人之功亦不可誣也。乃龍文以嚴黨死，洲與可願謫戍，冤哉！

初，公之爲巡按也，按部嘉禾。倭自武塘將逼城，公出酒百餘甕，米五十包毒之，封包如故。載二小舟，授數健兒賫冠服、文牒，若犒兵者。賊見，逐之。健兒浮水遁。賊入舟，見冠服、文牒，信以爲然，呼類歡飲至醉；又造飯食之，毒發，死者幾千人，遂相戒勿食民間遺物。會驟雨至，淋漓饑困，死益衆，遂解去。

公自率標兵渡錢塘江擊倭，行至江橋，遇賊夾河而行。公馬上操小旗，語諸將曰：「此賊見我旗，指不顧而西，勝負未可知，若觀望遲疑，即可撲滅也。」賊見旗東西交指，果聚立。公笑曰：「賊氣奪矣！」揮兵渡河。賊驚問諜者，知軍門自至，遂不敢戰，南走後梅村。急麾諸軍圍之一晝夜，賊負傷深匿。我軍登屋舉火，烟焰大起，賊多焚死。

時民間室廬皆空，公所至，炊、宿無所。薄暮，入一庵中，饑甚。道人具酒、餅以進。方數酌，哨者至，公問：「食否？」答曰：「楞腹兩日矣！」公泣下，盡撤酒餅與之。道人曰：「庵中僅有此，願少留。」公曰：「此探卒，吾三軍耳目也，不得食，必斃。寧忍饑以食有功。」左右皆感泣。

巡撫阮鶚敗於崇德，走桐鄉被圍。公知賊首有麻葉③、徐海，乃餙美妓二人，黃金千兩，縉綺稱是，舁送海而不及葉。葉疑海有異，拔砦去，圍解。④

王直遣其養子激至公所，將行，公留之共宿，預爲疏章力乞貸直，置案間。出飲，大醉，入呼激宿。甫入室，大吐，牀席俱沾污。各就寢。少頃，鼾聲滿室，激起翻案間，見疏章，竊錄之，復就榻。俄而公作伸欠狀，呼茶，囈囈語：「我爲兒子輩苦心開生路，乃猶遲疑取死耶？」晨起，激告行，復好言慰遣之。激歸，以疏草呈直，直始深信，自挈妻孥，稽顙制府。公大喜，摩其頂曰：「兒來何晚？」

公客徐渭字文長者，公敬禮之。嘗野服出入制府。一日，飲酒樓有數健卒飲其下，不肯留錢。徐密以數行馳公。公立命傳至，斬之，一軍股慄。

倭寇興化，閩告急。公遣總兵劉顯入援。顯遣八⑤卒犯賊鋒報城中，旗上書「天兵」二字，爲寇所得。殺卒取旗，以其卒詐稱劉卒馳城中。主兵者不察，納之。爲內應，城遂破。時城中甲第鼎盛，屠戮殆盡。後戚總兵繼光繼往，平之。先是，倭寇未至，城門夜哭，流血。張少卿、康壺子夢天上墮火一團裂開，中有石碣云：「我是天兵，放火殺人，毀土紀滅，土城重熙，師見太平。」蓋天兵者賊所詐稱也，重熙者繼光也，事皆先兆如此。

胡公爲總制，前後上疏皆手書如一，後被劾，爲上所憐。蓋不獨有平倭功，其一段敬謹之心，亦自難及，孰謂公僅粗豪人物哉？凡古人上疏必手書，宋時猶然，想至胡元不然耳。

胡公被逮，太守何東序窺時局，欲羅織沒其家，發兵圍守嘉禾。郁陽川蘭爲績溪令，知公貧且有捍海功，力覆護之，願上印綬，何某遂沮。

戚將軍南塘、鎮、薊所駐三屯，署庳隘，稍拓之，并及文武廟、梵宮、道觀。南山有碧霞、景忠諸壇，望之縹緲，若在雲端。有香錢簿，取佐軍費，公不入一錢，皆以餝材具。有東湖，導以資灌漑。護以柳堤，有魚蝦菱芰之利。荷亭朱鷁可供遊賞。忌者蜚語上曰：「賽西湖。」章下撫按會勘。上言：「諸所征繕，民不告勞，爲太平雅觀，即貢夷亦徘徊嘖嘖，且可以示遠。」事乃得釋。嗟呼！爲大帥脩邊成功，暇逸不得動一木一土，至形論列，亦太苛矣。未幾，調廣西，坐黨張江陵，無有錄其功者。沒後二十餘年，至乙卯乃得膺恤典。至天啓元年，遼事大壞，葉少師向高，題請謚以勵，邊將乃得謚。

按：戚公，名繼光，字元敬。世襲登州衛指揮僉事。其父景通，儒而廉，以孝著聞。累功拜總督備倭。公舞象時，折節爲儒，以經術著。既冠，奉父命上勳府襲世爵。倭寇海上，世廟簡胡公梅林開府浙江，提督七省以討之，公以浙江都司僉書隸焉。督府檄公招募義烏兵，得壯士三千，假以節制，簡練訓習，名鴛鴦陣，一旅可當三軍。補浙東參將，分部台州。倭寇台，覩旌旗，皆辟易，所向以全取勝。頃之，閩寇張甚，分壘爲三窟。督府命公部兵八千往，次第俘馘，窮追絕跡，勒功平遠臺，蓋東南之名將也。隆慶初，公總理薊鎭，塞上周垣二千里，請更版築，諸戍士畫地受程。請募南中入彀者一軍，以倡勇敢。不旬月告成，縣官僅發十萬緡經費，考工足當百二十萬。復募南兵二萬，編伍戍之。議立車營，以代城郭。車四面結靭爲方陣，步騎藏中。遇虜乘障，火器先薄五百步外，稍近則步兵出，轅下鉅（拒）虜，馬排擊虜；却走則縱騎兵逐北，主兵戍守，踐更者任轉輸，而軍政畢張矣。後東西虜謀入犯，西虜得薊，狀恐，巫卜不祥，遂謝。東胡部言，虜數苦薊。比脩內備，伐虜謀，雖軍政無所課，功其功上上。萬曆初，進左都督，加少保兼太子太保。江陵沒，中蜚語，坐黨，無敢錄其功者，非葉少師不幾於泯泯哉！蓋少師閩人，故不忌公之功也。

關白，倭之官號，如中國兵部尚書之類，⑥平（豐臣）秀吉者，始以販魚醉臥樹下，別會信長爲關白。⑦出山畋獵，遇吉，衝突，欲殺之。吉有口辯，自詭曾遇異人，得免。收令養馬，名曰木下人。吉又善登樹，稱爲猴精。信長漸委用，合計奪二十餘州。後信長爲呵奇支所殺，吉討平之，遂居其位。丙戌年擅政，盡併六十六州。其主山成君懦弱無爲。壬辰年破高麗。改天正二十年爲文祿元年，自號大閣王，以所養子孫七郎爲關白。⑧

註：

①「連艦百餘艘蔽海而南」，明史日本傳作「連艦數百蔽海而至」。

②「擒海」，胡宗憲未曾擒徐海。有關宗憲消滅徐海的經緯，請參看本史料集所錄茅坤，紀剿除徐海本末；采九德倭變事略；鄭若曾，籌海圖編，卷九，大捷考，紀剿徐海本末；及鄭樑生，私販引起之寇亂與徐海之滅亡（鄭著：中日關係史研究論集，第十三集，臺北，文史哲出版社，民國九十三年）。

③「麻葉」，倭變事略作「葉麻」。

④「葉疑海有異拔砦去圍解」，此語與采九德，倭變事略，卷四；茅坤，紀剿除徐海本末；鄭若曾，籌海圖編，卷九，大捷考，紀剿徐海始末等所紀內容有若干出入。

⑤「八」，谷應泰，明史紀事本末，卷五五，沿海倭亂作「五」。

⑥「關白倭之官號如中國兵部尚書之類」，關白，日本律令規定外之官，唐名為總己百官、博陸、執柄、攝籙等。先於天皇閱覽百官之奏章，以輔佐天皇，天皇年少時則稱攝政。曾任關白者稱大閤（太閤），皈依佛教之太閤則稱禪閤。明治政府成立後廢除此制。

⑦「別酋信長為關白」，此信長應係指日本戰國末期之武將織田信長而言，日本史乘無信長任關白之相關紀錄。

⑧「出山畋獵遇吉……以所養子孫七郎為官白」，此段文字全是臆說，有違史實。有關豐臣秀吉的生平問題，請參看鄭樑生，明代中日關係研究，第五章，第一節，明與豐臣秀吉的關係。

明史輿觀錄

清陳堯叟撰，舊鈔本，不分卷

○嘉靖中倭寇猖獗，張經奉詔討賊。經以江、浙、山東兵屢敗，俟狼、土兵至爲搗巢。至，經檄總兵俞大猷，游擊鄒繼芳，參將湯克寬，分屯乍浦、金山衛，俟永順、保靖兵集進討。會趙文華以祭海至，與巡按胡宗憲趣進兵。經守便宜，不聽。文華怒，密疏經糜餉殃民，畏賊失機，欲俟倭飽颺，剿飽寇冒功。帝問嚴嵩，嵩對如文華指。帝怒，逮經。方文華入疏，永順兵已至，即日有石塘之捷；又合圍王江涇，斬寇一千九百，俘、焚、溺死者無筭。給事中李用敬、閻望雲言王師大捷，不宜易帥。帝復問嵩，嵩言文華、宗憲合謀進剿，經冒以爲功。帝謂用敬黨奸，杖二人五十。經至，備言進兵始末，帝不納，論死，天下冤之。

○倭寇躪江南，唐順之視師浙江，謂胡宗憲曰：「禦倭之策，當截之海外，縱使登陸，則內地咸受禍矣。」乃躬泛海，自江陰抵蛟門大洋，一晝夜行七百里。從者咸驚怖嘔吐，順之意氣自如。倭泊崇明三沙，督舟師邀之，斬馘一百二十，沉其舟十三。

○嘉靖中，歙人汪（王）直據五島，煽諸倭入寇，徐海、陳東、麻葉①等，巢柘林、乍浦、川沙窪，日擾郡邑。浙撫李天寵，捕直母、妻下之獄。趙文華譖張經、天寵，以胡宗憲總督浙江，②憲令客蔣洲、陳可願諭日本王。遇直養子滶于五島，邀使見直。直，先勾倭入犯，倭大獲利，各島由此日至，呼直爲老船主。宗憲以直爲諸倭所信服，釋其母、妻于金華獄，資給甚厚。洲等諭之，直心動，大喜曰：「俞大猷絕我歸路，故至此，若貸罪，吾亦欲歸耳。」因留洲，使滶與可願詣宗憲。憲厚遇滶，令立功。滶遂破倭于舟山。宗憲請于朝，賜以金帛，縱之歸。滶大喜，凡有侵掠，悉先以告。遣指揮夏正持滶書招（徐）海降。海驚曰：「老船王亦降乎？」意頗動。因曰：「兵三路進，不由我一人也。」正曰：「陳東已有他約，所慮特公耳。」海遂疑東。而東知海營有宗憲使者，大驚。由是有隙。海遣使來謝，索財物，如數與之，遂解桐鄉圍；東留攻一日，亦去。海令弟洪至，宗憲厚撫洪，諭海縛陳東、痲葉，許以世爵。海遂縛葉、東來獻，率所部降。宗憲悉俘之，斬海首獻京師；焚其柵，浙江倭寇稍平。

○戚繼光，字元敬。世爲登州衛指揮僉事。幼倜儻，負奇氣。家貧好學，通經史。嘉靖中，以禦倭功，守金、台、嚴三郡。繼光至浙，見衛所軍不習戰，而金華義烏兵稱慓悍，乃召募三千人，教以擊刺法，長短兵迭用。又以南方多澤藪，不利馳騁，因地形置陣法，戚家軍名聞天下。

○嘉靖中，倭大舉犯福建，自溫州入者，合福寧、連江，陷壽寧、政和；自廣東南澳入者，合福清、長樂，陷元鍾所；延及龍岩、大田、莆田。時寧德已陷，距城千里。有橫嶼，四面皆水，路險隘，賊結大黨其中。官軍不敢擊，相守踰年。時出摽刼。胡宗憲檄繼光剿之。繼光提兵至，令卒持草一束，違者斬。繼令攜竹一竿至橫嶼，以竹浮水面，塡艸而進，大破其巢。

○倭寇先遊，戚繼光擊敗之，城中相慶。光田倭未大創，必復至，以我在，輒鳥獸散耳，乃僞撤兵。閱六日，倭果至。光策其必走王倉坪，先伏兵于道，回軍擊之。身持短兵，突入其圍，斬百餘人。倭果奔王倉坪，伏起，盡殲之。

○戚繼光總理薊州、昌平、保定三鎭，上疏言：「薊門之兵雖多，亦少原有七軍，不習戎事而好末技。壯者役將門，老弱僅充伍，一也。邊塞逶迤，絕少郵置，使客絡繹，日事將迎。游參爲驛使，營壘皆傳舍，二也。寇至則調遣無法，遠道赴期，卒斃馬僵，三也。守塞之卒，約束不明，行伍不整，四也。臨陣，馬軍不用馬而反用步，五也。家丁盛而軍心離，六也。乘障卒不擇沖緩，備多力分，七也。又有士卒不練之弊：邊之所藉惟兵，兵之所藉惟將。今恩威、號令不足服其心，分數、形名不足齊其力，緩急難使，一也。有火器不能用，二也。棄土著不練，三也。諸鎭入衛之兵，嫌非統屬，漫無紀律，四也。班軍民兵，數盈四萬人不一心，五也。練兵之要，在先練將。今注意武科，多方保舉，此選將之事，非練將之道，六也。又有雖練無益之弊：一營之卒，炮手常十不知兵法五，兵迭用長以衛短，短以放長，一也。三軍之士，各專其藝，今金鼓旗幟，徒存虛名，二也。弓矢之力不強，三也。教練徒取美觀，全無實用，四也。」上嘉納之。

○嘉靖中，倭犯江北，逼泗州。兵〔部〕尙書張鏊，檄劉顯防浦口。顯返掔至安東，時方大暑，伏精甲南岡下。顯披單示從四騎誘賊，賊驅之。佯北，誘至岡下。伏起，圍之。潛分兵百人，燬其舟。賊敗走舟，舟已然（燃），死者無筭。

○俞大猷，字志輔，晉江人。好學劍，有雄略。上書宣大總督，□鵬召見，論名事，屢□鵬，鵬□謝曰：「我不宜以武人待子。」下堂禮之。破海賊康老，擢指揮僉事。廣東新興縣平賊譚元清叛，總督歐陽必進屬大猷討之。乃令良民自爲守，而親率數人徧詣賊峒，曉以禍福，教之擊劍，賊駭服。大猷時設酒食，邀群蠻飲酒。酣，拔劍起舞以爲常。賊中有蘇青蛀者，力猶猛虎，賊倚之。大猶察其奸，同舞劍，飛劍斬之，賊益驚。乃詣何老猶峒，諭譚元清，歸民侵田，二邑以寧。

註：

①「麻葉」，采九德，倭變事略，羅弘運，皇明卓異記作「葉麻」。

②「趙文華譖張經天寵以胡宗憲總督浙江」，如據明世宗實錄、明史張經傳、日本傳，及談遷，國榷的記載，張經因趙文華之譖，於嘉靖三十四年五月甲午朔己酉去浙江總督之職後，周珫、楊宜、王誥等人先後受命擔任斯職，至三十五年二月庚寅朔戊午，始由胡宗憲繼其任。至於宗憲之擔任浙江巡撫，則係在天寵因文華之譖失位後的三十四年六月甲子朔壬午。

萬曆野獲編

明沈德符撰，清周星詒手校并題記，舊鈔本

卷三

嘉靖諸御史

王忬，直隸太倉人，按順天，以守通州功陞右僉都御史，經略畿輔。三十三年，巡按浙江御史。胡宗憲，直隸績谿人，以禦倭陞右僉都御史，撫浙江，蓋俱非常之遇也。胡守中，未幾，遷侍郎，即以罪誅。王忬遷至右都御史，坐邊事下獄，死于市。胡宗憲加至少保、兵部尚書，坐劾，逮至京，死獄中。

考察留用

嘉靖十八年己亥，考工郎中趙汝濂主內察，欲斥主事趙文華。時太宰許讚力持不可，謂此權門私人疏一上，必爲衙門累。汝濂願以身當之。及得旨，則文華果留。又，工部屬魏姓者爲堂官，尙書周敘所憎，被斥，汝濂不許而不能奪。比科道拾遺疏上，獨留之。趙文華後官至少保尙書；魏至都御史。然趙文華故嚴（嵩）分宜客，是時嚴僅爲大宗伯，威焰已能鉗刼，上下如此。

土兵

土兵之設，始于成化初年。巡撫延綏都御史盧祥建議：以營伍兵少，而延安、慶陽邊民驍勇，習見胡，敢與戰鬪。宜選民丁之壯者，編成什伍爲土兵，量免戶租，凡得五千人訓練之。土兵強盛時，毛里孩入寇，爲之退却。祥去而此法遂廢。今內地所謂民壯者，始于正統己巳之變，亦非祖制。初招募時，器械、鞍馬，俱從官給，地方有司春秋訓練，遇警調用。弘治二年，復命行之。此後照例編僉，徒供迎送之用。然正德季年，王文成尙用之以殲寧叛，沿至今日，竟列輿皂之中，捕拿民犯，虛費工食，毫無所用。各邊將領，又專倚家丁爲鋒銳，并土兵亦久不講矣。然延綏之兵，至今爲諸邊寇，他鎭則不然。以故，嘉靖間薊州練兵，終不能成列。王思質（忬）中丞以此坐重辟。隆、萬間，戚少保繼光爲帥，反用浙兵于薊，由是精兵稱朔方第一，亦時勢使然。若土兵之在東南，則倭警時，趙文華視師浙江，欲命鄉官領兵，團結出戰。又查籍間田百萬畝，以贍新兵。時蒲坂楊襄毅，新從薊遼召領中樞。覆疏謂：鄉紳爲帥，督責未便。且間田出于何所事，遂得已。趙之說，蓋欲借以籠桑梓，張威福，尤舛謬之談也。

日本

日本貢道，本從浙、福二省，自朝鮮之役，我往彼來，俱從朝鮮之釜山，徑渡海面，既無多險，亦無湍險。至封貢事起，則直是山海關入京，日本幾成陸路通衢矣。所幸彼國安富，遠過中國，初無意內犯。向來許多張皇，真是杞人之憂。而朝鮮、日本，向爲與國，且世通婚姻，特關白一人黷武，近已寧帖，寂不聞矣。丁職方元甫應泰，習知其事，且目睹其奉倭正朔，遂欲秉大兵，全力一舉滅之，如唐故事，且自封爲五等地，不知主上仁聖，非唐文皇好大喜功者，比一時將帥，亦無有與李勣、薛仁貴伯仲者，此舉亦豈易（易）言？且兵以義起，名爲卹患救灾，所以異于宣和伐遼之舉，一旦利其土地，即力能郡縣之，而使殺罪致討之，日本反得有辭于我，何以風示四夷也？丁疏醜詆東征諸文武，自邢崑、田玠以下，無一得免。邢即出師時，舉丁贊畫者，丁爲此謀，與勘事科臣徐涵碧觀瀾者協，既而朝鮮君臣惴恐，揚言將甘心焉，丁遂宵遁。徐亦不竣閱事還京，兩人俱以聽勘歸。又六年爲乙巳大計，徐以不及謫，丁竟坐墨斥。丁有才氣，能任事，亦楚人之錚錚者。東事奏功，十年之局已結，飲至告成，即主上亦幸息肩，以享太平。丁必欲盡沒戰功，嚴核伍籍，至爲剃眉。查覈之法，軍心已大離，朝鮮復加餙其罪狀，丁遂無解于朝論矣。丁之初疏，豈無數端寔中師中情弊者？攻擊四起，漸增飛語，應之十餘疏而不止，益支離失寔，謂之妬功生事，則可其恨之者。至云黨倭奴以壞戰局，又云丁欲自據高麗作夜郎王，冤矣。

日本自古兇狡，非諸國比。以元世祖威力，十萬之衆，僅三人得還，復屢招之不至。本朝入貢甚虔，雖以胡惟庸事暫絕，後仍通貢。每天朝主上新立，須用日字勘合可考。其嘉靖間入寇閩、浙者，乃島中賊倭如中國洋船，其國主不及知也。大抵來貢，不過利中國貿昜（易），初非肅慎、越裳可擬。故或踰期不至，中國亦不詰責之，正合來不拒，去不招之義。石司馬乃欲以封貢縻之，保其爲忠臣孝子，愚矣。李宗城以臨淮勳衛，銜命渡海，欲借以復先世曹國公故封，石司馬亦面許之。甫至朝鮮，即令沈惟敬執股橐鞬庭趨，旋爲沈部下計怵，盡棄節印，單騎遯入關，貽笑夷狄，賴上恩不誅。又三年，而丁、徐之事繼之，狼狽脫走，跡同亡虜，豈止委君命于草莽，其辱國甚矣。石之負乘不待言，其初蘭谿在首揆，亦不得辭責。

暹羅

倭事起時，有無賴程鵬起者，詭欲招致暹羅舉兵搗其巢，以紓朝鮮之急，其說甚誕。一時過計者，又恐暹羅入境，窺我虛寔，且蹂踐中華于穀峰。宗伯時在春曹，極訕笑之，以爲茫茫大海，人知暹羅在何方，所云征調者已可笑，乃又憂其入內地，此待取來時再議之可也。其言似是。然暹羅寔與雲南徼外蠻莫（貊）及緬甸相鄰，陳中丞用賓撫滇，嘗欲與協力，圖緬夷爲郡縣，可得地數千里。事雖無成，然其國濱海，而可以陸路通無疑矣。程鵬起泛海求援，固屬說夢，即于公譏詆，亦未得肯綮于久爲禮官。暹羅爲入貢恭順之國，其道里圖經，何以尚未深究？

提督軍務

國初戎事俱寄于都指揮使司，其後漸設總兵，事權最重。今宇內文臣爲巡撫者，俱係添設，以故稱贊理軍務。不過贊助摠兵官戎機，如京營兵部大臣稱協理戎政亦然。其摠兵非掛將軍印者，則亦爲累朝添設，其同事巡撫，始得稱提督軍務，蓋舊時名號稍低昂而事寄，到今則一矣。武臣以摠兵官爲極重，先朝公侯伯專征者，皆列尙書之上。自摠督建後，摠兵秉奉約束，即世爵俱不免庭趨。其後漸以流官充總鎭，秩位益卑。當督撫到任之初，兜鍪執杖叩首，而出繼昜（易）冠帶肅謁，乃加禮貌焉。嘉靖中，即周尙文位三公，近日李成梁躋五等，亦循此規不敢踰也。正德之季，自稱大將軍摠督軍務，而江彬以平虜伯爲提督，及諸義子諸大璫亦稱之，武臣之有提督始此。近年朝鮮之役，寧遠長子李如松者，新從寧夏奏凱歸，再以大帥征倭，功名甚盛，意氣盈溢，不復肯修扶伏禮于宋經略，宋無如之何，始議加提督軍務，即以入銜。其相見時，用邊道見督府儀，僅素服隅坐，一切櫜鞬盡廢矣。武臣銜有提督，至此又見，時如松官止左都督。

提督如憲臣，視學政者部屬管差務者，內臣之奉勅管事者，錦衣兩司房之，管官校者皆得稱之，但帶軍務則重耳。楊邃菴初摠三邊，王陽明再起兩廣，楊次村節制援兵，亦稱提督，然事權則制府也。若武帥之重，則提督之外，如今上初，戚繼光在薊鎭以摠兵官加摠理，專司訓練，并督撫麾下裨將標兵，俱屬操演調遣，生殺在握，文吏俱仰其鼻息，則江陵公特優假之，非他帥得比。

整飭兵備之始

兵備官之設，始于弘治十二年，其時馬端肅文升為本兵，建議創立此官，而劉文靖健在內閣，則力阻以為不可。馬執奏愈堅，本年八月，始設江西九江兵備官一員，蓋以九江既管江防，又摠轄鄱陽湖防，故特以專勅令今按察司官領之。繼則湖廣之九永，廣西之府江，廣東之瓊州，四川之威茂，皆添設兵備，蓋皆邊方，多屬夷地也。其時事寄本不輕，此後以漸添設。至正德間，流寇劉六等起，而中原皆設立矣。至嘉靖末年，東南倭事日棘，于是江、浙、閩、廣之間，凡為分巡者，兼帶整飭兵備之銜。其始欲隆其柄，以鈐制武臣訓習戰事，用防不虞，意非不美。但承平日久，仍如守土之吏，無標兵可練，無軍餉可支，雖普天皆云兵備，而問其整飭者何事，即在事者亦茫然也。

賜四夷宴

本朝賜四夷貢使宴，皆摠理戎政勛臣主席，惟朝鮮、琉球則以大宗伯主之，蓋以兩邦俱衣冠禮儀，非他蠻貊比也。其侑席之樂教坊，供事兩國，尚循儀矩，侍坐庭下，若他夷則睢盱振袂，離坐恣觀，拊掌頓足，殊不成禮。所設宴席，俱為庖人侵削，至于敗腐不堪入口。亦有黠者作侏㒧語怨詈，主者草草畢事，置不問也。竊意綏懷殊俗，宜加意撫恤。本朝既無接伴、管伴之使，僅以主客司一主事董南北二館，已為簡略，而錫宴又粗糲如此，何以柔遠人？然弘治十四年，錦衣千戶牟斌曾上言：「四夷宴時，宜命光祿寺堂上官主其辦設，務從豐厚，再委侍班御史一員巡視。」

上從之。今日久制湮，不復講及此矣。斌于正德元年，以指揮僉事理錦衣鎮撫司事，坐救護官，廷杖三十，降湖廣沔陽衛百戶閑住，此後再起再廢，其人非庸弁也。

卷一二

趙文華薦賢

趙甬江少保，授任閱視征倭，首薦唐司直荊川順之，秦中允白厓鳴夏，俱爲兵部主事。唐負重名，有公輔望，未幾，得僉都御史，而歿于師中。秦至中途，彭城以亞夫之疾客死，不及用也。秦望非唐比，且以主試翟諸城，二子罷歸，此起亦屬幸事。然兩公以木天近臣，久抑林下，驟得賜環，不無色喜。少保倖臣，強顏薦賢，亦何異石亨之薦吳康齋，兩公出山雖顯晦稍異，而所就止此，不如康齋不拜之得也。

卷一七

殺降

嘉靖丙辰，倭酋請降。時督帥爲胡襄懋宗憲，許以不死，已上疏于朝。既而有流言謂：「賊首王直汪五峰者，與胡少保俱徽人，潛通重賂，貸其族誅。」胡悸懼無策。趙文華正以少保視師，勸胡追還前疏，盡改其辭，汪酋輩遂俱授首。

補遺

國家敗事，大臣伏法後，妻子俱流竄，在先朝有之，後俱及寬政矣。……近日樞臣石星，以東事壞，上謂其媚倭誤國，論極刑，妻子亦坐流徙，則數十年來僅見矣。

續編卷一

罪臣孥戮

（見上）

海上市舶司

太祖初定天下，于直隸太倉州黃渡鎮設市舶司，司有提舉一人，副提舉二人，其屬吏目一人，驛丞一人，後以海夷狡詐無常，迫近京師，或行窺伺，遂罷不設。洪武七年，又設浙江之寧波府，廣東之廣州府，其體制一同太倉。其後寧波尋廢，今止廣州一司存耳，蓋以寧波亦近畿甸，爲奸民防也。按：市易之利，從古有之，而宋之南渡，其利尤薄。自和好後，與金國博易，三處榷場，其入歲百餘萬緡，所輸北朝金繒，尚不及其半。每歲竟于盱眙，歲幣庫搬取，不關朝廷。我朝書生輩，不知經國大計，動云禁絕通番，以杜寇患，不知閩、廣大家，正利官府之禁，爲私估之地，如嘉靖間，閩、浙遭倭禍，皆起于豪右之潛通島夷，始不過貿易牟利耳。繼而強奪寶貨，靳不與值，以故積憤稱兵，撫臣朱紈談之詳矣。今廣東市舶，公家尚收其羨以助餉，若閩中海禁日嚴，而濱海勢豪全以通番，致素封頻年，閩南士大夫亦有兩種議論：福、興二府絕，漳、泉二府主通，各不相下，則何如官爲之市，情、法可並行也。況官名市舶，明示以華夷舟楫俱得住泊，何得寬于閩乎？況近年倭侵高麗，亦何曾問閩、廣海道也。

日本和親

李如松家塾師諸龍光，故浙江餘姚人也。受李氏恩豢已久，後復多所需求，李氏父子漸疏外之，龍光積忿未發。會如松奉征倭之命，先勝平壤道，後敗于碧蹄館。久戍朝鮮而封貢議起，如松附會文帥宋應昌及本兵石星，速成其事以結東征之局，此其情也。一時抑和主戰者議不得伸，漸謂軍中行賄媚倭。至甲午四月，且有和好結親之說，龍光遂借以傾李氏，上急變告如松私許日本與天朝和親，御史唐一鵬等信之，遂露章劾如松并東征在事諸臣，科臣喬胤因和之。上命訊之，寔無此事，下龍光究問主使之人。不得，法司擬以杖譴。上大怒，先命立枷，後遣戍。不數日，遂死三木之下。按：古來北〔虜〕與中國和親，惟漢、唐有之，未聞島夷敢萌此念。若云日本願獻，則高麗近其國，女子在祖宗朝自有事例，似亦可許。至于公主下降，則納幣勑宴，使定期，古來一一有故事，軍中安能僞餙以欺外夷？況倭奴狡猾，爲諸夷第一，非沈惟敬輩所能籠絡造爲，此說皆出東征失志遊棍流謗都中，而言路一二無識者，遽登之白簡，至紛紛爲諸龍光訟冤辱朝廷，而羞士大夫，真可痛恨，于文定與石司馬私憾，遂紀之華塵，以爲信然，失國體矣。

封事初壞，李宗城逃歸。上命急遣一科臣往，而皆憚行，群起諫止，上意已怫。會曹學程有和親割地之說，聖怒遂不可解，錮獄十年而始釋。蓋鮮倭本與國，其婚姻乃恒事，但訛言天朝，則可恨矣。①

註：

①「蓋鮮倭本與國其婚姻乃恒事但訛言天朝」，如據日本法學會雜誌第十五卷第四號所載「帝國編年史料」，豐臣秀吉入侵朝鮮之際，侵略軍所提示和談七條件的第一條的原文為：「和平誓約無相違者，天地縱雖盡，不可有改變也，然則迎大明皇帝之賢女，可備日本之后妃事。」由此可知，當時日方所要求者，係欲以明之公主下嫁日皇，故曹學程「和親」之說，並非信口開河。參看鄭樑生，明代中日關係研究，頁六一八～六五二。

經略大臣設罷

近年朝鮮告急，廷遣（兵部）侍郎宋應昌往援。時以總督爲不足重，特加經略之號。繼之者爲顧養謙、孫鑛、邢玠諸臣，遂皆因之矣。當倭事起，宋素無威望，物論無以閫外相許者，一旦特拔，議者蝟起，且謂事權過隆，不知前此己丑、庚寅間，鄭洛以尙書經略七鎭。時鹵（虜？）情叵測，方以洛爲孤注，故無人指摘之，而贊畫萬世德、梁雲龍亦一時之選，后皆以邊才致通顯。若宋所帶二主事，亦特賜四品服以示重，然俱潦倒遲暮。未幾，論罷，亦非萬世德等儔匹也。若丁酉年楊鎬以倭事經略遼東，以敗亡斥歸。至戊午年，鎬又以□□事再起，經略遼東，遂至三路喪師，此其罪又寸磔不足贖矣。前此則嘉靖庚戌，以鹵（虜？）至輦下，遣都御史商（商）大節經略京城內外，尤爲古今所無。尋又置三輔經略，以王忬、翁達、許宗魯充之，凡四年，俱革。

其後河南巡撫章煥經略中原，上大不懌，煥以他事見逐。然則經略之號，非文帥所易當也。

日本考

卷二

明李言恭、郝杰合撰，明萬曆間原刊本

朝貢

……國朝洪武四年，國王良懷①遣僧祖②朝貢。七年，復來，以無表文却之。其臣亦遣僧貢方物，不恪，却其貢，僧人發陜西、四川各寺居住。著爲訓，示後絕不與通。至三十五年③，復來。詔定貢期，約十年一貢。

太宗嗣登大寶，國王嗣立，受册封。④自是或二三年，或五六年，貢無定期，皆詔至京師，燕賞優渥，稛載而歸。是以其貢而來也于利，不于義，往往各道爭先受遣之爲幸。

正德四年，南海道刺史右京兆大夫細川高國強請勘合，遣使宋素卿貢。⑤正德六年，西海道刺史左京兆大夫內藝興強請勘合，遣使省佐貢。⑥

嘉靖二年，各道爭貢，國王源義植嗣位，幼沖，⑦勢不能制。大內藝興遣使宗設謙導⑧，西⑨

川高國遣使（鸞岡）瑞佐、宋素卿交貢，舶寧波港，互相抵（詆）毀。宗設謙導等特忿，執銃讎殺宋素卿伴從，追至紹興，所過地方，莫不搔（騷）動。

十年，復來貢。⑩二十二年，西海道遣使長門僧人福師駕舡三號來貢，一號遭風，壞于半途，二號救載壞舡人從返，止一舟行，沿松門衛，送至定海。詔令四十人朝見，燕賞如舊。⑪二十七年，復遣原使貢，却之。彼欲將貢物易貨載回，督海衙門不容，叱歸。⑫由此禁絕海商，以致海舡閣閣，商賈失務。

三十二年間，因而起釁，搆黨，犯津，作耗，浙、直大遭其殃。總制大司馬胡公，命謀士蔣洲、陳可願詣國，假詔諭以言歸，責于王。彼原不知，所犯作耗者，皆海內流商舡戶之類，非真倭也。三十六年，遣使僧人清守、清乘稱貢，⑬因其鎖貢無恪，誘比先年將二僧留在四川寺內，從伴令歸，自此每每拒絕不通。

註：

①「國王良懷」，此國王之為日本南朝征西府將軍，及「良懷」之為「懷良」之誤，參看本書頁二二五七，註③。

②「祖」，明史卷三二二日本傳作「祖來」。

③「三十五年」，此三十五年應是惠帝建文四年（一四〇二）。日本室町幕府第三任將軍足利義滿之遣

使朝貢，始於建文三年（一四〇一），非四年，而義滿之被冊封為日本國王，則係在永樂元年（一四〇三）。

④「國王嗣立受冊封」，此國王應係指日本室町幕府第三任將軍足利義滿而言。義滿嗣將軍職位於明洪武元年，而他之受太宗之冊封為日本國王，係在永樂元年遣釋堅中圭密一行朝貢之際。

⑤「正德年四年……遣宋素卿貢」，明武宗實錄、明史，及日本文獻史料，俱無日本於本年遣使朝貢之相關記載。素卿之朝貢中國，係在正德六年，正使為釋了庵桂悟。

⑥「內藝興……遣使省佐貢」，「內藝興」，日本文獻史料俱作「大內義興」，「省佐」，日本在明代遣往中國的正副使節裏，並無稱為「省佐」者。

⑦「植」，日本文獻史料俱作「稙」。義稙生於一四六六年，一四九〇年二十五歲時繼位，為室町幕府第十任將軍。嘉靖二年當時他已五十八歲，故不能言其「幼沖」。

⑧「導」，日本文獻史料俱作「道」。以下同此。

⑨「西」，日本文獻史料俱作「細」。

⑩「十年復來貢」，明世宗實錄、明史，及日本史乘俱無相關記載。嘉靖二年爆發寧波事件以後，至十八年始以湖心碩鼎、策彥周良為正、副使來貢。

⑪「二十二年西海道遣使長門……燕賞如舊」，明世宗實錄及日本史乘俱無相關記載，而明史日本傳亦僅言：「二十三年七月復來貢，未及期，且無表文。部臣謂不當納，却之。其人利互市，留海濱

不去。」而已。故本年即使有日本船隻至中國，亦屬私貢性質，與室町幕府無關。至於文中所謂：「詔令四十人朝見，燕賞如舊」云云，有違史實。

⑫「二十七年復遣原使貢……督海衙門不容叱歸」，日本於嘉靖十八年來貢後，於二十六年以策彥周良為正使，以四船六百餘人先期而至。因此，明廷乃欲其返國等候貢期。經當時浙江巡撫朱紈奏請後，方允其在定海外海的嶴山停泊，以待貢期。明年六月，周良復求貢，紈以聞。禮部以日本貢期及人數雖違制，但表辭恭順，去貢期亦不遠，若概加拒絕，則航海之勞可憫，而容其入貢。至於人、船逾額問題，參看鄭樑生，明嘉靖間浙江巡撫朱紈執行海禁始末，收錄於鄭著：中日關係史研究論集，第五集（臺北，文史哲出版社，民國八十四年四月），頁一～三四。

⑬「遣使僧人清守清乘稱貢」，關於此一時期日本遣使赴華問題，明史日本傳未見清守、清乘之名，但言：「蔣洲宣諭諸島，至豐後被留，令僧人山口等島傳諭禁戢。於是山口都督源義長具咨送還被掠人口，而咨乃用國王印。豐後太守源義鎮遣僧德陽等具方物，奉表謝罪，請頒勘合修貢，送洲還。前楊宜所遣鄭舜功出海哨探者，行至豐後島，島主亦遣僧清授附舟來謝罪。」

貢物

馬　盔　鎧　劍　鎗　腰刀　琥珀　硫黃　蘇木　牛皮

貼金扇　灑金廚子　灑金文臺　描金粉匣　灑金手箱　塗金粧彩屏風

抹金提銅銚　灑金木銚角盥　水晶數珠

貢船開泊

本國七道，三道額定造舩朝貢。南海道應貢土佐州造舩，至秧子塢開洋；山陽道應貢于周防州造舩，花旭塔開洋；西海道應貢豐後州造舩，五島開洋。但海外有秧子塢、養久山塢、葉落埠三島，乃海之咽喉。琉球及南海道貢舩，必由此而分行。南行係琉球，西行至大唐，惟西海道五島開洋，此島又爲秧子塢三島之總喉。西行至中華，北行至高麗，由此島至中國普陀山，隔海四千里。如得順風，五日五夜至普陀山。如風靜寧息，程途有限；如値逆風，卸却蓬帆，任其蕩行，力不可挽。倘不幸遭暴風壞之，復回本國造舡再行；如不壞舩，縱風不便，不過半月有餘，已到中國。來貢之舟，泊台州定海，請驗勘合，令其收拾兵器貯庫，移至寧波佳賓堂①，給贍住候。朝命詔至，留從伴一半守舩，一半入京朝見。寧波市貨，彼國缺者，肯重價買之，故此地若貢使至，得其利。朝罷，與各同返，燕賞之物，與守舩者均之。

註：

①「佳賓堂」，嘉靖寧波府志所附郡治圖，及策彥周良，初渡集俱作「嘉賓館」。

明名人傳

不著編人，底稿本，不分卷

提學唐守欽造

浙江忠義

孫商偉，字邦彥，富陽人。漢長沙太守鍾之裔。父世隆，任信陽州學正，夙以孝聞。偉，幼警敏好學，居恒以節誼自許。由貢抵京，同事周生病，傾身醫療。周卒，經紀其喪。還選福建寧德縣訓導。寧德濱海，倭奴猖獗。偉至，見城外居民患無儲胥，謂邑令曰：「彼鱗鱗者夫，非赤子也耶？宜樹柵以爲衛。」令心服焉。歲戊午，賊果至，城中震恐。獨東門衝，捍禦爲難。偉率弟子，日夜立陴間爲拊循，以是賊無可乘而解。閩士爭傳其義。賊陷鄰邑，獨以不得寧德爲恨，乃大舉入寇。百姓聞風逃遁，莫有鬬心。偉當門大呼曰：「敵而不勝，死尚首丘，矧我與令，一左一右，勝負未可必也。若等柰何輕去丘隴？」當道檄偉守東門，偉自任愈力，閩人諷令家屬歸，偉笑曰：「吾家先去，將搖士卒心。爾愛我，我不敢以家故負國，矢眾期在死守。」饟不足，繼以俸；卒少疲，代以僕；見者咸灑泣。令與守帥相顧曰：「人易儒官，今孫乃爾激烈，吾儕遑恤其躬，柰何食盡力疲？」賊復乘風縱火，肉薄登城，城遂陷。偉奮力督戰不休，乃被執，猶挺身不屈，罵賊不絕口。賊眾恨其強，至刃叢其腹而斃。時辛酉十月廿二日也。全帥亦同日死。先是，報遷孟津教諭，或謂乘此可免。偉喟然曰：「吾非不知，師無城守，然揔之皆人臣也，食祿避難，豈臣節哉！且同一圍中，更相爲命，吾獨詭以自脫，何面目見父老子弟耶？」偉素志如此，故卒死於難。是年福寧立偉廟，歲春秋祀之，額曰：「忠烈」。浙亦烈（列）祀于鄉賢。

廣東鄉賢　**提學陳鳴華造**

陳瑞龍，潮陽人。登嘉靖庚戌進士。由部署出守興化，一意拊循，問民疾苦。亡何，倭寇閩中，且逼郡境，乃操鄉兵，調糗糧，清野設伏。寇知有備，稍引去。尋值大祲，下令平糶，全活無慮數萬。値母訃治喪東歸，倭聞復率眾薄城下。城守危急，士民環府泣請當道移書，強起視事。乃爲縞素行師，調水軍與所部丁壯夾擊，賊棄城奔道。於是吳、楚、閩、越之間聞之，謂興化能移忠爲孝，得墨衰臨戎之義。然竟以哭母傷慟，疽發背死，士民至今傷之。游中丞聞之，歎曰：「古稱以死勤事，如陳興化幾之矣。」

廣東忠義

洪武二十四年九月是月，倭夷寇雷州遂溪縣，雷州衛百戶李玉，鎭撫陶鼎等禦之。賊勢猖獗，而官軍寡弱不敵，玉等皆戰死。上憐之，迺以玉子眞爲德慶千戶所鎭撫，鼎子貴爲潮州衛所鎭撫。

廣東名宦　**提學陳鳴華造**

林會春，惠安人。知新會縣。性清介，豪右請託不行。百姓有覆盆者，詣上官爭讞之林青天云。

新會瀕海，建新城以捍衛之，民至今賴其保障。爲政加意拊循，屛奸緝盜參年，夜吠不驚。時酋賊曾一本橫刼海溢，嘗過新會，戒毋入境，其威信見憚如此。廣海衛城爲倭寇所陷，死者相枕。會春冒污穢收積屍，立之義塚，仍措賙賑以甦殘丁逃亡，還集城雉復完廣海，至今祀祝之。

浙江名卿

提學唐守欽造

宣德十年五月，南京刑部侍郎俞士吉卒。士吉，浙江象山人。洪武末舉人。授山東兗州府學訓導。歲餘，陳十事切中時政，擢廣西道監察御史，出巡畿甸及湖廣，雪冤理枉，政績尤著。永樂初，署都察院事，陞右僉都御史。奉詔往朝鮮、日本二國，還奏稱旨，賜多衣楮幣。浙江水災，士吉偕戶部尙書夏言吉等往督農政，奏蠲糧六十萬石，復出粟以賑民。尋出知襄陽府，秩滿陞山東左參政。洪熙元年進詹事府詹事。宣宗即位，改南京刑部侍郎致仕。至是卒，賜葬祭。

浙江孝子

陳經孚，幼名興邦。平陽邑庠生。早失父，事母至孝。每出遇佳味，必懷歸以獻。娶妻得新衿，進於母，以其舊者自覆。嘉靖己未，海寇登刼，奉母奔凰浦。寇迫眾，棄舟走母，陷于塗，足不能舉。孚棄幼子扶母，以珥環買母命。寇重索不已，斮其耳及肩以死，左手扶母不放，母得不死。寇退，其從兄收屍，殯于墳庵。數日，寇焚庵，及棺而熄，人稱孝感云。巡按蕭奏聞，詔創額旌表。

福建

監察御史周維翰造

俞大猷，晉江人。原任後軍都督府都督同知。沉毅謙恭，智謀勇決。初習儒業，繼習武職，會舉第五。登庸樞府，即誓心許國。戮力籌邊，經百戰之勞，濱九死之險，水征，陸征，山峒征，並酧方略。山寇，海寇，盤菁寇，悉聽殲夷。平安南而徭狼歸，命撫黎土而生熟戴靈。所經有祠廟、思碑。九佩新印，三賜腰玉。四省蒙其庇，三朝嘉之。積爲家產，不滿千金，子姪均分。輕財養士，周貧恤親，所造有樓船、車攻等制。所著正氣堂集、續武經總要諸書，皆傳於世。蒙卹典，欽賜祭葬，贈左都督。

潘賜，浦城人。字文錫。天分絕高，抱志甚遠。永樂進士。出使日本，深得體，外國卑辭納款，謝約束惟謹，回獻德化書大典頌，太宗覽之稱善。命入史館，擢鴻臚少卿，再使日本，稱厥職。陞江西參政，以抗直落職。洪熙元年，起爲刑部主事。宣德癸丑，除鴻臚左少卿，賜織金麒麟羅衣一襲，寶鈔貳百錠。自賦云：「品制未還金孔雀，榮先先著玉麒麟。」仍賜日本，全節而歸。

江蘇名卿

永樂十七年二月，通政司通政趙居任卒。居任，應天府溧水縣人。洪武中，以耆老授通政司左參議，陞山東布政司左參議，再陞左通政。嘗奉使日本，其王贈以名馬、方物，悉郝(却)不受，上聞而嘉賚之。命往蘇、松治水，居任雖以清介自持而無恤民之心。在蘇、松十餘年，督治水及農務，每霖雨沒田禾，不待雨止，廣集民男婦，踏車出水，隨去隨溢，低田終不可救。高鄉之民困於其役，不得盡力農事，而居任恒以豐稔。至是以疾卒，民用慰悅。

古今義烈傳

明張岱撰，明崇禎戊辰（元年）會稽張氏鷗虎軒刊本

卷七

任僕

任兵憲環，初任蘇州府海防同知，倭暴至。中丞檄公以鄉兵五百徼截之，兵皆市人不習戰，遇賊輒鳥獸散。公方獨身從親信抵射賊，賊中勇敢者，奮持長刃，踰溝來擊公。公馬蹶，館人以己馬乘公，挾公上馬。時賊刃已着馬尾矣，館人乃反身搏賊，連被斫數十餘刀不舍，竟死，公得以間逸去。

贊曰：「纖纖賊刃，已着馬尾。公方據鞍，馬足未起。反身截殺，石用卯抵。急欲馬馳，死猶擊箠。蠶身脫主，宋之唐琦。」

王忬

王司馬忬，爲嚴黨所陷，下詔獄論死。山陰胡公朝臣亦在獄，意氣相得。一夕，胡愾嘆，王偵之。胡曰：「山荊書來，爲兒子畢姻，家無擔石，增忉怛耳。」王問：「幾許可了？」胡曰：「儉，

得六十金。」王曰：「是不難，當爲兄辦之。」至黎明，駕帖到，王公即時處斬。王公子世貞、世懋俱未至邸，家奴倉遑問家事。王弟曰：「我昨晚許山陰胡參政六十金了姻事。」

陳忠

嘉靖丁巳，江東陳忠，人以陳六呼之，係府軍衛中軍所捕役，應新江口操。家極貧，目不識丁。有膽力，能於江面浮游數里不倦。值倭至牛王河，與倭大戰，勝敗在頃。忽倭奴奇兵襲于後，忠稟曰：「事急矣！」乃負開府李公渡河。公感之，愛之，遂結忠爲義子，各畫一渡河圖以紀其事。未幾，李公巡歷淮揚，宿廟灣關王廟，忠宿于三里外。方就枕，忽夢襆頭牙笏，一神將寫一火字，仍指點其去路。驚醒時，漏下二鼓。喚起眾兵，巡至關王廟，見倭奴廟前放火。兵少不能戰，乃於廟旁拆墻救出李公，即傳四路兵，蜂擁而至。夜殺獲七十二級。李公大喜，累薦忠，功官至游擊參將。忠歿，子世文襲指揮僉事。

贊曰：「牛王河口烽烟急，濡首負公罵河伯。拍天風浪不敢沉，中流浮出鴟夷革。爲公護蹕夢不寧，襆頭象簡聲辟易。田單火牛已破燕，樓煩彎弓遇項藉（籍）。穿天出月救李公，火不能�水不溺。」

順陽

莊公顯遇倭寇，父棺爲倭所掘，同其奴順陽往收之。有二賊伏穴旁，急起砍君顯，順陽即抱其主伏于穴下，以身蔽刀。連砍數十餘刀，背裂不捨，遂至死。倭去，君顯得活。

贊曰：「賊刃利如犀，肝腦成粉虀。但知蔽主背，砍肉如砍泥。刀鋒湊軏族，敲骨敲玻瓈，嵇血不可浣，千年化赤圭。」

世廟識餘錄

明涂學詡撰，明萬曆間原刊本

卷一八

○倭寇自嘉興還屯柘林等處，進薄嘉定縣之採淘港，時以零賊薄城摽（剽）掠。會募兵參將李逢時、許國，以山東民鎗手六千人至，與賊相遇于新涇橋。逢時率其麾下先進，敗之。退居羅店鎭，官軍追擊之，擒斬八十餘人。已，追至採淘港，乘勝深入，伏起，我兵大潰，溺水死者千人，指揮劉勇等死之。初，新涇之捷，李逢時功最，許國恨逢時與之同事而不先約己，乃別從間道襲之，欲以分逢時功。會天大雨，而劉勇等兵先陷沒，諸軍繼之，倉卒不整，遂大敗。按：是時總督尙書張經自駐常州府，而遣兩參將勦倭。已，兩大不相制，而贊畫者爲南京兵部主事譚綸、盛唐，權不足以攝兩參將，任其爭功喜殺。每日率諸長鎗手出城揚兵，則斬民間禿者報捷。于是知縣楊旦，哭訴之督糧參政翁大立。大立言之贊畫主事，綸等謬解之曰：「兵氣欲揚，公柰何阻之也？」大立咈然起曰：「凡人一念是，可以動天感神，一念差，可以覆宗絕嗣，公等爲民剿賊，乃殺民當功耶？」綸等竟不聽，而益縱長鎗手恣意騷擾，奪民居棲宿，即米、鹽、醬、醋之類，俱被掠盡，民甚苦之。大立乃促之出兵，行羅店鎮。俄而雨大至，或勸之收兵。兩參將徑督之而前，始至採淘港，不見一倭，惟倭船數隻泊港，而皆以絮被蒙之。長鎗手彎弓亂射，終不動。比過午，海潮已上，諸港俱漫。賊十六人忽于蘆葦中躍出，橫刀滾入吾陣，長鎗手突亂，盡棄鎗走。臨港不得渡，自相殺或溺死，凡死者三千餘人。國史止據邸報書之，而云是役擒斬八十餘人，疑當時張經之誣奏如此。即所謂斬民間禿者首耳，實未嘗獲一真倭也。且出兵遇雨，兵書所謂沐屍雨也。而贊畫者昧而無忌，安得不取敗乎？

○遣工部右侍郎趙文華祭告海神，并察視江南賊情。初，文華條陳禦倭便宜，首稱遣大臣祭東海，至是禮部覆如其言。上以問大學士嚴嵩，嵩言：「南賊據擾蘇、松二載，設官調兵，未見實效，屢次奏報，或多失實。宜依部覆，遣大臣往祭，宣布朝廷德意，令察視賊情，訪求可以區處長策，具實奏聞。其所差官，或即用文華亦可。」上乃命文華往。文華本嵩私人，及是復自以奇袤術得幸于上。既出，憑寵自肆，所睚眥，立摧仆之，百司無不望風震慴，奔走供奉恐後。時公私財賄，填入其室，江南爲困弊焉。至于牽制兵機，顛倒功罪，以致紀律大亂，戰士解體，雖徵兵半天下，而賊勢愈盛，皆嵩引用匪人之罪也。按：國史以文華素稱小人，又爲嵩所薦，其視師貪狠之迹，幾描寫殆盡矣。顧江南當兵興時，士享承平，人習豢養，因循玩愒，無肯爲朝廷出氣力者，以故師老兵疲，地方殘創益甚。文華一出，以貪，故督撫諸臣皆畏之如虎，不敢不效命恐後，始間立戰功。至于戮張經，而用胡宗憲，卒收全績，似難掩其詭遇獲禽之功，不可概以平生而盡抹殺之也。

○己酉，詔錦衣衛遣官校逮總督南直隸浙福軍務右侍郎都御史張經，及參將湯克寬，械繫來京問，以侍郎趙文華劾其畏巽失機，玩寇殃民故也。倭自去歲據松江柘林、川沙窪二處爲巢，縱橫肆掠，周迴數百里間，焚屠殆遍，水、陸兵無敢進者。本年三月初，廣西田州土官婦瓦氏，及東蘭、南丹、兒①地、歸順等州狼兵六千餘名，承經調至。狼兵輕慓嗜利，聞倭富有財貨，亟欲取之。居民亦苦倭寇暴，朝夕冀倖一戰。文華既至嘉興，屢趣經亟檄狼兵剿賊。經曰：「賊狡且衆，今檄召四方兵，獨狼兵先至耳。此兵勇進而易潰，萬一失利，即駭遠近觀聽，姑俟保靖②、永順兵至，合力夾攻，庶保萬全。」文華再三言，經終守便宜不聽。文華乃疏言：「經養寇糜財，屢失進兵機宜，惑于參將湯克寬謬言，欲俟倭飽載出洋，以水兵掠餘賊報功塞責耳，宜亟治以紓東南大禍。」疏至，上以問大學士嚴嵩。嵩具對如文華言，且謂：「蘇、松人怨經，不可復留，宜與克寬俱逮京訊鞫，以懲欺怠。」經、克寬遂併得罪。尋陞應天巡撫右僉都御史周琉爲兵部右侍郎，仍兼原職，代經總督。經已就逮，以平望王江涇大捷來聞。于是兵科都給事中李用敬，給事中閻望雲、顧弘濳、袁世榮、高敏學等因言：「經選（巽）懦失事，罪之誠當，但今獲首功以千計，正倭奴奪氣，我兵激奮之時，宜乘勢搗柘林、川沙窪之巢，以殲醜類。若復易帥，恐悞機會，請姑召還錦衣使者，待進兵後，視其成績與否，從而逮經加罪，未晚也。」

上覽疏大怒，手批之曰：「張經欺怠不忠，聞文華之奏方此一戰，是何心也？此輩黨奸惡直，沮法怨上，罪不可貸！」乃命錦衣衛執用敬等，各廷杖五十，黜爲民。已而上心疑之，以問大學士嚴嵩。嵩言：「此事臣昨問臣（徐）階，臣本二臣，松浙人以鄉郡被慘，聞見甚真，皆言經養寇損威，殃民糜餉，不逮問，無以正法。昨狼兵初至，氣銳，經禁久不進，瓦氏憤曰：『我自備軍糧，不效尺寸，何以歸見宗黨？』及賊逸甚多，地方震恐，文華憤不能平，與御史胡宗憲合謀督兵追賊，經聞繼至。今次文華誠忘身殉國，然必藉巡按力。宗憲勇敢，有膽略。親擐甲臨戎，以致克捷。此實上天垂祐（佑）所至。皇上昨諭欲遣官賜文華銀幣，以壯彼威，仰見聖明激勵臣工至意。但御史宗憲功同，希亦賜一賞，使彼地之人，知日月之明，無遠不照，功者勸，罪者懼矣。」上乃諭禮部曰：「昨文華不言賊情，未免有誤，可令竭忠督討，仰贊玄威。其遣衛官一員，齎賜文華大紅金綵錦雞紗衣一襲，銀六十兩；御史胡宗憲，協心王事，賜銀三十兩，綵段二表裏，可即行給發之。」方文華疏有云徵兵四集，未有進戰之期，蓋經以兵機貴密，文華、宗憲輩佻淺，不輕與言耳。今戰勝，嵩乃言文華、宗憲合謀督兵，擐甲致捷，經聞乃至，殊失事實。然狼、土兵寔服經名，經被逮，衆志即泮渙。周珫、楊宜皆庸駑，非濟變才，且制受文華、宗憲，由是倭患日新，而狼兵復爲地方所苦，東南事愈不可爲矣。按：經爲文華所訐，故史臣欲輕文華而軒經，或誤于所聞，以是持論稍稍失平。經駐江南時，受有司供億，僭侈無度，其飲食俱用銀器，所至騷然。自採淘港一敗，遂按兵不舉，已爲文華所促，至有王江涇之捷，此豈有主憂臣辱之念？然已無救于敗軍殺將之罪矣。故上毅然誅之，而三輔臣亦大恨其誤國。當經被逮入京，望門行賄，動以詎（鉅）萬計，即嵩亦不之納，況徐階、李本親見桑梓之荼毒者乎。傳聞異詞，不可以不□也。顧王江涇之捷，亦有桑榆之功，或赦其一死，此亦法外之仁也。

○巡撫應天都御史曹邦輔，以剿滅蘇州滸墅關倭寇聞，且言：「連年倭患，其來必糾連大衆，多者數千，少亦不下數百。其登岸刼掠，近則百里，遠不過千里，未有以五六十餘之賊，深入內地，轉戰數千里者。且其所過，屠戮極其慘烈，使不即殄滅，得以遯歸，彼已習知內地虛實，將來招引醜類，爲禍殆未可量。所據僉事董邦政，聞命疾趨，躬履行陣，横犯鯨鯢之衆，不旬日而芟刈之，真可謂奇功也。請亟加褒錄。」總督浙直侍郎楊宜，亦報捷如邦輔言，復參邦政雖有斬馘功，然實故違節制，當罪。督察侍郎趙文華又言：「柘林餘賊復巢陶宅，臣同浙江巡撫胡宗憲，督兵四千來松江會剿。而應天巡撫曹邦輔，僉事董邦政，不協力進兵，顧乃避難趨易，僥倖功捷，乞加懲究。」疏俱下兵部。部覆：「文華所謂趨易，蓋所指蘇州之寇而言，所謂避難，蓋指陶宅之寇而言。竊計二寇多寡雖殊，比量聲勢，不宜分難易論。若使合而爲一，以流刼者之慓悍，濟屯聚者之蕃衆，未免復滋蔓難圖。乃今蘇州之寇，剿滅無遺，陶宅之寇，勢孤□沮，驅險爲易。今第宜令董邦政戴罪自效，務將陶宅之寇亟行殄絕，事平之後，總校功罪，然後賞罰可得施也。」詔下邦政于總督都御史逮問。初，文華聞蘇寇且滅，趨赴蘇，欲攘其功，比至，則邦輔業已先奏捷矣。文華遂大怒，乃以陶宅寇患委罪邦輔、邦政參之，復嗾宜排邦政。宜心知邦政功，懼失文華意，故矛盾若此。

○上深以南寇爲憂，疑趙文華前言零寇不實，屢以問大學士嚴嵩。嵩曲爲營解，上意終不釋，文華聞而大懼。時吏部尙書李默，頗與嵩爲異同，文華自江南旋，恣睢暴戾，公卿多所凌侮，無敢抗者，獨默以盛氣臨之。楊宜既罷，嵩、文華雅欲以胡宗憲代，默復推舉王誥，由是嵩、文華惡默滋甚。及是文華謀所以自解者，稔上喜好告奸，反摘默部試選人策，自有漢武唐憲，以英睿興盛業，晩節乃爲任用匪人所敗等語，指爲謗訕奏之。因詭言：「臣受皇上重託，爲人所嫉，近奉命還京，臣計零寇指日可滅，乃督撫非人，今復一敗塗地，皆由默恨臣前歲劾其同鄉張經，思爲報復。迨臣繼論曹邦輔，則嗾給事中夏栻、孫濬媒孽臣及宗憲，黨留邦輔，延及半年，地方之事大壞。昨浙直總督又不推宗憲而用王誥抵塞。然則東南塗炭，何時可解？陛下宵旰之憂，何時可釋也？默罪廢之餘，皇上洗瘢錄用，不思奉公憂國，乃懷奸自恣，敢于非上如此，臣誠不勝忿忿，昧死以聞。」上覽疏大怒，詔禮部、三法司及該科參看，覆稱：「默偏執自用，失大臣體。至其策目所引漢唐故事，尤非所宜」言上。以其語涉黨護，切責尙書王用賓等，各降俸三級，而下默鎭撫司拷訊。刑部尙書何鰲遂坐默比擬子罵父律者絞。上：「律不著臣詈君文，謂必無也。今有之，其加等處斬，錮于獄。」隨諭吏、兵二部曰：「南賊一事，不宜坐視。人臣都不盡忠，文華非告密者。楊宜已□□去冠帶爲民，曹邦輔令巡按御史逮繫來京問此。任便推補王誥不必去，令仍舊職。胡宗憲陞兵部左侍郎，兼都察院左僉都御史總督軍務。尋陞湖廣按察使張景賢爲右僉都御史代邦輔。默竟瘐死獄中。默博雅好文，偶鄉人陳全之者，爲禮部祠祭司郎中，作歲終類奏災異，疏辭頗紕謬。默見而醜之曰：「此豈提學之選耶？」會默推全之出補，全之大恨，以爲非格。既受諜（牒）出京，適文華視師還，全之以門生謁之潞河舟中，乃告默所出策題。已，文華詣默，求爲兵部尙書，默不答，第微哂而已。以是文華銜默刺骨，遂上誣以謗訕。時默已加翰林學士召入西內，同勳輔諸臣撰文業，有進閣之望矣。顧讒人一搆，竟陷不測。而是歲彗星犯太微垣，上實欲以默當之也。

○罷工部尙書趙文華回籍，以刑部尙書歐陽必進代之。是時上欲先建正朝門樓，責成甚急。文華雖慓狡，實無應卒理劇才，不能以時奉旨，上滋不懌。且稍聞其連歲視師江南，黷貨殃民，要功僨事之詳，欲黜免之。重違大學士嚴嵩意，乃先諭嵩，門樓辦料何遲？該部不專管所致。文華怎似不若昔者？嵩爲回護，言該部正官事繁，即今門樓木石料俱集，須欽命侍郎及該監官各一員專管。文華昨歲冒暑南征致疾，似非旬月可愈（癒），若二侍郎俱有差，部事缺人管理，須添設侍郎一人協理之，蓋嵩猶未知上意也。於是工部疏請如嵩指。詔以侍郎雷禮，太監袁亨管理營造，仍添註工部侍郎一員，命禮部推擇以聞。吏部乃以署通政司事工部侍郎盧勳，及嵩子世蕃名上。世蕃時以工部侍郎掌尙寶司事也。上點用勳，文華隨上疏請暫命侍郎署印，賜假靜攝旬月，稍可即出趨事。上曰：「今大工方興，司空乃其本職，趙文華既有疾，其令回籍養病。即推勤能堪司空任者以聞。」吏部以必進應詔，上疑其年老，以問嵩。嵩曰：「必進雖年六十，精力尚健。前重城時，必進任工正，區處諸事著有成績。」上乃用之。已，遣給事中鄭國賓，御史宋儀望監視公程。上既稔知文華罪惡，雖斥去，意猶未平，而言官無攻發之者，上意無所洩。會其子懌思請假送親回籍，是時以聖旦祈典停封事，朔日終止。懌思遂以晦日具疏，計御覽在朔日，吉期外矣。上因以是為文華罪，曰：「文華吉脩限內稱疾，欺藐已甚，況殺無辜生命，朕大宥之，以勸後任事者。而其子疏擾，乃明書二十九日，是為故冒吉期，不敬君上至矣。」文華黜為民，懌思發邊衛充軍。因詰禮科失糾令對狀，都給事中謝江，右給事中鄭國賓，給事中周啓大、操守經、陳麟、楊乾亨俱引罪；上責其黨護同欺，而猶飾辭以對，命錦衣衛執詣端門杖之，俱黜為民。上乃以文華江南諸不法罪狀示大學士嚴嵩，且諭以勿以子弟而掛念焉。嵩惶恐對：「文華平日任情作事，不令臣知。昨歲南征獲功，臣為之喜，不意近日人言過失多端，誠如聖諭。然彼時實未有與臣言者。皇上不加誅殛，曲從寬貸，以來後人任事，誠天地生全之德。臣係師生，不能捄正，又不能早知以告皇上，臣罪無可解。所以日來惴惴懷懼，非掛念于彼也。荷皇上俯鑒臣衷，猥加諭慰，臣無任感幸。」初，文華憑嵩資要結上寵，已，進方士王金所製仙酒，謂服之可延年，且言臣師嚴嵩以常服是酒得壽。上問嵩，嵩曰：「臣少多疾，今叨狗馬之年，實不知所自，非關仙酒也。」嵩退，詰文華何誣罔至此？上以文華言無實，意寖疏之。又一夕，遣中使至其第，賜文華衣一襲。適文華飲世蕃所，乘醉歸，拜賜倉皇，不能成禮。中使還，以聞之於上，上滋不懌。而會言官言其在江南貪肆狀，初雖不信，已，覺之。嵩雖私文華，然憚上威嚴，不敢爲之掩護，以至于敗，亦有天意。先是，文華既陷李默，指默所居無逸殿直房，謂禮書王用賓曰：「公何不令人滌除之？吾旦夕且與公贊直矣。」其口之不檢多此類。文華所患水蠱症日久，後被斥登舟，偶以手捫其腹，忽裂，五臟悉出，死，此妄殺生人之祟也。

○初，錦衣衛經歷沈鍊以論嚴嵩父子，發口外爲民，編籍宣府之保安。鍊自負狂直，悻悻不得志，乃開書院招四方遊士，講論公議朝政得失。凡遇縉紳往來，必斥毀嚴氏父子。或時馳馬至居庸關下南望，戟手唾罵，繼以慟哭，人咸以爲顛。又傳檄京師，欲起義以清君側之惡。時文華既得罪嵩父子，疑懼思以自保。會有人以鍊狀來告者，嵩父子亦懼，欲殺鍊以滅口。乃授指宣大總督楊順圖之。順，故憸狡以賂嚴氏進用，且邊事日壞，方倚嵩父子爲庇覆。聞指即勃焉以殺鍊（練）爲己任，密語巡按御史路楷，啗以事成嵩且酬以京擢，楷亦許諾。時捕獲蔚州衛妖人閻浩、楊胤夔等，皆以白蓮教術蠱惑遠近，出入虜地，與丘富、喬源等爲奸者辭所引，及株蔓甚眾，緝捕遍于山、陜、畿南諸處。順因與楷謀，即以此陷鍊（練），誣浩等師事鍊（練）浩等，煽妖作奸，勾虜謀逆，咸鍊（練）教詔之內，并搆鍊（練）子襄諸不法事，具獄詞奏之，請誅鍊（練）、浩等，而賞諸有功者。疏下兵部。時舉朝知其誣枉，無不駭嘆。尚書許論依違自顧，竟悉如順、楷議覆之。得旨，令巡按御史即時斬決鍊（鍊）等。逮鍊（鍊）子襄戍極邊，廕順一子爲國子生，陞巡撫張鎬三品服俸，凱俟京堂缺陞用。參將王誥守備，羅鎧分守參議，朱天俸分巡僉事，許用忠經歷，金紹魯及家丁胡汝清等十五人，皆以捕獲及訊擬功陞賚，有差。初，鍊（鍊）居大同，凡督撫諸臣以其言事被譴，頗貌敬之，或時有饋餉。會大同告急，上日夜憂危之，而順方殺平民奏首功，蒙上陞廕者屢矣。而獨畏鍊（鍊）口不靖，則以貨遺之，冀密護其短。鍊（鍊）逼日遺順詩曰：「殺生報主意何如，解道功成萬骨枯。試聽沙場風雨夜，冤魂相喚覓頭顱。」順得詩大懼事露，遂一意圖鍊（鍊），欲殺之。乘白蓮教起，乃搆鍊（鍊），亦陷之于死。雖自爲計，而其逢迎嵩意以殺鍊（煉）尤慘。不知天下之耳目甚多，恐至愚者不如是拙也。隆慶初，鍊（鍊）始蒙卹錄，而併其子襄，亦有文貌，大不類鍊（鍊），以貢資官至知府。

○總督浙江福建右都御史胡宗憲，以擒獲海寇王直等來聞。直本徽州大賈，狎于販海，爲商夷所信服，號爲汪五峰。凡貨賄貿易，直多司其質契。會海禁驟嚴，海壖民乘機局賺倭人貨數多，倭責償于直。直計無所出，日憤恨海壖民，因教使入寇。倭初難之，比入，則大得其利，於是各島相煽誘，爭治兵艦，江南大被其害。已而中國召集四方勁兵禦倭，往往遭損傷，有全島無一人歸者。其死者親屬，亦復咎直，直恐，乃與諸中國商若王激、葉宗滿、謝和、王清溪等，以其衆屯五島洲自保。激，寧波人，號毛海峰。宗滿，號碧州；謝和，號謝老，與王清溪皆漳州人，悉節年販海通番爲奸利者。宗憲與直同鄉，習知其人，欲招之。則迎直母與其子入杭，厚撫犒之。而奏遣生員蔣洲等，持其母與子書往諭。以意謂：直等來，悉釋前罪不問，且寬海禁。直等大喜奉命，即傳諭各島，山口、豐後等島③主源義鎮等亦大喜，乃裝巨舟，遣夷目善妙等四十人，隨直等來貢市。以十月初至舟山之岑港泊焉。是時浙東西傷于倭暴，聞直等以倭船大至，則競言其不便。巡按浙江御史王本固，奏直等意未可測，納之恐招侮。于是朝議鬨然，謂宗憲且釀東南大禍，而浙中文武將吏亦陰持兩可。直既至，覺有異，乃先遣滶見宗憲問曰：「吾等奉詔而來，將以息兵安邦，謂宜信使遠迓，而宴犒交至也。今兵陣儼然，即販蔬小舟，無一近島者，其詒我乎？」宗憲委曲諭以無他。而夷目善妙等，見副總兵盧鏜於舟山，鏜誘使縛直等。直大疑畏，宗憲百方說之，直終不信。曰：「果不欺，可遣滶出，吾當入見耳。」宗憲即遣之，直黨仍要中國一官爲質。于是以指揮夏正往。直與宗滿、清溪來見，宗憲好言慰之，令繫按察司獄，具以狀聞，請顯戮直等正國法，姑准義長等貢市，永消海患；或曲貸直等死，充沿海戍卒，用繫番夷心，俾經營自贖。御史本固闇於事機，力以爲未可，而江南人洶洶，言宗憲入直、善妙等金銀數十萬，爲求通貢貸死。宗憲聞之大懼。疏既發，追還之，盡易其詞，言直等寔海氛禍首，罪在不赦。今幸自來送死，寔籍（藉）玄庇，臣等當督率兵將殄滅餘黨，直等惟廟朝處分之。時直等二人來，留王滶、謝和在舟，本固復言諸奸逆意叵測，請嚴敕宗憲相機審處，務令罪人盡得，夷不爲變。于是嚴旨責宗憲擒剿。宗憲大集兵艦，環夷舟守之，夷挾貨無所售。既索直等不見，出兵艦逼之益急，乃揚言責中國渝約，數出怨懟語，移舟據舟山爲固。宗憲仍時以好言相支調云。按：初，倭人（以下闕文）。

註：

①「兒」，明世宗實錄，卷四二四，嘉靖三十四年七月癸巳朔丁巳條作「那」。

②「靜」，前註所舉書同年同月同日條，及明史，卷四四，地理志，湖廣・浙江條俱作「靖」。

③「山口豐後等島」，山口屬中國地方，豐後則在九州，俱非島嶼。

卷二〇

○先是，巡按浙江御史王本固，南京御史李瑚，各參劾總督浙直都御史胡宗憲岑港養寇，溫、台失事掩敗爲功之罪。詔下查盤科道官羅嘉賓、龐尙鵬從實覈報。至是，嘉賓等奏覈：「岑港倭凡五百餘人，于三十六年十二月隨王直至，求市易。及王直被擒，見官兵滞逼燒船，上山據險屯駐。至三十七年七月間，攜帶銅（桐？）油鐵釘，移駐柯梅造舟。至十二月舟成，於十三日開洋去訖，今泊福建浯嶼。其溫州三十七年之寇，則自三月間至，流刼樂清。瑞安、永嘉、平陽等境府城，及瑞安、樂清二縣，盤石、寧村等所皆被圍逾月，殺指揮劉茂、朱廷鑰，千戶周賓，百戶劉源、季爵、秦杭，鄉官僉事王德，醫官王崇大等。至六月初，由飛雲港等處開洋而遁。其台州之寇，亦同三月，乃由松門澶湖登岸，流突臨海、黃岩、太平、仙居、寧海、天台等境，且徧府城及太平縣城，數被攻圍。觀海衛百戶陳椿，太平縣典史葉宗，皆死于賊。至五月十九等日，自洋現大清開洋而去。天台有遺倭潛突仙居、臨海，知府譚綸督兵夫逐捕。至六月初六日，擒斬盡絕。以上岑港、溫、台失事始末，大都如此。至於文武諸臣功罪，如參將戚繼光，剿賊無功，通番有跡；參將張羅，不能邀截，縱寇復逞；把總劉英，遺賊酒米，信地失防，所當重究；原任參將張鐵，寧村失守，全軍覆沒；把總梅魁，遇賊先逃，喪師罔恤；千戶朱光，透漏軍機，按兵縱寇；千戶王世臣、朱諫，聞警委舟，臨敵撤防；指揮劉大有、胡鎮、李荀等，千戶張輔等，百戶高世安等，志切保身，望風奔潰。以上諸臣，均當重究。副使袁祖庚、曹金等，機宜弗審，制禦全疎，但已經革任，似應免究。兵備副使陳元珂，擁兵自衛，防守不嚴，所當降調。先任海道副使，今陞巡撫王詢，綜理雖乏先事之防，而失事則在離任之後，似應寬處。至若總督浙、直、福建都御史胡宗憲，柔佞憸人，奸邪巨蠹，欺君誤國，養寇殘民。岑賊移駐柯梅，自焚舟廠，全浙所共知也。乃稱官兵攻剿，而妄行奏報，欲飾其玩寇之愆；溫、台極被創殘荼毒，人心所共傷也，乃稱斬獲數多，而更以捷聞，求掩其殃民之罪。擁勁兵以自衛，惡聞警報之宵傳。罪將領以文奸，專冀本兵之內召，廉恥掃地，沉緬喪心。捧觴拜舞于軍前，而伏地歡呼，贊趙文華爲島夷之帝。攜妓酣飲于堂上，而迎春宴客。視總督府爲雜劇之場，萬金投款權臣，而醉發狂言，畢露其彌縫之巧。千里追回章疏，而旋更清節，曲致其欺罔之私。納賄弄權，出犴獄之巨奸。若盜賊朱光等，權倖將領，專官給餉，縱滑稽之武弁。若指揮陳光祖，富擬陶朱。貪黷因仍，征輸繁急。喜通夷情爲得策，啓軍門倭主之謠。指扣侵邊餉爲長規，有總督銀山之號。招藝流而厚加豢養，盈庭皆狗鼠之雄。假贊畫而陰爲利謀，入募（幕？）悉衣冠之盜。蔑視法典，溷亂官常，此一臣者，宜置（寘）之重辟，以用彰天討，洩人心之憤恨者也。」疏下兵部議，得旨：「繼光、羅英革任，仍同鐵、魁等下按臣逮問。祖、庚等免究。元珂降調，宗憲、詢策勵供職。」按：是時宗憲以王直功爲時宰所忌，故言官阿旨論之，而聖明終不之罪也。

○贈故兵備右參政任環爲光祿寺卿，命有司建祠蘇州府，以時致祭，仍廕一子原籍衛所副千戶。環，山西長治人。嘉靖二十三年進士。知滑縣，陞蘇州同知。倭寇犯境，環身率疲卒，感以忠義，屢擊賊敗之，前後俘斬甚眾。以功陞僉事加副使右參政，俱仍舊任。還志欲平倭，衣服皆自識其名，勢必死賊。賊猝犯蘇州，諸城門皆閉，郊關避寇者不得入，繞城號泣。環按劍洞開諸門，全活以數萬計，蘇人德之。後以母喪守制，卒于家。至是，吏科給事中徐師曾，請贈官秩祀，以報其功，故有是命。按：環，故忠義士，能不避艱險，遇賊直前，乃其所長，國史敍其俘斬甚眾，恐非實錄。

○南京鎮武營兵亂，殺督儲侍郎黃懋官。舊例：南京各營官軍月米，有妻者一石，無妻者減十之四。春秋二仲月，每石予折色銀五錢。及馬坤爲南京戶部尚書，奏減折色銀爲四錢，諸軍始怨。懋官，性刻削，每月各衛送支冊，必詰其逃亡多寡。又奏停補役軍丁妻糧，諸軍益不堪。是時坤已召入爲戶部，代之者尙書蔡克廉，病不事事。比歲大侵，米石至八錢，軍中爭求復折色，頗不見理，每月常以初旬給各軍糧，是月已再旬，懋官猶未支給。是日，振武營軍操期。振武營者，南京兵部尙書張鏊以海警創設者也。初議選各營精銳，不足，乃益以四方趫健。然京卒怯脆，中選者不及十二，所團集大抵皆惡少、遊手、無賴者。晨集將赴操，遂鼓譟圍懋官第。懋官聞變，急踰牆出，因仆地不能起，諸軍競前撲殺之，懸其屍于市，痛加詬辱。仍大呼脅兵部尙書張鏊求賞。鏊錯愕不能應。會誠意伯劉世延趨至，諭曰：「爾輩但求賞，易耳，能從我，惟爾所欲。」衆稍定。翌日，九卿科道大會於內，守備廳兵部侍郎李遂揚言曰：「昨黃侍郎之變，遂親見其越墻死，各軍特不當殘辱之。當據此聞奏，不得稱叛。」因麾亂軍退。衆求賞，遂叱曰：「今日之事，若求復妻糧、月糧原額即可得，求賞不可得。朝廷在上，爾輩欲何爲者？」乃令人各給銀一兩，以補折糧餉，始散。按：是時李遂以不稱叛慰叛軍，亦得權宜解散之術。大都士大夫偶遇猝然之變，惟神氣鎭定，則兇邪自消矣。

〇南京戶科給事中陸鳳儀，劾奏總督胡宗憲欺橫貪淫十大罪。大略言：宗憲本與賊首王直同鄉，其所任蔡時宜、蔣洲、陳可願等，皆賊中奸細。方直挾倭衆突岑港，賊衆無幾。而宗憲按兵玩寇，資以牲廩，廢防檢，交質往來，乃許直海防之任，與爲誓言，非皇上斷以必誅，神人之憤，安可雪也？而宗憲乃自立報功，廟宇吳山。欲既滿，縱飲長夜，坐視江西、福建之寇，不發一矢，徒日取驛遞官軍民錢糧，而斬艾之朘削之。督府積銀如山，聚奸如蝟，如鄉官呂希周、田汝成、茅坤輩，皆游舌握槧，遞爲門客；又且宣淫無度，納鄉官洪楩之女爲妾，通事夷來往健步，徐子明之妻皆出入督府，通宵無忌。至如扣剋上供歲造段疋、銀兩，濫給倡優、市販，職官劄付，軍器官廠，私送鄉官；調發官軍，原籍守宅，尤其干紀亂常之甚者也，乞皆顯斥。」疏下吏部，請丁巡按御史勘報。上特命錦衣衛械繫至京問。于是浙直總督缺遂罷不補，而以都察院左都御史趙炳（然）爲兵部右侍郎，兼都察院右僉都御史，提督軍務，巡撫浙江。按：倭起東南時，人皆以王直爲之發蹤，而議以得直首即封侯。不吝比宗憲既擒直殺之，而書生之論顧不以爲功，而以爲罪，亦可笑矣。蓋宗憲專倚嚴嵩父子爲奧援，故厚賂嚴其室，而他輔不如也。嵩父子既敗，宗憲喪家狗耳。而言者反指宗憲爲直黨，非聖明洞燭，宗憲之要領能保全哉？三代以下，有豪傑，無聖賢，故規行矩步，必不能集事，而使貪使詐，或可以樹功，此宗憲之大都如此。善乎！王守仁附聖賢爲豪傑，良知之學，安可不講也，封伯從祀所由矣。

〇丁丑，錦衣衛逮胡宗憲至，請旨處分。上曰：「宗憲非嵩黨，自御史至今，朕皆陞用任事，已八九年。三星上玄瑞，近上玄秘，皆致一手字數載，無言伊過。近自鄒應龍，初亦未專爲國，群邪朋害，大臣罷斥者不少。既知諸人欺君，何俱不早言，今日乃言之不已？宗憲不自愼，致遭奏擾。但王直原本兵議示獲者五等封官，今刦（却）加罪。後來誰與我任事？其釋令閒住！」按：上之神武不殺多此類，非群臣齷齪所能測也。

卷二三

○福建巡撫游震得，以去年十月倭寇攻陷興化府狀聞。初，賊至，先犯邵武，殺指揮齊天祥；轉掠羅源、連山（江？）等縣，殺遊擊將軍倪祿；遂攻玄鍾所城，及寧德縣，入之；乘勝直抵府城。會都督劉顯兵未至，賊遂襲入城，殺同知奚世亮等。又分兵攻陷壽寧、政和二縣。乞亟命該部計議處兵食，浙直總督發兵應援。部覆：「賊以旬月內連破數城，如入無人之境，帥府而下職守謂何顧事急之際，請姑令帶罪立功。其各省援兵，請調浙江新募義烏兵一枝，以戚繼光統之；江西兵一枝，令撫臣自擇良將應援。仍起丁憂參政譚綸，以原官兼按察司僉事，統浙兵千百人，與都督劉顯，總兵俞大猷同心共濟，以收奇功。及廣東南澳為此賊淵藪，宜令兩廣提督張臬引兵搗之，使賊無所歸。以其地丁料、屯鹽諸錢穀約二十萬餘兩留用，以佐軍興。仍令南京兵部發馬價銀十萬兩濟之。本部仍備銀十萬兩候緩急督發。」上悉命如擬行。因奪震得及文武大小諸臣俸，許其自效；譚綸等依擬用；戚繼光、劉顯，各令奮勇建功，以副委任。乃誡浙江巡撫趙炳然，江西巡撫胡松，兩廣提督張臬，各協力策應，無分彼此。按：震得身任福建巡撫，見倭陷郡縣，敗兵殺將，而疏報略無引罪之言，而廣求應援，分責他人。幸上不加震怒，而姑奪其俸，亦幸矣。

卷二四

○浙直總督侍郎楊宜駐蘇州，嘗行牌有「仰都督同知沈希儀，會海防同知任環作速剿賊」等語。

希儀執牌入軍門，詰宜曰：「制以五府加六部，上都督官何人可仰乎？有一品衙門會同四品衙門之例乎？」楊語塞，而希儀遂劾罷。按：希儀故廣右名將，其調至江南，已非其熟路，決不肯出手以自損重名，而又遇宜等不諳朝體如此，安望其收平賊之功也。

卷二五

○先是，浙直總制胡宗憲，以侵盜軍餉爲言官所劾，宗憲以書抵所親羅龍文，賄求嚴世蕃爲內援，書中自擬旨以屬世蕃。會世蕃被罪，書未達，仍匿龍文所。既伏誅，巡按御史王汝正奉詔籍其家，得宗憲所與龍文、世蕃書，同上疏獻之。因言：「宗憲昔與王直交通，每籍（藉）龍文爲內援，相與諂事世蕃，故事久不察。今蒙恩放歸之後，不思補過，愈肆猖狂，招集無賴，暴橫鄉里，其罪不減于世蕃、龍文。乃二犯已正明辟，而宗憲獨以倖免，恐後無以服天下之心。臣又聞龍文長子六一者，素稱大猾，且習通倭。初匿宗憲家，今不知所嚮。使六一得亡南走倭，恐江南之事有大可慮者。」疏下都察院參覆，得旨，令錦衣衛執宗憲來京詰問，革宗憲子錦衣衛千戶松奇職爲民；六一下撫按緝捕。已而宗憲疏辯，歷敍平賊功，并節年獻瑞蒙恩，以致言官忌嫉，且詰汝正私受屬贓。上心憐之，亦下法司併訊。刑部因請將汝正、宗憲反訐事情，行巡按操江都御史勘報。從之。宗憲死于獄，詔免勘。按：宗憲總督時，度權臣在內，大將未有立功於外者，故阿嚴氏少過，而後來當事者心恨之，因併掩其平倭之功。而汝正功于外者，故阿嚴氏少過，而後來當事者心恨之，因併掩其平倭之功。而汝正遂承望風旨，乃有是疏欲加之罪。至與世蕃、龍文同論，藉令聖明不察，宗憲之首領不保矣。江南人心怨忿何極，乃卒降旨。以宗憲所訐汝正者，下法司同訊，而刑部爲之調停，姑行巡按操江勘報，實當事者授意爲汝正解嘲也。又聞宗憲方就逮，而徽州知府何東序，即封錮其宅，以候籍沒。及宗憲死，竟蒙免勘之恩。天子神聖，群臣莫及也。

明倭寇始末

清谷應泰編，據清曹溶輯，陶越增訂，學海類編本影印本

明代沿海倭亂劇於中葉，然先已不時告警可鑑也。洪武二年夏四月，時倭寇出沒海島中，數侵掠蘇州崇明，殺略（掠）居民，刦奪貨財，沿海之地皆患之。太倉衛指揮僉事翁德，帥官軍出海捕之，遇于海門之上幫。及其未陣，麾兵衝擊之，斬獲不可勝計，生擒數百人，得其兵器、海艘。命擢德指揮副使，其官校賞綺幣、白金，有差。仍命德領兵往捕未盡倭寇。

三年三月，遣萊州同知趙秩持詔諭日本國王良懷①，令革心歸化。日本倭奴國②，在東海中，綰波而宅，自元（玄）菟、樂浪底于徐聞、東莞，所通中國處，無慮萬餘里。國君居山城，所統

五畿七道三島，爲郡五百七十有三③，然皆依水附嶼，大者不過中國一村落而已。戸可七萬，課丁八十八萬三千有奇。自元帥討日本者沒于水不得志，日本亦不復來貢。至是帝遣使諭降之。

四年冬十月癸巳，日本國王良懷（懷良）遣其僧祖朝來④進表箋，貢馬、方物，并僧九人來朝，又送至明州、台州被掠男子七十餘人，⑤詔賜文綺答之。

十二月，詔靖海侯吳禎籍方國珍所部溫、台、慶元三府軍士，及蘭秀山無田糧之民嘗充船戸者十一萬一千七百餘人，隸各衛爲軍，仍禁兵（濱？）海民不得私出海。時國珍餘黨多入海剽掠故也。禎既至三郡，每挾私意，多引平民爲兵，瀕海大擾。甯海知縣王士宏曰：「吾甯獲死罪，不可誣良民爲兵。」即上封事，詞甚切，上立罷之。

六年春正月，德慶侯廖永忠上言：「今北邊遺孽遠遁萬里之外，獨東南倭寇負禽獸之性，時出剽掠，擾瀕海之民。陛下命造海舟，剪捕此寇，以奠民生，德至盛也。然臣竊觀倭彝（夷？）竄伏海島，因風之便，以肆侵略（掠）。來若奔狼，去若驚鳥。臣請令廣洋、江陰、橫海、水軍四衛添造多櫓快船，令將領之。無事則沿海巡徼，以備不虞，倭來則大船薄之，快船逐之，彼欲爲內寇，不可得也。」上從之。

七年夏六月，倭寇膠海，靖海侯吳禎，率沿海各衛兵捕至琉球大洋，獲倭寇人、船，俘送京師。

十三年春正月，胡惟庸謀叛，約日本令伏兵貢艘中。會事覺，悉誅其卒，而發僧使于陝西、四川各寺中，示後世不與通。

十七年春正月，倭頻寇浙東，命信國公湯和巡視海上，築山東、江南北、浙東西海上五十九城，咸置行都司，以備倭爲名。

二十年二月，置兩浙防倭衛所。夏四月戊子，命江夏侯周德興往福建福、興、漳、泉四郡，視要害築海上十六城，籍民爲兵，以防倭寇。增置巡檢司四十有五，分隸諸衛。

二十二年冬十二月，倭寇甯海，尋犯廣東。

二十七年春二月，倭寇浙東，命都督楊文、劉德、商暠巡視兩浙。復命魏國公徐輝祖，安陸侯吳傑，往浙訓練海上軍士，同楊文等防倭。

秋八月，命吳傑同永定侯張全往廣東訓練海上軍士防倭。

冬十月，倭寇金州。

三十一年春二月，倭寇山東、浙東。

永樂元年，日本王源道義遣使入貢，賜冠、服、文綺，給金印。

四年冬十月，平江伯陳瑄督海運至遼東，舟還，值倭于沙門。追擊至朝鮮境上，焚其舟，殺、溺死者甚衆。

九年春正月丙戌，命豐城侯李彬，平江伯陳瑄等，率浙江、福建舟師剿捕海寇。三月，中軍都督劉江⑥守遼東，不謹斥堠。海寇入寨，殺邊軍。上怒，遣人斬江首。既而宥之，使圖後效。

夏五月，倭寇浙東。

十四年夏五月，勅遼東都督劉江及緣海衛所備倭寇，相機勦捕。

命都督同知蔡福等，率兵萬人于山東沿海巡捕倭寇。

六月，倭舟三十二艘泊靖海衛楊村島，命福等合山東都司兵擊之。

十二月，置遼東金州旅順口望海堝、左眼、右眼、三手山、西沙洲、山頭、爪牙山敵臺七所。

十五年春正月，倭寇浙江松門、金鄉、平陽。

冬十月，遣禮部員外郎呂淵等使日本。先是，帝命太監鄭和等齎賞諭諸海國，日本首先歸附，詔厚賚之，封其鎮山，賜勘合百道與之，期十年一貢。無何，捕倭寇將士將寇數十俘獻京師，俱日本人。群臣請誅之，以正其罪。上乃遣淵，賜勅切責之。

十七年夏六月，遼東總兵劉江（榮，以下同此），大破倭寇于望海堝。先是，江巡視各島，至金州衛金線島西北望海堝，其地特高，廣可駐兵千餘。詢諸土人，云：「洪武初，都督耿忠亦嘗于此築寨備倭。」離金州城七十餘里，凡寇至，必先經此，實濱海咽喉之地，上疏請用石壘堡，置烟墩瞭望。上從之。一日，瞭者言：「東南夜舉火，有光。」江計寇將至，亟遣馬、步官軍赴堝上堡備之。翼日，倭寇二千餘，乘海舶直逼堝下，登岸，魚貫行。一賊貌醜惡，揮兵率眾，勢銳甚。江令犒師秣馬，略不為意。以都指揮徐剛伏兵于山下，百戶江隆帥將士潛燒賊船，截其歸路。乃與之約曰：「旗舉，伏起；鳴炮，奮擊，不用命者，以軍法從事！」既而賊至堝下，江被

（披）髮舉旗、鳴砲。伏盡起，繼以兩翼並進。賊衆大敗，死者橫朴（仆）草奔（莽），餘衆奔櫻桃園空堡，官軍追圍之。將士奮勇，請入堡剿殺。江不許，特開西壁，以待其奔。分兩翼夾擊之，生擒數百，斬首千餘。間有脫走者，又爲隆等所縛，無一人逸者。凱還，將士請曰：「將軍見敵，意思安閒，惟飽士馬。及臨陣，作眞武披髮狀。迨賊入堡，不殺而縱之，何也？」江曰：「窮寇遠來，必勞且饑，我以逸飽待饑勞，固治敵之道。賊始魚貫而來，爲蛇陣，故披髮作此狀，以鎭服之，所以愚士卒之耳目，作士卒之銳氣。賊既入堡，有死而已。我師攻之，彼必致死，未必無傷。寇出，縱其生路，即圍師必缺之意，此固兵法，顧諸君未察耳。」事聞，上賜勅褒，進封江廣甯伯，子孫世襲；將士賞賚，有差。先是，元末瀕海鹽起，張士誠、方國珍餘黨導倭寇出沒海上，焚民居，掠貨財，北自遼東、山東，南抵閩、浙、東粵，濱海芝區，無歲不被其害。至是，爲江所挫，歛跡，不敢大爲寇，然沿海稍稍侵盜，亦不能竟絕。

正統四年夏四月，倭寇浙東。先是，倭得我勘合、方物、戎器，滿載而東。遇官兵，矯云入貢；我師無備，即肆殺掠，貢即不如期。守臣幸無事，輒請俯順情。已而備禦漸疏，至是倭大入桃渚，官庾民舍焚刦，驅掠少壯，發掘塚墓，束嬰孩竿上，沃以沸湯，視其啼號，拍手笑樂。得孕婦，卜度男女，刳視中否爲勝負飲酒，積骸如陵。于是朝廷下詔備倭，命重師守要地，增城堡，謹斥堠，合兵分番屯海上，寇盜稍息。

嘉靖二年五月，日本諸道爭貢，大掠寧波沿海諸郡邑。鄞人宋素卿者，初奔日本，正德六年，與其國人源永壽來貢⑦。其從父澄識之，告素卿附倭狀。守臣以聞，置不問。至是其主源義植幼闇⑧，不能制，命群臣爭貢，各強給符驗。左京兆大夫內藝興⑨，遣僧宗設（謙道），右京兆大夫高貢⑩，遣僧（鸞岡）瑞佐及宋素卿，先後至甯波，爭長不相下。故事：番貨至，市舶司閱貨及晏（宴）坐，並以先後爲序。時瑞佐後而素卿狡，賄市舶太監先閱佐貨，宴又坐設上。設不平，遂與佐相仇殺。太監又以素卿，故陰助佐，授之兵器。而設衆強，拒殺不已。遂燬嘉賓堂，刦東庫。遂（逐）瑞佐，及餘姚江，奔紹興。設追之城下，令縛佐出，不許，乃去。沿途殺掠，至霍山洋，殺備倭都指揮劉錦，千戶張鏜，執指揮袁璡，百戶劉恩。又自育玉嶺奔至小山浦，殺百戶胡源，浙中大震。設負固據海粵（嶴）。巡按御史歐珠，鎮守太監梁瑤奏聞，逮素卿下獄待訊，倭自是有輕中國心矣。給事中夏言上言：「倭患起于市舶。」遂罷之。初，太祖時雖絕日本，而二市舶司不廢。市舶故設太倉黃渡，尋以近京師，改設福建、浙江、廣東。七年，罷。未幾復設，蓋以遷有無之貨，省戍守之費，禁海賈，抑姦商，使利權在上也。自市舶內臣出，稍稍苦之。然所當罷者市舶內臣，非市舶也。至是因言奏，悉罷之。市舶罷而利權在下，奸豪外交內詷，海上無甯日矣。

四年二月，宋素卿伏誅。⑪初，宗設遁海島不獲，獨素卿及瑞佐下獄。會朝鮮兵徼海者，得其魁仲⑫林、望古多羅等三十三人。國王李懌奏獻闕下。於是發仲林等至浙，責與素卿對簿備鞫遣貢先後，及符驗真僞既悉，有司以爰書上請，乃論素卿死，釋瑞佐還本國。

十八年，國王源義植⑬（稙），復以修貢請，許之。期以十年，人無過百，船無過三。然諸夷嗜中國貨物，人數恆不如約，至者率遷延不去，每失利云。

二十五年，倭寇甯、台。自罷市舶後，凡番貨至，輒主商家，商率爲奸利，負其責（直），多者萬金，少不下數千，索急則避去。已而主貴官家，而貴官家之負甚于商。番人近島坐索其負，久之不得，乏食，乃出沒海上爲盜，輒搆難，有所殺傷。貴官家患之，欲其急去，乃出危言撼當事者，謂番人泊近島殺掠人，而不出一兵驅之，備倭固當如是耶？當事者果出師，而先陰洩之，以爲得利。他日貨至且復然，如是者久之，倭大恨，言挾國王貲而來，不得直，曷歸報？必償取爾金寶以歸！因盤據島中不去。並海民生計困迫者糾引之，失職衣冠士，及不得志生儒，亦皆與通，爲之鄉道，時時寇沿海諸郡縣，如汪五峰、徐碧溪、毛海峰之徒皆華人，僭稱王號，而其宗族、妻子、田廬皆在籍無恙，莫敢誰何。巡按浙江御史陳九德，請置大臣兼巡浙、福海道，開軍門治兵捕討，聽以軍法從事。從之。乃以朱紈爲副都御史巡撫浙江，兼攝福、興、泉、漳。未至，而泊甯波、台州諸近島，登岸攻掠諸郡邑無筭，官民廨舍焚燬至數百千區。巡按御史裴紳，劾防海副使沈瀚，守土參議鄭世威，因乞勅紈嚴禁泛海通番，勾連主藏之徒。從之。紈乃下令禁海，凡雙檣餘（艅）艎，一切毀之，違者斬。乃日夜練甲兵，嚴糾察，數尋舶盜淵藪，破誅之。因上言：「去外盜易，去中國盜難；去中國群盜易，去中國衣冠盜難。」遂鐫暴貴官家渠魁數人姓名，請戒諭之，不報。於是福建海道副使柯喬，都司盧鏜，捕獲通番九十餘人以上，紈立決之於演武場，一時諸不便者大譁。蓋以時通番，浙自甯波定海，閩自漳州月巷⑭，大率屬諸貴官家，咸惴惴重足立，相與詆誣不休。諷御史周亮，給事中葉鏜奏改紈爲巡視。未幾，紈復上言長嶼諸處大俠林參等，號稱刺達總管，勾倭舟入港作亂，更有巨奸控造艅艎走賊島，爲鄉導躪海濱，鞫論明確，宜正典刑。章下兵部。侍郎詹榮覆奏：「中國待外裔，不以向背責之，以昭天地之量。紈所論坐，俱關重大，乞下都察院覆覈。」從之。于是御史周亮等劾紈注措乖方，專殺啓釁。因及福建防海副使柯喬，都指揮使盧鏜黨紈擅殺，宜置于理。帝遂奪紈官，命還籍聽理，遣給事中杜汝禎往福建。會巡按御史陳宗夔訊喬等，併覈紈事。汝禎、宗夔劾紈，聽信奸回柯喬、盧鏜擅殺無罪，皆當死。奏下兵部，尙書丁汝夔如其議上。帝從之。命喬、鏜繫福建按察司待決。紈恚自殺，士論惜之。遂罷巡撫御史不復設。

二十年夏四月，浙江巡按御史董威、宿應參前後請寬海禁⑮，下兵部。尙書趙錦覆議，從之。自是舶主、土豪益自喜，爲奸日甚，官司莫敢禁。

三十一年夏四月，倭寇犯台州，破黃巖，大掠象山、定海諸邑。汪（王）直者徽人也。以事亡命走海上，爲舶主渠魁，倭人愛服之。倭勇而戇，不甚別死生。每戰輒赤體，提三尺刀舞而前，無能捍者。其魁則皆浙、閩人。善設伏，能以寡擊衆。大群數千人，小群數百人，而推直爲最，徐海次之。又有毛海峰、彭老生，不下十餘帥，列近洋爲民害。至是登岸，犯台州，破黃巖，四散象山、定海諸處，猖獗日甚。知事武偉⑯敗死，浙東騷動。

秋七月，廷議復設巡視重臣，以都御史王忬提督軍務，巡視浙江海道，及與洋（漳？）泉地方。忬巡撫山東，聞命即日至浙，度所治軍府皆草創，而浙人柔脆不任戰，所受簡書輕，不足督率吏士，乃上疏請假事權，誅賞得便宜。且欲嚴內應之律，寬損傷之條，勦撫勿拘。從之。改巡視爲巡撫。忬乃任參將俞大猷、湯克寬爲心膂，徵狼、土諸兵，及募溫、台諸下邑桀黠少年分隸諸將，布列瀕海各鎮堡，嚴督防禦，浙人恃以無恐云。

三十二年春三月，王忬破倭于普陀諸山。初，忬廉知俞大猷、湯克寬材勇，既虛己任之，而都指揮盧鏜坐前都御史朱紈事，尹鳳坐贓累，俱繫獄。忬知其能，奏釋之，以爲別將。亦募兵分帥之，日犒撫激勵，欲得其死力。倭寇汪（王）直等，結砦海中普陀諸山，時出近洋襲官軍，忬偵知之，乃夜遣俞大猷帥銳兵先發，而湯克寬以巨艘佐之。徑趨其砦，縱火焚之。倭倉皇㒄（？）餘（艅）艎走。官軍隨擊，大破之，斬首一百五十餘級，生獲一百四十三人，焚、溺死者無筭。值颶風發，兵亂，汪（王）直等乘閒率眾逸去。都指揮尹鳳，復以閩兵邀擊於表頭、北茭諸洋，斬首百餘級，生獲二百餘人。先後以捷聞，賜白金、文綺，有差。夏四月，汪（王）直、毛海（峰）等既潰散，剽忽往來不可測，溫、台、甯、紹，俱罹其患。參將湯克寬，率兵循海堧護城堡，捕奔軼，斬獲亦相當。于是賊移舟而北，犯蘇、松郡（衍）。二郡素沃饒，賊至，捆載而去。有蕭顯者尤桀狡，率勁倭四百餘，屠上海之南匯、川沙，逼松江而軍，餘眾圍嘉定、太倉，所過殘掠不可言。王忬遣都指揮盧鏜倍道掩擊，斬蕭顯。餘眾復奔入浙，俞大猷等邀殺殆盡。先是，吳浙閒人習選稾，而文武大吏復不能以軍法繩下，遂至破昌國、臨山、霩衢⑰、乍浦、青村、柘林、吳松⑱江諸衛所，圍海鹽、平湖、餘姚、海甯、上海、太倉、嘉定諸州縣。怦不欲冒功，有所隱沒，隨擊走之。計倭所得，亦不償失。前後俘斬共三千餘級，東南賴之。

五月，給事中賀涇奏：「留都根本重地，海洋密邇鎭江，京口乃江淮咽喉，瓜、埠、儀真又漕運門戶，請設總兵駐鎭江。」從之。

秋七月，太平府同知陳璋，敗倭于獨山，斬首千餘，餘眾浮海東遁。

冬十月，倭寇太倉州，攻城不克，分掠鄰境。有失舟倭三百人，突至平湖、海甯等縣。自獨山之敗，倭東遁，江南稍甯。惟崇明南泊失風者凡三百人不能去，總兵湯克寬，及僉事任環，留兵守之。環屬兵三百皆新募，勵以必死，不入與家人訣，爲書赴之而去。親介冑臨陣，士無敢不用命者。環敝衣芒履，與士雜行伍，依草舍閒，囓糒飲水，同甘苦。至是相守不下。賊潛出沒，環常夜追之，出其前後。宰夫佩恐有失，衣環衣，介馬而馳，故賊不知所取。環嘗匿溝中，賊過之不知。匿至明，士始得之。又遇矢石，士以死捍環，環被傷。□之至水濱，梁已徹丈餘，超輛過，追急，宰夫留禦之，死焉。環求其首，爲流涕，親酬之。相拒數月不克。克寬復督邳、漳等兵擊之，敗績，失亡四百人。官軍疫，不能攻，乃開壁東南陬，倭遂潰圍出，掠蘇、松各州縣。百餘人由華亭縣漴缺登岸，流刦至木瀆金山衛，移舟泊寶山。克寬引舟師迎擊，及於高家嘴，毀其舟，斬七十三級，生擒十四人。倭別隊失風，至興化殺千戶葉臣⑲卿；知府黃士宏，指揮張擊殲之。時沿海諸奸民乘勢流劫，眞倭不過十之二三。

〔三〕十三年三月，倭自太倉潰圍出，乃掠民舟入海，趨江北，大掠通州、如皋、海門諸州縣，復焚掠鹽場；有漂入青、徐界者，山東大震。

改王忬爲右副都御史，巡撫大同，以徐州兵備李天寵代之。忬在浙江，薦盧鏜，釋柯喬，激勵諸將，鄧城、劉堂、孫敖等爭奮逐北，以死綏著節，復廣爲偵剌，凡沿海大猾，爲倭內主者，悉擊之，按覆其家。自是倭不復知中國虛實，與所從向往。而餘（艅）艎在海中者，亦無以菽、粟、火藥通往，食食（衍）盡自遁。又行視諸郡邑，未城者計寇緩急，次第城之，凡三十餘所。杭州官吏以烽火不時發，日集坊民登陣，守多怨苦。忬曰：「吾斥堠明，無慮勿及，余何先敵受困耶？」令罷之，一郡皆歡。至是去，以徐州兵備副使李天寵爲僉都御史代忬，忬去而浙復不甯矣。初，忬薦盧鏜爲參將鎭閩，閩人故忌鏜，劾鏜兇險不可用，罷之。而沿海大猾且言忬令大猷搗巢非計，欲搖動忬。忬不爲動。已而南京各官復薦鏜爲參將，而以俞大猷爲浙直總兵，以南京兵部尙書張經總督浙福南畿軍務。時朝議方徵狼、土兵剿倭，以經嘗總督兩廣有威，爲狼、土所戴服，故用之。勅令節制天下之半，便宜從事。開府置幕，自辟參佐。經亦慷慨自負，中外忻然，謂倭寇不足平。

夏四月，倭寇自海嘉興，參將盧鏜禦之，稍卻。次日，復戰於孟宗堰，伏發，殺官軍四百人，溺死無算，都司周應禎等死之。賊乘勝入據石界由，分兵四掠，攻嘉興府城。副使陳宗夔，帥兵禦卻之，焚其舟。賊遁入乍浦，與長沙灣寇合犯海甯諸縣。既而東掠入海，至崇明，夜襲破莫城，知縣唐一岑死之。倭自崇明進薄蘇州，大掠。

六月，倭自吳江掠嘉興，都指揮夏光禦之，背王江涇而陣。倭鼓譟而前，我兵大潰。光急入舟，中流矢溺死。蘇州倭寇至嘉善，轉掠松江出海。總兵俞大猷，擊敗之于吳松（淞）所，擒七人，斬二十三級。

八月，倭自嘉興還屯柘林諸處，進薄嘉定。會募兵參將李逢時、許國以山東民槍手六千人至，與賊遇于新涇橋。逢時率麾下先進，敗之。賊退據羅店，官軍追及之，斬八十餘人。許國恨逢時與同事不約己，乃別從間道擊賊，欲分逢時功。追至採淘港，乘勝深入。伏起，大潰，溺水死者千人，指揮劉勇等死之。工部（右）侍郎趙文華上言：倭寇猖獗，請禱祀東海以鎮之。帝命往祀，兼都（督）察沿海軍務。文華至浙，凌轢官吏，公私告擾，益無甯日。

三十四年，柘林倭奪舟犯乍浦、海甯，攻陷崇德，轉掠塘西⑳、新市、橫塘、雙林、烏鎮、菱湖諸鎮，杭城數十里外，流血成川。巡撫李天寵，束手無策，惟募人縋城，自燒附郭民居而已。張經駐嘉興，援兵亦不時至。副使阮鶚，僉事王詢，竭力禦之，僅免失陷。致仕僉都御史張濂目擊時事，痛之，乃上言：「臣本杭人，頃復家居五載，頗知海寇始末。始以海禁乍嚴，遂至猖獗，而督撫因循玩愒，養成賊勢。夫堂堂會城，閉門旬日，已垂破之勢，徒以意得志滿而去，更無一兵一旅，阻其去來。賊寇野心，欲如谿壑，能保其不復至哉！臣恐其賊退之後，人復收拾傷殘首級，虛張功次，以欺陛下，仍有從而庇之者，則罰罪之典，又移而爲賞功之命矣。臣寓父母之邦，同舟共濟，惟切于報君嫌，何避于出位？敢以三策爲陛下陳之：一曰重軍法以作積弱之氣。士惟力戰而後克敵，亦惟畏法而後力戰。今江南非義勇也，迎敵九死，退走十生，何怪其有退而無進哉！軍法之行，不在行陣而在平時，誠得必死之士萬夫，海寇百萬不足平矣。一曰選民兵以收必勝之功。夫江南所已（以）成虛，設地方有急，輒假外兵，糊（餬）口而來，非義勇掉臂而去，莫可勾查。臣愚以爲莫如盡散調募之兵，專責州縣立保伍，更番較閱，期于不擾。一遇有警，按籍而呼，共保身家。寇小至，則率眾以攻之，大至，則堅壁以守之。一曰復海市以散從賊之黨。夫海市舊制，原非創設，向使瀕海之軍衛如故，則市舶未害爲也。惟武備曰弛不能制變，而後海禁漸嚴。倭寇乏食，海寇由之以起，惟軍民既練，寇掠則懼遭斬獲，交易則可保首領，彼雖至愚，必不以彼易此。然後相機稍復海市之舊。不惟散已聚之黨，而瀕海窮民假此爲生，又足以收未潰之人心。」

夏四月，廣西田州土官婦瓦氏引狼、土兵至蘇州，總督張經分隸總兵俞大猷等殺賊。時賊據川沙窪柘林爲巢，經冬涉春，新倭日至，地方甚恐。聞狼兵至，人心稍安。賊分眾三千過金山衛，俞大猷遣游擊白泫及瓦氏兵邀之，稍有斬獲。趙文華至松江，因爲狼兵可用，厚犒之，使擊賊。至曹涇，遇倭數百人，戰不勝，頭目鍾富、黃維等十四人俱死。於是賊知狼兵不足畏，縱掠如故。

倭犯江北淮、揚諸處，前後由通州之餘東場，海門之東夾港登岸，流劫狼山、利河諸鎮，呂

四、餘西諸場，復突入通州南門，燒民屋二十餘間而去。三丈浦倭賊分掠常熟、江陰村鎮，兵備任環，督保靖土兵及知縣王秩㉑統兵三千攻其巢，破之。賊奔江陰川沙窪，駕舟出海。官兵縱火焚其巢。賊一至戚家墩，游擊白泫、劉恩㉒獲之。江陰賊亦出江東遁。

五月，張經破倭於王江涇，還，經及巡撫都御史李天寵俱下詔獄論死。初，經至浙中，用將佐何卿、沈希儀輩，名位已抗，驕不爲用，而新拔士又慓猾不任兵，所徵田州兵瓦氏，山東槍手，俱不受律，連戰敗衄，望大損。侍郎趙文華出視師，頤指凌經。經自以大臣，位出文華上，文華恚，則連疏劾經，謂其才足辦賊，特以閩人避賊讎，故縱賊耳。帝大怒。會臺諫亦有言者，趣官校逮捕經。時倭寇自柘林犯嘉興，經參相（將）盧鏜，狼、土兵水陸攻之，大敗賊于石塘灣。賊北走平望。俞大猷邀擊奔平望，至王江涇。永順宣慰官舍彭翼南攻其前，保靖宣慰使彭藎㉓臣躡其後，遂大敗之，斬首二千級㉔，溺死者稱是。餘衆奔柘林。縱火焚其巢，駕舟百餘艘出海遁，自有患以來，此爲戰功第一，而文華論經之疏已上矣。捷聞，兵科言：「宜留經平倭以自贖。」不聽，并李天寵、湯克寬俱逮至京，以縱寇論死。文華既疏劾經，奏以巡按御史胡宗憲爲僉都御史，代天寵巡撫，而以周珫代經。未幾，復罷珫，以南京戶部侍郎楊宜爲總督。

倭寇自海洋突犯蘇州，南京都督周于德來援，一戰而敗，鎮撫蘇憲臣被殺。賊中分其衆，一由齊門撞馬頭，而北轉掠滸墅關長洲五都地；一由胥門木櫝而南，轉掠吳縣橫鎮，蔓延嘗㉕熟、江陰、無錫之境，出入太湖，莫能禦者。

御史屠仲律上言：「宜守平陽港拒黃花澳，據海門之險，則不得犯溫、台；塞甯海關，絕湖口灣，遏三江之口，則不得窺甯、紹；扼蕭子門，則不得近杭州；防吳淞江，備劉家河，則不得掩蘇、松、嘉興。責江南守令以訓練土兵，保全境內爲殿最。沿海沙氏、鹽徒及打生手宜收錄，倂力禦賊。」詔從之。

川沙窪倭賊犯閘港、周浦，僉事董邦政，遊擊周藩擊之，遇賊驚潰，藩被創死。賊屯石塘橋，流刦崑山、石浦。六月，倭寇蘇、常諸縣，嘗（常）熟知縣王鈇，江陰知縣錢錞，及居鄉參政錢泮，各督士民出禦，力屈死之。旋復寇蘇州，民爭入城，門不啓，號呼震野。乘陣者望之嘆，攀援者上，又縋絕而下。任環還自儀真，曰：「奈何坐視之？縱有覘謀，我在，無患也。」乃出辟門，令男女以列進，所活蓋數萬人。復率解明道兵，江城力戰，賊退入太湖。遣舟師邀之，乃棄所獲逸去。環以功進副使。環復擊賊馬跡山，圍逃倭嘉定民家，投火爇之，盡死。既而環有親喪，詔留之，任事如故。

八月，倭賊百餘，自上虞爵谿所登岸，犯會稽高埠，奪民居據之。知府劉錫，千戶徐子懿圍之。賊潛縛木筏，由東河夜潰圍而出。居鄉御史錢鯨，遭於蟶浦，見殺。賊自杭州西掠於潛、昌化至處州淳安，以浙兵迫急，突入歙縣，流刦至南陵，趨太平。操江兵扼之，賊引而東犯江甯鎭，指揮朱襄率勇士數百人御（禦）之。是時賊已至板橋，襄等不知，方袒裼縱酒，突遇，盡爲所殲。遂由安德、鳳臺、夾岡沿鄉搶掠，趨秣陵關。時應天府推官羅節卿，指揮徐承宗，率兵千人守關，望風奔潰，賊過關而去，自南京出秣陵關，流刦溧水、溧陽，趨宜興、無錫，一晝夜奔百八十里，至滸墅關。南直巡撫曹邦輔，慮與柘林賊合，且爲大患，乃親督兵備王崇古，會集各部兵扼其東路，四面蹙之，隨地與戰。親召僉事董邦政，指揮樓宇，以沙兵助剿。一戰斬首十九級，賊始卻，奔吳舍，欲走太湖。覺之，追及于楊家橋，盡殲其衆。賊自紹興高（埠？）流刦杭、嚴、徽、甯、太平都，犯南六埠，七十人，經行數千里，殺傷無慮四五千人，歷八十餘日始滅。邦輔以捷聞，歸功僉事邦政。時趙文華聞寇且滅，欲攘功，急趨赴之。比奏，則邦輔已先之。文華怒。會柘林賊進據陶家港，文華乃悉簡浙兵，得四千人。文華及胡宗憲親將之，營於松江之磚橋，約邦輔以直兵會剿。浙兵分四道，直兵分三道，東西並進。賊悉銳衝浙兵，諸營皆潰，損失軍十（士）千餘人；直兵亦陷賊伏中，死者二百餘人，賊勢大張。文華恨邦輔，至是乃以罪委之，及僉事邦政。詔下邦政總督逮問。既而刑科給事中孫濬言：「後期之罪不在直兵，今蘇、松士民交稱邦輔實心任事，而流刦留都之倭，又爲邦輔所滅，功績顯然，遽請罪斥，文華非是。」兵科給事中夏栻亦上言之，上乃申飭文華秉公視師，以圖大效。已而邦政及指揮樓宇，賞竟不及，文華惡之也。邦輔旋亦謫戍邊，巡按直隸御史張雲路爲論奏，不報。

十一月，止徵狼、土諸兵。土兵、瓦氏等至浙，驕悍不受約束，所過殘掠，百姓苦之。於是總督楊宜力請止徵，從之。命兩廣督臣隨路止之。

閏十一月，給事中孫濬上言：「防倭諸臣既有巡撫、總兵，又有總督及都察院重臣，事權不一，牽掣靡定，迄無成功。」兵部覆奏諸臣職守：「督察主竭忠討寇，實覈布聞；總督主徵集官兵，指授方略；巡撫主設理軍務，措置糧餉；總兵主設法教練，身親戰陣；至于有司，責在保安地方，固守城隍。」帝然之，命行諸臣，各遵勅諭施行。

十二月，趙文華疏乞還京，許之。文華初奉命至浙，適狼兵瓦氏等至，知倭厚蓄，銳意請戰。文華惑之，亟趨張經進戰。不得，則上書痛詆，經被逮。代經者周琉、楊宜，皆無遠略，賊勢益熾。及瓦氏戰敗，攻陶宅餘倭，復大衄，始知賊未易圖，有歸志。至是川兵破周浦賊，俞大猷復有海洋之捷，文華遽言水陸成功，請還。然是時海洋回倭，泊浦東川沙窪舊巢，及嘉定高橋，皆倭據如故。副使任環，率永順、保靖土兵剿新場倭寇，時賊衆二千人，皆伏不出，而詐令人舉火于數里外，若將引去者。上舍彭翅先入嘗之，不見一人。於是頭目田菑、田豐等爭入，伏發，皆死之。賊冢突去，未幾，復攻上海。環以輕兵三百及之，擊敗于五里橋習家墳，又以兵援崑山，而身閒行抵太倉毛家、葛隆諸屯。賊方會集治攻具、衝梯隊道，內薄而登。環率死士飛刃砍之，連碎其首。矢石交下，相殺傷甚衆。又縋兵下，突而前，賊漸氣奪，遂棄委走。環既居憂哀毀，又積苦兵，閒疾作，卒。

三十五年春正月，巡按御史周如斗參總督梅（楊？）宜，提督曹邦輔輕率寡謀，致川兵敗于東溝，苗兵敗於新場，東兵敗于四橋，乞罷黜。時上深以南寇爲憂，疑趙文華言餘寇將滅爲不實，屢問大學士（嚴）嵩。嵩曲爲營解，上意終不釋。文華懼，因言：「餘寇指日可滅，督撫非人，一敗塗地，皆因吏部尙書李默恨臣前劾其同鄉張經，思爲報服（復），臣繼論曹邦輔，則嗾給事中爰（夏）栻、孫濬媒孽臣及胡宗憲，黨留邦輔；浙直總督又不用宗憲而用王誥。然則東南塗炭，何時可解？陛下宵旰何時可釋也？」默因得罪，宜削籍爲民，邦輔亦被逮，罷王誥，以宗憲爲兵部侍郎兼僉都御史。

夏四月，倭薄溫州，同知黃釗馳檄出迎擊被執，倭欲還之，索王合爲贖，釗罵之不置，倭磔殺之。

江北倭流刦至固㉖山、山北等港，無爲州同知齊恩率舟師迎戰，敗之，斬首百餘級。恩長子尙文，次子首㉗，叔仲寔，弟寶榮、謙，姪慎寅，友良大卿、孫童，俱在行間。嵩年十八，驍勇善射，獨前追賊至安港，恩等從之。伏發，恩及家丁錢鳳等二十一人力戰，皆死之，獨嵩、慎、寅三人得脫。賊遂乘勝至金山，殺鎭江千戶沈宗玉、王世良于江中。

倭率眾數千，自乍浦入，欲犯杭州。遊擊宗禮，師（帥）兵九百禦之，逆戰于皂角林，分左右翼夾擊，三戰皆捷，獲首功七十餘級，賊首徐海等皆辟易，稱爲神兵。會橋陷，軍潰，禮與鎭撫侯槐、何衡，義官霍貫道力戰，俱陷陣死之。禮，驍勇敢戰，所部箭手三千人皆壯士。事聞，贈卹，有差。

總督胡宗憲，奏遣生員蔣洲、胡㉘可願使倭砦，傳諭渠魁，令無犯順。從之。已而可願等還，言倭渠欲通貢市。宗憲以聞。下兵部集議，不可，乃止。

倭圍巡撫阮鶚於桐鄉。初，鶚督學浙江，開武林門納難民，全活數萬人，超擢巡撫。方倭之寇嘉興也，鶚議主剿，而胡憲議主撫，不相能。倭自嘉興轉寇桐鄉，氛益銳，去來實徐海、麻葉領之。陳東附爲。東，薩摩王弟書記也，宗憲謀閒之，遣辯士說海，海心動。私語桐鄉守兵曰：「吾已款督府矣，城東門陳黨，善備之！」是夕，海道崇德而西東。方急攻桐鄉，宗憲說海縛麻葉，因僞爲麻葉書致東，令圖海，故達海所，東，海中自疑，始解圍去。五月（？），御史邵惟中上言：「倭薄通州，圍未解，餘衆自狼山轉掠瀕江諸郡縣，而瓜、儀爲留都門戶，鎭、常爲乃（乃爲）漕運咽喉，不可視爲緩圖，宜大集兵，勅諸臣戮力靖亂。下兵部議，請調河南睢陳及山東八衛，陝西延綏兵，及徐、沛募兵，勅遣才望大臣一人總督，以爲犄角，保障留都。」帝然之，已，命兵部侍郎沈良才矣。嚴嵩揣知上覺趙文華欺罔，且見譴，乃令文華自以其意請復視師，嵩爲言良才不勝任，江南人引領俟文華至。上乃止良才，命文華以工部尙書兼右副都御史，總督浙、福、直隸軍務。文華既至浙，假監督，權凌脅百官，搜刮庫藏百萬計。兩浙、江淮、閩廣，所在徵兵，集餉，留漕粟，除金帑，給醝課，迫富民脫凶惡，浪授官職。于是外寇未甯，而內憂益甚。

六月，倭入慈谿縣，知縣柳東伯亡。初，王忬在浙計城各邑未城者，慈谿士人獨持不可。至是，倭衆大至，知縣不知所禦，擕印組亡去。殘殺民人無算，而縉紳尤甚，始悔失計。東伯失守，當坐死，以無城可憑，削籍爲民。省祭官杜槐與其父文明，率兵追敗倭于王家團，海道劉起宗委防餘姚、慈谿、定海。未幾，與賊遇于白沙，一日三戰，殺賊三十餘人，斬其一帥，槐被創，墜馬死。文明別將兵擊倭于演武場，斬白眉倭帥一，從七，生擒二，倭驚遁，呼爲杜將軍。已而追至奉化楓樹嶺，以兵少無繼，陷陣死。

倭薄海鹽，指惠徐行健、程錄，百戶方存仁逆戰，死之。

八月，海寇徐海伏誅。初，胡宗憲以簪、珥遺徐海侍女翠翹、綠珠，令日夜說海縛陳東以報朝廷。海且感，而趙文華方治兵，擊海。宗憲佯曰：「彼且俘縛陳東，何戰爲？」海果賂薩摩王弟縛東以獻。於是海勢日孤。海自念數有功，又信羅龍文誘，約八月入謁督府于平湖。海先期以數百人胄而入，宗憲、文華、鶚坐堂上，海等叩罪，復謝宗憲。宗憲下堂摩其頂曰：「朝廷且赦若，慎勿再虞！」厚犒遣之。海既出，知官兵大集，自疑宗憲使。使諭之曰：「官兵防東黨，爾毋恐。」海請居東沈莊，陳東居西沈莊。又令東詐爲書遺其黨曰：「海約官兵夾剿汝矣！」東黨果疑相攻。海令裨將辛五郎歸島，宗憲密遣盧鏜計擒之。文華調兵六千既集，移營薄沈莊，督之急。宗憲猶是憐海不欲遽戰。文華迫之，宗憲乃下令，與總兵俞大猷整師前進。海知事變，掘深塹，自守柵數重。官兵望之不敢入。阮鶚檄趨之。大猷乃從海鹽進攻東沈莊，破之。又追擊于梁莊。會大風，縱火，諸軍鼓譟乘之，賊大潰，斬獲一千六百餘級。海倉皇溺水死，引出斬其首，浙、直海寇平。海，故杭之虎跑寺僧，雄海上，稱天差平海大將軍。至是，捷書上，文華皆襲爲己有。帝命械繫首惡至京正法。

時浙東仙居，浙西相鄉二寇略平，其分掠海門者，把總張成敗之。江北寇流入常鎮者，總兵徐珏敗之。蘇、松、甯、紹相繼告捷。兵部奏文華功，帝從之，降勅令文華還京。論平倭功，加文華太保，宗憲右都御史，各任一子錦衣千戶，餘陞賞，有差。倭俘麻葉、陳東等，械繫至京，禮、兵部請獻俘，從之。群臣俱賀。時倭略平，惟舟山賊據險結巢未下，官兵環守之，不能克。諸狼、土兵俱已遣歸，而川、貴兵六十（千？）人始至，胡宗憲方留防春汛，隸俞大猷經營舟山之賊。會夜大雪，大猷乃督兵四面攻之。賊悉銳出敵，官軍競進。賊敗歸，乃以樱簑捲火擲之，賊四散潰出，斬首一百四十餘級，餘悉焚死。

三十六年冬十一月，海寇汪（王）直伏誅。徐海等既死，汪（王）直復糾眾三千餘人，甯波、岑港，大掠四境。汪（王）直，徽人也，宗憲亦徽人也，乃以金帛厚賂，誘之云：「若降，吾以若爲都督置海上，通互市。」乃迎直母與其子入杭，厚撫之。而奏遣生員蔣洲往諭，與之盟。直信之，遂自奮言能肅清海波贖死命。與其黨毛海峰、葉碧川等，從蔣洲來杭州。洲至而直未至，人疑其詐。巡按周斯盛請罷貢，罪洲。于是逮洲獄，洲乃陳諭倭始宋（末），及言直以誠來，其未至，必風阻耳。已而直果乘巨舟，遣頭目數十人隨來，泊舟定海。蓋初舟實爲颶風所損也。宗憲使人招直，直願見洲，洲方對理，疑其觖望，不遣，遣遣（千）戶夏正㉙，質其舟。直素與正善，不疑，遂詣軍門請罪，具言自效狀。宗憲待以賓禮，使指揮爲其館主，給輿夫出入。復出蔬、米、酒、肉餽其舟人，日費數百金，且交質爲信，因具狀聞，請赦之。科臣王國禎㉚力持不可。

疏入，謂：「直，元兇不可赦！」宗憲乃密檄按察司收直等斬之。論平倭功，宗憲加太子太保，餘皆陞賞。然直雖就誅，而三千人皆直死士，無所歸，益恚恨，復大亂。

三十七年春二月，倭犯潮州之鮀浦，攻蓬州千戶所。僉事萬仲，分部水、陸兵馬，東西哨攻之。臨敵而哨兵皆潰，領哨千戶魏岳、高洪俱死。尋犯福州，巡撫阮鶚不能禦，取庫銀數萬兩賂之，以新造大舟六艘，俾載而去。

夏四月，倭掠台州臨海之三石鎮，約數千人，總督胡宗憲擊走之。

倭攻福清，破之，執知縣葉宗文。舉人陳見，率家童禦賊，不克，與訓導鄔中涵，俱罵賊死。五月，自海口出港，參將尹鳳引舟師擊之，沉其舟七，斬首六十餘級，生擒七人，餘眾遁去。鳳追擊東洛外洋，復敗之，銃傷及溺水死者甚眾，福興患稍熄。

倭攻惠安，知縣林咸乘城禦之，攻五晝夜不克，丁壯死者數百人，倭亦失亡相當，乃引去。咸率兵擊倭鴨山，乘勝追奔，陷伏中死之。倭分犯同安、長樂、漳、泉諸處。

秋七月，以浙江岑港海寇未平，詔奪俞大猷，參將戚繼光職，期一月蕩平，命胡宗憲督之。初，宗憲遣毛海峰誘降汪（王）直，直至，下獄。海峰遂與倭目善妙等五百餘人燒船登岸，列柵舟山，阻岑港而守。官軍四面圍之，屢斬獲。然海中數苦毒霧，賊憑高死鬬，先登者多陷沒。新倭復大至。冬十月，岑港倭移巢柯梅，胡宗憲屢督兵討之，不能克。兵備副使谷嶠捍禦海上，屢破倭，制府以捷聞，進山東參政。

三十八年春三月，倭寇自象山河、金纜井諸處焚舟登岸，海道副使譚綸與戰于馬岡，敗之，斬首七十級。

總督胡宗憲上言：「舟山殘孽移住柯梅，即其焚巢夜徙，力已窮蹙，勢易成擒。而總兵俞大猷，參將黎鵬舉，邀擊不力，縱之南奔，播害閩、廣，宜加重治。」上命逮大猷、鵬舉至京訊治。時人言籍籍，謂倭之開洋也，宗憲實陰遣之。倭南行泊浯嶼，焚掠居民，由是福建人大譟，謂宗憲嫁禍。御史李瑚數其三大罪。瑚與大猷俱福建人，宗憲疑大猷漏言，故委罪以自掩。而大猷不善滑刺，素不爲嚴世蕃所喜，故有是逮。廷臣惜大猷才，共假貸三千金餽世蕃，不死罷職，發大同立功。

夏四月，倭北趨通州，總兵鄧成㉛禦之不利，指（揮）張容被殺。倭進據白浦鎮，兵備副使劉景韶，以遊擊邱㉜陞擊白浦，于丁堰、如皋、海門㉝，三戰三捷。賊謀犯楊（揚）州，景韶復督陞等，以火攻其老營，擊敗之，焚死二百人。賊逸入潘家莊，盡銳攻之，先後斬首二百餘級。初，賊自南沙登岸，犯通州，至是剿絕。

廟灣倭合衆攻淮安，參將曹克新禦之于姚家蕩，自寅至甲（？），大敗之，斬首四百七十級㉞。賊遁入姚莊，縱火焚莊，死者二百七十人㉟。賊退入廟灣拒守，劉景韶督兵擊倭於印莊，斬首四十級㊱。賊西走，次日復戰于新州。賊遁入民莊，我兵以火攻之，凡再戰，斬首二百六十級，賊悉焚死，無一人脫者。時江北流倭悉殄，惟廟灣據險固守不出。五月，江北兵攻倭于廟灣，衝其巢，斬首四千，我兵死傷過當，復退守之。時賊營甚固，巡撫李遂以我軍鼓戰而疲，宜圍守之。賊乏食，且水、陸斷其行道，可收全勝。通政唐順之以為玩寇，乃自擐甲、持矛，麾兵以進，屢挑戰，賊終不出。遂督兵入險，賊盡銳東西衝，殺傷相當。自是復稍稍出掠，覓舟為走計矣。順之知失計，乃駕言經略三川沙倭南去。逾月，倭困廟灣既久，劉景韶督卒塡壕塹逼壘而陣，令水兵載葦焚其舟，復水陸進擊。倭潛遁入舟，官兵進據其巢，追奔至瑕子港，斬獲頗多，餘眾無幾，不復能戰，乘風開洋而去。

福建新倭大至，多齎攻具，先攻福甯、連江、羅源，流刦各鄉，進攻福州，不克。移攻福安，破之。參將黎鵬舉，以舟師擊倭於海中七星山屏風嶼，斬首六十七級，生擒六十八人。時沿海長樂、福清等境皆有倭舟。廣東流倭往來詔安、漳浦間。浙江舟山倭移舟南來者，尚屯浯嶼，福州、漳、泉，無地非倭矣。舟山倭屯浯嶼經年，至是乃開洋去。其毛海峰者，復移眾南粵㊲，建屋而居。永福倭移舟出梅花洋，參將尹鳳敗之。巡按樊獻科，請趨胡宗憲應援。未及行，巡撫阮鶚往剿之，倭稍創。

六月，倭眾別部二十餘艘，屯崇明三川沙，總督胡宗憲檄總兵盧鏜帥師攻破之，前後斬首百餘，遁去。宗憲以捷兼言唐順之贊畫功，擢僉都御史。秋七月，三川沙倭突犯江北，由海門縣七星港登岸，流刦過金沙西亭，將犯揚州。參將邱陞禦之于中家莊，賊敗走仲家園。復追至鍋團，陞輕騎先進，賊覘無後繼，盡銳來衝，陞馬蹶被殺。已而官軍大至，賊遁。八月，倭自鄧家莊敗後，沿沒㊳覓舟不得。官軍尾之于留㊴家橋、白駒沙諸處。倭餒甚，奔莊，我兵圍之。時劉顯兵至，先登，各營繼進。縱火衝擊，破其巢，斬首二百㊵，餘賊奔白駒沙。追擊，又敗之于七竈莊、花墩㊶，共斬首四百餘，賊盡殄焉。顯，勇敢善戰，江北軍悉屬顯節制，故有功。

三十九年春二月，倭寇六千餘人，流刦潮州等處，時浙直倭患稍息，而閩、廣警報至日（日至）。

五月，加胡宗憲兵部尚書兼右副都御史。

四十一年春三月，泉州指揮歐陽深，率兵擊倭，破之，生擒江一峰，泉寇稍甯。

倭陷福建永甯衛，大掠數日而去。復攻永甯城，破之，大殺城中軍民，焚燬幾盡。

冬十一月，逮總督兵部尚書胡宗憲，削籍，從給事中陸鳳儀之言也。獄具，罷浙閩總督大臣，設右僉都御史，巡撫其地。

四十二年五月，復逮胡宗憲詣京，宗憲自殺。是時大計京官復有言宗憲未盡法者，有旨，逮至。宗憲至京，自殺。宗憲在浙中，與趙文華同事，文華退堧不敢前，宗憲輒自臨陣，戎服立矢石間督戰。方倭圍杭時，宗憲親登城臨視，俯身堞外，三司皆股慄，懼為流矢所加。宗憲恬然視之。殲徐海、汪（王）直皆有功。然稍稍事文華，又握權太重，勳臣、總兵者，由掖門通謁庭拜，巡撫悉聽節制如三邊例，宗憲才得而禍機亦萌此矣。上好元修，宗憲進白鹿稱賀。大學士嵩北之。會嵩敗被逮時，歸安茅坤頌（訟）其冤。

冬十月，倭犯福建。其自浙之溫州來者，合福建連江賊登岸，攻陷壽甯、政和、甯德諸縣；自廣之南島來者，合福清、長樂賊攻陷元鍾所，蔓延及于龍溪、大田、古田之境無非賊者。㊷初，浙江參將戚繼光，既連破賊于林墩等處，閩之宿寇盡平。繼光引兵還浙，遇倭自福清東營島登岸，麾兵擊之，斬首百八十級。遂行，而倭至者日眾，始犯邵武，殺指揮齊天祥。轉掠羅源、連江，殺遊擊倪祿，遂攻元（玄）鍾所城及甯德縣，入之。乘勝直抵興化府城，不克，乃合兵薄城下，圍之且匝月。巡撫游震得以狀聞。請調義烏兵以繼光統之，起丁憂參政譚綸，與都督劉（顯），總兵俞大猷，協力共濟。上從之。十一月，劉顯率兵援興化。顯大兵由江西剿廣寇，所提入閩率不及七百人，且疲屢戰。倭新至，氣甚銳，顯知不敵，乃去府城三十里，隔一江，按兵不至。欲掩逗留之罪，遣五率（卒）齎文詣府，約欲率兵赴城禦敵。賊獲五率（卒），殺之，用其職銜，僞爲顯文，克（剋）期入城。約城中勿舉火作聲，恐賊驚覺。詐以五人爲劉率（卒）齎入。至期，賊陽（佯）稱顯兵入城，人莫之疑。既大入，猝起格殺。城中驚亂。參政翁時器，參將畢高，倉皇縋城走，同知吳時亮被殺。賊遂據城中三閱月，殺掠焚燬，顯卒乘亂攫之。參政王鳳靈妻，竟爲顯掠去。賊既飽欲，始如平海衛，欲掠舟泛海去。

十二月，倭結巢崎頭城，與指揮歐陽深相拒，久之不出。深望見兵少，輕之，直前挑戰。伏發，深與其下數百人皆戰死。賊乘勝陷平海衛。事聞，罷巡撫游震得，逮參政翁時器，參軍畢高；劉顯坐觀望不救，立功自贖。倭引兵出海，把總許朝光以輕舟抄之，賊還屯平海。副總兵戚繼光，後，沿沒㊳覓舟不得。官軍尾之于留㊴家橋、白駒沙諸處。倭餒甚，奔莊，我兵圍之。時劉顯兵至，先登，各營繼進。縱火衝擊，破其巢，斬首二百㊵，餘賊奔白駒沙。追擊，又敗之于七竈莊、花墩㊶，共斬首四百餘，賊盡殄焉。顯，勇敢善戰，江北軍悉屬顯節制，故有功。

三十九年春二月，倭寇六千餘人，流刦潮州等處，時浙直倭患稍息，而閩、廣警報至日（日至）。

五月，加胡宗憲兵部尚書兼右副都御史。

四十一年春三月，泉州指揮歐陽深，率兵擊倭，破之，生擒江一峰，泉寇稍甯。

倭陷福建永甯衛，大掠數日而去。復攻永甯城，破之，大殺城中軍民，焚燬幾盡。

冬十一月，逮總督兵部尚書胡宗憲，削籍，從給事中陸鳳儀之言也。獄具，罷浙閩總督大臣，設右僉都御史，巡撫其地。

四十二年五月，復逮胡宗憲詣京，宗憲自殺。是時大計京官復有言宗憲未盡法者，有旨，逮至。宗憲至京，自殺。宗憲在浙中，與趙文華同事，文華退堧不敢前，宗憲輒自臨陣，戎服立矢石間督戰。方倭圍杭時，宗憲親登城臨視，俯身堞外，三司皆股慄，懼爲流矢所加。宗憲恬然視之。殲徐海、汪（王）直皆有功。然稍稍事文華，又握權太重，勳臣、總兵者，由掖門通謁庭拜，巡撫悉聽節制如三邊例，宗憲才得而禍機亦萌此矣。上好元修，宗憲進白鹿稱賀。大學士嵩北之。會嵩敗被逮時，歸安茅坤頌（訟）其冤。

冬十月，倭犯福建。其自浙之溫州來者，合福建連江賊登岸，攻陷壽甯、政和、甯德諸縣；自廣之南島來者，合福清、長樂賊攻陷元鍾所，蔓延及于龍溪、大田、古田之境無非賊者。㊷初，浙江參將戚繼光，既連破賊于林墩等處，閩之宿寇盡平。繼光引兵還浙，遇倭自福清東營島登岸，麾兵擊之，斬首百八十級。遂行，而倭至者日眾，始犯邵武，殺指揮齊天祥。轉掠羅源、連江，殺遊擊倪祿，遂攻元（玄）鍾所城及甯德縣，入之。乘勝直抵興化府城，不克，乃合兵薄城下，圍之且匝月。巡撫游震得以狀聞。請調義烏兵以繼光統之，起丁憂參政譚綸，與都督劉（顯），總兵俞大猷，協力共濟。上從之。十一月，劉顯率兵援興化。顯大兵由江西剿廣寇，所提入閩率不及七百人，且疲屢戰。倭新至，氣甚銳，顯知不敵，乃去府城三十里，隔一江，按兵不至。欲掩逗留之罪，遣五率（卒）齎文詣府，約欲率兵赴城禦敵。賊獲五率（卒），殺之，用其職銜，僞爲顯文，克（剋）期入城。約城中勿舉火作聲，恐賊驚覺。詐以五人爲劉率（卒）齎入。至期，賊陽（佯）稱顯兵入城，人莫之疑。既大入，猝起格殺。城中驚亂。參政翁時器，參將畢高，倉皇縋城走，同知吳時亮被殺。賊遂據城中三閱月，殺掠焚燬，顯卒乘亂攫之。參政王鳳靈妻，竟爲顯掠去。賊既飽欲，始如平海衛，欲掠舟泛海去。

十二月，倭結巢崎頭城，與指揮歐陽深相拒，久之不出。深望見兵少，輕之，直前挑戰。伏發，深與其下數百人皆戰死。賊乘勝陷平海衛。事聞，罷巡撫游震得，逮參政翁時器，參軍畢高；劉顯坐觀望不救，立功自贖。倭引兵出海，把總許朝光以輕舟抄之，賊還屯平海。副總兵戚繼光，督浙兵至福建，與劉顯、俞大猷合擊倭于平海衛，大破殲之，斬首二千二百級，墜崖溺死者無算，福州以南諸寇悉平。

四十三年春二月，舊倭萬餘攻仙遊，圍之三月，戚繼光引兵馳赴之，大戰城下。賊敗，趨同安，繼光麾兵追至王倉坪，斬首數百，餘眾奔漳浦。繼光督各哨兵入賊巢，擒斬略盡，閩寇悉平。其得出者逸出境，至廣東潮州，俞大猷又截殺之，幾無遺類。初，倭既自浙創歸，嘗一犯淮揚、吳越皆不利，遂圍閩中，首尾七八載，所破城十餘，掠子女財物數百萬，官軍、吏民戰及俘，死者不下十餘萬。雖時有勝負，而轉漕軍食，天下騷動，至是倭患始息。

島夷卉服，首見禹貢，秦、漢以來，罕被倭患，蓋以其俗愛鮮華，地多饒沃。五州、七道、三島，五百七十三郡，率皆樂土。環以大海，君臣自保，不愛慕中國也。若乃海王充牣，居民仰食，雲帆所指，有無懋遷，則又彼此咸賴。高皇帝時，士誠、友定遺孽竄伏北邊、南粵，歲被創殘。已而通謀逆臣，伏兵市舶，帝乃閉關謝貢，示弗復通。然而創設市舶，互市不絕，計深遠也。後世識慮喻迂拘，放失舊典，初開橫海，旋棄珠崖，民競刀錐，吏鮮保障。秦關夜柝，楚吏晨疆，勇士蹈險，貪夫忘生。於是內地奸民，勾引潛深，海邦貴倖，藏匿不可勝計矣。貧民勢家，黷貨負直，窮彝困頓，進退咨且。逃生水國，求食波臣。邊吏戒心，搜捕始急。於是沿海不逞之徒，陳設力耕，怨家日眾。黃巢下第，憤恚思兵，稍稍收聚，倭裔窺竊上國矣。朱紈下車，不畏彊禦，窮治黨與，少所報聞。夫廣漢索酤，先求魏相；李膺破柱，不避黃門。政求亂本，雖得河源，福發朝堂，意悲虎尾。紈死而朝貴與海逋交相賀也。代臣畏禍，海禁復弛，浙東再亂。王忬出督，援大猷于偏裨，出盧鏜于獄中。普陀一戰，幾殲渠帥，游魂四潰。旋掠江南，而忬隨處邀擊，頗多斬獲。括乃代頗，騎還易殺，大功不終，自古悲歎。此閫外有遙制之憂，中樞失內贊之力也。嗣是天寵握兵，乃棘門之兒戲；文華祀海，實天雄之誦經。倭患愈劇，張經再出。經以功在銅柱，因而偃蹇凌轢，度亦自大匹夫耳。然視視（衍）師一月，指揮群帥，王江涇之捷，賊兵宵遁。太史稱其兵驕將悍，或亦讒人之蜚語，獄吏之深文也。文華行譖，檻車入國，蓋左豐求賂，盧植徵還，張讓交通，王允下獄，自古未有小人同事而得剬制成功者。胡宗憲曲意主撫，因剿成功，賄斬徐海，誘擒汪（王）直，安武誘叔，李廣誅降，長致恨于封侯，空銜悲于賜劍。憲雖引刃，應無顏見二賊于地下也。憲才望頗隆，氣節小貶。側身嚴、趙，卵翼成功。耿秉因竇憲勒勳，杜預事朝貴甚謹，封疆之吏，固應折節乃爾耶？倭寇披猖禍三省，任環效命留都。俞大猷兩浙，戚繼光驅馳閩海，類皆大國干城，足以滅此朝食。而乃大戮亟行，更張不一，事權牽制，流毒生民。九閽無金城之任，分宜少裴度之忠。群賢隕喪，國事凌彝，固其宜也。中丞張濂，家居省會，身在圍城，訟言時事，涕淚交頤。觀其疏中所稱殘難民之首，以償縱寇之功，而督撫可知移罰罪之典為賞功之命，而笎樞可知軍法不重，人無死志。客兵掉臂，士無鬭心，而卒伍可知。嗚呼！鄭監陳圖莫救當時之新法，然而睢陽劍在已成今日之援書矣。

註：

①「日本國王良懷」，「良懷」，日本史乘俱書作「懷良」。懷良乃日本南朝設於九州北部之征西府之將軍，非日本國王。日本南北朝時代之天皇，分別居於吉野（南朝）、京都（北朝）兩地，故此言不符史實。

②「日本古倭奴國」，日本在八世紀以前的國號為「倭國」而非倭奴國。奴國係古代倭國裏的許多部落國家之一，它位於現今九州北部的福岡一帶。參看鄭樑生，明史日本傳正補（臺北，文史哲出版社，民國七十年十二月），頁一～三三。

③「為郡五百七十有三」，如據日本史乘的記載，日本古代的郡數為五百九十五。

④「朝來」，明史日本傳作「來」。

⑤「明州台州被掠男子七十餘人」，明史日本傳作「明台二郡被掠人口七十餘」，而未言其送還者只有男子。

⑥「劉江」，江之本名為「榮」的原委，前舉史料中已有說明，參看明史劉榮傳。

⑦「與其國人源永壽來貢」，如據日本史乘的記載，正德六年所遣貢使為釋了庵桂悟，非源永壽。

⑧「源義植幼暗」，「植」，日本史乘皆作「稙」。源義稙即日本室町幕府第十任將軍。他生於一四六六年，歿於一五二三年。正德六年（一五一一）當時已四十六歲，不能言為幼。

⑨「內藝興」，日本史乘俱作「大內義興」。

⑩「高貢」，日本史乘俱作「細川高國」。

⑪「四年宋素卿伏誅」，宋素卿未伏誅，係死於獄。明史日本傳云：「四年獄成，素卿及中林、望古多羅並論死，繫獄。久之，皆瘐死。」按：中林與望古多羅為漂流至朝鮮之素卿之同黨，由該國送還者。

⑫「仲」，明史日本傳作「中」。

⑬「國王源義植」，如據日本史乘的記載，嘉靖十八年（一五三九）當時的幕府將軍為第十二任的足利義澄（一五二一～一五五〇在位）。

⑭「巷」，萬曆元年刊漳州府志，卷三〇，輿地志，建置沿革條作「港」。

⑮「二十年夏四月浙江巡按御史董威宿應參前後請寬海禁」，

⑯「偉」，明世宗實錄，卷四六〇，嘉靖三十七年六月丁丑朔己卯條作「暐」。

⑰「衢」，鄭若曾，籌海圖編，卷八，寇踪分合始末圖譜作「霸」。

⑱「松」，康太和，留省稿，擬應詔陳言以備安攘大計疏，籌海圖編，卷六，直隸倭變紀，明世宗實錄，卷四〇〇，嘉靖三十二年七月己巳朔戊申條等俱作「淞」。以下同此。

⑲「臣」，明世宗實錄，卷四〇三，嘉靖三十二年十月戊辰朔丁酉條作「巨」。

⑳「西」，明世宗實錄，卷四二〇，嘉靖三十年三丙申朔丁條，及明史日本傳俱書為「棲」。

㉑「秩」，明世宗實錄，卷四一三，嘉靖三十三年八月乙巳朔癸未條作「鐵」。以下同。

㉒「劉恩」，鄭若曾，籌海圖編，卷六，直隸倭變紀，及明世宗實錄，卷四一六，嘉靖三十三年十一月戊戌朔壬戌條，明史張經傳，俱作「劉恩至」。

㉓「盡」，明世宗實錄，卷四二二，嘉靖三十四年五月甲午朔條，及明史，張經傳、盧鏜傳俱作「蓋」。

㉔「斬首二千級」，明世宗實錄，卷四二二，嘉靖三十四年五月甲午朔條作「一千九百八十人有奇」。

㉕「嘗」，籌海圖編、倭變事略、嘉靖東南平倭通錄、明世宗實錄、明史地理志、日本傳，及其他各書俱書作「常」。以下同此。

㉖「固」，嘉靖東南平倭通錄作「圖」。

㉗「首」，前註所舉書作「嵩升」，言：「恩長子尚文，次子嵩升仲實，弟寶榮，姪慎寅，友良大鄉、孫童等，俱在行。」

㉘「胡」，明世宗實錄、嘉靖東南平倭通錄、明史日本傳等俱作「陳」。

㉙「遣遣（千）戶夏正」，嘉靖東南平倭通錄，嘉靖三十六年十一月條，及明世宗實錄，卷四五三，同年同月庚戌朔乙卯條，國榷，卷六二，同年同月同日條，俱作「指揮夏正」。

㉚「科臣王國禎力持不可」，明世宗實錄，卷四五三，嘉靖三十六年十一月庚戌朔乙卯條，國榷，卷六二，同年同月同日條，俱作「浙江巡按御史王本固」。

㉛「成」，國榷，卷六二，嘉靖三十八年四月壬寅朔丙午條作「城」。

㉜「邱」，明世宗實錄，卷四七一，嘉靖三十八年四月壬寅朔丁巳條，國榷，卷六二，同年同月同日

條，俱作「丘」。以下同此。

㉝「門」，國榷，卷六二，嘉靖三十八年四月壬寅朔丁巳條作「安」。

㉞「四百七十級」，明世宗實錄，卷四七一，嘉靖三十八年四月壬寅朔庚申條，及明史李遂傳，俱作「四百七十八級」。

㉟「二百七十級」，前註所舉書俱作「二百七十餘徒」。

㊱「四十級」，前註所舉書俱作「七十四級」。

㊲「粵」，籌海圖編，卷三，廣東倭變紀作「澳」。

㊳「沒」，明世宗實錄，卷四七五，嘉靖三十八年八月庚子朔己未條作「海」。

㊴「留」，前註所舉書同卷同年同月同日條作「劉」。

㊵「二百」，前註所舉書同卷同年同月同日條作「二百一十四級」。

㊶「花墩」，前註所舉書同卷同年同月同日條作「茅花墩」。

㊷「冬十月……無非賊者」，此段記事，明世宗實錄、明史，世宗本紀、戚繼光傳、日本傳，俱繫於嘉靖四十一年十一月辛巳朔己酉。「元鍾所」，則俱書如「玄鍾所」。